Radslag

Jennifer duBois

Radslag

Vertaald door
Otto Biersma

Artemis & co

Hoewel de hoofdlijnen van dit boek losjes zijn gebaseerd op het verhaal van Amanda Knox, is dit verhaal geheel fictief. Geen enkel personage bestaat echt. De gebeurtenissen hebben nooit plaatsgevonden. Niets in dit boek moet worden gelezen alsof het een feitelijk relaas betreft over bestaande voorvallen of personen.

ISBN 978 90 472 0437 4

This translation published by arrangement with Random House, an imprint of The Random House Publishing Group, a division of Random House, LLC
Oorspronkelijke titel *Cartwheel*
Oorspronkelijke uitgever Random House
Omslagontwerp Janine Jansen
Omslagillustratie © Daniil Kontorovich
Foto auteur @ Ilana Janich-Linsman

Verspreiding voor België:
Veen Bosch & Keuning uitgevers n.v., Antwerpen

Voor Justin

Ik was de schaduw van de zijdestaart
Door 't vals azuur van 't venster

Bleek vuur, Vladimir Nabokov

DEEL I

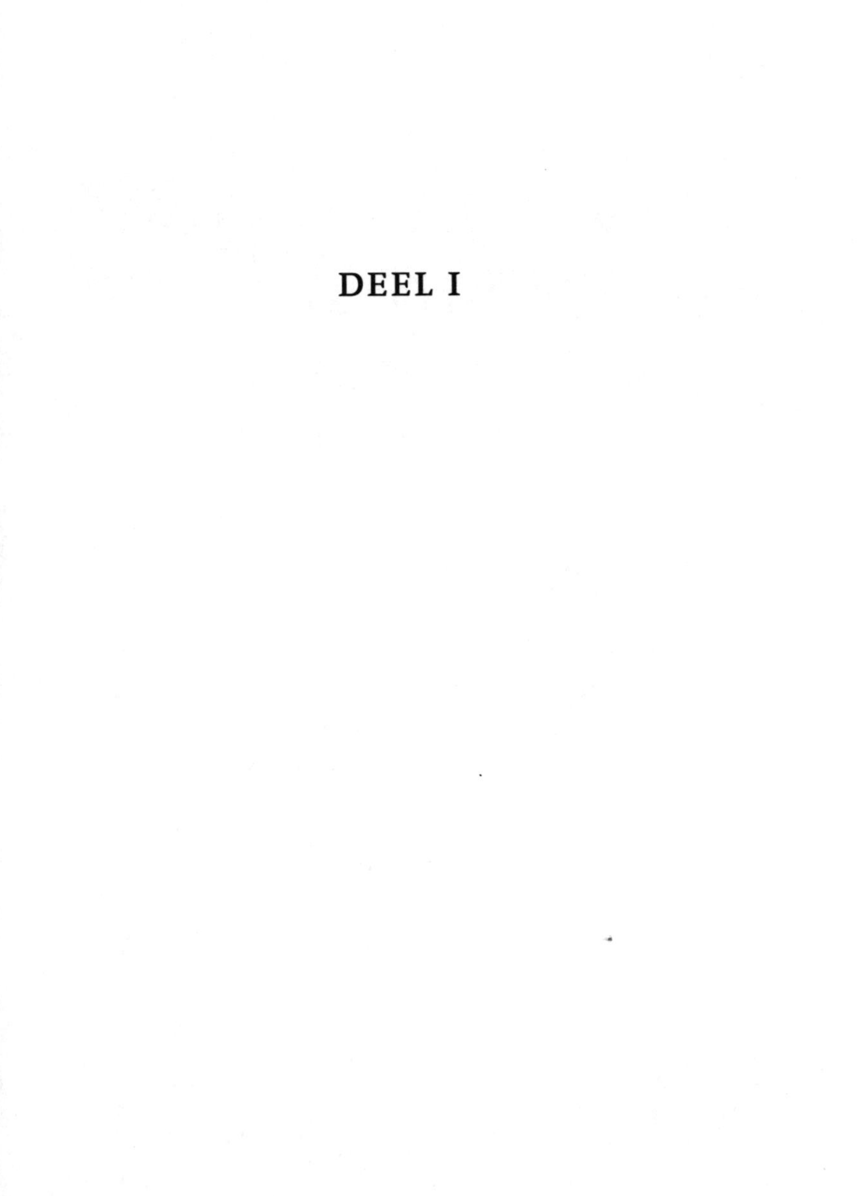

1

Februari

Andrews vliegtuig landde zoals beloofd om zeven uur 's ochtends op Ezeiza International Airport. Aan de andere kant van het raampje was de zon een afzichtelijke bol die een oranjerode gloed door de trillende hitte wierp. Andrew was nog steeds licht in het hoofd van de twee valiumpillen en twee glazen wijn, het absolute minimum dat hij tegenwoordig nodig had om in een vliegtuig te stappen – ongeacht de bestemming of de reden van de reis, maar helemaal in dit geval. Hij was zich terdege bewust van de ironie daarvan (geen enkele ironie ontging hem ooit) gezien zijn functie als hoogleraar internationale betrekkingen, maar er was niets aan te doen. Zijn angst kon ook niet verzacht worden door de gedachte – die hij steeds had gekoesterd, maar nu eindelijk echt geloofde – dat de dingen die verkeerd gaan zelden de dingen zijn waarover je je op voorhand zorgen maakt.

Andrew gaf Anna een klopje op haar schouder en ze werd wakker. Hij zag hoe vergetelheid plaatsmaakte voor herinnering. Hij was blij dat hij haar er niet aan hoefde te herinneren. Ze trok de oordopjes van haar iPod uit haar oren en Andrew ving wat flarden op van een eentonig sfeermuziekje – de muziek van tegenwoordig was zo inhoudsloos, dacht hij vaak: was er dan niets wat de jongelui van tegenwoordig wilden, was er niemand op wie ze kwaad waren? – voordat ze het ding uitzette. Anna had de reis redelijk goed doorstaan; haar praktische kapsel hing in een futloze paardenstaart omlaag en haar shirt met Bretonse streep, tegenwoordig zo geliefd bij zijn studenten, was nauwelijks gekreukt. Het leek wel alsof ze zich door niets van haar stuk liet brengen. Ze wist niet hoe angstaanjagend hij dat vond.

'Pap,' zei ze. 'Je moet knipperen.'

Andrew knipperde moeizaam.

'Doet je netvliesbeschadiging pijn?' vroeg ze.

'Nee,' zei hij. Het deed altijd pijn. Hij had zichzelf een keer bij een college tijdens een vurig betoog over de Russische cyberterreur in Estland in zijn oog geprikt, waarna hij naar de Spoedeisende Hulp had gemoeten om zijn oog plaatselijk te laten verdoven. Sindsdien deed zijn oog elke ochtend pijn, bij elke vliegreis en elke keer dat hij moe of gespannen was, wat in de nabije toekomst voortdurend het geval zou zijn.

'Zien we Lily vandaag?' vroeg Anna.

Andrew bevochtigde zijn lippen. Zijn ogen waren zo droog dat het leek alsof ze konden scheuren. Er ging maar één vlucht per dag van de oostkust naar Argentinië, en dan alleen nog maar vanaf Washington, en het was hoe dan ook onmogelijk om in minder dan zeven uur naar Washington te reizen. Hij herinnerde zichzelf eraan dat hij hier niet sneller had kunnen komen. 'Vandaag waarschijnlijk niet,' zei hij.

'Zoekt mam haar op als ze komt?'

'Ik hoop het.' Andrews stem klonk schor en Anna keek hem geschrokken aan. 'Ik hoop het,' herhaalde hij, om haar te laten merken dat zijn stem schor had geklonken door vermoeidheid en niet door de emoties.

Buiten was het zomer, zoals Andrew had geweten, maar stiekem niet echt had geloofd. Anna liet haar jas van haar schouders glijden en trok haar neus op vanwege de geur van kerosine. Het was rumoerig in de aankomsthal. Andrew bood aan om wat te drinken voor haar te kopen, maar trok dat aanbod meteen weer in toen hij de kranten bij de kiosk zag – hij kende niet veel Spaans, afgezien van wat je opstak door culturele osmose en de verwantschap met Latijnse woorden, maar het was onaangenaam makkelijk om de essentie van de krantenkoppen te begrijpen, of hij nu wilde of niet. Hij wilde Anna dolgraag weghouden van de kranten. Ze kende natuurlijk de hoofdlijnen van de beschuldiging, maar Andrew was erin geslaagd – of dat dacht hij tenminste – om haar de ergste dingen te besparen. Het nieuws begon pas net tot de Verenigde Staten door te dringen en hij had vele uren op internet doorgebracht met het doorspitten van de verhalen: de omschrijving van Lily als een labiele, zedeloze nymfomane, de huiveringwekkende suggesties over haar jaloezie en woede-uitbarstingen, de berichten over haar zelfvoldane, allesoverheersende goddeloosheid. Het feit dat ze niet had gehuild – niet nadat Katy was vermoord en ook niet gedurende de verhoren (op internet was dat zo vaak aan de orde gekomen dat Andrew op een gegeven moment onwillekeurig 'Ze is geen huilebalk! Ze is goddomme nu eenmaal geen huilebalk!' tegen zijn computer had geroepen). En tot slot de ergste van alle drammerige misinterpretaties: het feit dat een pakketbezorger Lily de dag na de moord met bloed op haar gezicht het huis uit had zien rennen. Het maakte niet uit dat zij degene was die Katy had gevonden, het maakte ook niet uit dat zij dapper maar volstrekt zinloos had geprobeerd haar te reanimeren. Maar daar hadden de media geen melding van gemaakt, en Andrew rekende er niet op dat dat alsnog zou gebeuren. Hij begon te beseffen wat voor verhaal ze ervan wilden maken.

Hij zei dat ze beter ergens anders wat te drinken konden halen en dirigeerde Anna – heel behendig, vond hij zelf – naar de bagageband, waar ze vijftien minuten zonder iets te zeggen wachtten. Toen hij de koffer van de band sjorde, ging Andrew per ongeluk op de tenen van een androgyne tiener staan.

'*Permiso*,' mompelde Andrew tegen de jongen, die een T-shirt droeg met het opschrift SORRY FOR PARTYING. Hij voelde Anna, die naast hem stond, verstijven. Andrew wilde zich in elk vreemd land op z'n minst kunnen verontschuldigen, maar Anna vond het vreselijk als hij iets anders dan Engels probeerde te spreken. Twee jaar geleden, in een ander leven, had Andrew onderzoek gedaan in Bratislava – zijn vakgebied was opkomende democratieën in voormalige Sovjetstaten, hoewel zijn werk steeds minder interessant werd naarmate de democratie tot wasdom kwam – en na afloop waren hij en de meisjes in Praag bij elkaar gekomen voor een weekje kastelen, bruggen en bier. Anna was elke keer ineengekrompen als hij zijn mond had opengedaan om een zinnetje te zeggen dat hij tijdens zijn drie semesters in Tsjechië had opgestoken. 'Pap,' had ze gezegd, 'ze spreken ook Engels.' 'Nou, ik spreek Tsjechisch.' 'Niet waar.' 'Het is wel zo beleefd om de mensen in hun eigen taal te woord te staan.' 'Nee, dat is het niet.' Enzovoort. Anderzijds had Lily hem zover gekregen dat hij haar zoveel mogelijk Tsjechisch leerde, waarna ze de opgedane woordenschat te pas en te onpas had gebruikt – verkeerd uitgesproken, onzinnig, ze tjirpte achteloze begroetingen naar winkeliers die doorgaans met een glimlach reageerden, ook als ze hen in feite beledigde, gewoon omdat ze het overduidelijk goed bedoelde. Andrew was tot de slotsom gekomen dat Lily's hartelijkheid en de ontwapenende onbevangenheid waarmee ze de wereld tegemoet trad werden onderkend door alle mensen die haar pad kruisten, en haar zouden beschermen tegen onheil. Dat leek nu niet het geval te zijn.

In de taxi kwamen Andrew en Anna langs fruitkraampjes, groezelige cafés en motorfietsen met knallende uitlaten. Door de nevelige hitte zag Andrew woonwijken met laagbouw in strakke, geometrische patronen; aan de waslijnen hing vrolijk gekleurde kleding, hier en daar glansde een golfplaten dak in de zon. De wegen waren in redelijke staat, de infrastructuur leek behoorlijk op orde. Hij zag satellietschotels die op onmogelijke plekken tussen de huizen waren geplaatst; als restanten van verlaten ruimteschepen. Hij zag ook een groot, ommuurd complex met scheermesprikkeldraad en twee bewakers met walkietalkies bij de ingang. Hij strekte zijn nek om te zien of het een gevangenis was, maar het bleek slechts een besloten wooncomplex te zijn.

'Alles is dicht,' zei Anna, die door haar raampje keek en zich niet omdraaide.

'Het is zondag,' zei Andrew. 'Het is een streng katholiek land.'

'Jammer dat Latijns-Amerika niet jouw vakgebied is.'

Andrew staarde naar Anna's achterhoofd. Ze had sinds kort de gewoonte ontwikkeld om op bestudeerd neutrale toon haar mening te verkondigen. Hij hoopte uit de grond van zijn hart dat het niet het begin van ironie was.

'Ik bedoel dat je dan nog wat had kunnen werken,' zei ze.

'Dat denk ik niet.' Andrew voelde een vlaag van misselijkheid. Hij werd overspoeld door de vreemde rampspoed die hen had getroffen. Het was natuurlijk onmogelijk dat Lily er op de een of andere manier bij betrokken was; Andrews stelligheid op dat punt had ervoor gezorgd dat hij de situatie in eerste aanleg niet als rampzalig beschouwde. De beschuldiging was zo weerzinwekkend, zo willekeurig en zo volslagen onzinnig dat hij bijna had moeten lachen toen hij het voor het eerst hoorde. Niet dat het helemaal ondenkbaar was dat Lily ergens voor werd gearresteerd. Voor haar vertrek hadden hij en Maureen een reeks ernstige gesprekken met haar gevoerd – over het strenge drugsbeleid in Latijns-Amerika en ook over de beperkte voorzorgsmaatregelen aldaar op het vlak van seksualiteit. Ze hadden haar een enorme doos condooms meegegeven – ongetwijfeld voor grootverbruik, dacht Andrew, bestemd voor klinieken of voor verstrekking bij popfestivals, want een dergelijke doos kon met geen mogelijkheid bedoeld zijn voor gebruik door één persoon. Het duizelde Andrew als hij eraan dacht hoe vaak zijn dochter het moest doen om ze er allemaal doorheen te jagen. Desondanks was hij dapper en weloverwogen het gesprek aangegaan, samen met Maureen (wat deden ze toch hun best om pragmatisch te zijn, wat deden ze toch hun best om invulling te geven aan hun co-ouderschap!), en daarna hadden ze Lily dapper en weloverwogen met de doos op pad laten gaan. Vervolgens had Andrew voortdurend over haar in de rats gezeten – hij had zich zorgen gemaakt dat ze werd ontvoerd, in de drugshandel verzeild raakte, werd bezwangerd, verkracht, besmet met een of andere vreselijke geslachtsziekte, werd gearresteerd wegens het roken van marihuana, tot het katholicisme werd bekeerd of in de ban raakte van een verleidelijk met zijn wimpers wapperende kerel op een Vespa. Hij had zich zorgen gemaakt dat ze geen vrienden zou maken en vervolgens dat ze te veel vrienden zou maken. Hij had zich zorgen gemaakt dat haar reis ten koste zou gaan van haar studie. Hij had zich zorgen gemaakt over insectenbeten. Hij had zich zoveel zorgen gemaakt dat toen Maureen belde – overdag, op zijn werktelefoon, haar ingesproken boodschap eindigde in een verstikt gefluister – hij een metalige smaak in zijn mond had gekregen, zo zeker was hij ervan geweest dat er iets was gebeurd wat de wereld voorgoed op zijn kop zou zetten. En toen hij had gehoord dat Lily in de gevangenis zat, werd hij overspoeld door visioenen over drugs, anti-Amerikaanse sentimenten en kansen om politieke punten te scoren. Hij kon zich voorstellen wat voor indruk Lily op iedereen maakte (naïef, ongetwijfeld terecht), en hij kon zich ook probleemloos voorstellen dat ze haar met graagte zwaar zouden straffen.

Dus toen bleek dat het niet om drugs ging – geen drugs, geen zwartrijden in de metro (had Buenos Aires eigenlijk wel een metronetwerk?), dwars over iemands akker lopen terwijl ze de sterrenhemel bewonderde en geen van de talloze andere vergrijpen waartoe hij zijn dochter wel in staat achtte – was hij opgelucht geweest. De beschuldiging van moord was zo ondenkbaar dat hij bijna lachwekkend was, en dus geen groot gevaar.

Andrew had geprobeerd iets van dat gevoel op Lily over te brengen toen hij haar aan de telefoon had toen ze eindelijk toestemming had gekregen om te bellen. 'Maak je geen zorgen,' had hij via de vreselijk slechte verbinding gezegd. Het leek van levensbelang dat Lily wist dat ze hem er niet van hoefde te overtuigen dat ze het niet had gedaan; haar onschuld en daaropvolgende vrijlating moesten het stilzwijgende uitgangspunt zijn van al hun handelingen – het kon misschien terloops ter sprake worden gebracht, maar nooit rechtstreeks worden gezegd. 'Ik weet het,' zei hij. 'We weten het allemaal.' Haar sarcastische antwoord had heel ver weg geklonken: 'Wat weten jullie?'

Maar nu, in de smoorhete taxi en met fragmentarische indrukken van Buenos Aires die voorbijflitsten, begonnen de vragen bij Andrew op te komen. Hij vroeg zich af of dit inderdaad een catastrofe was in de orde van grootte van de andere catastrofes in zijn leven; hij vroeg zich af of deze zich erbij zou voegen, waardoor een triade zou ontstaan die zijn leven als Romeinse zuilen zou schragen. Allereerst – het allerbelangrijkst, en het meest onuitwisbaar – was er de dood van Janie, hun eerste dochter, op tweeënhalfjarige leeftijd, door aplastische anemie. Het was de tragedie waarnaast alle andere tragedies verbleekten, de standaard waarnaar alle andere tragedies waren gecategoriseerd. Daarmee vergeleken was de echtscheiding een onbeduidende kleinigheid geweest die niemand had verbaasd – zelfs hem en Maureen niet, hoewel ze natuurlijk wel teleurgesteld waren geweest vanwege hun gebrek aan originaliteit. En nu was er dit. Het was allemaal een beetje veel voor één mensenleven, dacht Andrew, maar hij moest het natuurlijk wel in verhouding zien tot zijn sociaaleconomische status, het feit dat hij gezond was, een man, blank, heteroseksueel, Amerikaans staatsburger, noem maar op. Hij maakte lang genoeg deel uit van het academische wereldje om te beseffen dat hij een bevoorrecht mens was en dat hij altijd zijn uiterste best moest doen om dat te onthouden en dat dat opwoog tegen de tegenspoed, maar toch, maar toch.

'Kijk,' zei Anna. Ze wees naar een reusachtig landhuis dat leek te bezwijken onder zijn eigen decadentie, en dat intussen al achter hen verdween. 'Zou hij daar wonen?'

Andrew wist niet precies wie die hij was, waarschijnlijk de rijke knul met wie Lily vijf weken een romance had gehad, maar hij besloot hoe dan ook een resoluut antwoord te geven. 'Nee,' zei hij, en hij gaf een klopje op haar schouder, waarbij hij schrok van het gebrek aan vlees op haar botten. Ter vergelijking voelde hij aan zijn eigen schouder. 'Trek je het nog een beetje, ouwe rakker?' zei hij. Hij was Anna ergens in haar puberteit zo gaan noemen, toen tot hem was doorgedrongen dat ze zijn minst dierbare dochter was.

'Het gaat wel,' zei ze mat. 'Ik ben moe.'

'In het hotel kun je uitzakken.'

'Als ik in het hotel ben, moet ik hardlopen.'

'O ja, dat is ook zo.'

Anna maakte deel uit van het crosscountryteam van Colby. Ze was geen uitblinker, maar iedereen roemde haar om haar doorzettingsvermogen, en ze ging nu inderdaad al twee jaar dagelijks hardlopen, zelfs op vakantie of als ze grieperig was. Er had een artikel over haar in de plaatselijke krant gestaan. Ze had bijna moeten huilen – dat was de enige keer dat ze bijna had gehuild – toen Andrew had gezegd dat ze het niet in haar hoofd moest halen om tijdens hun reis in onbekend gebied te gaan hardlopen. 'Je zus heeft levenslang gekregen en jij maakt je druk om je conditie? Je moet wel prioriteiten stellen.' Hij had het uitgeschreeuwd. Hij had net een rampzalige dag achter de rug met Peter Sulzicki, hun advocaat. 'Denk je dat je in die stad kunt hardlopen? Je wordt binnen de kortste keren ontvoerd. Ik zit niet te wachten op nóg een dochter die gearresteerd wordt of doodgaat.' Andrew had die woorden meteen weer willen inslikken. Om het goed te maken had hij beloofd een hotel met een sportruimte te zoeken, maar hij wist dat deze reis haar hoe dan ook uit haar ritme zou halen.

Arme Anna. Ze was dol op Lily, maar ze moest hebben aangevoeld dat Lily altijd degene zou zijn die de aandacht naar zich toe trok, dat Lily degene was voor wie altijd een oogje werd dichtgeknepen. Dat maakte het extra onrechtvaardig dat Andrew meer van Lily hield. Niet véél meer, maar het verschil viel niet te ontkennen als het om de liefde voor je kinderen ging, want het hield feitelijk in dat hij minder van Anna hield. Dat kwam alleen maar omdat ze zulke zware concurrentie had: Janie, die lieve Janie met haar tragische lot, en Lily, de gekoesterde Lily, het wonderkind. Anna had de eeuwigdurende pech dat ze niet meer dan simpelweg zijn dochter was.

Desondanks werd Andrew nu overvallen door een diepe genegenheid jegens haar. 'Hé,' zei hij, en hij trok aan haar paardenstaart.

'Niet doen, pap.'

'Ik bestel wel wat bij de roomservice als je terugkomt. Iets speciaals. Wat hebben ze hier te bieden? Biefstuk?'

Anna keek hem met een lege blik aan. Hoe had Andrew een dochter kunnen produceren wier gezicht zo volstrekt ondoorgrondelijk voor hem was? Híj had dat gezicht gemaakt. 'Nou,' zei ze. 'Aangezien we god mag weten hoe lang elke week tussen hier en thuis heen en weer zullen vliegen, is het misschien niet onverstandig om een beetje op de kosten te letten.'

Ze had niet helemaal ongelijk. Andrew had geprobeerd uit zijn hoofd te zetten hoe lang het hele gedoe rond Lily zou gaan duren, maar hij hield zichzelf niet voor de gek: zelfs in de best denkbare situatie zou het een langdurige geschiedenis worden, en om alles te financieren, zou hij zijn complete oudedagsvoorziening erdoorheen moeten jagen. Oké, hij had zich nooit echt op zijn pensionering verheugd, zeker niet sinds hij alleen was. Hij zag zichzelf elk dubbeltje omdraaien en slechts gekleed in zijn hemd met een bord roerei (hij had nooit leren koken, en nu besefte hij wat een optimistisch uitgangspunt dat was geweest – het hield in dat hij er stiekem altijd van uit was gegaan dat hij het te druk zou hebben om zich om zulke dingen te bekommeren) de godganse dag voor de tv hangen, kijkend naar de BBC. Dat was precies wat een leven als docent aan het eind van de rit te bieden had, afgezien van een klein pensioen en een paar onverwachte rampen.

Andrew was in elk geval dankbaar dat hij het er al met Maureen over had gehad en dat ze het over veel dingen eens waren. Ze zouden Buitenlandse Zaken op de hoogte brengen en de media inschakelen; ze zouden een website opzetten en donaties van airmiles accepteren, en desnoods geld. Ze hadden besloten een extra hypotheek op het huis af te sluiten, hoewel ze wisten dat de kans groot was dat ze het uiteindelijk zouden moeten verkopen. (Dat hadden ze tot nu toe niet gedaan om de levens van Anna en Lily zo min mogelijk op z'n kop te zetten, maar om redenen die tegelijk angstaanjagend en een zegen waren, was het nu niet meer tegen te houden.) Ze hadden ook besloten dat in eerste instantie slechts een van hen naar Buenos Aires zou gaan: natuurlijk wilden ze allebei ter plaatse zijn, maar ze konden beter wat verder vooruitkijken en om de beurt gaan, dan zou Lily in elk geval elke week bezoek krijgen. Andrew had erop gestaan om als eerste te gaan, want als Maureen ging, zou Lily willen dat ze de hele tijd zou blijven. In een bui van ongelooflijke barmhartigheid had Maureen ingestemd. De stilzwijgende concessie van Andrew was dat hij Anna zou meenemen. Door dit soort kleine, praktische wederdiensten hadden ze de laatste acht jaar van hun huwelijk draaglijk gehouden – een huwelijk waarin ze hadden doorgemodderd en kort na elkaar Lily en Anna op de wereld hadden gezet, alles om er maar voor te zorgen dat de ander zou overleven. Hun huwelijk had gedraaid op de inertie die een voorwerp in beweging houdt, in elk geval tot de meisjes naar school gingen. Daarna was er een periode gevolgd waarin de barsten en het hopeloze verval steeds zichtbaarder werden, en Andrew had regelmatig het beeld voor zich gezien van een kip zonder kop die nog even rondloopt om vervolgens dood neer te vallen.

Andrew slikte en probeerde te glimlachen. 'Ik denk dat we ons voor een keertje wel te buiten mogen gaan, ouwe rakker,' zei hij.

In het hotel ging Anna onder de douche, waarna ze met nat haar ging hardlopen. Andrew lag zeven minuten op bed – hij telde de tijd af – en daarna pakte hij zijn laptop en bekeek de foto's die Lily hem voor het begin van deze hele toestand had gestuurd. Ze had een heel stel foto's van fruit gemaakt: guaves, bananen en rare meloenen die op egels leken. Er was een foto bij van Lily voor een kerk, en Andrews gezicht vertrok opnieuw bij de aanblik van wat ze aanhad: een minuscuul topje, een goedkoop vod dat ze ergens in de uitverkoop had gekocht. Alle vrouwen om haar heen waren conventioneel gekleed. Was dat haar echt niet opgevallen? Er was ook een foto van Lily en het dode meisje, Katy, een oogverblindende schoonheid – ze was echt bijzonder, met haar asblonde haar en onpeilbaar diepe ogen. 'Dit komt de zaak niet ten goede,' had Peter Sulzicki gezegd, met zijn vinger op de foto tikkend. 'Dit komt de zaak absoluut niet ten goede.' Op de foto zaten Katy en Lily lachend met een biertje ergens in een café. Ze leken dikke maatjes, maar Andrew kromp ineen toen hij dacht aan de dingen die Lily in haar e-mails over Katy had geschreven. *Volgens Katy zijn woordgrapjes de hoogste vorm van humor. Alles aan Katy is volstrekt gewoontjes, behalve haar gebit. Neem haar naam nou. Katy Kellers. Waar zaten haar ouders met hun verstand toen ze dat bedachten? Was het hun grootste wens dat hun dochter zou opgroeien tot presentatrice bij een plaatselijk tv-station?* De e-mails lagen natuurlijk al op straat, ze waren in de lokale pers gepubliceerd en vervolgens waren alle bloggers ter wereld er gretig bovenop gesprongen, en Andrew wist hoe venijnig hun opmerkingen waren geweest. De minachting en laatdunkendheid die van de mails afdropen waren niet het ergste geweest – het ergste was de implicatie dat Lily niet gewoontjes kon zijn als ze zo'n minachting voor iemand aan de dag kon leggen. Het ironische was dat Lily juist wel gewoontjes was – pienter, uiteraard, en nieuwsgierig, een beetje roekeloos, en met een irritante neiging om haar kijk op het dagelijks leven op een nogal moraliserende en militante manier over te brengen. Maar dat alles betekende eigenlijk alleen maar dat ze een fatsoenlijke jonge studente was aan een fatsoenlijke universiteit in New England. Lily stuiterde door het leven met de gedachte dat ze alles in het leven als eerste ontdekte – Nietzsche, seks, de mogelijkheid van een universum zonder god, of het hele Zuid-Amerikaanse continent, maar dat was allemaal natuurlijk prima: ze was eenentwintig, dan mocht je zulke dingen denken. Daarom was de suggestie dat Lily op de een of andere manier vreselijk afweek van de norm zo gekmakend. Ze was doorsnee, agressief doorsnee, temeer daar ze het zelf nog niet in de gaten had.

Op een van de foto's likte Lily zout van haar hand, op de volgende zoog ze op een schijfje limoen. Op weer een andere had ze ergens een heuvel beklommen en maakte ze een spottend overwinningsgebaar. De foto daarna was van een hond met drie poten. De daaropvolgende was een vreselijke foto van de koepel van een kathedraal, recht van onderen genomen: witte banen snijden door het interieur, de koepel is een helwit geheel. Hoe had een meisje van eenentwintig zo'n foto niét kunnen maken? Al die foto's. Andrew kreeg het te kwaad toen hij bedacht hoe banaal ze waren.

Hij klapte zijn laptop dicht en dacht na over wat hem nu te doen stond. Maureen zou over niet al te lange tijd wel bellen. Morgen hadden ze de eerste afspraak met de nieuwe advocaten. En Andrew wilde op enig moment praten met de rijke vriend van Lily – hij schrok van zijn eigen gebruik van het woord 'vriend'. Het was een eufemisme dat hij van Maureen had overgenomen: ze had een van Lily's onfortuinlijke vriendjes van de universiteit voortdurend als 'een vriend' van Lily voorgesteld, totdat die tijdens een etentje dramatisch overeind was geschoten en had geroepen: 'Mam, hij is mijn minnaar.' De knul die ze hier had ontmoet heette Sebastien LeCompte, wat Andrew in de oren klonk als de naam van een dure herenkledingzaak, maar hij wist dat hij niet mocht klagen: als het niet zo'n exotische naam was geweest, had Lily hem nooit in zijn geheel uitgeschreven. En ondanks zijn rare naam was Sebastien LeCompte zo'n beetje de belangrijkste mens in het heelal: hij was degene bij wie Lily was geweest in de nacht dat Katy Kellers werd vermoord. Andrew moest zeker weten wat hij daarover zou gaan zeggen. Sebastien LeCompte was zelf niet gearresteerd – hoewel dat misschien alsnog zou gebeuren – en Maureen en Andrew hadden over dat feit eindeloos zitten piekeren, zonder precies te weten wat ze ervan moesten vinden. Vanuit verschillende gezichtspunten kon het worden gezien als hoopgevend (als Lily bij die gozer was geweest en de politie had niet eens de moeite genomen om hem op te pakken, betekende dat dan dat ze geen sterke zaak hadden?), beangstigend (wat zou hij tegen de politie hebben gezegd om arrestatie te vermijden?), in principe gunstig (het had geen zin om twee onschuldige jongeren in de cel te gooien), of vreselijk onrechtvaardig (als er één onschuldig kind in de cel moest worden gegooid, waarom dan niet die klootzak in plaats van hun dochter?). Andrew moest de antwoorden op die vragen hebben, en wel zo snel mogelijk, dus hij zou op zoek gaan naar Sebastien LeCompte.

Andrew was niet van plan om Peter Sulzicki, hun advocaat, hierover te vertellen, hoewel hij technisch gezien alleen maar geen contact mocht zoeken met de familie Kellers. Op dat gebied was Peter Sulzicki heel streng geweest. Dat was zwaar voor Andrew, want hij begreep wat de familie Kellers doormaakte; de dood van je kind was zo'n beetje het ergste wat je kon overkomen. Andrew wist natuurlijk niet wat erger was – dat je kind wordt vermoord in een ver buitenland terwijl jij rustig ligt te slapen, of dat het gebeurt terwijl je haar hoofdje ondersteunt en voelt hoe haar polsslag zwakker wordt en verdwijnt. Niet dat Andrew ooit was opgehouden met het hiërarchisch rangschikken van de diverse soorten verdriet. Hij had een lage dunk van mensen die ongevoelig waren voor de dood en hij verachtte mensen die begonnen over het levenseinde van hun ouders als hij over Janie vertelde (*Wie kan dat nou wat schelen?* wilde hij uitschreeuwen. *Zo horen de dingen te gaan!*). De enige mensen voor wie hij oprecht respect had, waren degenen wier verdriet objectief en empirisch gezien groter was dan dat van hem. Zo kende hij een man uit Connecticut die zijn hele gezin was kwijtgeraakt – vrouw en twee dochters – bij een brute roofmoord. Ze waren verkracht en hun lichamen waren in brand gestoken. Met die man had Andrew te doen.

En dan de familie Kellers: ondanks de details was hun verlies in essentie ook het zijne. Hij vond het erg dat hij zelfs geen kaart had mogen sturen. En hij wist dat Maureen het nog erger vond om zo'n handreiking niet te mogen doen. Ze was altijd heel precies geweest met het versturen van rouwkaarten. 'Het hoort bij het ritueel,' zei ze altijd bij het schrijven van een briefje naar de nabestaanden van een buurman die ze nauwelijks kende, of van een lang vergeten tante. 'Het gaat om de erkenning. Liefde uit je door middel van pragmatisme. Misschien is het alleen maar een kaartje, maar het is ook het correlatieve object van het verlies.'

'Het correlatieve object?' zei Andrew dan. Maureen gaf Engels op de middelbare school. 'Ik dacht dat we hadden afgesproken om ons werk niet mee naar huis te nemen.'

De telefoon ging en Andrew legde zijn laptop op de vloer. 'Ha,' zei hij.

'Dus jullie zijn er,' zei Maureen.

'Daar lijkt het wel op.'

'Hoe is het met Anna?'

'Die is aan het hardlopen.'

'Op straat?'

'Natuurlijk niet.'

'Dan is het goed.'

Normaal gesproken beurde het hem op als hij Maureen sprak. Hij wist dat dat niet de gebruikelijke ervaring was bij mannen die hun ex spraken, maar ze hadden ook geen gebruikelijke echtscheiding achter de rug. In zekere zin had er een groot optimisme aan ten grondslag gelegen. Kort na de dood van Janie hadden ze zich alleen beziggehouden met het verwoestende gat dat in hun leven was geslagen, hun liefdesleven in al zijn vluchtige verschijningsvormen deed er niet meer toe. Dus toen het tien jaar later tot ze doordrong dat ze níét dood waren voor de wereld, dat hun seksuele kant nog bestond, dat het idee van een volwassen relatie die niet volledig was verwoest voor hen beiden nog een zekere aantrekkingskracht had – nou ja, dat was eigenlijk een teken van vooruitgang. Waarschijnlijk was het het meest hoopvolle wat ze sinds de geboorte van Lily hadden gedaan; het suggereerde dat het leven voor hen allebei beter kon worden. Alleen zag verder niemand het zo, en al hun gezamenlijke vrienden behandelden Andrew als een Oedipus met uitgeklauwde ogen – zijn situatie was niet minder erg alleen maar omdat het lot het zo had bepaald.

'Ik heb niet zulk geweldig nieuws,' zei Maureen.

'O jezus,' zei Andrew. Maureen praatte altijd in understatements.

'Het schijnt dat ze allebei met dezelfde man naar bed zijn geweest.' Maureen ademde in, het klonk alsof ze met opeengeklemde tanden praatte. 'En dat ze daarover misschien ruzie hebben gekregen.'

'Wat?' Andrew stond op. 'Met wie? Die Sebastien?'

'Daar lijkt het wel op.'

Andrew liep naar de badkamer en deed het licht aan. Hij zag er niet uit in de spiegel – warrig haar, rood doorlopen ogen. Op zijn kraag zat een koffievlek, hoewel hij niet meer wist wanneer hij voor het laatst koffie had gedronken. Het leek alsof zijn ogen steeds dieper wegzonken in zijn gezicht en zich net als zijn haarlijn langzaam terugtrokken. Was dit normaal? Zijn oogkassen waren kleine sikkels die werden overschaduwd door zijn voorhoofd. 'En daar hebben ze ruzie over gehad?' vroeg hij.

Maureen kuchte. 'Ja,' zei ze. 'Of in elk geval hadden ze ergens ruzie over.'

'Hoe is dit alles boven water gekomen?'

'Die ruzie? Daar waren zeker vijf mensen getuige van. Het was in het café waar ze werkte.'

'En dat andere?'

'Uit e-mails.'

'Natuurlijk.' Andrews oog bonsde. Hij pakte een tissue en depte het daarmee. Hij wist niet waarom hij zo'n last had van tranende ogen; misschien was het een allergische reactie op een of andere Zuid-Amerikaanse boom, of de onophoudelijke drukte in deze vreselijke stad. Hij huilde niet. Net als zijn dochters was hij geen huilebalk. 'Waren er ook nog anderen?'

'In die regionen, bedoel je?'

'Ja. En thuis. Hoeveel waren het er in totaal, denk je?'

'Vraag je mij met hoeveel mannen onze dochter naar bed is geweest?'

'Geloof me, het is relevant.'

'Toe, Andrew. Ik weet het niet.'

'Echt niet?'

'Ik weet het echt niet. Je weet hoe Lily is. Ik bedoel, er was natuurlijk die ene jongen.'

'Ja.' Andrew ging met zijn rechteroog vlak voor de spiegel

staan. Van dichtbij zag het er komisch en een beetje griezelig uit, met rode adertjes die zich vanuit de pupil vertakten. Hij zag geen duidelijk bewijs van schade. Hij kon zich niet voorstellen dat iets onzichtbaars zo'n helse pijn kon doen.

'En uiteraard die econoom uit Middlebury.'

'Econoom?'

'Toe, Andrew. Je hebt hem ontmoet.'

'Is dat zo?' Andrew draaide de kraan open en hield zijn handen eronder. Hij maakte zijn gezicht nat en tikte zachtjes tegen zijn wangen.

'Ze hebben maandenlang iets gehad. We hebben een keer geluncht in de Impudent Oyster. Wat ben je in 's hemelsnaam aan het doen?'

'De Impotente Oester. Dat is toch geen naam voor een restaurant?'

'Impudent. Weet je het niet meer, Andrew? Het was voor ons allemaal vreselijk gênant.'

Er kwam een vage, verdrongen herinnering boven. Maureen had erop gestaan dat ze met niemand in discussie zouden gaan over de IMF-leningen aan Peru, ze had met haar vork in de lucht gepriemd om haar woorden kracht bij te zetten. In welk leven was dat geweest, dat ze met alle mogelijke gegadigden waren gaan lunchen? Toen de grootste uitdaging erin bestond om toch vooral één front te vormen? 'Oké,' zei Andrew. 'Oké. Dat is twee. Nog meer?'

Andrew hoorde Maureen even nadenken. 'Ik kan me voorstellen dat er nog wel een paar waren,' zei ze uiteindelijk.

'Aha.'

'Ze heeft vast niks buitensporigs gedaan.'

'Wat is buitensporig?'

'Ze is, je weet wel, ze is gewoon van een andere generatie. Ze hebben andere ideeën over seks.'

'Ik dacht dat onze generatie alle andere ideeën over seks had uitgevonden,' zei Andrew. Hij wist niet of hij er echt zo over dacht, maar het klonk in elk geval alsof hij er ooit wel zo over had kunnen denken.

'Ja, oké,' zei Maureen. 'Ik bedoel alleen maar dat de meisjes tegenwoordig hetzelfde doen als de jongens. Ze doen het met iedereen. Ze gaan ervan uit dat ze daar niet op worden aangekeken. Ik zeg niet dat ik het verstandig vind. Ik zeg alleen dat het tegenwoordig heel gewoon is.'

'Oké.' Andrew deed het badkamerlicht uit.

'Niet dat het erom gaat wat de geldende norm is. Zelfs als ze het met honderd jongens zou doen, wil dat nog niet zeggen dat ze dit heeft gedaan, toch?'

'Precies.' Andrew liep naar de slaapkamer en trok de gordijnen dicht. Hij liet zich met een plof op het bed vallen.

'Niet dat ze met honderd jongens naar bed is geweest.'

'Hoeveel dan? Vijftig?'

'Andrew!'

'Wat?'

'Doe niet zo absurd.'

'Ik heb totaal geen idee wat absurd is.'

'Nee, nee. Natuurlijk niet, nee. Eerder iets van tien. Tien lijkt me een heel ruime schatting.'

'Aha.' Andrew zuchtte. 'Heb je nooit met haar over zulke dingen gepraat?'

'Over seks? Hoezo? Dat hebben we allebei gedaan.'

'Nou ja, over... Weet ik veel. Over dat het niet zo vaak hoeft.'

Er volgde een veelzeggende stilte. 'Zou jij daar met een zoon over hebben gepraat?'

'Nee,' zei Andrew verontschuldigend. 'Eerlijk gezegd niet. Maar voor haar maakt het wel uit. Het helpt niet bij de rechtszaak.'

'Tja, haar hele persoonlijkheid helpt niet echt bij de rechtszaak. Waarmee ik niet wil zeggen dat ze geen eigen persoonlijkheid mag hebben.'

Andrew deed zijn ogen dicht. Hij begreep niet waarom hij de beschadiging niet kon zien, waarom hij niet iets roods in de vorm van een bliksemschicht zag tegen de binnenkant van zijn opgezwollen ooglid. 'Ik kan niet geloven dat dit allemaal gebeurt,' zei hij. Hij hield zijn ogen dicht, bang dat als hij ze opendeed, hij op de een of andere manier Maureens gezicht voor zich zou zien. 'Jij?'

'Eigenlijk wel,' zei Maureen. Ze klonk plotseling oud. 'Ik geloof niet dat iets me nog zou kunnen verbazen.'

Andrew was zijn eerste volle dag in Buenos Aires kwijt aan erachter komen dat hij Lily pas op donderdag te zien kon krijgen. Daarover waren alle betrokkenen – de politie, de advocaat, het internet – heel stellig. Hij zou haar pas op donderdag kunnen zien, en daar was niets aan te doen, zelfs niet toen Andrew via de telefoon uitviel tegen de diplomatiek vertegenwoordiger van de Amerikaanse ambassade.

'Ik moet haar vandaag zien,' zei hij. Als hij maar langzaam en duidelijk genoeg sprak, zouden ze hem wel geloven, dacht hij. Hij besefte wel vagelijk dat hij daardoor bijna sarcastisch klonk, maar dat kon hem niet schelen. Anna stond onder de douche. Ze had de eerste vierentwintig uur in Argentinië doorgebracht met douchen, hardlopen en rekoefeningen voor de mini-tv, haar gezicht vreemd verkleurd door het schijnsel. Andrew probeerde de ergste telefoontjes te bewaren voor de momenten dat ze er niet bij was.

'Dat begrijp ik, meneer,' zei de vrouw aan de telefoon. Ze was beroepsmatig getraind om vijandigheid te negeren. Ze klonk ook alsof ze veertien was – Andrew stelde zich een beugel en een sweatshirt met een eenhoorn erop voor – en toch was zij het, en niet Andrew, die Lily al had bezocht en haar dezelfde week waarschijnlijk nog een keer zou bezoeken. 'Maar ik sta hierin machteloos.'

'U persoonlijk misschien. Vanzelf. U kunt persoonlijk misschien niets doen.' Andrew kreeg visioenen van een internationaal embargo, een aanval met grondtroepen. Hij stelde zich een staatsgreep voor.

'Op dit moment is er niets wat de ambassade kan doen,' zei de vrouw. Ze was beroepsmatig getraind om kordaat te klinken. In theorie, zei ze, had de ambassade moeten worden ingelicht toen Lily werd gearresteerd, maar in de praktijk werden ze vaak pas geïnformeerd als de arrestant naar een gevangenis was overgebracht. In dit geval waren ze op de hoogte gesteld toen meneer Hayes' vrouw – zijn ex-vrouw? neem me niet kwalijk, ex-vrouw – meteen 's morgens had gebeld, de ochtend nadat Lily was gearresteerd. De vrouw verzekerde Andrew ervan dat die vertraging geen enkel gevolg zou hebben. Andrew dacht een miniem gelispel in haar stem te bespeuren, rond de s-klanken; in elk geval was het een stem die veel te schattig meisjesachtig klonk om hem zulke informatie te verstrekken. De vrouw vertelde dat Lily nog steeds werd vastgehouden op het politiebureau. Volgens de regels moest een arrestant na achtenveertig uur worden overgebracht naar de gevangenis, maar in de praktijk werden ze vaak maanden op het bureau vastgehouden. Soms waren de gevangenissen te overbevolkt voor een tijdige overplaatsing, zoals ook in dit geval.

'Hoe was ze eraan toe?' vroeg Andrew.

'Goed.' De vrouw klonk voorzichtig. 'Behoorlijk goed.'

In plaats van te roepen dat 'goed' een verdomd relatief begrip was, liet Andrew de vrouw uitleggen dat het meestal zes tot veertien maanden duurde voor er een rechtszaak volgde. Andrew had die getallen vaker te horen gekregen, maar hij wist vanwege Janie dat je van gemiddelden heel snel wanhopig werd. Hij wist ook dat er talloze tragere manieren waren.

'Heeft ze al een advocaat gesproken?' vroeg hij.

'Naar het schijnt heeft ze afgezien van juridische bijstand.'

'Ze heeft wát?'

De vrouw van de ambassade, die gewend was aan retorische vragen, zweeg. Andrew voelde een druk op zijn borst alsof hij een hartaanval kreeg. Hij hoorde hoe Anna onder de douche de shampoo liet vallen.

'Weet u zeker dat ze haar een advocaat hebben aangeboden?' vroeg hij. Misschien was dat niet het geval, dat zou nog het best denkbare nieuws zijn. Of het ergste, dat was lastig te zeggen.

'Volgens onze bronnen wel,' zei de vrouw. Misschien zat ze wel kauwgum te kauwen. Als ze kauwgum kauwde, zou hij een officiële klacht tegen haar indienen, dacht hij ferm.

'Wat voor bronnen?'

'De politie.'

'Dit is niet te geloven. Dit is godverdomme niet te geloven.' Andrew zweeg om te horen of hij de vrouw kon betrappen op het kauwen van kauwgum, maar hij hoorde niets – alleen het zachte geroezemoes van een of andere vreselijke kantoorruimte. 'Hebben ze haar in het Engels een advocaat aangeboden?'

'Dat weet ik niet, meneer, hoewel ze er doorgaans wel een tolk van buiten bij halen. Klopt het dat u een eigen advocaat hebt ingehuurd?'

'Ja.'

'De pro-Deoadvocaten zijn over het algemeen behoorlijk goed.'

'We hebben zelf een advocaat genomen.' De douche werd uitgezet en Andrew hoorde Anna's natte, onelegante hardloopvoeten op het linoleum. Er schoot hem iets te binnen, iets wat zo voor de hand lag dat hij zich bijna schaamde dat hij er nu pas aan dacht. 'Hebben ze haar in het Spaans ondervraagd?'

'Zij sprak hen in het Spaans aan.'

Andrew deed zijn ogen dicht. Lily was trots – irritant ijdel, eigenlijk – op haar Spaans; je kon het kind niet met goed fatsoen naar een Mexicaans restaurant meenemen. Maar het was Spaans voor beginners, geschikt voor werkwoordspelletjes, meer niet. 'Ik begrijp het,' zei hij. 'Zonder advocaat?'

De vrouw van de ambassade, die geen zin had om in herhaling te vervallen, zweeg.

Die middag nam Andrew Anna uit wanhoop maar mee de stad in. Ze waren het er meteen over eens dat Buenos Aires zwaar overschat werd; het was inderdaad een groezelige metropool, maar zonder de Europese charme die hem was voorgespiegeld of het bruisende dat hij zich erbij had voorgesteld. Andrew had gedacht dat de stad een beetje op Barcelona zou lijken – nachtenlange straatfeesten, brede, met bomen omzoomde boulevards die uitkwamen bij de zee, typisch Zuid-Amerikaans vermaak op elke straathoek – maar het was hoofdzakelijk heet en stoffig, en de mensen op straat in hun bezwete synthetische kleren leken allemaal op weg naar hun werk.

Op begraafplaats La Recoleta liepen Andrew en Anna doelloos rond tussen de zerken. Ze staarden naar het graf van Eva Perón, de opzichtige bloemen, al die Franse lelies, een duizelig makende aanblik in het felle daglicht. Ernaast stonden verbleekte engelen in dramatische houdingen. Anna maakte een paar foto's. Een eindje verder stond een rij kleine, misvormde bomen, kaal en troosteloos als kruisen, maar daar maakte ze geen foto's van.

Daarna dronken ze bij een openluchtcafé een biertje, hoewel het pas drie uur was. Andrew las voor wat er op Wikipedia over Eva Perón stond, hij had de pagina ter lering uitgeprint en meegenomen.

'Ze werd in 1919 geboren in het dorpje Los Toldos in de provincie Buenos Aires, als vierde van vijf kinderen,' zei hij.

Anna keek zonder iets te zeggen stuurs in haar glas.

'In 1951,' ging Andrew verder, 'trok ze haar peronistische kandidatuur voor het vicepresidentschap van Argentinië in.'

'Pap,' zei Anna. Ze raakte even zacht zijn hand aan. 'Laat maar zitten.'

Andrew vouwde de blaadjes op en legde ze onder zijn lege bord. Ze hadden geen eten besteld. 'Hoe gaat-ie, ouwe rakker?' zei hij. Hij vergat steeds om het haar te vragen. 'Trek je het nog een beetje?'

Anna haalde haar schouders op. 'Ik ben moe. Ik heb het heet.'

'Trek je het emotioneel nog een beetje, bedoel ik.' Anna had de neiging om vragen over haar welzijn alleen letterlijk te beantwoorden. Hoe hij ook zijn best deed om wat dieper tot haar door te dringen, ze antwoordde meestal slechts met een overzicht van nieuwe records, scheenbeenblessures of toetsresultaten – alsof hem dat alle informatie verschafte die hij nodig had.

'Ik wil naar Lily.' Anna kneep haar schijfje citroen uit in haar bier, hoewel ze het meeste al had opgedronken, en keek vervolgens knipperend in haar glas. 'Hoe denk jij dat het daar is?'

'Het zal wel meevallen, ouwe rakker,' zei Andrew, hopend dat het redelijk strookte met de waarheid. De politiecel waarin Lily werd vastgehouden was niet ingesteld op langdurig verblijf – er was geen luchtplaats, had Lily tegen Maureen gezegd, en ook geen aparte afdeling voor vrouwen, en de bewakers konden haar zien als ze moest plassen (naar het scheen was ze regelmatig op dit onderwerp teruggekomen) – maar dit zou toch geen langdurige aangelegenheid worden. En een beetje gebrek aan privacy was een gering ongemak, dacht Andrew, vergeleken met wat hij over de gevangenissen had gelezen: de open riolering, de hersenvliesontsteking, de neiging van gevangenen om zichzelf brandwonden toe te brengen om medische zorg te krijgen. 'Het zal waarschijnlijk geen Ritz zijn,' zei hij. 'Geen vijfsterrenhotel-situatie. Maar vast ook niet al te erg.'

Hij wist verder niets, omdat hij Lily maar één keer had gesproken. Ze mocht dagelijks vijftien minuten bellen met haar eigen telefoonkaart, en iemand – een of andere knul, vermoedde Andrew – had er een heel stel voor haar geregeld. Desondanks had ze Andrew maar één keer gebeld, anderhalve dag na haar arrestatie en twaalf uur voordat hij zou vertrekken. Alle andere keren had ze Maureen gebeld.

'Volgens Lily viel het wel mee,' zei Andrew. 'Ze zei dat het leefbaar was.' In werkelijkheid had ze gezegd dat het 'draaglijk' was, maar 'leefbaar' klonk wat vriendelijker. Andrew vond het niet erg dat zijn kind wat te verdragen kreeg. Iedereen kreeg in zijn leven het nodige te verdragen.

'Pap.' Anna keek hem verbaasd hoofdschuddend aan. Het citroenschijfje dreef als een kleine, gele boei in haar glas. 'Je weet toch ook wel dat ze alles zegt om ons gerust te stellen?'

Ze verlieten het café en Andrew, die nog geen zin had om terug te gaan naar het hotel, haalde Anna over om naar het museum voor moderne kunst te gaan, waar ze met vreugdeloze grondigheid rondliepen. Anna staarde somber naar de kunst, Andrew staarde somber naar Anna. Hij begreep niets van de kunstwerken. Hij was hier te oud voor, uitdagende dingen waren meer iets voor jonge mensen. Hij ging in het midden van de zaal op een bankje zitten. Hij zag Anna's schouderbladen door haar T-shirt heen toen ze haar tas verschoof, door het hardlopen was ze tanig geworden, op een katachtige manier. Hij vroeg zich af hoe Anna later op dit moment zou terugkijken. Misschien zou het een van vele episodes in het gestoorde leven van haar gestoorde zus zijn. Iets waarover je praatte in een café, met een vriendje, of ooit met Lily's rossige kinderen met grote ogen ('Jullie moeder,' zou ze zeggen, 'dat was me een wildebras.'). Misschien zou dit moment in het museum hooguit een van de vele abstracte aanhalingssterretjes in haar levensverhaal worden, iets opmerkelijks wat je niet vaak tegenkwam. Het zou ook iets anders kunnen worden. Misschien zou Anna eraan terugdenken als het laatste moment dat ze nog verwoed probeerden om te doen alsof hun leven niet naar de filistijnen was. Misschien zou ze er ooit tijdens een therapiesessie over praten – zich herinneren hoe ze voldeden aan de onbehaaglijke plichtplegingen van het bezoek aan de stad, alsof ze verdomme op vakantie waren, en dat het precies het soort zielige geciviliseerde onderdrukken van alles was dat hen allemaal op de been had gehouden, zoals altijd. In welk verhaal bevonden ze zich? Andrew wist niet zeker of hij dat wel wilde weten.

In de taxi terug naar het hotel keken Andrew en Anna elk zonder iets te zeggen uit hun eigen raampje. Om de paar honderd meter kwamen ze langs op de muren gekalkte leuzen ter ondersteuning van Cristina Fernández, de nieuwe volkslieveling na de dood van haar echtgenoot, ondanks de verhoging van de belasting op sojabonen, en Andrew voelde een lichte steek van voldoening. Het zien van iets wat hij had geleerd over de wereld, was een bevestiging dat die echt bestond, een geruststellend gevoel dat hem de afgelopen jaren steeds sneller leek te verlaten. Zelfs vóór Lily's arrestatie had Andrew zich onthecht gevoeld, alsof zijn leven in grote, slordige stukken uiteen was gevallen, er niets van betekenis lang genoeg was gebleven. Soms had Andrew het idee dat de reden van zijn bestaan niet meer was dan dat hij per ongeluk een flesje met een zeldzaam gas had opengemaakt – hij was er vermoedelijk nog wel, maar intussen zo vervluchtigd dat hij bijna onzichtbaar was.

Sinds Maureen was Andrew niet meer met een vrouw naar bed geweest. Hij stelde het nooit zo rechtstreeks, maar het feit lag er wel. Er hadden zich natuurlijk wel gelegenheden voorgedaan – afstuderende studentes: ambitieus en/of met onverwerkte vadercomplexen en/of verveeld en dronken – maar daar had hij nooit gebruik van gemaakt. Eén keer was het er bijna van gekomen, met een promovenda die Karen heette. Ze had sluik haar en een lelieblank vogelgezichtje, en droeg een bril die haar onverstoorbare schoonheid iets gaf van een pornosterretje dat een bibliothecaresse speelde – het was onmogelijk, écht onmogelijk, dat ze die daadwerkelijk voor een oogafwijking droeg. Haar specialisme was Centraal-Aziatische republieken, ze had een hele zomer in Alma-Ata doorgebracht waar ze Kazachen had ondervraagd over hoe ze nu écht over Noersoeltan Nazarbajev dachten. Er was een avond geweest met te veel wijn en een te enthousiaste discussie over de revolutie in Egypte en of je die moest vergelijken met het uiteenvallen van het Oostblok in 1989 of met de revolutie in Iran in 1979 of 2009, waarop ze waren terechtgekomen bij het afzetten van Mossadeq door de CIA in 1953, waarop Andrew een cynische opmerking had gemaakt over de Amerikaanse bemoeienis in Afghanistan in de jaren tachtig, en toen de moord op Achmed Sjah Massoud, twee dagen voor 11 september, en vervolgens waren ze beland bij het onderwerp van losgeslagen veiligheidsdiensten in het algemeen en complottheorieën die ze nooit bij een college zouden aanroeren – hij vertelde over de ISI en Benazir Bhutto, zij over de FSB en de dood van Lech Kaczyński bij dat mysterieuze vliegtuigongeluk, waar, zoals Andrew bewonderend moest erkennen, op zijn minst een luchtje aan zat. En wellicht was er een moment geweest dat hij naar haar mond had gekeken – niet iets wat je doorgaans doet, tenzij je bepaalde plannen hebt – om vervolgens toch maar terug te deinzen, zijn nek te krabben en op te staan om nog wat kaas in blokjes te snijden, wat volgens Karen niet bepaald de beste manier was om de oppervlakte van de kaas te maximaliseren.

Andrew wist niet wat Karen van hem wilde. Hij kon niet echt iets voor haar betekenen, op het schrijven van een ronkende aanbevelingsbrief na, wat hij toch al van plan was. Maar kennelijk was er toch iets, een machtsmiddel dat hij nog niet had benut, want ze zou nooit zijn gezelschap hebben gezocht als ze daar niet een of andere strategische bedoeling mee had. Ze was tenslotte een aanhanger van Kissinger, die geloofde in realpolitik: er bestaan wellicht permanente belangen, maar geen permanente bondgenoten.

Anna staarde nog steeds uit haar raampje. 'Hé,' zei Andrew. Hij trok aan haar paardenstaart, zij trok hem met een hoofdbeweging terug. 'Wat vind je van de stad?'

'Niet veel soeps,' zei Anna, nog steeds naar buiten kijkend. De namiddagzon wierp goudkleurige banen van licht, de kleur van een oeroude muntsoort.

'Zou je er wel wat aan vinden als we niet verwikkeld waren in dit gedoe?'

'Ik weet het niet,' zei Anna. Er volgde een lange stilte, en toen zei ze: 'Nee.'

Op dinsdag bleef Anna in het hotel terwijl Andrew naar Tribunales ging voor overleg met de advocaten. Het waren er maar twee – Franco Ojeda en Leo Velazquez – maar onwillekeurig beschouwde Andrew ze toch als een falanx van huurlingen die voor hen vochten voor geld. De vergaderruimte had een houten lambrisering en hoge plafonds; hij deed Andrew denken aan 1987, een rampzalig jaar. Ojeda was heel erg dik en Velazquez heel erg kaal, de plafondlampen zetten zijn schedel in een complexe zilverkleurige glans. Ojeda bood hem een glaasje water aan, dat Andrew afsloeg, en Velazquez trok de jaloezieën omlaag, iets wat Andrew niet begreep. Vervolgens legden de advocaten met behulp van audiovisuele hulpmiddelen uit hoe de zaak tegen Andrews oudste nog levende dochter ervoor stond.

'Ten eerste,' zei Ojeda. Zijn Engels was bijna accentloos; Andrew schaamde zich dat hem dat zo verbaasde. 'De e-mails.'

De e-mails – die de advocaten behulpzaam voor hem hadden uitgeprint en in kleurcode op datum in een map geordend – waren bijna onmiddellijk na Lily's arrestatie opgedoken. Andrew kon alleen maar veronderstellen dat ze was vergeten om uit te loggen op een van de computers van school, wat hij zich heel goed bij haar kon voorstellen. Andrew had ze talloze keren gelezen, en elke keer klonk de inhoud even onheilspellend. Dit keer durfde hij de inhoud alleen maar met een half oog vluchtig door te nemen. Op iemand die haar niet kende, kon Lily werkelijk heel onaangenaam overkomen.

'Ten tweede,' zei Velazquez, een andere map openslaand. 'De driehoeksverhouding.'

De advocaten hadden op de een of andere manier foto's van alle drie weten te bemachtigen – Andrew herkende Lily's foto van haar Facebookpagina – en zo op een rijtje zag Andrew iets belangrijks waarover de advocaten niets zeiden. Lily's uiterlijk werkte tegen haar. Ze was knap, maar het was een achteloze knapheid die roekeloosheid, sensualiteit en onverdiende privileges suggereerde. Ze had, tot haar eeuwige ergernis, de borsten van haar moeder. 'Ik heb de borsten van een middeleeuwse boerin!' had ze als tiener een keer boos uitgeroepen. Andrew had in de hal gestaan om de meisjes op te halen voor het weekend; hij had naar het plafond gekeken en gedaan alsof hij niets had gehoord. 'Wat moet ik met die dingen?'

'Er komt een dag dat je er blij mee zult zijn,' hoorde hij Maureen zeggen.

'Niet,' zei Lily terneergeslagen. 'Mijn SAT-score was 2300 punten. Ik zal nooit blij met ze zijn.'

'Je had 2280 punten,' zei Maureen.

Lily verpakte haar borsten op meer en minder geslaagde manieren; als het warm was, deed ze het ronduit slordig. Op de Facebookfoto droeg ze iets belachelijks – een niemendalletje met spaghettibandjes, Andrew wist niet hoe hij het moest noemen – en het tweetal (de borsten) werd op geen enkele serieuze manier in bedwang gehouden. Dat nam Andrew Maureen om de een of andere reden kwalijk: ergens was er een belangrijk, gevoelig onderwerp onbesproken gebleven, en nu zaten ze met z'n drieën naar die foto te staren, die zo hevig contrasteerde met Katy met haar keurige kapsel, stralende glimlach en compacte lichaam – zij had iets maagdelijks, de schoonheid van de onschuld.

Tussen de foto's van Lily en Katy zat die van Sebastien LeCompte – wat een naam! Hij oogde jong en fatterig, met te lang haar dat Andrew deed denken aan een overdadige verentooi. De gedachte dat deze knul had aangezet tot een lustmoord, was volstrekt belachelijk. Andrew zou er ook daadwerkelijk om lachen, op het moment dat hij het kantoor had verlaten.

'Neem me niet kwalijk, maar is dit hem?' Andrew tikte op de foto. 'Echt waar? Moet ik geloven dat die twee meiden ruzieden om deze gozer?'

'U hoeft helemaal niets te geloven,' zei Ojeda. 'Maar zo zal de openbaar aanklager het stellen, en we moeten ervan uitgaan dat de jury het zal geloven.'

'Waarom?'

'Er is het nodige bewijsmateriaal,' zei Velazquez. 'Een paar e-mails die het slachtoffer heeft geschreven, waarin ze het heeft over een nieuwe verhouding die ze voor uw dochter verborgen moest houden. En Carlos Carrizo – het hoofd van het gezin waar ze verbleven...'

'Dat weet ik,' zei Andrew.

'... heeft schoorvoetend toegegeven dat hij het slachtoffer een keer 's avonds laat heeft zien terugkomen van het huis van LeCompte. Maar juridisch gezien is wat uw dochter dacht belangrijker dan wat er daadwerkelijk speelde, zoals u zult begrijpen. En uw dochter dacht dat het slachtoffer en Sebastien LeCompte een verhouding hadden. Dat heeft ze bij het eerste verhoor gezegd.'

'Maar zijn dat zaken waar Justitie zich op moet richten?' Andrew leunde achterover. 'Het klinkt allemaal een beetje smakeloos. En triviaal, eerlijk gezegd.'

Ojeda knipperde onaangedaan met zijn ogen. 'Uit de mails van uw dochter blijkt dat haar verstandhouding met het slachtoffer gespannen was, in het beste geval,' zei hij. 'De driehoeksverhouding vormt een motief. En daarnaast is er het gedrag van uw dochter op de dag van de moord.'

'Bedoelt u dat ze een dode heeft geprobeerd te reanimeren en vervolgens de politie heeft gebeld?' vroeg Andrew. 'Dat ze precies deed wat ze zou moeten doen?'

'Het gaat ons niet zozeer om het bloed dat de chauffeur op Lily's gezicht heeft gezien,' zei Ojeda. 'Ze heeft zoals u zegt het lichaam van het slachtoffer gevonden, en we zijn ervan overtuigd dat het DNA-verslag dat zal bevestigen. Maar wat ons eigenlijk meer zorgen baart, zijn de verslagen van het eerste verhoor van uw dochter, van haar nogal... onbewogen reactie op de dood van Katy. En samen met die radslag maakte dat een ietwat vreemde indruk.'

Andrew voelde zijn tong in zijn mond verstijven. 'Wat voor radslag?' vroeg hij.

De advocaten wisselden een blik. 'U wist niet van de radslag?' vroeg Velazquez.

'Heeft ze een radslag gemaakt?'

'Tijdens het verhoor.'

'Tíjdens het verhoor?'

'Na afloop. Meteen na het eerste verhoor, toen ze weer alleen was.'

'Goed,' zei Andrew, die zijn tong weer kon bewegen. 'Tja. Dat is wel merkwaardig, denk ik. Maar ik snap niet wat dat met de hele zaak te maken heeft. Misschien wilde ze even wat lichaamsbeweging. Misschien had ze al een tijd stilgezeten. Ik begrijp in elk geval niet waarom het ertoe zou doen.'

Maar dat deed hij wel, en de advocaten zagen dat ook, dus hoefden ze het niet verder uit te leggen.

'Tot slot,' zei Ojeda verontschuldigend, 'is er dit.' Hij drukte op een knopje van een afstandsbediening, waarna op een tv zwart-witbeelden van Lily en Sebastien LeCompte verschenen die zo te zien in een of ander warenhuis liepen.

'Wat zijn dit?'

'Beelden van een bewakingscamera. Van de dag van de moord.'

'Waarom kijken we hiernaar?'

'Dat ziet u zo.'

Op het scherm waren Lily en Sebastien twee korrelige, griezelige figuurtjes die zich bewogen op de schokkerige manier – ze verdwenen telkens en doken dan een halve meter verder weer op – die kenmerkend was voor zulke beelden. Andrew boog zich naar voren. Ze leken schuldig, maar waarom? Hij bedacht dat je alleen beveiligingsbeelden van mensen zag als ze van een misdrijf werden verdacht; de manier waarop ze in en uit beeld verdwenen leek berekenend verdacht. Op de beelden zagen Lily en Sebastien er spookachtig en heel jong uit. Ze liepen door de winkel en zochten eenvoudige, logische dingen uit – een tandenborstel, tandpasta, de benodigdheden voor iemand die zich heeft buitengesloten. Aan het eind van een van de gangpaden bleef Lily even staan en haalde ze tot Andrews stomme verbazing een pakje sigaretten uit haar zak. Ze stak er een tussen haar lippen zonder hem aan te steken. Andrew voelde een verdoofde, vage verrassing die onder andere omstandigheden veel groter zou zijn geweest: hij wist niet dat zijn dochter rookte. Lily keek naar Sebastien en knikte naar het schap achter haar, dat – zoals Andrew nu zag – geheel gevuld was met condooms. Ze trok vragend een wenkbrauw op en Ojeda zette het beeld stil op het moment dat Lily een griezelig suggestieve gezichtsuitdrukking had.

'Hier,' zei Velazquez wijzend, 'gaan ze zich op richten.'

'Wie?'

'De televisie.'

'Wat?'

'Die provocerende blik bij de condooms.'

'Ik zou het niet meteen provocerend noemen,' zei Andrew, maar hij wist dat het er niet toe deed. Hij begon te beseffen hoe het gespeeld zou worden. 'Ze heeft ze toch niet gekocht of zo? Het is vast maar een grapje.'

'U moet weten dat dit vijf uur na Katy's dood is,' zei Velazquez.

'Ze maakt gewoon een ongelukkig grapje,' zei Andrew nog maar eens.

Velazquez keek Andrew uitdrukkingsloos aan en zei dat dat precies was wat hij bedoelde.

Op donderdag namen Andrew en Anna een taxi naar politiebureau Lomas de Zamora.

'Heb je het niet te warm?' vroeg Andrew. Hij had Anna gevraagd om niets bloots aan te trekken, dus had ze nu een coltrui aan en maakte hij zich zorgen dat ze het te warm zou krijgen. Hij had het in elk geval wel warm.

'Nee,' zei Anna. Ze leunde met haar hoofd tegen het portierraam. Het lukte Andrew om daar niets van te zeggen, hoewel hij elke keer als ze over een hobbel reden even ineenkromp. Hij moest zichzelf erop wijzen dat ze er wel mee zou ophouden als ze dat nodig vond.

Vanaf de buitenkant zag het politiebureau er doodgewoon uit – als een plek waar je misschien wel vrijwillig heen zou gaan als je in de problemen zat. Andrew herinnerde zichzelf er voor de zoveelste keer aan dat ze niet in Rusland waren: dit was een land waar je in principe naar de politie zou gaan als je in de nesten zat. Binnen doorliepen Andrew en Anna meerdere fases; ze gaven hun paperassen aan een man achter een helverlicht loket, waarna ze naar een kleine wachtkamer werden gebracht. Andrew was opnieuw opgelucht: de muren waren bedekt met affiches van maatschappelijke instanties en er was nergens een zwerende wond of moordzuchtige bende te bekennen. In de enorme plafondlamp waren de uitgedroogde lijkjes van een paar geëlektrocuteerde vliegen zichtbaar, waarvan sommige nog een beetje nabewogen. In de hoek van de ruimte zat een enorm insect met stakerige poten op de loer, onwaarschijnlijk groot, als een kreeft. De weeïge geur van ontsmettingsmiddel verdoezelde deels de lucht van iets organisch. Maar verder zag het er redelijk normaal uit – als een plek waar onbelangrijke zaken werden afgehandeld, de Dienst Wegverkeer of zo. Maar Andrew wist ook dat de schijnbaar onschuldige uitstraling gevaarlijk kon zijn. Misschien had Lily daarom niet in de gaten gehad wat voor dreiging er boven haar hoofd hing en had ze alles gewoon in het Spaans laten gebeuren en niet om een advocaat gevraagd. Dat laatste kon hij bijna niet geloven. Had ze in haar jeugd niet genoeg tv-gekeken om reflexmatig een advocaat te eisen, hoe dan ook? Misschien ook niet, want ze waren nogal strikt geweest in hun tv-beleid: alleen de oersaaie en hoogstaande programma's waren toegestaan, om hun dochters te beschermen tegen blootstelling aan alles wat geestdodend en verloederend was. Wonderlijk dat het belangrijkste wat Lily had moeten weten een cliché zou zijn, een schijnwaarheid in het vaste ritme van een misdaadserie. Het was op een sinistere manier hilarisch dat zou blijken dat dat het belangrijkste was wat ze haar hadden moeten leren. In plaats daarvan hadden ze een wereldvreemde dochter opgevoed, een kind dat zo zeker was van haar taalvaardigheid (een 9 op haar examen, nota bene!) en zo trots op haar redenatievermogen (haar verhandeling over Quine!) en zo overtuigd van de onfeilbaarheid van haar onschuld(!) dat ze er onterecht en dapper van uitging dat haar beredeneerde goedheid haar zou behoeden voor rampspoed – terwijl de thesis van hun leven had bewezen dat dat niet het geval was. Wonderlijk was dat. Andrew zou erom gaan lachen. Zo gauw hij weg was uit deze gevangenis.

'Oké,' zei de man achter het loket. 'U mag naar binnen.'

Andrew kneep Anna even in haar schouder en daarna liepen ze door een ander detectiepoortje naar een lange gang met blauwe deuren. Het was er een stuk schemeriger en het kostte Andrew moeite om te zien of de duistere plekken in de hoeken afval waren of gewoon schaduwen. Aan het eind van de gang bevond zich een ruimte met glazen wanden, en daar zat Lily aan een tafel, met haar vingers met een griezelige precisie tegen elkaar.

Ze zat voorovergebogen. Andrew zag dat haar haar vreselijk vuil was. Hij kon zich niet heugen wanneer Lily's haar voor het laatst vies was geweest – misschien toen ze zeven was en tien dagen met een longontsteking op bed had gelegen. Ze zag er vaal en knokig uit, een beetje derdewereldachtig. Post-Koude Oorlog, dacht Andrew onwillekeurig, hoewel die term niet langer relevant was. Hij voelde Anna verstijven en pakte haar pols. Het was belangrijk dat ze er allebei niet geschokt uit zouden zien.

De bewaker rommelde met zijn sleutelbos. Lily keek nog steeds niet op en Andrew besefte dat ze hen niet kon horen. Maar ze wist dat ze kwamen, dus waarom zat ze niet verwachtingsvol naar de deur te kijken? Het leek op weer een slecht voorteken, net als haar vieze haar en de vreselijke houding van haar handen.

De bewaker deed de deur open en Lily keek eindelijk op. Ze had donkere kringen onder haar ogen en haar lippen waren gebarsten. Andrew zag even een beeld van Janie – buiten bewustzijn, aan de beademing, haar kleine, zachte lippen waren knalrood, veel te rood voor een peuter van twee. Lily's bleke huid deed hem denken aan die van Janie destijds: het was de kleur van iemand die er al niet meer was of op het punt stond om naar elders over te gaan. Andrew had verwacht dat Lily zou opstaan of zelfs op zou springen, maar ze glimlachte alleen maar zwakjes en wachtte tot ze naar haar toe kwamen.

'Pap,' zei ze. Andrew liep naar haar toe en omhelsde haar, waarbij hij een eerste inventaris opmaakte. Van dichtbij leek ze de juiste proporties te hebben, ze had dezelfde stevige bouw die ze altijd had gehad. Hij herinnerde zich een foto van haar vijfde verjaardag, in een idiote rode overgooier die Maureen had gekocht en die later was overgegaan op Anna. Haar spieren waren strakgespannen terwijl ze zich uitstrekte om een man in een enorm Winnie de Poeh-kostuum die Maureen voor de gelegenheid had ingehuurd een kus te geven. Andrew streek over Lily's voorhoofd – haar temperatuur leek normaal – en kneep in haar vingers – net als haar moeder had ze een waardeloze bloedsomloop, ze had altijd koude vingers en voeten – maar die waren alleen maar een beetje koel, niet ijskoud. Hij legde zijn hand tegen haar achterhoofd, een gebaar waarvan hij wist dat het bewust beschermend was, hij deed Maureen na. Even schoot door hem heen dat het jaren geleden was dat Lily het goedvond dat hij haar aanraakte, sinds de middelbare school meed ze lichamelijk contact en liet ze bij een knuffel blijken dat ze het hele concept eigenlijk maar niets vond. Andrew bleef even met zijn hand op haar hoofd staan, gewoon omdat het kon. Daarna ging hij opzij zodat Anna haar zus kon begroeten – kort en heftig, waarna ze zich terugtrok en naar haar voeten staarde.

Andrew ging zitten, met zijn linkerhand op het midden van de tafel, zodat Lily hem desgewenst kon vastpakken. 'Hoe is het met je, kindje?' vroeg hij.

Lily knipperde met haar ogen en Andrew zag blauwe adertjes op haar oogleden. Hadden die er altijd al gezeten? Waarschijnlijk wel. 'Wanneer komt mam?' vroeg ze.

'Volgende week. Zij komt je de volgende keer bezoeken. Op donderdag.'

'Waarom is ze er nu niet?'

'We wisselen elkaar af, kindje.' Andrew wist dat hij moest ophouden zo vaak 'kindje' te zeggen. Lily zou het niet lang toelaten en hij wilde niet weten wat het inhield als ze er iets van zei. 'Zo krijg je elke keer bezoek. Elke donderdag.' Lily's onschuld stond buiten kijf. Absoluut. Andrew moest vragen stellen waarmee hij dat liet blijken. 'Hoe behandelen ze je hier?' zei hij, op hetzelfde moment dat Anna zich naar voren boog en snel vroeg: 'Is alles goed met je?'

Andrew zag even een sarcastische blik in Lily's ogen – een goed teken, omdat het zo kenmerkend voor haar was – maar toen verdween de blik weer en zei ze: 'Het gaat wel.' Andrew merkte dat ze hen wilde geruststellen, en dat was verontrustend.

Lily ging staan. 'Pap,' zei ze. Er klonk iets hysterisch in haar stem. Ze begon te ijsberen. 'Ik moet je vertellen wat er is gebeurd.'

Andrew had nog nooit iemand zo zien lopen, het verontrustte hem. Ze zag er echt uit als een gekooid dier – haar lichaam registreerde bij elke rondgang dat ze niet verder kon en ze maakte hoofdbewegingen zoals een paard dat doet. Hij zei: 'Wil je niet gaan zitten?'

'Nee,' zei ze. Andrew hoorde een kinderlijke ondertoon in haar weigering – een opstandig klein kind – en besefte dat dit iets kleins was wat hij haar kon geven.

'Oké,' zei hij sussend. 'Je hoeft niet te gaan zitten.'

'Pap, ik moet het je vertellen.' Lily's ogen vernauwden zich en Andrew voelde dat er een soort toonverandering naderde.

'Lily,' zei hij snel. 'Je hoeft ons helemaal niets te vertellen.'

'Jawel.'

Andrew boog zich naar voren en gebaarde naar het plafond. 'Lily. Je snapt het toch? Je hoeft ons helemaal niets te vertellen als je dat niet wilt.'

Lily keek Andrew aan met een blik van totale teleurstelling zoals hij die nog nooit had gezien. Volkomen ontredderd en ontgoocheld. 'Pap,' zei ze, bijna in tranen. 'Natuurlijk moet ik het vertellen. Wat denk je nou helemaal? Natuurlijk moet dat.'

'Oké, oké.'

Anna zweeg, met gevouwen handen en een doodsbang gezicht.

'Ik was die nacht bij Sebastien,' zei Lily.

Andrew knikte. 'Sebastien is je vriendje?'

Lily keek hem met een doffe blik aan. Er was een tijd geweest dat ze iets zou hebben gezegd over die formulering; ze zou 'bedpartner' of misschien zelfs 'minnaar' hebben gezegd of hem hebben gevraagd niet zo laatdunkend te doen, of gevraagd of hij wel wist in welke tijd ze leefden. Dit keer schudde ze alleen haar hoofd en zei ze: 'Nee, niet echt.'

'Oké,' zei Andrew. 'Maar je bleef daar dus slapen.'

'De Carrizo's waren een weekendje weg. Vandaar.'

'Wat deden jullie?'

'Pap.'

'Oké.' Andrew was niet van plan geweest om zoveel vragen te stellen, maar hij wist niet wat hij anders moest zeggen. 'Wanneer kwam je terug?'

'Rond een uur of elf, of zo. Ik ging naar de badkamer om te douchen. Iemand had de wc niet doorgetrokken en dat vond ik vreemd. Het was niets voor Katy. Ze is heel netjes.'

Andrew kon horen dat het Lily moeite kostte om woorden te vormen. De evenwichtsoefening van tanden, tong en speeksel leek te ingewikkeld, en ze haalde zwaar adem.

'Er...' zei Lily. 'Er lag ook... Ik zie niets meer.'

'Hou je hoofd tussen je knieën,' zei Anna.

'Ja,' zei Lily, en ze deed het. Ze bleef een halve minuut zo zitten en daarna hief ze haar hoofd voorzichtig weer op. 'Er lag ook een beetje bloed op de vloer.'

'Een beetje bloed?' vroeg Andrew terloops. 'Hoeveel?' Hij wilde ophouden met vragen stellen, maar het lukte hem niet. Lily leek er in elk geval aan gewend.

'Niet erg veel,' zei ze. 'Ik dacht dat ze zich misschien had gesneden. Of dat ze onder de douche ongesteld was geworden. Het was in elk geval niet iets wat ze over het hoofd zou zien.'

'Maar je zag haar niet?'

'De deur was dicht. Ik dacht dat ze nog sliep. Ik pakte een stuk kaas uit de koelkast, waarna ik een paar uur naar een of ander spelprogramma op tv heb gekeken. Ik was behoorlijk gaar, eerlijk gezegd. Ik heb een tijdje geslapen. Toen ik wakker werd, was het een stuk later, bijna vier uur. Wacht even.' Ze bracht haar hoofd weer omlaag. Andrew liep naar haar toe en probeerde onhandig zijn arm om haar schouders te slaan, maar ze weerde hem af. Anna deed ook een poging, en dat mocht wel.

'Ik moet er steeds aan denken dat zij daar lag terwijl ik op de bank zat te slapen.'

'Niet aan denken,' zei Anna.

'Probeer het maar eens en laat me weten hoe dat uitpakt,' zei Lily. Ze klonk bijna als zichzelf. Ze ging rechtop zitten. 'Dus kwam ik overeind. Ik voelde me heel raar, ik had een ontzettende dorst, maar ik voelde me ook vreemd emotioneel, kwetsbaar. Het was nog lang niet donker, maar het voelde ongewoon leeg en stil in huis. Ik weet het niet precies. Ik ging naar beneden, naar de slaapkamer. Ik wilde weten waar Katy was. Ik wilde weten of ze zin had om een stukje te gaan wandelen of zo. Weg uit dat huis. De deur was nog steeds dicht. En voor de deur zag ik toen een voetafdruk van bloed. Reusachtig groot, als van een monster. En heel gedetailleerd, zo op de witte vloerbedekking. Je kon elke ribbel van de schoenzool onderscheiden. Ik gaf een gil en rende de kamer in. Ze lag midden op de vloer, met een handdoek over haar hoofd. Ik geloof dat ik meteen wist dat ze dood was. Ik liep naar haar toe en trok de handdoek weg. Haar hoofd lag opzij gekeerd. Haar lippen waren blauw. Ik heb heel even geprobeerd haar mond-op-mondbeademing te geven. Haar lippen waren ijskoud en ik kreeg bloed op mijn gezicht.'

Lily beefde zo erg dat Anna's arm mee schudde op haar schouder. Andrew deed weer een poging om een arm om haar heen te slaan en dit keer stond ze het toe.

'Ik kon niet ophouden met schreeuwen. Ik rende naar buiten, naar het huis van Sebastien, en daar hebben we de politie gebeld. Die kwam, en we mochten het huis niet meer in. De Carrizo's zouden pas de volgende dag een vlucht naar huis kunnen krijgen. Ik belde mam. Daarna zijn Sebastien en ik een tandenborstel gaan kopen. Ik mocht zolang bij hem logeren. Ik heb de hele nacht overgegeven, ik weet niet waarom. En de volgende dag werd ik opgehaald en hierheen gebracht.'

Buiten de deur liet de bewaker weten dat ze moesten afronden. Andrew wist niet wat hij hoorde, hij had nog niets kunnen doen, met name het allerbelangrijkste.

'Lily.' Hij kneep zo hard in haar handen dat hij de welving van de botjes kon voelen. Hij wilde zeggen: *Wacht nou even. Wacht nou verdomme 's even.* Alsof het enige probleem was dat de dingen allemaal te snel voor hem gingen. Alsof hij alles wel zou regelen, geen enkel probleem. Als hij maar de tijd kreeg om rustig na te denken. 'Hoe word je behandeld?'

'Ik weet niet of ik dat wel moet zeggen.'

'Zeg het maar.'

'Ik moet plassen met de bewakers erbij.'

'Dat weet ik.'

'Er is geen vuilnisbak. Er is geen stromend water, alleen onder de douche. Er is geen vork. De tandpasta doet het niet.'

'Doet het niet?' zei Andrew.

'We regelen wel echte tandpasta voor je,' zei Anna.

'Kun je ook voor echte tampons zorgen?'

'Échte tampons?' zei Andrew.

De bewaker was binnengekomen, hij stond stil opdringerig in de hoek.

'Ja,' zei Anna meevoelend.

'Wat zijn echte tampons?' vroeg Andrew.

'Pap.'

'De douche is ijskoud,' zei Lily. 'Echt ijskoud. Volgens mij doen ze dat expres.'

De bewaker liep naar haar toe en liet haar opstaan. Niet hardhandig, maar op een dusdanige manier dat er geen twijfel over bestond wat de bedoeling was. Andrew had hem het liefst een dreun verkocht. Hij wilde zijn armen om Anna en Lily heen slaan, ze laten uithuilen op zijn schouder en zeggen dat hij ze altijd zou beschermen. Maar hij wist dat hij dat niet kon. Hij wist dat ze allemaal doodsbang zouden worden bij zo'n scène. Het zou voelen als een definitief afscheid, en dat was het absoluut niet. Ze zouden Lily snel genoeg terugzien. Hysterisch gedoe riep hysterisch gedoe op. Het zou niets bijdragen.

'We zien je over zeven dagen weer,' zei Andrew. Hij gaf Lily een warme omhelzing, maar zonder extra nadruk alsof het weleens de laatste keer kon zijn. 'Dan komt je moeder.'

'Ik hou van jullie,' zei ze.

'Wij houden van jou,' zeiden ze.

Ze liepen de gang in, Lily achterlatend. Toen Andrew zich nog even omdraaide, had ze haar hoofd weer laten zakken en hing haar vieze lange haar in slierten voor haar gezicht. Ze keek niet meer naar hen, hoewel ze de hele gang bleven zwaaien.

2

Februari

Eduardo Campos wist het niet zeker tot hij de foto's zag. Later zouden mensen aan hem vragen – informeel, ongedwongen – wanneer hij het had geweten. Zeg eens eerlijk, zeiden ze. We vertellen het niet door. Wij wisten het toen we van haar Facebookpagina hoorden. Wij wisten het toen we van die radslag hoorden. Wij wisten het toen we de beelden van haar met die condooms zagen – die kille, verleidelijke blik die ze die jongen toewierp, pas een paar uur nadat dat arme kind was doodgestoken. Toen wisten we dat Lily Hayes schuldig was. Wanneer wist jij het? Dan lachte Eduardo en zei hij dat hij het natuurlijk nooit had geweten en dat hij het nog steeds niet wist. Hij moest de zaak voor het Openbaar Ministerie voorbereiden, en het OM had, dat was duidelijk, een ijzersterke zaak. Maar eigenlijk wist hij het wel, en hij had het voor het eerst geweten toen de recherche hem Lily's camera had overhandigd.

De plaats delict had hem niet verbaasd. Niets verbaasde hem echt, hoewel er een discrepantie was tussen enerzijds de chique buurt en het keurig onderhouden huis en anderzijds de jonge Amerikaanse vrouw die dood in een grote plas van haar eigen bloed lag. Het had jaren geduurd voordat Eduardo eraan gewend was hoeveel bloed één lichaam kon produceren. Maar nu was hij eraan gewend, en hij bestudeerde de plek met zijn geoefende, afstandelijke oog, herinnerde zichzelf eraan dat hij de jonge vrouw nu alleen nog kon helpen door heel goed op te letten.

Ze lag op haar buik met haar gezicht opzij gekeerd, ineengedoken in de kenmerkende verfomfaaide houding van de dood. Aan de binnenkant van haar dijen waren flinke blauwe plekken zichtbaar. Het was meer dan waarschijnlijk dat ze seksueel was misbruikt.

Eduardo volgde de politiemensen met zijn notitieblok. Hij raakte niets aan. In de keuken vonden ze een mes, dat in een zakje werd gestopt. In de la van het slachtoffer vonden ze een halfleeg doosje Skin Skin-condooms dat ook in een zakje verdween. In de badkamer troffen ze drie onopvallende bloedvlekken aan en een wc die niet was doorgespoeld. Alles werd gefotografeerd en vervolgens werden er monsters van genomen. In de tuin wachtte Lily Hayes, die het lichaam (naar eigen zeggen) had ontdekt vlak voordat ze met bloed op haar gezicht naar buiten was komen rennen (volgens de chauffeur die nu beverig voor zijn bestelauto stond te roken). Lily Hayes was blank, begin twintig, ze had een ietwat hoekige kaaklijn, kastanjebruin haar en hoge wenkbrauwen, die haar iets heksigs gaven. Zo te zien had ze het bloed al van haar gezicht gewassen. Ze stond met een stuurs gezicht naast een jongeman met bretels. Achter hen glansden in de verte de twee koepels van de San Telmo Pedro. Lily Hayes huilde niet. Ze was bleek, maar misschien was ze dat wel altijd. Ze kuste de jongen een keer, een beetje preuts, en toen nog een keer, wat minder preuts. Ze keek geïrriteerd, vond Eduardo. Alsof haar ongemak werd bezorgd. Als er al iets van haar gezicht viel af te lezen. Ze straalde een afwezigheid uit die onder andere omstandigheden al ongepast zou hebben geleken, en nu helemaal, en die wel bestudeerd moest zijn. Eduardo liet de gedachte bezinken en verjoeg hem toen. Hij deed dit werk lang genoeg om te weten dat je nooit helemaal onbevooroordeeld kon zijn, zonder vooringenomenheid en automatische reflexen. Je kon er niets aan doen als je dingen dacht zonder te weten waarom. Maar op dat moment wist hij het nog niet, hij was niet zeker van zijn zaak. Hij wist het ook nog niet zeker toen hij die middag naar huis ging, twee glazen whisky dronk en ibuprofen nam tegen zijn costochondritis (een ontstoken borstwand, had zijn dokter gezegd, maar hij wist dat het de somatische symptomen van zijn eenzaamheid waren, dat zijn hart uit protest eindelijk de geest gaf). Die nacht, toen hij na drieën nog steeds wakker was en door zijn woonkamer beende, in een flat die zo leeg was dat hij het gekreun van zijn ingewanden kon horen, als walvisgeluiden, wist hij het niet zeker. Ook de dag daarop wist hij het niet zeker, toen hij van de politie een afschrift kreeg van hun eerste gesprekken met Lily Hayes. Hij kreeg een hele reeks verslagen – van de gesprekken met buren, straatverkopers, getraumatiseerde Amerikaanse uitwisselingsstudenten, het gezin waarbij de meisjes waren ondergebracht, de jongen met de onwaarschijnlijke naam die Lily Hayes in de tuin had gekust. Maar het gesprek met Lily Hayes viel op, en niet alleen omdat er geen braaksporen waren en zij de enige in de wijde omtrek was met een huissleutel. Eduardo las het verslag in zijn woonkamer, met de gordijnen open, terwijl het buiten tot ver na achten gekmakend licht bleef. Uit de tekst viel natuurlijk moeilijk op te maken op wat voor toon Lily Hayes had gesproken toen ze de vragen beantwoordde over Katy Kellers' korte leven en gewelddadige dood. Maar Eduardo bespeurde een kille onderstroom, een psychische dissonant, waardoor hij het verslag keer op keer herlas – hoewel Lily Hayes om voor de hand liggende redenen waarschijnlijk niet de enige dader zou zijn geweest.

'Je zei dat je wat bloed in de badkamer zag,' zei de rechercheur.

'Ja,' zei Lily.

'Hoeveel bloed precies?'

'Niet veel,' zei ze, en Eduardo voelde de korte pauze, de onderliggende luchthartigheid. Op een gegeven moment stond er in het verslag dat Lily Hayes, toen ze even alleen was, maar wel onder het toeziend oog van een bewakingscamera stond, een radslag had gemaakt. Eduardo bleef zich dit beeld voor de geest halen. Hij bekeek het zonder erover te oordelen. Hij had nu iets meer zekerheid, maar hij was nog steeds niet helemaal zeker. En het was heel belangrijk om zeker te zijn, want als hij het eenmaal zeker wist, zat hij er nooit naast.

De volgende ochtend ging Eduardo voor het licht werd hardlopen. Aan het eind van de straat zweette hij al, hij was zoals meestal te warm gekleed. Hij kon nooit geloven dat de buitenwereld zoveel warmer was dan hij eruitzag.

Het hardlopen was iets nieuws, maar het algehele rituele masochisme was dat niet. Als Eduardo het voelde opkomen, nam hij een reeks stappen door, een stappenplan dat hij bereikt had door te gissen, te testen en een grimmige, ijzeren wilskracht te ontwikkelen. Eerst zette hij alle dingen in het leven waardoor hij zich slechter zou voelen op een rijtje. Je zou je geen steek beter voelen als je dik werd, hield hij zichzelf voor tijdens het hardlopen. Je zou je niets beter voelen als je tandvleesontsteking kreeg, hield hij zichzelf voor tijdens het flossen. De daaruit voortvloeiende gedachte – die opdringerig en alomtegenwoordig was – was dat hij zich hoe dan ook niet beter zou gaan voelen. Het lukte natuurlijk nooit. Maar dan had Eduardo het in elk geval geprobeerd. Als Eduardo iets deed, dan was het proberen. En het was tenslotte pas twee maanden geleden dat Maria bij hem was weggegaan.

Maria – Eduardo zou het meteen erkennen – was geheel onverdiend en ongerechtvaardigd zijn bestaan binnengevallen. Ze waren drie jaar getrouwd geweest en in die tijd was Eduardo nooit echt aan het idee gewend geraakt. Dus toen ze hem in de steek liet – voor een Braziliaanse operazanger, had hij gehoord – wie was hij toen geweest om te zeggen dat ze de verkeerde beslissing nam? Ergens in zijn totale ontreddering had hij het gevoel gehad dat het universum zichzelf in balans bracht en dat het irrationeel was om daartegen in te gaan. En als Eduardo iets was, dan was het rationeel.

De straten van Belgrano glansden zilverkleurig in de regen. Eduardo probeerde regelmatig adem te halen. Hij dacht aan alle sigaretten die hij in de vijftien jaar sinds hij was gestopt niet had gerookt. Voelde hij het verschil in zijn ademhaling? Hij wist het niet zeker. De zon brak tussen de wolken door en een zwerm vogels vloog geschrokken op van een telefoonkabel. Eduardo kwam tot de slotsom dat hij geen verschil voelde. Maar hij voelde wel elke keer een scheutje van voldoening als hij zichzelf geen sigaret toestond, wat nog steeds een paar keer per dag gebeurde, zelfs nu nog. Soms had Eduardo het idee dat zijn leven alleen maar bestond uit een reeks kleine, geweigerde impulsen. De vogels vlogen over hem heen, hun schaduwen gleden over het beton.

Zijn werk zou er in elk geval niet onder lijden, wist Eduardo. In het uiterst nauwkeurige schiftingssysteem dat hij in zijn leven had opgezet, had zijn werk de hoogste prioriteit. En op zijn betere depressieve dagen viel zijn ellende niet van hem af, maar zonk hij er juist in weg – het trok zich samen in zijn borst als een hart en gaf hem extra kracht gedurende een onderzoek. Die drang tot werken voelde soms als iets aangeborens, genetisch bepaald – hoewel Eduardo in eerste instantie helemaal geen jurist had willen worden. In zijn tienerjaren had hij pianoles gehad en dat had hij willen voortzetten in een studie, tot hij op een dag Julio César Strassera zijn slotpleidooi had zien houden bij het proces tegen de Junta. Het was 1985 en Eduardo was zestien. Hij oefende Mozarts Sonate in f-majeur voor een schooluitvoering die later vanwege de dreiging met aanslagen was afgelast, en hij kon maar een beperkte hoeveelheid tijd over de piano van school beschikken, maar toch ging hij naar de *cervecería* aan de overkant van de straat om te kijken. Nooit meer, zei Strassera. Daarna waren er beelden getoond van de Moeders die getuigden. In het café hing een zure lucht en een man naast hem moest huilen. Een van de Moeders keek recht in de camera. 'Wat er gebeurd is, kan nooit meer worden hersteld,' zei ze. 'Het kan alleen maar worden verteld.' Haar gezichtsuitdrukking was er een van oprecht verdriet, het huilen ver voorbij. En plotseling begreep Eduardo met een schok en glashelder dat ze niet probeerde om haar kind terug te krijgen. Die gedachte was nooit eerder echt tot hem doorgedrongen. 'Ze moeten wel dood zijn,' zei de vrouw, 'maar ze zijn pas echt verdwenen als wij ons van hen afkeren. Ze zijn pas echt weg als wij niet langer naar hen zoeken.'

Daar voor de televisie, met het allegro van Mozart nog in zijn vingertoppen, was Eduardo doordrongen geraakt van een zwaar en moeilijk besef. Misschien kwam dat alleen omdat hij zoekende was geweest – hij was tenslotte zestien. Maar hij zag hoe dan ook iets wat hij niet meer kon vergeten: goedheid was geen echte goedheid als het geen diepgang had en passief was; hij begon te geloven dat er een mededogen was dat meer was dan alleen mededogen. Eduardo keek naar het gezicht van de Moeder en zag dat vergiffenis zonder gerechtigheid niet de vergiffenis van Christus was, of enige andere vergiffenis die de moeite waard was. Hij liep de zinderende hitte in en ging niet terug naar de piano, hoewel hij nu niet meer wist wat hij wel had gedaan.

Eduardo, zo bleek, was geknipt voor de rechtenstudie. Hij was altijd al ijverig geweest en had goede cijfers gehaald, maar hij beschikte niet over die zorgeloze uitstraling waardoor mensen hem vanzelf hoog hadden zitten of veel van hem verwachtten; hij was er nooit in geslaagd om moeiteloos vertrouwen of fascinatie uit te stralen. Hij had iets gretigs waardoor mensen doorhadden dat ze hem konden negeren zonder dat ze daar last mee zouden krijgen. Eduardo's griezelig goede geheugen hielp hem ook niet. In zijn jeugd had hij leeftijdgenoten die hij nauwelijks kende vaak versteld doen staan door ze te herinneren aan een miniem feitje dat ze met hem hadden gedeeld en dat ze zelf zonder uitzondering allang waren vergeten. De kinderen reageerden met enige verbazing op dat trucje omdat hun wereldbeeld niet strookte met het idee dat iedereen om hen heen wist wie ze waren. Maar toen hij ouder werd, ontdekte Eduardo dat volwassen ego's argwanender waren: de mensen gingen ervan uit dat Eduardo's aandacht specifiek op hen was gericht en hij zag dat hun ogen zich vernauwden en ze zich ongerust afvroegen wat hij in zijn schild voerde.

Desondanks schitterde Eduardo op het anonieme vlak – gestandaardiseerde tests, anonieme toelatingen en schriftelijke sollicitaties – waar persoonlijkheid er niet toe deed en het geheugen een kracht was, geen zwakte. Door die successen belandde hij op de rechtenfaculteit van de universiteit van Buenos Aires, waar hij eindelijk ontdekte – in de cafés, niet tijdens de colleges – hoe hij zijn geheugen het effectiefst kon benutten. Hij kwam erachter dat hij vrouwen het gevoel kon geven dat ze uniek waren en hij diepe gevoelens voor ze koesterde, of dat nu wel of niet het geval was. Mannen voelden zich in stilte gevleid en indrukwekkend zolang Eduardo maar de juiste toon gebruikte. Meestal hielden de mensen een aangenaam gevoel over zichzelf over aan Eduardo's gezelschap, ongeacht hoe ze over hem dachten. En Eduardo had al snel door dat het daarom draaide – dat die zachte, warme gloed een belangrijk emotioneel extraatje was, zelfs als het niks met Eduardo te maken had. Hij zou nooit bijzonder aantrekkelijk of charismatisch zijn, of over het natuurlijk gezag beschikken waarmee je aandacht afdwong. Maar hij kon iedereen die hij tegenkwam het idee geven dat zij wél over die kwaliteiten beschikten. En daarmee kon Eduardo een kracht creëren die subtieler en, afhankelijk van de situatie, veel effectiever was.

Na zijn afstuderen begon Eduardo als procureursklerk in Córdoba. Rond die tijd was Kirchner bezig met het afbetalen van de IMF-leningen, en de privatiseringen ontnamen iedereen elke hoop op iets wat buiten hun eigen invloedssfeer lag. Er liep een onderzoek naar Shared Dreams wegens corruptie en de economie stortte van de ene dag op de andere in. Vergiffenis was werk, zei Eduardo tegen de familieleden van slachtoffers – maar dat gold ook voor liefde, en beslissen wat gerechtigheid was en daarvoor durven vechten. Weigeren om een oordeel te vellen zodat je niet gecorrumpeerd wordt door de misdaden van de agressor is hetzelfde als mededogen afwijzen zodat je niet geraakt wordt door het leed van het slachtoffer. En God deinsde voor geen van beide taken teug, dacht Eduardo regelmatig – hoewel hij dat tegen niemand zei. Eduardo zou nooit zo dom zijn om te proberen iemand te overtuigen van het bestaan van God, net zoals hij nooit zo dom zou zijn om te proberen iemand te overtuigen van het bestaan van zijn eigen bewustzijn. Niemand kan zijn waarnemingsvermogen van buitenaf bewijzen – daar is geen argument of logische redenering voor. De maatstelsels zijn zo onmogelijk verweven met datgene wat ze willen meten – en God, dacht Eduardo, zorgde voor een vergelijkbare warboel. Het was eigenlijk een soort epistemologische 'onzekerheidsrelatie van Heisenberg'-probleem. Maar voor Eduardo's moraal hoefde je niet in God te geloven. In een seculier universum was barmhartige gerechtigheid veel belangrijker. Want als het niet in het heden gebeurde, wanneer dan wel? Als het niet om die reden werd toegepast, waarom dan wel?

Na een paar jaar werd Eduardo benoemd tot *fiscal de cámara* voor de provincie Buenos Aires. Vergiffenis is bewonderenswaardig, zei hij tegen de commissie van rechters, maar niet als het een automatisme is, als het wordt toegepast omdat het een makkelijke manier is om buiten schot te blijven. Eduardo ontwikkelde een uiterst exact en nauwkeurig instinct als hij met verdachten te maken kreeg, en dat instinct leidde tot een reeks opmerkelijke en terechte veroordelingen. Toen hij na een van die zaken de rechtszaal uit kwam, vroeg hij de verzamelde pers: wat betekent het voor een moordenaar als we hem mededogen betonen en het slachtoffer niet? Dat betekent simpelweg dat we lui zijn. Het betekent dat we ons afzijdig willen houden.

Maar Eduardo wilde zich niet afzijdig houden; hij wilde werken en zijn best doen. Je best doen was een bescheiden uitgangspunt in het leven. Toch zou het zijn redding worden. Hij wilde zijn best doen en zijn best blijven doen – zelfs nu Maria bij hem weg was. Dat betekende dat hij niet suïcidaal was. Dat wist hij omdat hij het had opgezocht.

Eduardo draaide zich om en begon terug naar zijn flat te lopen. Hij kon hem nog zien, een hele reeks huizenblokken terug, wazig en vormeloos in de nevel. Anderhalve kilometer die kant op was het weer gaan regenen, zag Eduardo.

Diezelfde dag kreeg hij inzage in de e-mails.

Lily Hayes en Katy Kellers bleken er allebei een uitgebreide correspondentie op na te houden – ze hielden exact bij wat er op emotioneel vlak in hun leven gebeurde, en dat nauwkeurige verslag leverde flink wat interessante feiten op. Om te beginnen koesterde Lily weinig sympathie voor Katy – in twee e-mails en een Facebookbericht, allebei van begin januari, had ze uitgebreid uit de doeken gedaan dat Katy een saaie trut was. Daarnaast leek het erop dat Lily en Katy ergens tussen half en eind februari slaande ruzie hadden gehad. Lily had daar met geen woord over gerept, maar Katy had het vermeld in een chat met een vriendin thuis (die helaas al bekend leek te zijn met de situatie, waardoor het slechts zijdelings ter sprake kwam), en er zat mogelijk ook een verwijzing in een berichtje aan iemand anders (Sara Perkins-Lieberman: *Hoe gaat het met je kamergenootje?* Katy Kellers: *Ugggggh : /*). Het laatste en interessantste bewijs dat uit de mails naar voren kwam was dat Katy waarschijnlijk een relatie had. In een mail aan dezelfde Sara Perkins-Lieberman schreef ze: *Ik heb iemand ontmoet. Het voelt een beetje idioot. We doen alles stiekem, omdat Lily er niet al te blij mee zal zijn (ze stelt zich graag aan), maar misschien ook wel omdat het alles wat spannender maakt. Ik weet het niet. Ik dacht dat ik er nog niet klaar voor was, maar nu begin ik te twijfelen.* Die onthulling vormde een verklaring voor de condooms. En het leek er inderdaad op dat Katy de verhouding verborgen had gehouden voor Lily. In alle uitgebreide verslagen over het leven in Buenos Aires (waarin het doen en laten van Katy gedurende de maand februari werd beschreven, hoewel de toon steeds vriendelijker werd) had Lily het er geen enkele keer over. Katy's relatie was zo te zien inderdaad geheim gebleven. In elk geval een tijdje.

's Middags tikte Eduardo op Google de naam 'Lily Hayes' in. Het bleek een veelvoorkomende naam in de Verenigde Staten, al vond Eduardo hem nogal gezocht en stijfjes, een koosnaampje dat ouders uit de babyboomgeneratie aan hun dochter gaven. 'Lily Hayes+Middlebury' leverde desondanks meerdere hits op. Eduardo vond foto's van Lily Hayes die was verkleed als groene paprika voor een of andere toneelvoorstelling, een stukje van Lily die in de schoolkrant de loftrompet stak over de gulle gaven van oud-leerlingen, en in de *Middlebury Campus* pleitte ze – met een mengeling van eigendunk en een wereldbeeld dat totaal niet strookte met de realiteit – voor onmiddellijke terugtrekking van de Amerikaanse troepen uit Afghanistan. Vervolgens zocht Eduardo haar op Facebook: een citaat van Molière, een reeks semi-pikante foto's, een zorgvuldig overzicht van redelijk zware literatuur. Hij scrolde omlaag en zag krachtige aansporingen om petities te tekenen, flirts met jongemannen met baarden en brillen, over en weer gestuurde verjaardagsfelicitaties. Het was in elk geval niet het soort spoor dat de meesten van Eduardo's verdachten achterlieten. Eduardo geloofde niet dat een misdaad – in het bijzonder moord – ooit te voorkomen was. Maar bij de meeste verdachten kon je zien hoe de ene tegenslag tot de volgende had geleid, je kon hun leven volgen en je vinger leggen op de bochten en kronkels die hen met bevende handen naar hun slachtoffers en hun noodlot hadden gevoerd. De meeste verdachten met wie Eduardo te maken had gehad, waren geknakt en gebroken. Als Lily Hayes schuldig was, dan was ze nooit helemaal heel geweest.

Eduardo bladerde nog verder omlaag. Een paar maanden geleden had Lily een link bij een blog vermeld. *Ik heb een stukje geschreven voor mijn gevorderdencursus Creatief Schrijven*, schreef ze, en veertien mensen vonden deze melding om voor Eduardo onbegrijpelijke redenen leuk. Hij klikte op de link en kwam terecht op een nauwelijks bijgehouden blog getiteld *Mijmeringen*, met daaronder de woorden 'feminist', 'kunstenaar', 'dromer' en 'ontdekker' – en bovenaan stond haar creatief geschreven gefantaseerde misdaad, zo te zien voor een deelstudie. Het verhaal draaide om een afgewezen minnaar die teruggaat naar het huis van de vrouw die hem heeft bedrogen om een dure halsketting terug te halen die hij haar heeft gegeven. Eduardo las het aandachtig, met het gevoel dat hij er getuige van was hoe in de verte een bepaald beeld vorm kreeg. Onder het bloemrijke taalgebruik en het meisjesachtige overdreven gebruik van bijwoorden ging iets verontrustends en emotioneel verknipts schuil – iets wat hem ook al was opgevallen in de verslagen van haar verhoor. Hij las het einde. En daarna las hij het nog een keer.

In mijn woede en haast heb ik het alarm in werking gezet. Ik moet nu doortastend handelen. Ik pak snel de halsketting. Hij is prachtig. De kleurschakeringen schitteren oogverblindend in het licht. Ik zie hoe ze vredig ligt te slapen. Ik bewonder haar slanke, ivoorkleurige hals. Zo onschuldig, zo nietsvermoedend. Vervuld met moordzucht hef ik mijn mes op, maar ik steek niet toe.

Eduardo printte het verhaal uit met het gevoel dat hij ongelooflijk veel geluk had. Het was natuurlijk beduidend minder dan een schriftelijke bekentenis, maar het kwam wel heel dicht in de buurt.

Desondanks wist hij het nog steeds niet zeker.

Donderdag was het gerechtelijk verhoor met Lily Hayes. Haar vader zou aanwezig zijn, plus een Amerikaanse adviseur voor de Argentijnse advocaten, en een aantal door haar vader ingehuurde advocaten. Het was duidelijk dat deze mensen over geld beschikten. Eduardo wist niet waarom Lily geen pro-Deo-advocaat wilde. Misschien omdat ze een lage dunk had van Argentijnse strafpleiters, of omdat ze er in haar onbenul van uitging dat ze daardoor onschuldig zou lijken. Of misschien, dat kwam wel vaker voor, stond ze geheel onverschillig tegenover haar lot. Eduardo voelde iets van sympathie, maar hij was niet van plan om haar op andere gedachten te brengen als zij zichzelf zo in de vingers wilde snijden.

In de verhoorkamer leek Lily nog bleker dan de eerste keer dat Eduardo haar had gezien. Haar vingers lagen angstig verkrampt op tafel en haar haren waren niet erg schoon. Ze leek ontzettend jong, maar Katy Kellers was ook jong geweest, en Eduardo liet zich niet beïnvloeden door iemands leeftijd. Die was ook niet van invloed op haar schuld of onschuld. Hij zou zo duidelijk en vriendelijk zijn als de situatie toestond. Dat was gewoon een kwestie van menselijkheid. Hij ging zitten.

'*Quién es usted?*' vroeg ze.

'Eduardo Campos,' antwoordde hij. Hij gaf haar geen hand, want hij wilde afstand bewaren. Om dezelfde reden schakelde hij niet over op Engels. 'Ik ben de fiscal de cámara, ik vertegenwoordig de onderzoeksrechter. Het is mijn taak om te beoordelen of er genoeg bewijs tegen je is om je voor de rechter te brengen. Ik heb tien dagen om tot een oordeel te komen, vanaf vandaag. Ik maak een inschatting en leg mijn conclusie voor aan de rechter van instructie, die beslist of de zaak tegen jou wordt voortgezet. Als de zaak uiteindelijk voor de rechter komt, vertegenwoordig ik samen met de rechter van instructie het Openbaar Ministerie. De rechtszaak wordt voorgezeten door drie rechters die bepalen of je schuldig of onschuldig bent. Is dat je allemaal uitgelegd?'

Hij zag Lily aarzelen, ze twijfelde of ze moest toegeven dat ze er niets van begreep.

'Ja,' zei ze voorzichtig.

'Dit is het gerechtelijk verhoor. Je weet dat je geen antwoord hoeft te geven?'

'Ja,' zei ze iets zelfverzekerder. Eduardo zag heel even de onvoorstelbare radslag voor zich die ze bij de eerste ondervraging had gemaakt, hij zag haar buiteling door de verhoorkamer, in het kille licht van de camera. 'Waarom kan mijn vader me niet op borgtocht vrij krijgen?' vroeg ze.

'Dat heeft te maken met de ernst van het misdrijf, niet met het bewijsmateriaal tegen de verdachte. Heb je verder nog vragen?'

Dat was niet het geval, maar Eduardo had nog wel een paar vragen voor haar. De eerste twintig minuten vroeg hij naar dingen die hij al wist – haar volledige naam, haar geboortedatum, waarom ze in Buenos Aires was. ('Het leek me een interessante plek voor een studie in het buitenland,' zei ze. 'En was het dat ook?' Ze lachte scherp en onaangenaam.) Dit deel was het equivalent van een leugendetectortest. Hij vroeg haar om de dag van de moord van minuut tot minuut door te nemen, om te kijken of ze afweek van het verhaal dat ze de politie had verteld. Daarna vroeg hij haar nog vier keer om haar verhaal te doen, om te kijken of hij haar op discrepanties kon betrappen. Bepaalde afwijkingen zouden verdacht zijn, maar helemaal geen afwijking ook. Het viel hem op dat Lily Hayes op een haarlok sabbelde, en dat intrigeerde hem. Het was een ongewone, achteloze handeling – eigenlijk gewoon vulgair, en hij kon zich niet herinneren dat hij het ooit iemand die ouder was dan zeven jaar had zien doen – en hij vond het interessant dat ze zich kennelijk veilig genoeg voelde om zoiets op dat moment te doen, tijdens een van de belangrijkste gesprekken in haar leven. Na precies drie kwartier begon Eduardo met de echte vragen.

'Goed,' zei hij. 'Ik heb begrepen dat je Katy nogal truttig vond.'

Lily verbleekte en keek geschokt. 'Hoe weet u dat?'

Sommige aanklagers zouden niets hebben gezegd, zodat Lily zou moeten gissen wie uit haar vriendenkring niet aan haar kant stond. Die zouden willen dat ze besefte dat de tijd dat ze altijd antwoord kreeg voorbij was, dat aanknopingspunten een gunst waren die haar al dan niet werd verleend. Die aanklagers zouden haar in een toestand van paranoia willen brengen, eenzaam en verloren in een vijandige wereld waardoor je je vastklampt aan elk mogelijk houvast. Paranoia was een belangrijk hulpmiddel voor een aanklager, zo werd algemeen gedacht. Maar Eduardo hield er niet van om antwoorden achter te houden. Deels omdat het tegen zijn rechtvaardigheidsgevoel inging, deels omdat hij het geen goede strategie vond. Door een verdachte een vals gevoel van minieme zekerheid te geven – een vaag idee van zijn of haar plek in de wereld – ontspande die zich misschien net genoeg om een fout te maken, als er fouten te maken waren (hij ging er natuurlijk nooit voetstoots van uit dat dat zo was).

'Uit een e-mail van jou,' zei hij.

'Ik snap het.'

'Weet je nog aan wie die mail gericht was?'

'Nee.'

'Dus het kunnen meerdere mensen zijn geweest?'

Lily zweeg. Eduardo deed alsof hij zijn aantekeningen bestudeerde. 'Je schreef dat je haar maar truttig vond. Bedoelde je daarmee dat het haar ontbrak aan iets interessants, stimulerends of uitdagends?'

'Ik denk het, ja.'

'Was er iets aan het slachtoffer wat je bijzonder truttig vond?'

Het was niet echt noodzakelijk om de term 'slachtoffer' te gebruiken, maar zo zou Eduardo haar in de rechtszaal noemen, om de drie rechters er keer op keer aan te herinneren dat het dode meisje, in tegenstelling tot het levende meisje dat tegenover hen zat, niet meer in leven was. Het was goed om nu al te beginnen met die gewoonte.

'Ik weet het niet,' zei Lily.

'Beschouw je jezelf als een slimme vrouw?' vroeg Eduardo. Ook die woordkeuze was bewust. In het openbaar, in de rechtszaal, zou hij Katy omschrijven als een meisje en Lily als een vrouw, als hij ze niet omschreef als 'het slachtoffer' en 'de verdachte', terwijl Lily drieënhalve maand jonger was dan Katy. Ook dat was gewoon een handigheidje. Je kon de rechters op subtiele wijze naar de waarheid dirigeren met behulp van kleine verfraaiingen, extra nadruk en weglatingen; Eduardo zou natuurlijk nooit de feiten verdraaien, maar het kon geen kwaad om woorden met een iets andere associatie te gebruiken om de realiteit van de situatie beter te belichten. Niemand kon ontkennen dat een andere benaming een weergave van een emotionele of zelfs biologische waarheid kon zijn. Als je naar Lily keek – ongeacht of ze schuldig of onschuldig was – en haar kilheid, haar emotionele afstandelijkheid en haar seksuele ervaring bezag, wist je dat je te maken had met een volwassene. En dan was er ook nog de kleine bijkomstigheid dat Lily een volwassen leven voor zich had, al dan niet in de gevangenis, en dat Katy een meisje was en voor eeuwig dood zou blijven.

'Wat?'
'Zo'n moeilijke vraag is het niet.'
'Ik begrijp niet wat u bedoelt.'
'Klopt het dat je jezelf slimmer vindt dan het slachtoffer?'
'Klopt het dat u denkt dat u slimmer bent dan ik?'
Eduardo legde zijn aantekeningen neer en fronste zijn wenkbrauwen. Lily's gezicht kleurde, hij kon zien dat ze een beetje verrast was door, maar ook een beetje ingenomen met haar antwoord.
'Zo zou ik het niet willen zeggen,' zei hij, en hij pakte zijn aantekeningen weer op. 'Afgezien van haar saaiheid waren er veel meer dingen die je niet aanstonden aan Katy Kellers.'
'Dat is niet waar.'
'Ik zal je even helpen herinneren. Alleen al in januari schreef je laatdunkend over haar haar, haar naam, haar gebit...'
'Ik was weg van haar gebit!'
'Volgens een Facebookbericht aan je vriendin Callie Meyers op 17 januari 2011 waren het geen tanden van iemand die je serieus kon nemen.'
'Ze had een mooi gebit. Ik wilde zo'n gebit.'
'Denk je dat ze ooit een beugel nodig heeft gehad?'
'Dat weet ik niet.'
'Ze heeft nooit een beugel gehad. Haar tanden stonden van nature recht.'
Lily staarde hem aan.
'Jij hebt wel een beugel gehad, hè?' zei Eduardo. 'Zelfs tot op de universiteit. Je moest in het weekend naar huis voor de orthodontist.'
'Ik begrijp niet waar u heen wilt.'
'We gaan verder. Vertel eens over je relatie met Sebastien LeCompte.'
'We waren bevriend.'
'Hebben jullie een seksuele relatie gehad?'
Lily draaide haar gezicht opzij. 'Eventjes.'
'Wist je dat het slachtoffer ook een seksuele verhouding met Sebastien LeCompte had?' Dat was deels bluf, maar het

was ook een aannemelijke veronderstelling – maar als vraag was het geen expliciete leugen. Of Sebastien LeCompte nu wel of niet iets met Katy Kellers had, het ging erom wat Lily geloofde.

'Ik zou het niet echt een verhouding noemen.'

'Maar je wist er dus van?'

'Ik vroeg het me wel af.'

'Waardoor?'

'Ik ben niet achterlijk.'

Eduardo deed alsof hij een aantekening maakte, maar in werkelijkheid schreef hij niets op.

Lily schoof heen en weer op haar stoel. 'Je kon het gewoon merken. Ze waren niet zo voorzichtig als ze zelf dachten.'

'En wat vond jij ervan?'

'Ik stond er niet zo bij stil.'

'Echt niet? Je was niet boos?'

'Niet echt. We waren niet verliefd of zo.'

Na zeven weken met Maria had Eduardo een keer tijdens haar slaap in haar oor gefluisterd: 'Vertel me wie je bent, want ik hou nu al zielsveel van je en ik wil weten van wie ik hou.'

'Ik bedoel...' zei Lily; ze wist niet goed wat ze met de stilte aan moest. 'Sebastien en ik waren geen echt stel.'

'Maar jullie gingen wel met elkaar naar bed.'

Lily keek bedachtzaam; het licht dat tussen de tralies door kwam, trok smalle strepen over haar gezicht. 'Ik ben voor vandaag wel uitgepraat, denk ik.'

Eduardo knikte. 'Dat is je goed recht,' zei hij. Hij sloeg zijn notitieboekje dicht. Zijn taak voor deze dag was volbracht. 'Dit was een goed gesprek. Je kunt nu naar het medisch onderzoek.'

Hij zou het nooit laten meespelen, maar iets aan Lily Hayes deed Eduardo aan Maria denken. Wat was het precies? De luchthartigheid van iemand die nooit iets was ontzegd? Bij Maria had die eigenschap iets aantrekkelijks en schalks gehad, bij Lily was het ontegenzeglijk alleen maar ergerlijk. Eduardo wist dat er iets sinisters in Lily schuilging dat veel verder reikte dan impulsiviteit.

Die radslag, om maar wat te noemen. Eduardo was bij genoeg mediagevoelige zaken betrokken geweest om te weten wat voor effect die radslag zou hebben, tot welke gevolgen die voor de aanklager en de verdediging zou leiden. De aanklager zou in de media kunnen redeneren dat de radslag wees op roekeloosheid en luchthartigheid, die onder de juiste omstandigheden en onder invloed van drugs konden leiden tot totale minachting van een mensenleven. Het tegenargument zou natuurlijk zijn dat de radslag blijk gaf van een grillige argeloosheid; een doorgeschoten uitbarsting die nu bewust misbruikt werd door een stel humorloze, kwaadwillende oude mannen. De verdediging zou kunnen stellen dat als die radslag al iets bewees, het haar onschuld was. Hoe kon iemand die schuldig was en niet schuldig wilde overkomen zich zoiets in zijn hoofd halen? Alleen iemand die wist dat ze onschuldig was en die te jong was om te beseffen dat het niet handig was, zou een radslag maken in een verhoorkamer.

Maar Eduardo wist wel beter, want hij had jaren een onvoorspelbare vrouw om zich heen gehad. Maria deed soms dingen die volstrekt idioot of ondoordacht waren, hoewel ze doorgaans vooral vreemd waren: hij had haar een keer om drie uur 's nachts in de woonkamer aangetroffen terwijl ze zat te staren naar een rode paraplu waar ze een brandende zaklantaarn achter had gelegd, en hij had haar meerdere keren onverstaanbaar in zichzelf horen mompelen terwijl ze in de dichte badkamer in het ligbad op pootjes lag. Ze had ook een keer een papieren maan in een boom gehangen zodat die als een glanzend muntstuk tussen de takken door scheen.

'Prachtig,' had hij gezegd, omdat hij dacht dat Maria iets moois had willen creëren.

'Vind je?' had ze afwezig gezegd toen hij zijn armen om haar heen sloeg. 'Ik wilde gewoon iets interessants doen.'

'Dat is het ook,' zei Eduardo. Hij hoorde de smekende toon in zijn stem. Hij wilde dolgraag zien wat zij wilde dat hij zag.

'Nee,' zei Maria met een kalme blik. 'Niets moois is echt interessant.' Ze had de maan uit de boom gerukt, maar zonder boosheid – gewoon resoluut en grondig, alsof ze een vergissing corrigeerde.

Er waren natuurlijk ook lastige momenten. Maria had de neiging om alle ronddwarrelende stress van het hele universum op haar schouders te nemen, terwijl haar leven voor zover Eduardo kon beoordelen allesbehalve gestrest was. Die kronkelige, ontoegankelijke melancholie was heel anders dan die van hem; wat er ook in Maria's leven speelde, het was altijd een vreemd soort afwijking van de logica. Ze raakte in de ban van een duistere vloek, werd stil en somber, praatte alleen nog in een soort stotterende pentameter. Ze sloot zich op in de badkamer om te huilen (en wat voor huilbuien – met verstikkende, gierende uithalen, op de een of andere manier met steeds gelijke tussenpozen, alsof het om een biologisch of geologisch proces ging). Gedurende één winter werd ze zelfs een beetje kaal; Eduardo trof in het doucheputje een ingezakte zwarte haaroctopus aan, alsof er iemand was afgeslacht.

En er waren momenten – niet vaak, maar wel gedenkwaardig – dat ze wreed kon zijn. De eerste keer dat hij daar echt getuige van was, was op de avond nadat hij was benoemd tot *fiscal de cámara*. Maria had een feestje in een restaurant georganiseerd, maar later had hij beseft dat elke avond met Maria een soort complexe viering met allerlei kanten was geweest – zoals de bruiloft van een vroegere minnares, of de verjaardag van een oude vijand. Er lag altijd een manische zweem van verplicht en moeizaam bewerkstelligd plezier overheen, met een ondertoon van dreigend onheil. Die avond had Eduardo zich voor het eerst sinds hij zich kon heugen nederig, rustig en tevreden met zichzelf gevoeld. Hun vrienden lachten, dronken en vermaakten zich uitstekend tot Maria tegen haar glas tikte om een toost uit te brengen. Iedereen hield op met praten en keek haar blij en verwachtingsvol aan, en Eduardo voelde zich dankbaar en gestreeld – omdat ze zo mooi was en hij zo met haar bofte – en wachtte af wat ze over hem zou gaan zeggen.

'Eduardo,' zei Maria. Ze lachte. Ze straalde. 'Ik heb altijd geweten dat je zou uitblinken in je werk. Je bent ervoor geboren, toch? Je bent geboren om openbaar aanklager te worden. Of misschien cipier.'

Eduardo's lach was bevroren op zijn gezicht. 'Ik begrijp even niet wat je bedoelt,' had hij gezegd, proberend om de gekwetstheid uit zijn stem te weren. Eerlijk gezegd wist hij zelden precies wat ze bedoelde.

'Ach, Eduardo,' zei Maria, en het vreemde was dat haar stem en gezicht nog steeds blijk gaven van oprechte genegenheid. 'De reden waarom je zo geniaal in je werk bent, is omdat je het heerlijk vindt om mensen te straffen. Je vindt het heerlijk om te zorgen dat iedereen net zo weinig plezier heeft als jij.'

Mensen leggen zelden echt hun bestek neer als zulke dingen in het openbaar worden gezegd. Ze wijden zich weer aan het eten; ze gaan in de weer met mes en vork. Eduardo gooide zijn hoofd naar achteren en lachte. Hij had zichzelf aangeleerd om zo te reageren als Maria zoiets zei; iedereen was zich allang bewust van de ondoorgrondelijkheid van de relaties van anderen, en dus accepteerden ze alles als een vreemdsoortig privégrapje, vooropgesteld dat Eduardo er zo op reageerde.

'Ik vermaak me kostelijk.' Eduardo lachte opnieuw. 'Ik vermaak me kostelijk.'

Nadat Maria bij hem was weggegaan, hadden anderen weleens geopperd dat ze misschien een beetje egoïstisch was. Iemand had zelfs een keer gezegd dat ze wellicht een aantoonbare narcistische persoonlijkheidsstoornis had. 'De gewone huis-tuin-en-keukengekte,' hadden zijn vrienden gezegd. 'Niets anders dan de typische geschifte vrouwengekte.' Maar Eduardo was het daar niet mee eens geweest. Misschien was Maria gek, maar ze was geen huis-tuin-en-keukengeval; haar gekte was de knetterende elektrische puls die door een verfijnder netwerk stroomde. En hoewel het misschien een soort gekte was, was het ook een zeldzaam soort genialiteit, een zeldzaam soort eerlijkheid.

En dus kon Eduardo zich moeiteloos voorstellen dat Maria

bij allerlei ongepaste gelegenheden vrolijk een radslag zou maken, ook daar waar anderen dat liever niet zouden zien. Maar de sleutel tot het geheel was vreugde; iemand die overmand is door verdriet zal nooit een radslag maken. Dus was Lily's radslag geen bewijs van haar schuld omdat hij onbezonnen was, zoals een kleine, maar zelfvoldane reeks aanhangers van onbezonnenheid leek te geloven. Lily's radslag was een bewijs van haar schuld omdat hij, net als Lily zelf, blijk gaf van onverschilligheid. De radslag was geen waterdicht bewijs van haar schuld. Er bleek alleen uit dat ze tijdens het verhoor, nog geen twintig uur na de dood van haar kamergenootje, geen verdriet had gevoeld.

Desondanks was Eduardo er nog niet helemaal zeker van.

Op dinsdag sprak Eduardo met Beatriz Carrizo.

'Ik vind het heel erg dat u dit hebt moeten doormaken,' zei hij en hij schonk een glas water voor haar in.

Ze zaten in zijn kantoor, met de luxaflex dicht. Beatriz Carrizo had vol, glanzend haar, en ze droeg een stretchblouse met een rood-beige bloemetjespatroon. Tussen haar borsten glansde een gouden kruisje. 'Waarom mag mijn man er niet bij zijn?' vroeg ze.

'Ik moet u beiden afzonderlijk ondervragen,' zei Eduardo. Beatriz keek verschrikt. 'Ik wil u niet ongerust maken. U staat niet onder verdenking.' Dat was waar. Ze waren dat weekend weggeweest, naar de doopplechtigheid van een neefje in het noorden van het land. 'Ik wil graag uw beider indruk van Lily Hayes horen. Apart van elkaar.'

Beatriz knikte.

'Goed.' Eduardo verschoof zijn papieren om een sfeer van doelgerichtheid te creëren. 'Wat kunt u me over haar vertellen?'

Beatriz Carrizo schudde haar hoofd. 'Ik weet het niet,' zei ze. 'Ik kende haar nog niet zo lang.'

'Uw algemene indruk is al genoeg.'

Beatriz nam een grote slok water en staarde met een onzekere, ongemakkelijke gezichtsuitdrukking naar het raam. 'Nou ja,' zei ze uiteindelijk. 'Ze was in elk geval een geval apart.'

'In welk opzicht?'

'Ze was kil. Een beetje achterbaks, misschien wel. Ze zat de godganse tijd bij die knul van de buren.' Beatriz perste haar lippen even op elkaar, alsof ze zich wilde inhouden, maar daarna ging ze verder. 'Ik weet dat ze daar bleef slapen als we weg waren. En ze was arrogant. Ze deed voortdurend verslag van de dingen die ze over de stad te weten was gekomen, alsof we die zelf niet allang wisten. Het was natuurlijk leuk dat ze geïnteresseerd was. Maar het was ook raar. Ze hield totaal geen rekening met andere mensen.'

Eduardo knikte. Dat was ook zijn indruk, al zou hij dat natuurlijk nooit zeggen. 'En wat was Katy voor iemand?' vroeg hij.

'Ze was een lieve meid. Rustig. Haar kenden we ook niet zo goed. Het is afschuwelijk, wat er met haar is gebeurd. Is dat uw vrouw?' Beatriz keek naar de foto van Maria op Eduardo's bureau – een van de twee ingelijste foto's die hij van zichzelf had mogen houden. Hij was vier jaar geleden op het strand gemaakt, ze deed een handstand. Haar haar hing voor haar gezicht en ze lachte. Haar mond leek op een pioenroos. Ze was de enige volwassene die Eduardo kende die een handstand kon doen.

'Ja,' zei hij, omdat hij altijd ja zei.

'Ze is mooi.'

Hij keek snel op naar Beatriz. 'Had u weleens problemen met Lily?'

'Problemen?'

'Was ze gehoorzaam? Beleefd? Hield ze zich aan de regels?'

'Problemen. Tja, er waren wel wat dingetjes.'

'Ja?'

'Nou ja, ik heb haar een keer betrapt toen ze in onze paperassen zat te neuzen.'

'Wanneer was dat?'

'Twee weken eerder, denk ik,' zei Beatriz. 'Twee weken voor het gebeurde, bedoel ik.'

Eduardo knikte. 'Hebt u haar erop aangesproken?'

'Ja.'

'Hoe reageerde ze?'

'Ze had in elk geval geen spijt. Ze deed zelfs niet alsof het haar speet.'

Eduardo maakte een aantekening. 'Nog meer?'

'En daarna nam ze dat vreselijke baantje bij de club, waar ze met god mag weten wat voor mensen in contact kwam. Ze kwam nog later thuis. Ik lag wakker tot ik haar thuis hoorde komen. Ik was doodsbang dat ik op een gegeven moment haar ouders zou moeten bellen met het bericht dat haar iets was overkomen. Gek is dat, ik ben nooit bang geweest dat er iets met Katy zou gebeuren.' Er verschenen rimpeltjes in haar kin. 'En toen werd ze ontslagen en loog daarover.'

'Heeft ze gelogen?'

Beatriz knikte en beet op haar lip. De rimpels in haar kin werden dieper.

'Weet u waarom ze werd ontslagen?' vroeg Eduardo.

'Nee, maar ik snapte toch al niet waarom ze überhaupt was aangenomen. In ons huis kon ze nauwelijks het aanrecht vinden.'

'Dit is zeer nuttige informatie,' zei Eduardo en hij maakte weer een aantekening. 'Verder nog iets?'

Beatriz legde haar hand over haar mond en knikte.

'Wat is er gebeurd?' vroeg Eduardo. De lucht voelde zwaar en zilt; Eduardo rook de koriandergeur van haar zweet, vermengd met haar doordringende parfum. Hij mocht zich natuurlijk niet tot haar aangetrokken voelen, gezien hun beider rol. Het verontrustende was dat dat ook niet het geval was.

'Ze deed de depressie van mijn man met een lachertje af,' zei Beatriz.

'Lachte ze erom?' Eduardo knipperde niet met zijn ogen. Zijn eigen depressie was een ding met klauwen, scherpe tanden en blikkerende ogen, een eigen reeks tics en vooroordelen en een eigen, geïntegreerde persoonlijkheid. De truc om geen eind aan je leven te maken was jezelf er elke dag weer van overtuigen dat je dood als een mokerslag zou aankomen bij absoluut iedereen in je omgeving, ondanks hardnekkige bewijzen van het tegendeel.

'Ja. Ze had mijn man meegemaakt in uiterst depressieve staat.' Beatriz keek naar haar schoot. 'Daarmee bedoel ik dat hij dronken was. En toen ik het daar met Lily over had, moest ze lachen.'

Eduardo knikte weer. 'Misschien was ze zenuwachtig?'

'Dat was nog zoiets. Ze liet zich nergens door van haar stuk brengen. Ze was volkomen emotieloos. Haar... Hoe zeg je dat...'

'Haar houding?'

'Ja. Haar houding was emotieloos.'

Eduardo boog zich naar voren. 'De vraag die ik u nu ga stellen, is niet de belangrijkste,' zei hij. 'Ondanks het feit dat ik hem als laatste stel.'

'Oké.'

'Hebt u ooit gedacht dat ze tot zoiets in staat zou zijn?'

Beatriz fronste. 'Nou nee,' zei ze na een lange pauze. 'Daar moet ik nee op zeggen.'

'Dank u, señora,' zei Eduardo. 'U bent zeer behulpzaam geweest.'

Beatriz keek op en Eduardo zag dat ze tranen in haar ogen had. 'Moeten we nu verhuizen?'

'Pardon?'

'Hoe lang heeft de politie het huis nog nodig?'

Eduardo schonk haar glas nog eens vol. 'Dat zult u de politie moeten vragen. Ik denk dat het nog wel even gaat duren.'

'Er rijden tot diep in de nacht toeterende mensen langs. Het is afschuwelijk. Ik weet niet of we daar ooit nog normaal kunnen wonen.'

'Misschien kan dat wel niet.'

'Maar we raken het aan de straatstenen niet kwijt.'

Eduardo drukte zijn duim tegen zijn glas. 'Deze zaak zal heel wat media-aandacht krijgen,' zei hij. 'Als Lily Hayes formeel in staat van beschuldiging wordt gesteld. Dat kan gunstig zijn voor de verkoop.'

Beatriz keek hem verbijsterd aan. 'Bedoelt u dat iemand het

huis zal willen kopen vanwege wat er is gebeurd?'

Eduardo keek haar meewarig aan. 'Ik heb het al vaker zien gebeuren, señora.'

Beatriz schudde haar hoofd. Het licht dat door de luxaflex sijpelde, was bloedrood van kleur. Het gouden kruisje op haar borst glansde in het zonlicht. 'Ik kan me niet voorstellen dat iemand zo verknipt kan zijn,' zei ze.

Eduardo zei tegen haar dat hij, met zijn professionele ervaring, mensen was tegengekomen die verknipt genoeg waren voor bijna alles.

Op vrijdag werd de camera van Lily Hayes gebracht. Toen wist Eduardo het eindelijk zeker.

Alle informatie die hij nodig had, was op beeld vastgelegd. De foto's gaven met meedogenloze duidelijkheid weer hoe achteloos Lily Hayes zich door het leven bewoog; er bestond geen enkele barrière tussen haar verlangens en de verwezenlijking daarvan. *Wereld, ontwaak!* leek ze te zeggen. *Zeeën, wijk uiteen! Buenos Aires, maak uzelf kenbaar en laat mij u fotograferen!* Er stond een foto op van een vrouw met een bloedrode striem op haar gezicht, duidelijk stiekem gemaakt. Er stond een foto op van een schriel jochie zonder broek. Er stond een foto op van Lily zelf, die enthousiast wees naar haar muggenbulten. Dit, constateerde Eduardo, was een vrouw zonder bescheidenheid. En volgens Eduardo was bescheidenheid meer dan wat ook de basis voor deugdzaamheid. Goedheid begon wanneer de buberiaanse ik/het verschoof naar het moreel verantwoordelijke ik/gij; het begon met het inzicht dat je geen monopolie hebt op bewustzijn – dat je niet de enige mens ter wereld bent. En daar staat Lily Hayes voor de Basílica Nuestra Señora de Luján, met haar weelderige boezem die nauwelijks in toom wordt gehouden door een te strak topje. Ze straalt bijna door het licht van haar narcisme. Had ze in de gaten dat alle andere vrouwen beschaafd gekleed waren, dat ze hun hoofd hadden bedekt? Ze zag het niet, of het kon haar niet schelen. Iemand die niet opmerkzaam is, is lichtzinnig. Iemand die lichtzinnig is, is gevaarlijk. Toen Eduardo naar de foto's van Lily Hayes keek, zag hij wat voor iemand ze was. Ongeacht wat voor andere kwaliteiten ze had, ze was in elk geval niet onopmerkzaam. Ze nam alles waar, dat bleek uit haar foto's. Ze zag de vleugels van een libel, ze zag de dauw op een guave, en ze merkte de lachwekkende discrepantie op tussen een enorm billboard met de tekst COMIDA VEGETARIANA naast het karkas van een of ander onfortuinlijk hoefdier, glanzend in de zon. De dingen die Lily Hayes opmerkte waren schrijnend voorspelbaar, maar ze zag ze wel. Dus moest Eduardo concluderen – met de nodige voorzichtigheid, natuurlijk – dat ze geen inlevingsvermogen had.

Die middag diende Eduardo zijn aanvraag tot een hoorzitting voor de rechter van instructie in. Hij had voldoende te zeggen.

3

Januari

Lily was recentelijk tot twee conclusies gekomen. Eén: we gaan allemaal een keer dood, en twee: we zijn nog niet dood.

Wellicht had ze het eerste altijd al geweten. In hun gezin was de winter – de hele winter, elke winter, zelfs vierentwintig jaar na dato nog – een gewijde, deprimerende tijd. Iedereen bewoog zich omzichtig rond de nagedachtenis aan Janie, de dochter die twee jaar voor Lily's geboorte was overleden. Op de foto op de schoorsteenmantel was Janie te zien met haar hoekige kaaklijn en intelligente gezicht, net als die van Lily en Anna; je kon zien dat ze later redelijk knap zou zijn geworden als het haar was gelukt om niet altijd zo ernstig te kijken. Maar op de foto is Janie slechts twee jaar oud en zit ze op een hobbelpaard dat al haar aandacht vergt, en een jaar later zal ze toch dood zijn, dus je kunt het haar niet kwalijk nemen dat ze geen blijk geeft van gevoel voor humor. Lily had de foto talloze keren bekeken, en nog meer dan dat ze wenste dat Janie nog leefde – natuurlijk wenste ze dat ook, vanzelfsprekend – wenste ze dat Janie een jongetje was geweest, of dat ze zelf een jongen was geweest, want de dood van die eerste dochter had een desastreus effect op de ouders gehad als het om dochters ging.

Lily's jeugd was dan ook schandalig saai geweest: alle blije gebeurtenissen werden van tevoren nauwgezet gescreend, elk verdriet werd achter de coulissen gehouden. Zij en Anna hadden zich in hun lot geschikt, passief reactief bij elke zachtmoedige prikkel – een rolschaatsfeestje, twee reisjes naar Disney World, handenarbeidprojecten op school (een openbare school, maar wel in een goede buurt, dus uitstekend geoutilleerd). Alle feestdagen waren onlosmakelijk verbonden met bezoekjes aan Janies graf, vooral gefocust op alle bijbehorende voorwerpen (de keuze van de bloemen, het plaatsen van ballonnen, het verwijderen van onkruid), en het voelde altijd net zo plichtmatig en emotieloos als de politieke beschouwingen. Misschien niet geheel toevallig brak de scheiding van Andrew en Maureen, toen die uiteindelijk openlijk erkend werd, zo ongeveer het wereldrecord sloomheid: na een jarenlang bestaan in een collectieve staat van medicinale en wezenloze desinteresse, zweefden ze weg naar verschillende ethers en was het afgedaan. Ze waren in wezen zombies. Daar waren Lily en Anna het over eens – hoewel Anna van mening was dat hun zombie-status begrijpelijk en te vergeven was, terwijl Lily geneigd was te denken dat het leven kort was, en ja, er was iets vreselijks gebeurd, maar dat was heel lang geleden en er zou een dag komen dat iedereen dood was en dat niemand extra punten zou krijgen omdat ze het leven zo weerzinwekkend hadden gevonden. Want Andrew en Maureen vónden het leven weerzinwekkend: ze traden het alleen altijd heel beleefd tegemoet.

Dus ja, Lily was bekend met het fenomeen sterfelijkheid. Maar wat misschien nieuw was, was het acute bewustzijn, de bezieling en de dankbaarheid. Dat effect had Argentinië op haar gehad. Het gevoel was in het vliegtuig ontstaan, toen het roestkleurige licht door de raampjes viel en de blonde haartjes op de arm van de stewardess deed oplichten toen ze een glaasje wijn inschonk. Op dat moment had het leven zich aan Lily geopenbaard. Ze had met een idiote grijns toegekeken toen ze op het wisselkantoor op het vliegveld misdadig tekort werd gedaan, tijdens de uiterst onwelriekende metrorit, en gedurende de eerste anderhalve dag bij haar gastgezin, de Carrizo's. Ze waren perfect: Carlos deed in onroerend goed en Beatriz was huisvrouw, hoewel ze zich verzorgd kleedde en altijd druk leek, en, het allerbelangrijkste, ze toonden nauwelijks interesse voor wat Lily uitspookte. Ze verstonden Engels, maar Beatriz deed alsof dat niet zo was, dus kon Lily bij elk gesprek haar Spaans bijschaven, en dat vond ze geweldig. Ze vond bijna alles geweldig. Ze was weg van haar kamer, die klein en zonnig was, hoewel hij zich in het souterrain bevond en voorzien was van een stapelbed met felgroene lakens. Ze was weg van het enorme scheefgezakte huis naast dat van de Carrizo's, waar het ongetwijfeld spookte. Ze was weg van de broodjes chorizo – met het gerookt smakende ei en de zoute, druipende kaas – die je op elke straathoek kon kopen. Ze was weg van haar studierooster – op woensdagochtend politieke filosofie, een zelfstandig project creatief schrijven en 's middags Spaanse les, die door iedereen als facultatief werd beschouwd. En ze vond het helemaal geweldig dat de Carrizo's vlak bij de Avenida Cabildo woonden, waar je een bus naar elke plek in de stad kon nemen. Lily voelde zich groeien in de nieuwe ruimte die de wereld voor haar had vrijgemaakt; Middlebury verdween al snel naar de collectie brochurefoto's die het ooit was geweest – bomen in uitbundige herfstkleuren, studieboeken over internationale betrekkingen, lachende, naar al snel bleek niet-bestaande multiculturele vriendengroepjes. Elk aspect van Lily's leven daar – Harold de econoom en de vreselijke Hawaïaanse themafeestjes die door de studentenhuizen waren georganiseerd, het gesis van de radiator tijdens de colleges logica en haar bebrilde, welbespraakte studiegenoten vrouwenstudies, die gedoemd waren tot in lengte van dagen te discussiëren over verschil- versus gelijkheidsfeminisme – begon te vervagen. Het was niet meer dan het bezinksel van een oppervlakkig, plichtmatig leven; het had alleen maar gediend ter voorbereiding op dit: de aankomst in een nieuw land, in een nieuw werelddeel, en het ontstijgen van de academische tussenfase om uit te vliegen naar de uitbundige, prachtige realiteit. Anderhalve dag was Lily in de wolken. Anderhalve dag was Lily vrij. En toen kwam Katy.

Katy was Katy Kellers, haar kamergenoot. Volgens de beperkte studie-informatie die Lily in december had gekregen had Katy de universiteit van Californië bezocht, waar ze International Finance studeerde, en vooral dat tweede gegeven had haar niet voorbereid op hoe griezelig knap Katy zou zijn. Katy Kellers had donkerblond haar, een onnatuurlijk gelijkmatig gebit en ogen die op de een of andere manier groter leken dan mogelijk was. Op de dag van haar aankomst droeg ze een strak coltruitje – een kledingstuk dat alleen flatteus gedragen kon worden door iemand die voor haar plezier aan langeafstandslopen deed (dat wist Lily omdat ze vaak genoeg met Anna was gaan winkelen) – en zelfs na veertien uur in een vliegtuig vertoonde ze geen spoor van vermoeidheid.

'Dus jij bent Katy,' zei Lily en ze stak haar hand uit.

Katy's hand voelde precies zoals hij eruitzag. 'En jij bent Lily,' zei ze met een glimlach. Die tanden! Het zou nog lastig voor Lily worden om zich daaroverheen te zetten. Lily's eigen rampzalige gebit was min of meer in het gareel gebracht met een reeks akelige ingrepen toen ze op de middelbare school zat (daarom was ze al zo vroeg seksueel actief geworden, had ze Anna een keertje verteld – omdat ze zich door haar tanden zo onzeker had gevoeld dat het een tijdje had geduurd voordat ze haar zelfvertrouwen had herwonnen). Lily had nu een mooi gebit, maar niet zo mooi als dat van Katy. Katy's gebit voldeed aan het platonische ideaalbeeld.

Katy bukte om haar koffer open te ritsen en begon een bontgekleurde reeks truien door te spitten. Lily had nog nooit zulke vrouwelijke armspieren gezien.

'Zo,' zei Lily en ze klom op het bovenste bed. 'En wat brengt jou hier?'

'Hier?'

Lily liet haar benen omlaag bungelen. 'In Buenos Aires.'

Katy haalde haar schouders op. 'Ik wilde eigenlijk met mijn vriendje naar Barcelona, we zouden samen gaan, maar toen...'

'Ging het uit?'

Katy beet op haar lip – ze beet godbetert op haar lip! 'Het ging uit, en toen leek het me beter om ergens anders heen te gaan.'

'En tegen die tijd was er niet veel keus meer.'

'Dat nou ook weer niet,' zei Katy. 'Ik had naar Senegal gekund.'

'O,' zei Lily.

Katy bracht met haar vingers haar kapsel op orde, hoewel dat eigenlijk overbodig was.

'Tja,' zei Lily. 'Daarom is het op onze leeftijd zo lastig als je je op één persoon focust. Het laatste semester heb ik met een paar mensen iets gehad, maar niets serieus. Ik kon min of meer doen wat ik wilde.'

Lily had als tweedejaars de filosofische beslissing genomen om haar vriendjes zoveel mogelijk geslachtsneutraal te benoemen, uit solidariteit met de homorechtenbeweging. Het toeval wilde dat al haar sekspartners (vier tot acht, dat hing af van hoe conventioneel je de geslachtsdaad omschreef) tot dusver mannelijk waren geweest, maar ze was ruimdenkend. Ze had altijd gedacht dat ze voor het eind van haar studie nog weleens met een meisje zou zoenen. Ze wist dat het een cliché was, maar je kon niet alle clichés vermijden. Als twintigjarige met twee hoofdvakken, filosofie en vrouwenstudies, wist ze dat onderhand wel.

'Aha,' zei Katy neutraal.

'Nou ja, vooral met eentje, eigenlijk,' zei Lily. 'Hij heette Harold. Hij studeerde economie. Ik kan me niet voorstellen dat ik een vriendje heb gehad dat Harold heette. Dat ik heb gevreeën met iemand die Harold heette. Hij was eenentwintig, kun je het je voorstellen?' Katy's ogen leken zich een beetje te vernauwen. Ze ritste haar koffer dicht, hoewel ze nog niet klaar was met uitpakken. 'Hoe heette jouw vriendje?' vroeg Lily.

'Anton.'

'Anton, zie je wel?' Lily ging overeind zitten. 'Dat is een naam waarmee je kunt aankomen.'

'Ik hield echt van hem.' Katy's adem stokte en Lily kreeg heel even het schrikbeeld dat ze zou gaan huilen. Het was te vroeg, veel te vroeg, voor dit soort gesprekken.

'Natuurlijk,' zei Lily sussend. Ze trok haar benen op en vouwde ze onder zich. 'Zijn jullie nog wel bevriend?'

'Nee,' zei Katy niet-begrijpend. 'We zullen nooit meer bevriend zijn.'

'Niet?' Dat intrigeerde Lily wel een beetje. Toen zij en Harold uit elkaar gingen, hadden ze elkaar bezworen dat ze wel bevriend zouden blijven. En waarom ook niet? Ze waren jong en veerkrachtig en ze waren allebei ook al twee of drie keer aan de kant gezet. Maar Harold had al gauw een nieuwe vriendin gekregen – ze studeerde nota bene accountancy! – die hem had verboden ooit nog met Lily om te gaan. Daar was ze kapot van geweest; ze was heel graag met hem bevriend gebleven, deels omdat een vriendschap met een ex-geliefde iets moderns, volwassens en mondains had, deels omdat het haar wel zo beschaafd leek en deels omdat ze als de dood was dat iemand uit haar leven zou verdwijnen. Het deed haar aan de dood denken, en daar werd ze al zo vaak aan herinnerd. Maar ze wist ook dat ze zich meer dan normaal bewust was van het verstrijken van de tijd in het algemeen en de vergankelijkheid van het bestaan in het bijzonder – door de dood van haar zusje, of bijna-zusje, of hoe je het ook wilde noemen. Dus had ze zichzelf aangeleerd niet al te zwaar te tillen aan de kortzichtigheid van andere mensen, en blij voor ze te zijn omdat ze daar zelf moeiteloos mee konden leven.

'Hij is vreemdgegaan tijdens een drugsvrij housefeest,' zei Katy.

'O jee.' Lily floot. 'Dat is rot. Bij vreemdgaan wil je eigenlijk liever dat er drugs in het spel zijn.'

Katy zag er aangeslagen uit. 'Dat zou ik niet weten,' zei ze aarzelend. 'Ik weet niet of dat wat uitmaakt.'

Lily nam wat gas terug. 'Nee, natuurlijk niet,' zei ze. 'Maar ik bedoel... weet ik veel. Monogamie is volgens mij niet echt weggelegd voor mensen van onze leeftijd, toch?'

Katy krabde aan haar neus. Zelfs dat zag er op de een of andere manier elegant en vanzelfsprekend uit. 'Nou ja,' zei ze, 'volgens mij kun je er wel voor kiezen.'

Lily wist ook wel dat ze het met haar kamergenoot heel wat slechter had kunnen treffen. Katy was netjes en beleefd, en ze verzamelde al snel een stel acceptabele vriendinnen met orkaanbestendig steil haar om zich heen – geen van hen was zo knap als zij, maar ze leken wel allemaal even aardig – met wie ze bijna elke middag de stad in ging. Desondanks bezorgde ze Lily een ongemakkelijk gevoel – een knagend gevoel van onbeholpenheid – als ze in de buurt was. Na school zat Lily uren in cafés wijn te drinken en Borges in het Spaans te lezen, waarbij ze alle woorden omcirkelde die ze niet kende, en als ze 's avonds terugging naar huis – verward en verbaasd, verrukt over de grenzeloze schoonheid van de wereld – en aan de eettafel ging zitten, zei Katy iets als: 'Je hebt wijnaanslag op je tanden.' En dat was het dan weer.

Toch was Lily weg van Buenos Aires; ze vond het heerlijk dat een enorme lap wereld – de oceaan, de Amazone, de regenwouden en drugsoorlogen – haar scheidde van iedereen die ze kende. Onwillekeurig had ze een beetje met hen te doen, omdat zij nu zo gelukkig was. Tijdens een college psychologie op Middlebury had ze een keer een essay moeten schrijven over de geboortevolgorde in haar gezin en of ze wel of niet paste in de daarmee verbonden persoonlijkheidsprofielen die in de klas besproken waren. Lily had geschreven dat ze feitelijk de oudste was en dat ze zich in sommige opzichten ook zo voelde – ze was wellicht avontuurlijker dan Anna – maar dat ze zich in andere opzichten het middelste kind voelde, omdat ze zich bevond tussen de behoeftige uitersten van Anna (de 'baby') en de dode Janie (tot in de eeuwigheid ook de baby), maar dat de afwezige Janie ook in zekere zin haar status als oudste bevestigde, omdat geen enkel ouderpaar van een eerste kind zo neurotisch, beperkend of dictatoriaal kon zijn als ouders van een tweede kind dat was geboren nadat het eerste was overleden. En Lily moest die barrière natuurlijk slechten en ze eraan herinneren dat niet elke verkoudheid de voorbode was van een dodelijke ziekte, en dat niet elke overtreding van de huisregels een catastrofe was, en dat niet alle jongens verkrachters waren – graag gedaan, Anna! – en dat ze uiteindelijk een soort ongemakkelijke overeenkomst hadden bereikt zodat Lily iets van een normaal leven kon leiden, zelfs als ze dat maar niks vonden.

Ze kreeg een 9 voor het essay.

In Buenos Aires kon Lily voor het eerst uit dat keurslijf stappen, ze kon zelf invulling geven aan het sjabloon van haar autonome ik-zijn dat ze al die tijd had uitgestippeld – in het geheim, in haar eigen tijd – voor haar hele leven. Na de colleges, die academisch gezien nogal komisch waren – iedereen staarde wezenloos en katterig voor zich uit, de docenten waren verveeld, de lokalen te warm, en achter het raam lonkte de stad – doolde Lily door de eindeloze middagen. Ze maakte lange wandelingen door de stoffige stad, ging naar San Telmo, La Boca en Palermo, en sprong in een taxi om de achterbuurten te verkennen. Ze besteedde een hele middag aan het fotograferen van de obelisk die ze in een bepaalde lichtval wilde vastleggen. Ze ging met de trein naar de basiliek in Luján om te zien waar al die katholieke heisa over ging. Ze dronk Quilmes in kroegen en probeerde er mysterieus uit te zien, ze at alfajores in eetcafés en likte de poedersuiker van haar vingers zonder erom te malen dat ze er idioot uitzag.

Op een dag zou ze dood zijn, maar nu leefde ze nog.

De atmosfeer om haar heen was vochtig en mat, daarmee vergeleken was alle andere lucht die ze ooit had ingeademd maar ijl. De weelderigheid van de stad deed haar denken aan de prehistorie – ze verwachtte half en half ineens uit een moeras een dinosaurus met bemoste tanden te zien opduiken. Ze kreeg enorme bulten van de muggenbeten omdat ze niet gewend was aan de Argentijnse muggen. Ze zwollen op en barstten als griezelige vulkanen open, waarna ze genazen tot duimgrote stofkleurige littekens. Lily legde het hele proces vast met haar camera, met een muntje ernaast om de grootte weer te geven. De insecten waren absurd, maar dat gold voor alles. De wisselkoersen waren absurd. Het fruit was absurd. Lily maakte foto's van de insecten en het fruit. Ze maakte foto's van de mensen en stuurde die naar Anna.

'Vinden mensen het vervelend als je ze fotografeert?' vroeg Katy.

'Geen idee,' antwoordde Lily. 'Ik heb het ze niet gevraagd.'

Over het algemeen was Lily ook dol op de Carrizo's. Ze kon het uitstekend vinden met Carlos: hij en Lily zelf dronken het meest tijdens het avondeten, waarna ze oeverloos boomden over George W. Bush en elkaar complimenteerden met hun steeds onzinniger theorieën en meningen. Beatriz was kordaat aardig, en hoewel Katy duidelijk een streepje voor had bij haar, mocht Lily haar daar niet minder om. Het was prima dat beide gastouders hun eigen favoriete buitenlandse student hadden. Het zorgde ervoor dat ze allemaal het gevoel hadden dat ze deel uitmaakten van een echt, tijdelijk gezin.

Op zondag gingen Lily en Katy met de Carrizo's mee naar de kerk. Hoewel Lily geen goed woord overhad voor de kerk van haar ouders – Maureen had een overvriendelijk unitariërs-instituut bezocht waar alle mogelijke bestaanswijzen weerzinwekkend klef en enthousiast werden omarmd – vond ze de kerk in een vreemd land van een heel andere orde; het had meer weg van een antropologisch onderzoek, zelfs als het geheel in grote lijnen ongemakkelijk overeenkwam met haar eigen vroegere tradities. Ze zou de blauwe moskee in Istanbul tenslotte ook niet mijden, of de klaagmuur in Jeruzalem, vanwege het feit dat ze niet geloofde dat het echte heilige plaatsen waren. In de kerk sloeg ze geen kruis en ging ze niet ter communie, maar dat was vanwege haar diepe respect voor het geloof van anderen. Op hun tweede zondag in Buenos Aires probeerde Lily dit uit te leggen aan Katy.

'Ik bedoel alleen maar,' zei Katy, 'een stukje brood en een slokje wijn en ze zijn gelukkig. Wat maakt dat nou uit?'

Ze stonden voor de wastafel in de badkamer, Lily probeerde haar wenkbrauwen te epileren zonder naar het spiegelbeeld van Katy naast haar te kijken. Meestal gingen ze niet tegelijk naar de badkamer, maar het was de eerste avond dat ze alleen in huis waren – Carlos was stappen met vrienden en Beatriz was bij een zus op bezoek – en er leek een tijdelijk, lauw gevoel van kameraadschap tussen hen te zijn gegroeid.

'Maar geloof jij in dat gedoe?' vroeg Lily.

Katy trok een scheef gezicht en spuugde haar tandpasta uit. Op de een of andere manier deed ze dat, net als alles wat ze deed, uiterst bevallig. Lily kon maar niet wennen aan de manier waarop Katy zich door het leven van alledag leek te bewegen zonder erdoor te worden beroerd: haar kapsel werd nooit merkbaar door de wind in de war gebracht, haar lippen werden nooit door de wijn gekleurd, haar kleding bleef onkreukbaar bij beweging of inspanning. 'Daar gaat het helemaal niet om,' zei Katy. 'Het kost je niets.'

'Ik vind het verwerpelijk om te doen of je erin gelooft terwijl je dat niet doet.'

'Maar wat kan het jou schelen als je toch niet gelooft? Als God niet bestaat, zal Hij er toch niet achter komen.'

'Maar jíj weet het wel,' zei Lily. Ze tikte met het pincet tegen de wastafel om haar woorden kracht bij te zetten en liep naar het raam. Alle ramen in het souterrain bevonden zich ter hoogte van het maaiveld, waardoor Lily het gevoel kreeg alsof ze op de brug van een schip woonde. Ze keek omhoog naar de tuin. In het huis van de buren brandde geen enkel licht. 'Weet jij wie daar woont?'

'Een jonge knul. Van onze leeftijd.' Katy ging naast Lily staan. Lily rook haar citrusshampoo. 'Heb je hem nog niet gezien?'

'Nee.' Lily tuurde naar het huis. 'Er brandt nooit licht, toch?'

'In elk geval niet uit zuinigheidsoverwegingen. Volgens Beatriz is hij stinkend rijk.'

Lily wilde net vragen hoe rijk precies, toen er ergens boven in het huis een keiharde dreun klonk, alsof er allerlei dingen omvielen.

'Jezus,' zei Katy.

'Zouden het inbrekers zijn?'

'Heb je de deur op slot gedaan toen je thuiskwam?'

'Shit.'

'Ja of nee?'

'We moeten gaan kijken.'

Ze slopen naar boven, het licht van hun mobieltjes wierp scherpe lichtbundels over de trap. Lily tikte Katy op de schouder en wees vragend naar de lichtschakelaar; Katy schudde haar hoofd. Toen ze boven aan de trap waren, gooide Lily de deur open, klaar om het op een schreeuwen te zetten. Maar het was Carlos maar, en hij leek dronken. Hij stond te zwaaien op zijn benen, zoekend naar evenwicht, in een soort overdreven imitatie van volkomen laveloosheid die in een film komisch zou zijn, maar nu angstaanjagend was – en vervolgens zielig, maar toen weer eng – omdat het echt was. In de hoek was een van de kamerplanten omgestoten, het vloerkleed lag vol aarde.

'Meisjes,' zei Carlos met een soort lach die overging in een snik. Hij zocht steun bij de muur en een van de ingelijste foto's – van Beatriz bij haar diploma-uitreiking – viel in scherven op de vloer. 'Meisjes.'

'Wat moeten we doen?' fluisterde Katy.

'Hoezo?'

'Moeten we niet iemand waarschuwen?'

'Ben je nou helemaal? We gaan terug naar onze kamer.'

'En als hij nou met zijn hoofd ergens op valt?'

'Dat gebeurt niet.'

'Wat moeten we tegen Beatriz zeggen?'

'We zeggen niets.'

'En die foto?'

'Wat bedoel je?'

'Moeten we die niet proberen te maken?'

'Laat maar gewoon liggen.'

Ze gingen weer naar beneden en het lawaai boven ging verder. Bij elke klap ging er een lichte golf van opwinding door Lily heen, maar Katy leek het niet te willen horen. Ze pakte haar iPod en zette hem steeds harder, tot de bastonen spookachtig door de kamer dreunden. Lily, die het nooit kon opbrengen om iemand te vragen of het wat zachter kon, zei niets.

Na een tijdje hield het lawaai op, en Katy stond op en toverde iets van reinigingsmelk uit haar tas, hoewel Lily had durven zweren dat ze haar gezicht al had gewassen. 'Denk erom dat je in het vervolg de deur op slot doet,' zei ze terwijl ze de kamer uit liep. Lily staarde haar aan: ze stond in de deuropening van de slaapkamer met een flacon in haar hand en deelde bevelen uit. Had ze niet in de gaten hoe idioot oud en bezorgd volwassen ze overkwam?

'Het was Carlos maar!' zei Lily. 'Hij woont hier!'

Bij het ontbijt de volgende dag had Carlos wallen onder zijn ogen en kwam er geen woord uit; Katy babbelde over school met een stem die een half octaaf hoger was dan normaal, tot Carlos naar zijn werk ging. Toen Lily naar school ging, had Beatriz zich nog steeds niet laten zien. Maar toen Lily tussen de middag naar huis kwam, stond ze in de keuken, alsof ze Lily had opgewacht.

'Lily,' zei Beatriz. Ze keek ernstig, maar dat deed ze altijd. 'Ik wil het even met je over gisteravond hebben.'

'Het is al goed.' Lily lachte – een soort zelfvoldaan, samenzweerderig lachje – om aan te geven dat ze er niet mee zat. 'Maakt u zich maar geen zorgen.'

'Lily,' zei Beatriz. Haar gezicht stond strak. 'Weet je wat de term "depressief" inhoudt?'

Lily voelde een koude rilling door zich heen gaan. Ze sloeg de plank helemaal mis, volslagen mis, door te lachen. 'O, ja,' zei ze. 'Het spijt me. Ja.'

'Begrijp je het?'

'Het spijt me. Ja, ik begrijp het.'

Beatriz knikte, alsof er een akkoord was bereikt. Ze bukte en begon de vaatwasser uit te ruimen. 'We willen vrijdagavond een etentje organiseren. Om jullie echt te verwelkomen. Hebben jullie zin om die knul van hiernaast uit te nodigen? Katy vroeg laatst naar hem.'

'O,' zei Lily. 'Ja, dat is prima.'

Beatriz fronste. 'We willen hem al sinds we hierheen verhuisd zijn uitnodigen, maar het is leuker voor hem als er ook jonge mensen bij zijn.'

Toen ze 's avonds in bed lagen, vroeg Lily aan Katy of het etentje bedoeld was om te zorgen dat ze niets tegen de studiebegeleiding zouden zeggen over Carlos' dronkenschap. Katy zat bij het licht van een zaklamp een of ander studieboek door te worstelen. Buiten hoorde Lily lachende mensen op straat. Waarschijnlijk gingen ze ergens eten. Het was pas elf uur.

'Als een soort smeergeld,' zei Lily. 'Zoiets.'

'Nee,' zei Katy. 'Volgens mij willen ze gewoon aardig doen.'

'Maar de timing is wel opvallend, toch?'

'Jij denkt altijd meteen aan een complot.'

Een zwakke lichtbundel gleed langs de muur en over Lily's dekbed. Ze hoorde het geknisper van papier en het doortastende krassen van Katy's pen.

'Ik had geen idee dat Carlos niet in orde was,' zei Lily even later. 'Ze leken zo gelukkig. Ze leken hun leven perfect op orde te hebben.'

'Blijkbaar kennen we ze toch niet zo goed,' zei Katy.

De volgende middag ging Lily meteen na school naar het huis van de buren. Het tuinpad was overwoekerd door hardnekkig gras dat eruitzag alsof het giftig kon zijn. De deurklopper was zwaar en had de vorm van een of ander mythisch monster dat Lily niet kon plaatsen. Ze deed een paar stappen achteruit en wachtte tot de rijke jongen, hij die in duisternis leefde, zou verschijnen.

De deur ging open en er verscheen een onwaarschijnlijk jong uitziende jongen. Hij had bijna aanstootgevend mooie ogen, en sproeten, waardoor niemand hem ook maar een moment serieus zou kunnen nemen.

'Hallo,' zei Lily in het Spaans. 'Ik ben Lily. Ik logeer hiernaast bij de familie Carrizo, en ze hebben mij gevraagd om je uit te nodigen voor een diner.'

'Is dat zo?' De jongen antwoordde in het Engels. Het was vlak, Amerikaans Engels, niet het vaag Britse Engels dat de meeste mensen die Engels als tweede taal leerden graag hanteerden. (Alsof het niet genoeg was om een tweede taal vloeiend te beheersen. Nee, je moest ook nog de chique versie gebruiken.) 'Ga je gang dan maar.'

'Je bent uitgenodigd voor het eten,' zei Lily sullig.

'Wat een aangename verrassing.'

Die ogen! Alleen al daarom zou je een hekel aan hem krijgen. Lily wist dat zij nu weer geacht werd iets te zeggen. 'Ik wist niet dat hier iemand woonde.'

'Dus wel. Min of meer.'

De jongen keek doodmoe uit zijn beeldschone ogen. Lily betwijfelde of ze ooit iemand had gezien die zo uitgeput leek; alles wat hij zei leek extra imponerend omdat het leek alsof hij op het punt stond een aanval van narcolepsie te krijgen of in coma te raken. Lily had de neiging om iets grofs te zeggen, om hem een beetje wakker te schudden. 'Hoe oud ben je?' vroeg ze onomwonden.

'Je vraagt een vrouw ook nooit naar haar leeftijd. Hoe oud ben jij?'

'Twintig. Woon je hier alleen?'

Hij deed alsof hij de omgeving in zich opnam. 'Daar lijkt het wel op.'

'Hoe lang woon je hier al?'

'Sorry hoor, maar hoe lang woon jij hier al?'

'Je spreekt heel goed Engels.'

'Dat van jou is redelijk.'

Opeens voelde Lily zich ook uitgeput. Je kon geen fatsoenlijk gesprek voeren met iemand die altijd het laatste woord wilde hebben. Misschien keek hij daarom wel zo, door de vreselijke inspanning die het vergde om de leukste thuis te zijn, in elk vertrek van dit enorme, angstaanjagende huis. 'Morgenavond om zeven uur,' zei ze. 'Als je zin hebt.'

4

Januari

Het naastgelegen huis was net zo donker als dat van Sebastien geweest tot de Carrizo's erin waren getrokken. Ze trokken erin in maart, tijdens zijn tweede jaar alleen, hoewel hij probeerde die jaren nooit als jaren te tellen. Toen de Carrizo's kwamen, werden de avonden lichter, en Sebastien keek naar het gele licht in hun keuken en de zachte, grillige kleuren van hun tv; het huis stond in lichterlaaie, als een bosbrand op een heuvel. Niemand staat stil bij hoeveel je 's avonds door het raam van een uitgebreid verlicht huis kunt zien – dat was niet de reden waarom Sebastien zijn huis donker hield, hoewel het zeker een bijkomend voordeel was. Hij probeerde niet te veel te gluren nadat de Carrizo's er waren komen wonen. Maar soms was het onmogelijk om niet verlangend naar al dat licht te zitten staren.

Af en toe stelde hij zich voor dat ze hem ook konden zien. Door die fantasie bleef hij in de weer, liep hij er fatsoenlijk gekleed bij, stond hij op een beschaafd tijdstip op en hield hij zich bezig met zaken die nuttig leken. Hij had dezelfde strategie gehanteerd met betrekking tot zijn ouders, toen ze nog niet zo lang dood waren en hij leerde om op eigen benen te staan. Hij had zich voorgesteld dat ze hem in de gaten hielden – streng, nauwlettend, maar niet geheel zonder mededogen met zijn veeleisende taak – en hij was ervan overtuigd dat dat zijn redding was geweest, voor zover hij van een redding kon spreken. Hij besefte dat hij goden voor zichzelf bedacht – valse goden bovendien – maar hij wist ook dat dat een normale, menselijke reactie was. Hij zou dat geheim graag meenemen in zijn graf, maar hij was ook pragmatisch ingesteld. Je kon stellen dat het denkbeeldige toezicht van de buren – de levensechte buren, met hun glimmende auto, hun protserige tuinbenodigdheden en hun keurig gescheiden afval – ietsje gezonder was dan doen alsof je geloofde in het constante toezicht van geesten. Het had in elk geval hetzelfde heilzame effect. Sebastien kweekte bloemen in de achtertuin, ondanks het feit dat dat eigenlijk een vrouwenbezigheid was. Op internet zag hij de koersen van zijn aandelen op- en neergaan; hij volgde elke fluctuatie van de beurzen in New York, Londen en Tokio; hij hield dwangmatig het nieuws bij. Het was ongeacht alles niet onmogelijk om de toestand van de wereld bij te houden. Hij speelde online poker, wat verwerpelijk zou zijn voor iemand met minder geld en vrije tijd. Zowel tijd als geld was een abstract probleem, en Sebastien kon zich niet schamen voor een gewoonte waarmee hij beide verspilde.

Hij overwoog regelmatig om alle spullen te verkopen. Het huis was tot de nok gevuld met dure en beladen voorwerpen – de sieraden van zijn moeder, de collectie antieke wapens van zijn vader, allerlei schatten die uit alle uithoeken van de wereld waren geroofd – en het zou niet moeilijk zijn geweest om ze kwijt te raken. Hij had ze via internet kunnen verkopen – Sebastien werd heen en weer geslingerd tussen een intense, uit solitarisme geboren agorafobie en een eenzaamheid die zo aan hem knaagde dat hij erdoor gedesoriënteerd raakte – en hij zou de opbrengst natuurlijk kunnen afstaan. (Hij moest er niet aan denken dat hij nog meer geld zou vergaren; hij zou nooit lang genoeg leven of voldoende mensen om zich heen hebben om het geld uit te geven waar hij nu al over beschikte, en dat voelde als een soort bittere schaamte in de nieuwe kapitalistische samenleving waarin hij leefde.) Maar om de een of andere reden wist hij zichzelf er nooit toe te brengen, net zoals hij niet in staat was geweest om zich aan de Carrizo's voor te stellen. De spullen in huis bleven op hun plek, waar ze gelukbrengende krachten en stof vergaarden, en Sebastien bleef zitten waar hij zat en vergaarde slechts stof.

Ondanks zijn nauwgezette observaties van de Carrizo's was de komst van Katy en Lily een verrassing – en misschien raakte die verrassing Sebastien nog meer dan de meisjes zelf. Hij kende de familie Carrizo nauwelijks, maar hij had geen onverwachte dingen van ze verwacht; hij had het bijvoorbeeld geweten toen ze de nieuwe auto kochten, en hij was niet geschokt geweest toen de geruchten over Carlos' dubieuze zakelijke praktijken de kop opstaken (je hoefde alleen maar te kijken naar de ruime hoeveelheid vrije tijd waarover hij beschikte en de aankoop van buitensporig dure huishoudelijke apparatuur om te weten dat er iets niet in de haak was). Maar de meisjes – de een was blond en sierlijk als een hinde, de ander had een bleke huidskleur en een onderzoekend gezicht, iets wat Sebastien wel aantrekkelijk vond – waren een mysterie. Waren het jonge, verre en hopelijk eigenzinnige nichtjes? Maar ze zagen er te anders uit om familie te kunnen zijn, en het feit dat ze bijna even oud waren, kon ook geen toeval zijn. Het was duidelijk dat ze uit het buitenland kwamen, hoewel ze niet beschikten over de slonzige seksuele uitstraling die de Europese meisjes die hij kende wel hadden. Ze waren aantrekkelijk, maar ze hadden iets onbeschroomds, en – dat had hij eerst gedacht, voordat hij ze had leren kennen en op een van de twee verliefd was geworden – ze leken zich niet bewust van hun schoonheid: die was zo zuiver, zo natuurlijk, zo open. Hij werd nergens door aangetast. Hij was er gewoon, als een vlag wapperend in de wind.

Voorzichtige navraag bij de meisjes van Pan y Vino leerde dat de meisjes Katy Kellers en Lily Hayes heetten – wat een opgedirkte, ouderwetse, Edith Wharton-achtige naam was die laatste! – en dat ze uitwisselingsstudentes uit de Verenigde Staten waren. Sebastien observeerde ze een paar dagen – hun komen en gaan, hun uitstapjes, en af en toe, maar niet de hele tijd, hun avonden – tegen de schitterende achtergrond van hun adembenemend felverlichte huis. Hij ontwikkelde een voorkeur voor Lily, maar niet zozeer vanwege haar uiterlijk. Ze was knap genoeg – met haar rossige haar en hoge wenkbrauwen leek ze extreem alert – maar knappe meisjes waren als bloemen: tegelijk adembenemend mooi en doodgewoon. In plaats daarvan voelde hij zich tot haar aangetrokken, in elk geval van een afstandje, door haar vreemde eenzaamheid, een eenzaamheid die waarschijnlijk veel meer zelfverkozen was dan die van hem.

Het was lang geleden dat Sebastien verliefd was geweest op een bestaand meisje. Hij keek veel porno, maar hij hield niet echt van die lege en mechanische vorm; het klinische erop-en-erover deed hem een beetje aan een tandartsbezoekje denken. Hij was esthetisch (hoewel niet ethisch) tegen prostitutie. Er waren vrouwen bij Pan y Vino, waar hij zijn toiletpapier, cornflakes en smerige wijn kocht (bijna alle andere dingen bestelde hij online bij delicatessenzaken, hoewel hij daar hoofdzakelijk specerijen en sterkedrank kocht, hij was zich ervan bewust dat hij volgens de geldende maatstaven maar heel weinig at). Maar die vrouwen waren van het no-nonsense type (hij hunkerde naar een beetje nonsens) en gingen nogal robuust met hem om, de moederlijke bezorgdheid straalde ervan af. Ze stopten geregeld wat snoepgoed in zijn tas, alsof hij daar behoefte aan had. Alsof hij überhaupt iets te kort kwam.

Dus wist hij niet wat hij zag toen Lily opeens voor de deur stond. Er kwam niemand meer aan de deur, zelfs de Jehova's getuigen hadden hun buik vol van hem sinds ze tot de ontdekking waren gekomen dat hij alles deed om maar te zorgen dat ze niet weggingen (hij maakte zichzelf wijs dat dat kwam door zijn hoogstaande sociale proefnemingen, en niet door zijn diepe, verpletterende eenzaamheid). Dus toen Sebastien op zijn deur hoorde kloppen, dacht hij in eerste instantie dat hij hallucineerde. Maar toen werd er weer geklopt – koppig en misschien zelfs een beetje geërgerd. Ergens hoopte hij op een verkoper van slangenolie, of iemand die met een zwendelverhaal kwam over een verzonnen zielig kindje, bejaarde of auto om hem geld af te troggelen. Daar zou hij wel raad mee weten, dacht hij toen hij naar de deur liep. Hij was overal op voorbereid. Hij gluurde door het grote barokke sleutelgat. Voor de deur herkende hij het onmiskenbare silhouet van Lily Hayes, van de buren; haar gezicht deed denken aan de stamper van een vreemdsoortige bloem. Sebastien deed open. 'Hallo,' zei ze en ze stak haar hand uit. 'Ik ben Lily. Ik logeer hiernaast, bij de Carrizo's. Ze hebben mij gevraagd om je uit te nodigen voor een diner.'

'Is dat zo?' zei hij. 'Ga je gang dan maar.'

Hij had geen andere plannen. Op de avond van het etentje stond hij om halfzeven te verpieteren in zijn nette kleren met een fles van een van de betere rode wijnen van zijn vader – een Château Lafite Rothschild Pauillac uit 1996 – als een baby op zijn arm. Om zeven voor zeven liep hij door de tuin naar het huis van de Carrizo's, en voor het eerst keek hij naar zijn huis met de ogen van een buitenstaander. Het onkruid woekerde welig en zag er bedreigend uit. Hij wist dat hij er iets aan moest laten doen, hij had geen excuus voor zijn nalatigheid, het was niet zo dat hij het zich niet kon veroorloven. Waarom had hij zich er nooit druk om gemaakt? Misschien omdat het idee hem wel aanstond dat het onkruid een bepaalde wanhoop en chaos suggereerde; misschien, bedacht hij met iets van zelfverachting, was het bedoeld als een soort noodkreet. Hij stelde zichzelf gerust met de gedachte dat niemand het als zodanig zou opvatten, zelfs als hij iets dergelijks overwoog. Maar toen keek hij naar het goed verlichte huis aan het eind van het pad en vroeg hij zich af of iemand die gedachte misschien al had opgevat.

Om vier minuten voor zeven stond hij voor de deur van de Carrizo's en moest hij beslissen of het erger was om te vroeg te komen of om langdurig en verdacht te blijven staan. Na een kort intermezzo waarin hij semi-plausibel zijn haar en stropdas ordende, belde hij aan. Het was drie minuten voor zeven.

Beatriz Carrizo deed open, haar decolleté glansde gezond gebruind en bezweet, ze droeg haar zwarte haar in een dikke vlecht. 'O hallo,' zei ze. Ze klonk verbaasd, hoewel hij geen idee had waarom. 'Jij bent vast Sebastien!'

Zijn eerste reactie – *ben ik dat?* – schoot door zijn hoofd, voordat hij zichzelf eraan herinnerde dat hij zijn uiterste best moest doen om de mensen om hem heen niet tot waanzin te drijven.

'Ik vrees van wel.' Hij glimlachte naar hij hoopte innemend. In een ver verleden werd hij als innemend gezien, als vroegwijs en aantrekkelijk. Alle jonge leraressen van Andover hadden veelvuldig over hun haar gestreken als ze hem in de klas aanspraken. Maar dat was verleden tijd, nu kon hij alleen nog maar hopen dat hij min of meer in staat was om in het gezelschap van normale mensen te verkeren.

'U bent natuurlijk señora Carrizo,' zei hij.

Ze glimlachte warm. 'Kom binnen.'

Sebastien voelde zich idioot in de modern verlichte, van alle gemakken voorziene keuken. De reusachtige koelkast zoemde en alle werkbladen glansden genadeloos wit. Alles was nieuw, glanzend en onopvallend, en Sebastien zag zichzelf als voorwereldlijk en totaal misplaatst. Waarom had hij een pak aangetrokken? Hij zag eruit alsof hij naar een gekostumeerd bal ging.

In paniek overhandigde Sebastien de fles. 'Ik heb deze meegebracht,' zei hij. Het was natuurlijk een veel te dure attentie, en geheel misplaatst, en Sebastien werd doordrongen van het misselijkmakende besef dat het ongetwijfeld een rampzalige avond zou worden.

'Ik zal hem vast openmaken,' zei Beatriz en ze pakte een kurkentrekker. Sebastien wilde zeggen dat dat niet nu hoefde, dat ze hem beter kon bewaren voor een betere, meer gepaste gelegenheid – maar dat was mogelijk weer onbeleefd, en Sebastien wilde alleen onbeleefd zijn als het hem zo uitkwam. Gelukkig had Beatriz er geen benul van hoe duur de wijn was; ze trok hem open, morste een beetje op het linoleum, schonk vijf glazen vol en nam een slokje uit haar glas zonder de wijn zelfs maar even te laten ademen. Sebastien was opgelucht dat deze misser van hem in elk geval onopgemerkt was gebleven. Andere zouden ongetwijfeld wel opgemerkt worden. Zijn kleren waren veel te warm en hij voelde zich koortsig en had het benauwd. Hij probeerde zich te herinneren wanneer hij het pak voor het laatst had gedragen. Dat was waarschijnlijk tijdens zijn laatste jaar in Andover geweest, niet lang voor het vliegtuigongeluk, toen hij naar Boston was gegaan voor het welkomstdiner voor toegelaten studenten van Harvard. Hij herinnerde zich dat hij het toen ook te warm had gehad – het was die meimaand ongewoon warm in New England voor de tijd van het jaar, en de metro verspreidde die kenmerkende geur, die vreemde mix van stoom en krijt – maar alles om hem heen was ook opvallend licht geweest, en het was geweest alsof het leven zich geheel in de gewenste richting voor hem ontvouwde. In de angstig smetteloze keuken van Beatriz had hij zijn gezicht het liefst verborgen in zijn te opzichtige kleren, misschien had hij dan weer de geur geroken van Boston, de van zijn vader geleende eau de cologne en zijn eigen jongenszweet, vol angstig geluk.

Beatriz keek hem bezorgd aan. 'Is alles goed met je?' vroeg ze.

Hij glimlachte zijn stralende glimlach. 'Het zou met geen mogelijkheid beter kunnen zijn.'

'Wil je al gaan zitten?' vroeg Beatriz.

Sebastien slikte. 'Geloof het of niet, maar zitten is een van mijn lievelingsbezigheden.'

In de eetkamer zat Lily al aan tafel en Sebastien gaf haar een overdreven hoffelijk knikje. Het blauwige avondlicht maakte haar gezicht bleek, haar donkere wenkbrauwen leken langgerekte eilandjes in de melkwitte zee van haar voorhoofd. Naast haar zat Katy Kellers: beukenhoutkleurig haar, marmerkleurige, bijna caleidoscopische ogen, kleine, symmetrische gelaatstrekken met een ogenschijnlijk dwangmatige finesse. Lily keek hoe Sebastien Katy observeerde en nam hem taxerend op.

'Dus je bent gekomen,' zei ze op neutrale toon en ze wierp hem een half glimlachje toe, met exact één helft van haar mond. Haar wenkbrauwen leken voortdurend vragend opgetrokken, waardoor ze iets verwachtingsvols over zich had, intelligent of sensueel, afhankelijk van je eigen perceptie, dacht Sebastien.

'Mijn andere afspraken gingen op het allerlaatste moment niet door,' zei hij. 'Maar het verkeer was een ramp.' Hij wachtte tot iemand hem aan Katy zou voorstellen. Toen niemand zich daar kennelijk toe geroepen voelde, stelde hij zichzelf maar voor.

'Hallo,' zei hij met uitgestoken hand, uitkijkend dat hij niet tegen het schaaltje met boter zou stoten. 'Ik geloof niet dat we elkaar al hebben ontmoet.'

Katy knikte. 'Katy Kellers,' zei ze. Sebastien was het niet gewend dat vrouwen zich alleen met hun naam voorstelden, maar hij bedacht dat hij niet meer gewend was aan de omgang met vrouwen, of zelfs met mensen in het algemeen.

'Sebastien LeCompte,' zei hij.

Katy knikte. 'Dat heb ik gehoord.'

Er viel een stilte, die nog eens benadrukt werd door de keukengeluiden van Beatriz. Sebastien overwoog er een opmerking over te maken – dat het geluid van noeste keukenwerkzaamheden de hoeksteen vormde van het huiselijk bestaan – maar hij hield zich in. De gespannen stilte tussen Lily en Katy voelde als een soort woordeloze ruzie; Sebastien vleide zichzelf niet met de gedachte dat hij de oorzaak was, maar hij zag wel glashelder in dat Lily noch Katy van plan was om er een gemoedelijke avond van te maken. Het was duidelijk dat hij degene was die de stilte moest doorbreken. Aangezien hij met Lily wilde praten, richtte hij zich tot Katy. 'Katy Kellers,' zei hij. 'Waar kom je vandaan?'

Ze wachtte een fractie te lang met haar antwoord, alsof het even duurde voordat tot haar doordrong dat ze het tegen hem had. 'Los Angeles,' zei ze.

Sebastien keek naar Lily. Ze staarde uit het raam, en hij voelde een siddering van bitterzoet verlangen. Ze keek niet terug.

'Dat had ik nooit vermoed,' zei hij tegen Katy.

'Dat heeft iedereen.'

Het verkrampte gesprek werd genadig onderbroken door de binnenkomst van Carlos.

'Goedenavond, meisjes,' zei hij, en hij keek naar Sebastien, die plotseling werd overvallen door moedeloosheid omdat hij kennelijk geacht werd zijn identiteit steeds weer te herbevestigen. 'En jij bent vast Sebastien.'

Ja! dacht hij. *Duizend keer ja!* 'Ja,' zei hij.

Vanaf dat moment verwaterde de avond op voorspelbare wijze. Tijdens het eten dwong Sebastien zich om vragen te stellen waarop hij het antwoord allang wist – hoe lang wonen jullie hier al, hoe lang zijn jullie al getrouwd, wat doet u voor werk, en wanneer precies zijn de lieftallige dames gearriveerd? Halverwege het nagerecht was zijn arsenaal loze vragen uitgeput. Toen werd hij van alle kanten met vragen bestookt, maar niet door Lily.

'Waar kom je oorspronkelijk vandaan, Sebastien?' vroeg Beatriz, en ze probeerde terloops nog een stuk taart op zijn bord te schuiven.

'Ik ben hier opgegroeid. Nee, dank u, ik hoef echt niet meer. Het is lang geleden dat ik zo heerlijk heb gegeten. Nog één hap en ze kunnen me naar het ziekenhuis dragen.'

'Buenos Aires?' vroeg Carlos.

'Exact hier.' Sebastien wees uit het raam over het gras, naar zijn in verval rakende huis. 'Daarzo. In elk geval sinds ik vier was. En het schijnt dat ik voor die tijd niet veel zinnigs heb gedaan.'

'En je bent geboren in de Verenigde Staten?' vroeg Beatriz vriendelijk.

'In de gruwelijke staat Virginia, volgens mijn biografen.'

'Heb je daar ook op school gezeten?'

Sebastien ging verzitten. 'Voorbereidend hoger onderwijs,' zei hij luchtigjes. 'In Massachusetts.'

'En hebben ze je daar voorbereid?' vroeg Lily, kortstondig ontwakend uit haar afwezigheid.

'Zeker. In elk geval op werkloos thuiszitten en overdag drinken.' Sebastien bleef Lily aankijken in de hoop dat ze daarop zou ingaan, maar in plaats daarvan schonk ze een overdadige hoeveelheid melk in haar oploskoffie.

'Wanneer heb je daar op school gezeten?' vroeg Beatriz.

Sebastien kneep zijn ogen tot spleetjes. 'Dat weet ik niet precies meer,' zei hij. Was het echt alweer vijf jaar geleden? Dat leek tegelijk waanzinnig lang en onwaarschijnlijk kort geleden. Geen enkele hoeveelheid meetbare tijd leek in overeenstemming met de verstreken tijd tussen toen en nu. Het was een laterale flits door het universum, een val in een konijnenhol, een lsd-trip of een nachtmerrie. In dit geval was de tijd in conventionele zin niet relevant. 'Het lijkt een eeuwigheid geleden, bedoel ik,' zei hij.

Sebastien zag hoe Lily's gezicht een afkeurende frons kreeg, en de anderen keken niet-begrijpend. Hij wist dat hij moest proberen om wat normaler over te komen. Daar wilde hij net mee beginnen, maar Beatriz was hem voor met de vraag of hij het prettig had gevonden om in de VS te wonen – en dat bleek ook weer een vraag met allerlei haken en ogen te zijn. Sebastien had vaak het idee dat zijn wezenlijke leven al achter hem lag en dat hij nu in een vlak en rusteloos hiernamaals leefde – niet dat hij verdoemd was, hij was gewoon vergeten. De tijd in Amerika had deel uitgemaakt van zijn leven, en dus viel die onmogelijk te vergelijken met alles daarna – het was een kwalitatief verschil, niet kwantitatief – en daardoor kon hij met geen mogelijkheid vertellen over de studies voor gevorderden, het cocaïnegebruik in de badkamer van het studentenhuis en de slapeloosheid, hij kon niet vertellen hoe hij 's nachts eenzaam zat te kijken naar de door de straatverlichting roodgekleurde sneeuwvlokken, en al helemaal niet over de politieke implicaties van het leven in een kapitalistische en corrupte samenleving, een imperium dat zijn eigen grenzen had bereikt. Het was slechts de realiteit geweest, en als zodanig was het zowel veel complexer als veel eenvoudiger dan iemand onder woorden kon brengen. Je kon deze vraag met geen mogelijkheid afdoende beantwoorden; hij kon hem alleen maar gebrekkig beantwoorden. Daarom was hij vaak zo onuitstaanbaar: de echte antwoorden waren onuitsprekelijk, buitenissig en verontrustend, dus moest hij fictieve antwoorden bedenken. Hij glimlachte luchtig.

'Zo prettig als je iets kunt vinden, denk ik,' zei hij.

'Ik zal de restjes voor je inpakken,' zei Beatriz opgewekt.

Vlak daarna – nadat hij Lily een pijnlijk geforceerde omhelzing had gegeven en haar zijn kaartje had toegestopt, beide handelingen hadden vooraf een beter idee geleken – stond Sebastien weer op de veranda en probeerde hij zijn gedachten te ordenen. De avond was overduidelijk rampzalig verlopen. De enige vraag was of hij hieruit moest concluderen dat hij intermenselijk contact in de toekomst maar beter achterwege kon laten, of dat het probleem specifiek bij deze mensen lag. Bij Lily, om precies te zijn. Hij rook de geur van een sigaret.

'Ben jij dat, Satan, kom je me eindelijk halen?' zei Sebastien en hij draaide zich om. Maar het was Katy maar, met een sigaret tussen haar duim en wijsvinger. Het maanlicht viel op haar ontblote schouder.

'Je was wel heel erg onbeleefd,' zei ze.

Sebastien was objectief bezien niet in staat om zich echt beledigd te voelen, dus veinsde hij meestal dat hij alles aanstootgevend vond. Maar deze avond kon hij daar de energie niet voor opbrengen. 'Ik wist niet dat je rookte,' zei hij vermoeid.

'Hoe had je dat moeten weten?'

'Ik wilde niet onbeleefd zijn,' zei hij. 'Zo praat ik altijd.'

'Dan praat je onbeleefd.' Katy tikte de as van haar sigaret. 'Heb je daar weleens bij stilgestaan?'

'Ik heb zo goed als geen omgangsvormen.'

'Iedereen kan zien dat dat niet zo is. Je zit jezelf alleen maar gek te maken.'

Sebastien hoopte dat Katy hem een sigaret zou aanbieden zodat hij die zwierig kon afwijzen, maar ze zei niets. 'Het eten was heerlijk,' zei hij, met een knik naar het huis. 'Eten jullie altijd zo?'

'Hoe bedoel je?'

'Krijgen jullie ondanks hun problemen goed te eten?'

'Waar heb je het over?'

'Niks, niks. Er wordt gekletst, meer niet. Ik vrees dat ik er niets over kan zeggen. Er gaan geruchten over een rechtszaak. Maar ik ga geen roddels verspreiden.'

Katy rolde met haar ogen en schudde vervolgens haar hoofd. 'Je vindt Lily leuk,' zei ze streng.

'Dat is me nogal een beschuldiging.' Normaal gesproken

zou hij meer hebben gezegd – iets over de ongrijpbaarheid van genegenheid, de vluchtigheid van liefde, *et al., ad infinitum* – maar zijn mond was kurkdroog en hij voelde zich opeens uitgeput. Hij had vanavond geen zin meer om te praten.

'Ze is nog jong, weet je,' zei Katy.

'Ze is van jouw leeftijd.'

'Dat is natuurlijk irrelevant.'

Sebastien moest erkennen dat dat zo was; hij wist beter dan wie ook dat tijd een mythe was. 'Hoe dan ook,' zei hij, 'ik ben niets van plan.'

'Maar zij wel.'

Sebastien was niet in staat om de uitersten van banaliteit aan te roeren die hier werden verlangd; om met onzekere, bevende stem te vragen: 'Heeft ze... heeft ze iets over me gezegd?' De wijn kolkte rond in zijn hoofd, Katy's sigaret rook zwaar en prettig. Sebastien haalde zijn schouders op en wees ernaar. 'Ruiken ze dat niet?'

Katy keek hem met een lege blik aan. 'Ik geloof niet dat het zo'n halszaak is.'

Halverwege het grasveld draaide Sebastien zich om en keek nog even naar het huis van de Carrizo's. Het leek op een reusachtig schip, badend in het licht. Wisten ze dat ze een compleet schaduwpoppenspel opvoerden? Wisten ze hoe vlijmscherp elk detail van hun leven werd uitgelicht? Het was alsof je naar een gebrandschilderd raam keek, of naar een Fabergé-ei. Je moest je wel volledig onkwetsbaar voelen om jezelf zo bloot te durven geven. Sebastien moest er niet aan denken wat ze kwijt waren aan elektra. Vroeg of laat, dacht hij toen hij zijn sleutel in het slot ramde, wordt het huis van die mensen leeggeroofd.

Sebastien stak een kaars aan in de woonkamer. De geur van rook gaf zijn huis iets van een kerk, iets heiligs; hij dacht geregeld aan de katholieke kathedralen in West-Europa die hij met zijn ouders op verschillende reisjes had bezocht. Ze hadden hem een goed leven bezorgd, al was het een beetje kort geweest. Een van de meest troostrijke gedachten die Sebastien kon produceren – en gedurende die eerste paar door allesoverheersend verdriet gekenmerkte maanden alleen in huis bijna de enige gedachte die houvast bood – was dat zijn ouders alle vertrouwen in hem moesten hebben gehad om hem zo aan zijn lot over te laten. Ergens tijdens zijn jeugd moesten ze hebben besloten dat hij zonder hen kon. Kennelijk waren ze het erover eens dat hij sterk en dapper genoeg was om het te doorstaan. En hoewel hij nu wist dat ze zich in hem hadden vergist, was hij ook trots op die vergissing.

Sebastien liep naar de schoorsteenmantel, naar de foto van hem en zijn vader naast de tapir die ze hadden geschoten. Hij was destijds vijftien geweest, ze waren voor het eerst samen gaan jagen in een of ander vreselijk wildpark waar zijn vader wel vaker op jacht ging. Sebastien stond op de foto met een onzeker, krampachtig lachje. Hij herinnerde zich die dag nog goed, en hoe bang hij was geweest. Hij herinnerde zich de vreemde, triomfantelijke weerzin om zo dicht bij een dood dier te staan.

'Dit is iets wat je moet onthouden,' had zijn vader gezegd, wijzend naar de tapir. Sebastien wist tot op de dag van vandaag niet wat hij had bedoeld. Misschien had zijn vader in die zin alle dingen willen vatten die hij niet rechtstreeks tegen zijn zoon kon zeggen. Maar misschien ook niet. Misschien was dat op dat moment met die tapir wel het enige wat er te zeggen en te zien viel: een bleke, leegbloedende buik, donker bloed, als een inktvlek, levenloze, volstrekt lege ogen.

'Pap,' zei Sebastien tegen de foto. 'Ik geloof dat ik een meisje leuk vind.'

Hij was net met de oriëntatiecursus begonnen toen het vliegtuig neerstortte. Zijn tante Madeleine uit Frankrijk belde hem om vier uur 's ochtends. Ze zaten midden in een hittegolf, zelfs de houten vloer van zijn studentenkamer was warm geweest. Hij hoorde het relaas in het donker aan en gaf toen over in de open haard. De geur van braaksel vermengde zich met die van de as van uitbundige feesten in het verleden.

Sebastien had sinds hij zich daarvoor interesseerde geweten wat zijn ouders deden, en dat was niet erg lang geweest.

Tijdens zijn puberteit had hij een beeld gekregen van het vaste leefpatroon van zijn ouders – het huis, de vage verhalen over hun werk, hun plotselinge verhuizing naar Buenos Aires in 1994, vlak na de bomaanslag op het joods cultureel centrum. Op dat moment had hij tot zijn schaamte moeten erkennen dat hij het ooit niet had geweten (en tot op zekere hoogte had hij het wel degelijk precies geweten). Het besef ging schuil onder andere informatie die nieuw was en op dat moment fascinerender – voornamelijk over seks, natuurlijk. En net als seks werd het werk van zijn ouders een onderwerp dat onbespreekbaar was onder ontwikkelde mensen, waartoe Sebastien zich op dat moment ook had gerekend.

Nu hield hij het om praktische en persoonlijke redenen geheim. Sebastien wilde de Argentijnse nationalisten in bescherming nemen met wie zijn ouders hadden samengewerkt. Hij had natuurlijk geen idee wie het waren, en de dood van zijn ouders hield in dat iemand anders – iemand die belangrijk genoeg was om een vliegtuig te kunnen laten neerstorten – dat wel wist. Desondanks wilde Sebastien niet dat zijn omgeving op de hoogte was, voor zover ze dat nog niet waren, en hij wilde het leven van de mensen met wie zijn ouders hadden samengewerkt niet moeilijker maken dan het al was, vooropgesteld dat ze nog leefden. Daaronder bevond zich iets wat aanzienlijk lastiger te verklaren was: het gevoel dat het bewaren van een geheim van de doden een manier was om een belofte aan hen gestand te doen, en door die belofte aan de doden konden ze een beroep op hem doen, en alles wat met zulke verplichtingen te maken had, was nog een teken van verwantschap. Om de een of andere reden leken zijn ouders iets minder dood als hij zich tijdens een gesprek met vreemden terughoudend opstelde.

'Een meisje, hè?' hoorde hij zijn vader in gedachten zeggen. 'Hoe ziet ze eruit?'

'Alleszins aantrekkelijk,' hoorde hij zichzelf zeggen. 'Een lust voor het oog.'

Maar was dat ook zo? Het was een gerechtvaardigde vraag. Sebastien voelde hoe zijn gebroken rococo-hart naar Lily Hayes reikte en zich blij en opgelucht aan haar overgaf, maar waarom? Ze was tenslotte niet meer dan een provinciale schoonheid (nieuwsgierig gezicht, wipneusje, bijna doorzichtig lelieblank), en ze kon in een zin van prachtig naar praktisch verschuiven – op de rand van alledaags, vergeleken met de onberispelijke meisjes die Sebastien in Andover had gekend, met hun zacht glanzende haar, kauwgumkleurige nagels en onaards perfecte lichamen (de perfecte lichamen waar genetica geen enkele rol speelde en die eigenlijk alleen konden bestaan door narcisme en geld). Als je die meisjes zag, wist je dat het mogelijk was om alles in het leven perfect te doen. Als je die meisjes zag, wist je dat ze alle tijd hadden om het voor elkaar te krijgen. Desondanks dacht Sebastien nog steeds aan Lily Hayes: haar nukkige gezicht, hoe ze elke keer als hij wat zei uit het raam had gekeken. Ze wekte de indruk dat ze wel wat beters had om haar gedachten aan te wijden, en hij was bijna – bijna – geneigd om haar te geloven.

Sebastien liep naar zijn computer en opende Facebook. Om de een of andere reden had hij een heel stel Facebookvrienden – bijna allemaal van Andover, en ze leefden nu allemaal op de verre planeten van de Ivy League, de juridische afdelingen van grote bedrijven of in huwelijken met goede partijen – en elk jaar stuurden ze hem op zijn verjaardag hun hartelijke felicitaties. Dat was de vreemd langdurige onechte intimiteit van internet: die mensen – die voor het merendeel niet wisten dat zijn ouders dood waren, dat hij nooit naar Harvard was gegaan en dat hij zich had teruggetrokken in een vervallen landhuis in Buenos Aires, waar de houtworm zich door de vloeren vrat en waar de oorbellen met saffieren lagen weg te kwijnen in de slaapkamer – die mensen (de lieverds!) deden allemaal alsof ze aan zijn verjaardag hadden gedacht.

Maar het internet had ook zijn goede kanten. Hij typte 'Lily Hayes' in. Zoals verwacht waren er honderden meisjes die Lily Hayes heetten, bijna allemaal blank en uit de midden- tot hogere middenklasse, hun leven liefdevol in kaart gebracht. Maar na even zoeken vond hij zijn Lily Hayes: de foto toonde haar zongebruinde voeten in gevlochten sandalen, haar profiel was geheel overeenkomstig de oppervlakkige privacy-instellingen van jonge, onbevangen mensen. Dit meisje, dacht Sebastien. Hij zou haar op dit moment een berichtje kunnen sturen. Fantastisch. Hij schoof met zijn muis over 'berichten', bedacht zich en sloot de pagina. Hij stond op om iets te drinken te pakken.

Toen hij weer ging zitten, ging hij, om niet weer terug te gaan naar Facebook, naar vagrantorscenester.com. Het was een oersaaie website, een jaar of zeven geleden kortstondig populair, waar de spelers werd gevraagd om een oordeel te geven over foto's van anonieme mensen die stiekem op straat waren gefotografeerd. Sebastien had een pesthekel aan het spel, omdat hij degene was geweest die het had uitgevonden, in zijn eerste jaar op Andover. Hij was schriel, jong, en omdat hij een jaar had overgeslagen hing er een wolk van veronderstelde academische serieusheid om hem heen. Daardoor had Sebastien allerlei gloednieuwe sociale onhebbelijkheden moeten ontwikkelen om simpelweg te overleven; zijn basistechniek – toen en nu – was het maken van opmerkingen die hatelijk klonken, maar waarvan niemand honderd procent zeker wist of ze ze wel helemaal begrepen. De adolescente Sebastien had nooit de moeite genomen om zijn leeftijdgenoten om de gebruikelijke redenen te kleineren (je was dik, je was of leek akelig serieus of streberig, je was of leek homo). Dat waren de kwetsbaarheden waarvan kinderen zich bewust waren en waartegen ze zich hadden gewapend. In plaats daarvan had Sebastien geheel nieuwe criteria voor een maatschappelijke evaluatie bedacht, en hij kwam al snel tot de ontdekking dat als hij ernaar verwees, ze daadwerkelijk geïncorporeerd werden. (Hij herinnerde het zich dankzij Hannah Arendts uitspraak over het totalitarisme: mensen overtuigen van bepaalde waarheden is veel moeilijker dan doen alsof ze simpelweg waar zijn.) Al snel bleek dat de jonge Sebastien zijn klasgenoten kon kraken als een noot, waarbij hij nieuwe zwakheden blootlegde waarvan het slachtoffer zich vooraf niet eens bewust was geweest. Het psychopathische Vagrant of Scenester-spel maakte daar deel van uit, hoewel het in die tijd *Cool or Crazy* werd genoemd (door de andere kinderen – zelfs als kind had Sebastien al een hekel gehad aan alliteratie). Sebastien had een en ander tijdens zijn eerste jaar in Andover uitgedacht. Meestal speelde hij het tijdens uitstapjes op zaterdag naar Harvard Square met CJ Kimball en Byron 'The Box' Buford, onder toezicht van duidelijk verveelde hospitanten, in die eerste, geelkleurige, surrealistische, filmische weken na 11 september. Overal wapperden Amerikaanse vlaggen, zelfs in Cambridge; van zijn ouders hoorde Sebastien dat er thuis economische en politieke chaos heerste – de inflatie liep in de dubbele cijfers, er dreigde een afbetalingsachterstand op een of andere belangrijke lening. Sebastien vond het toen allemaal gortdroge materie – en hij had het meestal toch te druk voor lange gesprekken, afgepeigerd als hij was door de eisen van spottende Harvardstudenten en daklozen, evenredig verdeeld. Zo dacht hij er destijds echt over: voor spot was iedereen gelijk. Alsof hij toegang verleende tot een belangrijke, nivellerende kracht. Alsof hij geïnspireerd werd door de geblinddoekte Vrouwe Justitia. Als hij zijn weg zonder kleerscheuren had afgelegd, zou Sebastien linea recta op weg zijn gegaan naar de redactie van een of ander conservatief collegekrantje en had hij gewichtige commentaren geschreven die hij nooit meer van zich af zou kunnen schudden omdat ze op internet eeuwig zouden voortleven. Dus was het waarschijnlijk maar goed dat hij nooit was gaan studeren. Sebastien lachte en nam nog een slok.

CJ en Byron speelden *Cool or Crazy* zonder toeters en bellen, fantasieloos sarcastisch: Cool was een chagrijnige, magere vrouw met door meth bruingekleurde tanden, Crazy was een studentje met een dure spijkerbroek en een zorgvuldig gemodelleerd warrig kapsel. Maar zo had Sebastien nooit gespeeld; in plaats daarvan had hij altijd minder voor de hand liggende prooien en omschrijvingen gekozen. Een vrouw van middelbare leeftijd in een grijs sweatshirt die Mountain Dew dronk uit een tweeliterfles kreeg het predicaat cool, een gespierde knul met een Puka-schelpenketting werd als Crazy bestempeld. Sebastien genoot ervan hoe zenuwachtig CJ en The Box van zijn oordeel werden; als ze om uitleg vroegen, zei hij altijd dat het spel een kunstvorm was, geen wetenschap, en dat hij de ziel van een kunstenaar had en daarom altijd won.

En nu stond zijn prachtige, idiote spel geheel volgroeid online. Zo af en toe zocht Sebastien het op, net zoals hij af en toe de Facebookprofielen van halfvergeten klasgenoten opzocht; hij wilde bevestigd zien dat het nog steeds aardig draaide. Het was tenslotte zijn geesteskind – oké, in een gereduceerde en acceptabeler vorm, maar dat was toch het onvermijdelijke lot van alle ideeën van grote denkers? Sebastien had echt altijd zijn vinger aan de pols van de tijdgeest gehad. Hij lachte opnieuw, hikte en stond op om nog een glas in te schenken. Toen hij weer achter zijn computer ging zitten, zag hij dat hij op de een of andere manier de Facebookpagina van Lily Hayes weer open had staan.

Sebastien staarde naar haar sandalen, naar haar tenen. Dit meisje. Wat zou er van haar worden? Hij schoof met de muis over de berichtenbox. Dit meisje. Waren er mensen die echt zo open waren? Waren hun levens echt zo gelukkig? Hij klikte op 'bericht'. Hij aarzelde. Maar toen: even serieus, wat had hij te verliezen? Letterlijk niets. Er waren niet veel mensen die de vrijheid hadden dat ze absoluut niets te verliezen hadden, maar Sebastien voelde de zegen en de vloek van die vrijheid – hij had geen aanspraak op de aandacht van wie ook, waar ook; hij kon zich koesteren in de totale onverschilligheid van het universum. Hij kon in bad gaan liggen en zijn polsen doorsnijden zonder dat iemand zich erom zou bekommeren. Hij kon zijn huis met zijn kostbare inhoud in brand steken zonder dat er een haan naar zou kraaien. Hij kon dit meisje een berichtje sturen in de zalige zekerheid dat niemand zich er druk om zou maken.

Sierlijke Lily, begon hij.

5

Januari

De dag na het etentje verscheen er een bericht van Sebastien LeCompte in Lily's inbox. Het begon met *Sierlijke Lily*, en vervolgens ging het verder bergafwaarts.

Lily was verbaasd. Sebastien LeCompte was niet het soort jongen – ze kon hem niet echt als een man zien, en zeker niet als een doorsnee 'vent' – bij wie ze meestal in de smaak viel. Tijdens het eten was gebleken dat Sebastien het grootste deel van zijn leven in het landhuis had gewoond, dat zijn ouders Amerikaanse diplomaten waren geweest (vandaar het accent) die bij een vliegtuigongeluk waren omgekomen toen hij zeventien was, en dat hij onwaarschijnlijk rijk was. Dat laatste had hij niet gezegd, maar het bleek uit alles: de verwijzingen naar polo, Harvard, zomers in de Alpen – dingen waarvan Lily nooit daadwerkelijk had beseft dat echte mensen in de echte wereld ze deden. Als Sebastien zijn oog op iemand liet vallen, had het volgens Lily Katy moeten zijn. Na het eten had hij een tijdje met haar gepraat op de veranda, terwijl hij Lily alleen maar zijn kaartje had gegeven – een echt visitekaartje! – waarop stond: SEBASTIEN LECOMPTE, LUIAARD, zowel in het Engels als in het Spaans.

'Ga je hem terugschrijven?' vroeg Katy toen Lily haar nauwelijks aanvaardbare tanden stond te poetsen.

'Misschien.'

'Ook al woont hij gewoon hiernaast?'

'Misschien. Denk je dat zijn ouders echt diplomaten waren?'

'Jawel,' zei Katy. 'Waarom niet?' In haar mondhoek zat een spuugbelletje, wat Lily onredelijk opluchtte.

'Ik weet het zo net nog niet,' zei Lily. 'Dat vliegtuigongeluk geeft te denken.'

'Hoezo?'

'Misschien werkten ze wel voor de CIA.'

'Jij ziet overal complotten.'

'Dat heb ik van mijn vader,' zei Lily. 'Ik ken in elk geval geen sterveling die polo speelt. Zou hij intussen niet op Oxford moeten zitten of zo?'

'Tja,' zei Katy ietwat weifelend. 'Je zou het haast wel denken.'

Lily wachtte drie dagen tot ze terugschreef. Toen het zover was, probeerde ze Sebastiens toon en stijl te volgen: ze hanteerde gezwollen termen die ze in het echte leven nooit zou gebruiken en bewerkelijke, uitgebreide metaforen. Sebastien reageerde met willekeurige Franse uitdrukkingen in zijn mails, dus ging Lily hetzelfde doen – hoewel hij kon weten dat het niet echt een teken van beschaving was, want op Google kon je alles opzoeken wat je maar wilde. Hij ging over op Italiaans; daarop trakteerde zij hem op Hongaars – het enige zinnetje dat ze kende: *Nem beszelek magyarul*, Ik spreek geen Hongaars – maar het was blijkbaar voldoende. Hij nodigde haar uit voor een etentje.

'Heb je nu al een afspraakje?' vroeg Katy.

'Hoezo, "nu al"?' Lily droeg een blouse met bloemetjespatroon en ruches waarvan ze had besloten dat hij iets frivools uitstraalde, en ze smeerde met beide handen make-up op haar gezicht. Ze was bang dat haar mails misschien een verkeerde indruk bij Sebastien hadden gewekt.

'Nou ja,' zei Katy. 'We zijn hier net.'

'Al twee weken.'

'Ik vraag me alleen af of het geen problemen geeft met Carlos en Beatriz.'

'Ze zijn onze gastouders, we zitten niet in een jeugdinrichting.'

'Volgens mij zijn ze een beetje ouderwets.'

Lily boog zich naar de spiegel en ging onwennig in de weer

met een oogpotlood. 'Ik weet niet of we daar zomaar van uit kunnen gaan. Carlos weet wel hoe hij zich moet vermaken, volgens mij.'

'Het hele huis hangt vol kruisen.'

'Ik ga gewoon bij hem eten. Heeft het Vaticaan een speciaal protocol voor etentjes?'

'Je hoeft niet zo sarcastisch te doen.'

'Nee, serieus. Misschien hebben ze dat wel.'

Katy kroop in bed en ging lezen. Ze was erin geslaagd om zich in te schrijven voor het enige echt veeleisende college, iets over de economie in het post-peronistische tijdperk, en het leek een grote hoeveelheid studeerwerk, aantekeningen maken en dingen aanstrepen met markeerstiften in drie verschillende kleuren te vergen.

'Ik vind het zo stoer dat je een echte studie doet,' zei Lily bij wijze van verontschuldiging. 'Verder laat zo'n beetje iedereen dit semester maar lopen.'

Katy keek haar even aan om te kijken of ze het echt meende, en daarna besloot ze dat dat inderdaad het geval was. 'Ik vind het wel zo logisch om iets te leren over het land waar je bent, toch?'

Lily knikte heftig. 'Helemaal mee eens.'

Katy glimlachte. 'Je ziet er geweldig uit. Maak je geen zorgen.'

'Dank je,' zei Lily. 'Doe ik ook niet.'

Om vijf over acht liep Lily wederom over het kronkelende pad naar het huis van Sebastien LeCompte, dat in het afnemende licht opeens vervallen en weinig imposant oogde. Lily had tegen Katy gezegd dat ze zich geen zorgen maakte, maar dat deed ze wel. Zo vroeg ze zich nerveus af of ze een condoom had moeten meenemen. Ze wist niet of dat voortkwam uit een weinig sexy planning, een onaantrekkelijke vrouwelijke sluwheid, of een reusachtige overschatting van haar eigen charmes. Daarna herinnerde ze zich dat ze geacht werd om zich nergens druk om te maken. Haar ouders hadden haar voor haar vertrek een enorm pak condooms gegeven, samen met een ernstige verhandeling over 'verstandige keuzes maken'. Die stakker van een Andrew had het hele gesprek nerveus met zijn ogen zitten knipperen; één keer had hij zich zelfs in zijn oog geprikt, en sindsdien, zo bleef hij maar herhalen, was zijn oog nooit meer helemaal hersteld. Het pak condooms dat ze had gekregen was ontstellend, angstaanjagend groot – kennelijk bestemd voor sektes of vrouweninstellingen. Lily had zich enigszins gevleid gevoeld, en daarna enigszins beledigd toen ze bedacht hoe vaak ze het kennelijk volgens haar ouders deed. Vervolgens had ze enige weerzin gevoeld vanwege het feit dat haar ouders daar kennelijk bij stilstonden.

Zonder dat ze het in de gaten had gehad, was ze bij de veranda aangekomen. Ze liet de vreemde klopper op de deur neerkomen (wat moest dat ding in vredesnaam voorstellen?) en Sebastien deed onmiddellijk open, alsof hij achter de deur had staan wachten. Hij droeg een colbertje, terwijl het buiten bloedheet was en binnen vermoedelijk nog warmer.

'Lieve Lily,' zei hij. 'Kom binnen.'

'Ha,' zei Lily. 'Hoe is het?' Ze wist dat ze de verheven toon van de mails in de praktijk niet kon handhaven, dus dat mocht hij net zo goed meteen weten. Ze volgde Sebastien naar binnen. De woonkamer was stoffig en de inrichting weelderig, de grootste blikvangers waren een enorme staande klok en een of ander antiek wandtapijt. In het midden van de kamer stond een vleugel waarvan Lily meteen wist dat hij gruwelijk vals zou klinken.

'Mooie vleugel,' zei ze. 'Speel je piano?'

'Alleen kinderdeuntjes,' zei Sebastien. 'Wil je een glaasje wijn?' Hij gaf haar een glas voordat ze iets kon zeggen. SORBONNE 1967, stond er in sierlijke letters ingegraveerd.

'Dank je,' zei Lily. 'Ik kan natuurlijk niet drinken uit iets van een openbare school.' Bij de eerste slok voelde ze een pijnscheut in haar mond. Ze slikte moeizaam. Op de schoorsteenmantel stond een foto van Sebastien met een oudere man naast een klein hoefdier dat op een voorloper van een zebra leek. Ze wees.

'Heb jij die geschoten?'

'Ik moest helaas wel.' Sebastien stond achter haar. 'Ik kreeg nog geld van hem.'

Lily bekeek de foto nauwkeuriger. De man die naast Sebastien stond, leek als twee druppels water op hem; hij had groene ogen en golvend bruin haar, en hij hield zijn hoofd zwierig schuin. De nek van het dier leek gebroken, door de onnatuurlijke hoek leek het alsof er meer geweld was gebruikt dan strikt noodzakelijk was geweest. De buik was wit en wollig zacht. 'Waar is die gemaakt?' vroeg ze.

'In een wildpark in Brazilië. Je betaalt om voor jezelf je heerschappij over het dierenrijk bevestigd te zien.'

Lily vroeg zich af hoe het was geweest om het dier te doden. Als kind had ze samen met haar hartsvriendin Leah een keer een bananenslak doodgemaakt. Ze hadden hem in de boomhut gevonden – na de dood van Janie had Andrew een boomhut voor Anna en Lily gebouwd, om dezelfde reden hadden hun ouders ze op kunstkamp gestuurd, muziekles laten nemen en toegestaan dat ze veel te prominent aanwezig waren bij etentjes van de volwassenen – en zij en Leah (die later op NYU als lesbienne uit de kast was gekomen en die zelfs als kind altijd al jongetjesspelletjes wilde doen) hadden er met een stuk basalt ter grootte van een vuist op gehamerd om te kijken wat er zou gebeuren. Ze hadden in groep 4 over wetenschap geleerd – observaties doen, gegevens vastleggen, hypotheses opstellen en theorieën formuleren – en Lily had Leah ervan overtuigd, of andersom, dat ze wetenschap bedreven. Er had een zacht, zompig geluid geklonken, er was een gele substantie uit de slak gelekt die Lily noch Leah had kunnen determineren en daarna was het beestje stilletjes doodgegaan. Lily voelde daarbij een vreemde gewaarwording, een schuldig, maar bijna prikkelend gevoel van macht – iets tussen misselijkheid en euforie – en natuurlijk was ze erna naar haar moeder gerend en had ze moeten huilen, maar het was een tweeslachtig soort huilen geweest.

Ze keek Sebastien aan. 'Waarom heb je een Franse naam?'

'*Pourquoi pas?*'

'Hoeveel talen spreek je?'

'Dat weet ik niet meer.'

'Je bent slaapverwekkend saai.'

Hij trok zijn wenkbrauwen op. 'Is dat zo?'

'Ja.'

'Verklaar je nader,' zei hij en hij schonk haar glas bij.

Lily nam nog een slok. 'Je bent saai omdat ik precies weet hoe je zult reageren op alles wat ik zeg. Je zoekt elke keer het minst serieus mogelijke antwoord. Je bent net een algoritme.'
Sebastien keek haar ongelovig en geamuseerd aan. 'Dus wil ik voorstellen, vooropgesteld dat je openstaat voor suggesties...'

'Ga je gang. Bescheidenheid siert de mens.'

'Ik stel voor dat je een beetje afwisselt. Je zou af en toe iets kunnen zeggen wat een onverwachte connotatie met de werkelijkheid heeft. Je zou bij tijd en wijle zelfs iets kunnen zeggen wat je meent. Niemand hoeft het te weten. Het zou je een stuk interessanter maken.'

Sebastiens wenkbrauwen waren nog steeds opgetrokken. Hij had prachtige ogen – zo groen, zo warm en zo wonderlijk expressief. Hij zou een heel eind komen met die ogen, dacht Lily. Dat zei ze vervolgens tegen hem. En toen kusten ze elkaar.

Zijn kus was heftiger dan Lily had verwacht – niet dat ze had verwacht dat hij haar zou zoenen, maar ze was hier wel, ze dronk wijn in zijn huis, dus serieus, wat had ze nou helemaal verwacht? Ze was dankbaar voor zijn doortastendheid; ze dacht met ergernis aan alle keren van ongemakkelijk afwachten, gênante halve toenaderingspogingen, gezichten die zich te dicht bij elkaar bevonden om iets anders te doen, dan toch maar weer niet, en uiteindelijk het geluid van tanden tegen elkaar, de lauwe warmte van een andere mond. Vreselijk. Als het inleidende gehannes eenmaal achter de rug was, was ze zelfverzekerd genoeg, maar die eerste kus deed haar aarzelen. Het was gewoon zo raar, als je er goed over nadacht.

Sebastien maakte zich van haar los en keek haar ernstig aan. 'Bedankt voor je suggesties,' zei hij.

'Zie je wel?' zei Lily. 'Nu doe je het goed. Ik heb geen idee wat je bedoelt. Je bent meteen al een stuk interessanter.' Ze bedoelde het plagerig, maar het kwam er een beetje vlak uit, een beetje gemeen, misschien, maar Sebastien leek niet gepikeerd. Hij glimlachte.

'Die kamergenoot van je,' zei hij.

'Ja?'

'Ze is best knap.'

'Ja.' Lily giechelde, en daarna volgde er een hik. 'Ze heeft een gezicht waar je je ogen niet van af kunt houden. Maar eigenlijk vind ik haar maar een nietszeggend type.'

'Nietszeggend?'

'Ja,' zei Lily streng.

'Maar ze is toch een vriendin van je?'

'Een vriendin? Een vriendin. Oké.'

Sebastien kuste haar opnieuw. 'Je bent een slechte vrouw.'

En omdat ze niet slecht was – omdat ze volgens zichzelf absoluut niet slecht was – maar het heerlijk was om iemand op het verkeerde been te zetten, zei ze: 'Misschien wel. Misschien wel.'

Sebastien haastte zich door de gangpaden van Pan y Vino bodega. De caissière zag het geamuseerd aan; het was duidelijk dat ze uit wat hij kocht afleidde dat hij een poging tot het bereiden van een maaltijd ging doen. Hij wilde een afhaalmaaltijd bij het Ethiopische restaurant bestellen en de specerijen die hij in de winkel had gekocht er dusdanig overheen strooien dat het leek alsof hij zelf had gekookt. Hij zou niet met zoveel woorden zeggen dat hij had gekookt, maar hij wilde wel het idee creëren; hij wilde een sfeer van gezelligheid en huiselijke vaardigheid neerzetten, alsof hij een echt leven leidde, met ups en downs en verantwoordelijkheden, verplichtingen en vrijheden, menselijke aanwezigheid en een of andere deadline. Allemaal omdat Lily die avond zou komen eten. Alweer.

Sebastien was verrast geweest dat ze bereid was om het experiment te herhalen; hun eerste avond samen was niet bepaald op rolletjes verlopen. Een uur voor haar komst had Sebastien de fatale vergissing gemaakt om zich af te vragen hoe het huis zou overkomen op een buitenstaander, en het resultaat van die bespiegeling had hem ondergedompeld in een wanhopige paniek. Hij was toch al uit zijn doen vanwege het feit dat ze überhaupt kwam. Hij kon nauwelijks geloven dat ze – kennelijk door een twijfelachtige en ondoorgrondelijke ingreep van hogere machten – niet was afgeschrikt door zijn eerste bericht en de daaropvolgende theatrale schrijfsels; dat ze bereid was geweest om zijn weetjes te beantwoorden met idioom in allerlei talen en een soort wereldwijsheid – hoewel je dankzij het internet kon doen alsof je overal verstand van had, dus dat telde niet echt; dat ze een week lang zijn gezever had verdragen voordat Sebastien eindelijk genoeg moed had verzameld om haar uit te nodigen en ze zelfs ja had gezegd. Alles bij elkaar genomen had hij ongelooflijk veel geluk.

Maar een uur voor de afgesproken tijd zag Sebastien dat zijn geluk eindig was: het huis voldeed absoluut niet. Hij zag opeens hoe obscuur en leeg het leek; de hoeken van de kamers waren broeinesten van eenzaamheid, overal hing een geur van wanhoop. Het huis was een gedrocht. Het huis was een gruwel. En over een uur, besefte Sebastien met een verstikkende ongerustheid, zou Lily het zien.

Er zat maar één ding op: hij moest de hele boel platbranden. Hij zou moeten zorgen dat het op brandstichting leek. Nee, dat kon niet. Hij had spijtig naar de klok gekeken. Daar was geen tijd meer voor. In plaats daarvan zou hij de boel moeten opruimen. Sebastien maakte nooit serieus schoon (maar hij deed ook geen dingen die schoonmaakwerk vereisten, zoals koken, kinderen grootbrengen en menselijk bezoek ontvangen). Desondanks wijdde hij twintig minuten aan koortsachtige, misselijkmakende en futiele pogingen tot opruimen. Hij stofte halfslachtig de tafels en de schoorsteenmantel af en diepte een paar kaarsen op uit een keukenkastje. Als hij die aanstak, zou dat misschien een beetje een romantische en Europese sfeer scheppen – zoals bij een weduwnaar of een erfgenaam van een onschatbaar fortuin, niet zoals bij een seriemoordenaar, iemand die een huis vol zwerfdieren had of die ze niet allemaal op een rijtje had. Hij stond een kwartier in dubio over wat hij met de foto van de dode tapir zou doen. Die hadden zijn ouders daar opgehangen – misschien juist vanwege de sterke gelijkenis tussen hem en zijn vader – en Sebastien had er nooit bij stilgestaan wat voor indruk hij op anderen zou maken (want wie zou hem ooit zien?). Maar toen bedacht Sebastien dat een buitenstaander vast zou denken dat hij de foto weloverwogen had uitgezocht – als een representatieve herinnering aan de tijd met zijn ouders (slecht teken), of anders als het meest trotse moment uit zijn korte en weinig indrukwekkende leven (nog slechter). Hij overwoog de foto te verstoppen, maar hij was bang dat hem daarvoor de tijd ontbrak en wist ook niet wat voor vreselijke viezigheid hij erachter zou aantreffen. Dus haalde hij in plaats daarvan maar een grote pluk stof achter de staande klok vandaan. Hij had geen idee waarom hij dat deed; de kans dat Lily de klok aan een inspectie zou onderwerpen was niet bepaald groot. Misschien had hij de zinloosheid van de handeling ingezien en werkte hij zichzelf nu met opzet tegen. Het zou niet de eerste keer zijn, dacht hij, en vervolgens stak hij de kaarsen aan.

Ze was precies op tijd geweest, gekleed in een fleurige outfit die Sebastien zelf had kunnen uitkiezen als hij te horen had gekregen dat hij op een verkleedpartijtje als Amerikaans meisje geacht werd te verschijnen. Door zijn manische schoonmaakbezigheden was hij vergeten dat hij van plan was geweest om Lily meteen zwierig een reeds ingeschonken glas wijn aan te bieden, dus moest hij nu het dichtstbijzijnde glas pakken, waarin tot zijn afschuw SORBONNE 1967 stond gegraveerd. Niet veel later had ze hem verweten dat hij maar saai was. Een omschrijving die Sebastien niet voetstoots van de hand zou wijzen, maar desondanks voelde hij zich genoodzaakt om vol in de verdediging te gaan door te reageren met minzame en onderzoekende nieuwsgierigheid – waardoor hij natuurlijk nog saaier overkwam. Om zichzelf het zwijgen op te leggen, had hij Lily toen maar gekust. Het was lang geleden dat hij iemand had gekust – jaren, lang genoeg om bijna te vergeten wat voor vreemde alchemie twee paar lippen tegen elkaar teweegbrachten. Maar op dat moment stond hij daar niet bij stil; hij dacht alleen aan de eindeloze en heerlijke draaiingen van Lily's mond. Hij had nog nooit zo'n perfecte mond meegemaakt, daarvan was hij overtuigd – er draaide een compleet planetarium door zijn hoofd terwijl ze elkaar kusten. Maar toen hij zijn hoofd terugtrok, zag hij dat zij het niet als zo heftig had ervaren; ze reageerde achteloos en daardoor wilde hij, heel kinderachtig, ook hardvochtig achteloos lijken. Hij zocht koortsachtig naar de dichtstbijzijnde denkbeeldige moker en maakte een opmerking over Katy's aantrekkelijkheid, waarop Lily had gezegd dat ze haar maar nietszeggend vond, waarop Sebastien instinctief had gereageerd door te zeggen dat hij dacht dat ze vriendinnen waren. Eerlijk gezegd had hij geen benul – moderne relaties werden toch niet zo statisch gemeten? – en hij was er zeker van geweest dat Lily hem meteen zou doorzien. Maar in plaats daarvan nam ze de opmerking serieus; haar gezicht betrok en Sebastien zag de langgerekte schaduwen van haar conservatieve opvoeding, de hartverscheurende consideratie die hoorde bij de normen en waarden van de middenklasse. 'Een vriendin,' zei ze. 'Oké.'

Sebastien had haar opnieuw gekust. 'Je bent een slecht mens,' had hij gezegd. Niet dat hij het meende. Hij meende nooit iets, en dit al helemaal niet.

Hij had niet verwacht dat hij haar daarna nog zou terugzien. Maar geheel tegen de verwachting in, *mirabile dictu*, had ze hem de volgende dag een sms'je gestuurd en was ze de dag daarna weer langsgekomen, en intussen had hij haar in tien dagen al een keer of vijf gezien. Maar die ochtend had ze hem voor het eerst rechtstreeks gebeld.

'Weet je met wie je spreekt?' had ze gevraagd. Haar stem had iets bijzonders, een beetje schor, gehaast, waardoor het leek alsof ze net binnen was komen rennen nadat ze iets heilzaams en buitensporigs had gedaan.

'Ik weet met wie ik hoop dat ik spreek,' had hij gezegd.

'Niet met Beatriz Carrizo.'

'*Hélas.*'

'Heb je vanavond iets te doen?'

Sebastien slikte. 'Heel toevallig heeft er net iemand afgezegd.'

En nu, tijdens het koortsachtig zoeken in de Pan y Vino, voelde Sebastien een onbestemde vitaliteit. Hij wist dat hij zich niet zo druk zou moeten maken om zulke dingen. Hij moest zich geen voorstelling maken van een unieke, wereldschokkende verhouding met Lily, dat was niet bepaald een originele gedachte. Tot dusver waren hun gezamenlijke avonden identiek verlopen: tongzoenen, Italiaanse film, navelstaarderig, studentikoos gepraat, waarna ze naar de slaapkamer gingen en elkaar bepotelden tot ze een statisch stadium bereikten. Sebastien wist niet zeker hoe Lily's verleden op dit vlak was, maar hij was zich er wel van bewust dat ze dat van hem te hoog inschatte. De hoofdmoot van Sebastiens ervaring op seksueel gebied bestond in een dronken avondje met een anorectische geneeskundestudente tijdens het introductieweekend van Harvard; haar armen waren bedekt met zijdezacht haar en de geslachtsgemeenschap was plichtmatig en weinig gedenkwaardig geweest. Ondanks deze vroege ervaring hadden de solitaire jaren daarna voor een nieuw gevoel van maagdelijkheid gezorgd. Seks maakte deel uit van de wereld der levenden, en daarvan was Sebastien zich extreem bewust op die avonden in bed met Lily, wanneer een en ander een bepaald niveau bereikte en er een onuitgesproken, eenzijdig besluit werd genomen en zij zich omdraaide en haar billen tegen zijn heupen drukte en Sebastien, vol uitputtend verlangen, haar aan haar gelijkmatige ademhaling en onpeilbare gedachten overliet.

Maar op een primaire manier leek het toch alsof Lily hem een klein beetje terugbracht naar de wereld. Het isolement en de nabijheid van de dood hadden zijn leven vreemd tijdloos gemaakt, het strekte zich als een Afrikaanse savanne vlak en kleurloos voor hem uit, maar vanavond zou Lily komen, en Sebastien moest dingen in huis hebben. Het was een prettige prikkel – zelfs terwijl het maar een doodgewoon onderdeel van het normale, dagelijkse bestaan was. Vanavond zou hij op zoek gaan naar een tafellaken. Hij zou een van de betere wijnen uit de kelder halen. En hij zou ook proberen om Lily een armband te geven.

Sebastien wist niet hoe een en ander zou verlopen. Hij wilde niet te gretig of wanhopig lijken, of dat het – nog veel erger – als een soort steekpenning zou overkomen. En tegelijk had hij zoveel dingen die hij niet nodig had, die hij haar zo graag wilde geven. Die middag had hij de sieraden van zijn moeder doorgespit – hij had haar broche met smaragd gepakt en haar halsketting met saffieren tegen het licht gehouden zodat de hemelsblauwe gloed over de vloer gleed. Hij probeerde zich een voorstelling te maken van de feestjes waarbij ze ze had gedragen. Als kind had hij weinig vragen gesteld, ervan uitgaand dat de antwoorden op een dag vanzelf zouden komen. En nu hij volwassen was en terugkeek, besefte hij dat al die vragen waren gebleven: ze vergaarden misschien stof, maar waren wonderlijk goed bewaard gebleven. De vragen waren duurzamer dan al het overige – de vragen en de voorwerpen. Al het overige was aan verval onderhevig. Sebastien had zittend op de vloer zijn vingers over de armband met diamanten laten gaan; en de ring met opaal die zijn moeder altijd een ongemakkelijk gevoel had gegeven, hij had nooit geweten waarom. Hij stelde zich voor dat ze overgingen naar Lily, en naar het leven.

Die avond kwam Lily pas om negen uur, iets later dan ze had gezegd.

'Ha,' zei ze toen Sebastien de deur opendeed. Ze droeg een stel overdreven lange oorbellen. Haar haren waren vochtig en naar achteren gekamd.

'Lieve Lily,' zei Sebastien en hij zoende haar. Hij rook haar goedkope parfum – fresia, wisteria, cyanide, geen idee – dat ze waarschijnlijk bij een of andere drogist had gekocht. Toen hij haar losliet, zag hij dat ze hem geduldig opnam. Hij keek naar de eettafel, waar een olieachtig laagje van de stoofschotel op de papieren borden lekte. Hij had het eten te vroeg klaargezet.

'Ga zitten,' zei hij. De woorden klonken te zacht: ergens tijdens de zoen was zijn stem verloren gegaan in zijn keel en nu resteerde er alleen nog een schor geritsel. 'Ga zitten,' zei hij iets harder. 'Ik heb iets voor je.'

'Echt waar?' Ze ging zitten.

'Alsjeblieft,' zei Sebastien, en hij haalde de armband achter de lamp vandaan en liet hem voor Lily's gezicht heen en weer bungelen. Hij was zwaarder dan hij eruitzag. Sebastien had hem niet ingepakt omdat hij Lily niet het idee wilde geven dat ze hem niet kon weigeren. 'Wil je hem hebben?' Hij had meer kunnen zeggen, maar hij had zich voorgenomen niet meer zoveel te praten.

'Wat is dat?' vroeg Lily en haar ogen werden groter, waaruit hij afleidde dat ze het al wist.

'Een armband.' Sebastiens mond was zo droog dat Lily wel moest horen hoe nerveus hij was, maar ze leek niets te merken.

'Dat zie ik ook wel. Is hij echt?'

Bij die woorden brak er iets in Sebastien; een miniem houvast dat hem ervan weerhield om te worden meegevoerd in een draaikolk. Wat een onbehouwen reactie. Ze gedroeg zich, bedacht hij ontmoedigd, als een echte Amerikaanse. Dacht ze nou echt dat hij haar een of ander namaakprul zou geven? Ze moest wel een heel lage dunk van hem hebben. Ze had kennelijk geen idee wat hij voor haar voelde. Hij wierp zijn hoofd opzij en lachte. 'Weet ik veel,' zei hij. 'Is er überhaupt iets echt?'

'Hoe kom je hieraan?'

'Hij is van mijn moeder geweest, als je het per se wilt weten.'

'Je kunt me toch niet iets geven wat van je moeder is geweest?'

'Ze heeft geen officieel protest aangetekend.' De groeiende wanhoop die in Sebastien woekerde, bereikte zijn hart. Hij zou hoe dan ook niets laten merken. Zijn blik zou standvastig blijven.

'Ik kan hem niet aannemen,' zei Lily. 'Het spijt me, maar dat kan ik echt niet.'

'Oké,' zei Sebastien en hij pakte de armband weer aan. Wat

dacht ze dat hij zou doen? Haar smeken om dit erfstuk aan te nemen? Zelfs zíjn verknochtheid had zijn grenzen. 'Oké. Er slingeren een heleboel van zulke dingen door het huis. En mij staat hij niet, mijn polsen zijn niet slank genoeg. Maar oké.'

Lily keek aangeslagen en schuldig, wat Sebastien vreselijk vond. Hij kreeg even het duizelige gevoel dat hij het tafereel als toeschouwer bekeek, en hij bedacht wat een zielig schouwspel het moest zijn.

'Is er niemand anders aan wie je hem kunt geven?' vroeg Lily.

'Ik denk het niet,' zei Sebastien. 'Ik heb ergens in Frankrijk nog wel een paar oude tantes, maar die wil ik geen hartaanval bezorgen. Ik kan hem altijd nog op eBay zetten.'

'Heeft niemand je geholpen om het huis uit te ruimen? Is er niemand geweest toen je ouders waren overleden?'

Sebastien haalde diep adem. Hij mocht niet boos worden omdat ze dat niet al eerder had beseft. Ze hoefde geen medelijden met hem te hebben. Ze was hem helemaal niets verschuldigd.

Hij zei zorgvuldig luchtigjes: 'Wie had er in vredesnaam moeten komen?'

Terwijl Lily even niet had opgelet, was Buenos Aires opeens een akelige stad geworden.

De verandering was geleidelijk, maar onmiskenbaar, dacht Lily toen ze over het gras naar huis liep. De lichtjes van de stad, die eerder zo weelderig en sprankelend hadden geleken, waren nu scherp en schel. Haar muggenbeten waren genezen, maar niet verdwenen, en ze was bang dat ze misschien wel altijd zichtbaar zouden blijven. De wijn maakte haar sloom; het kostte haar moeite om wakker te blijven tijdens de colleges, ze sleepte zich door de steeds langer lijkende middagen. Er gingen talloze gedachten door haar hoofd die begonnen met 'ik word gek': *ik word gek van vermoeidheid, ik word gek van eenzaamheid, ik word gek van dat vieze, plakkerige gevoel*, korte zinnetjes, alsof haar bewustzijn een tweede taal was die ze slechts beperkt beheerste.

Deze avond met Sebastien – met het ongelooflijk pijnlijke

aanbod van die armband – leek Lily's ergste vermoedens te bevestigen. De afgelopen weken had Sebastien een belangstelling voor Lily aan de dag gelegd die geforceerd en gecultiveerd overkwam en mogelijkerwijs geheel geveinsd was. Hij sms'te haar bijna elke avond om haar uit te nodigen voor 'een slaapmutsje'. De helft van de keren ging ze op de uitnodiging in en praatten ze een tijdje ongemakkelijk op de bank voordat ze in het donker met elkaar rotzooiden. Het was altijd donker in huis, ongeacht het tijdstip. De openslaande deuren in de woonkamer keken uit op de overwoekerde tuin, maar het licht dat erdoor naar binnen viel, leek altijd stoffig, en de klok en de verzamelobjecten zorgden zelfs 's middags voor griezelige schaduwen. Sebastien LeCompte leek zeer aarzelend tegenover gloeilampen te staan. *Ik word gek van al dat zelfmedelijden*, dacht Lily. Ze hoorde het dorre gras onder haar voeten knisperen. *Ik word gek van verveling.*

Om vijf over twaalf liep ze het huis van de Carrizo's binnen, een weerzinwekkend keurig tijdstip voor een vrijdagavond. Maar toen ze de keuken in liep, zat Beatriz daar met een stuurs gezicht een of ander damesblad te lezen. Katy was al naar beneden – waarschijnlijk druk aan het studeren voordat ze zich overgaf aan haar verplichte acht uur durende schoonheidsslaapje – en Lily wist door een voorgevoeligheid die ze had overgehouden aan haar kinderjaren dat ze in de problemen zat.

'Dit is de laatste keer geweest, oké?' Beatriz klonk vermoeid, maar ze was nog wel gekleed. Lily bedacht hoe vroeg Beatriz altijd opstond – om vijf uur, om het ontbijt voor Carlos klaar te maken voordat die naar zijn werk in Porteña ging – en het drong tot haar door dat Beatriz voor haar was opgebleven, en ze voelde wroeging. Desondanks had ze liever gehad dat Carlos voor haar was opgebleven. Hij zou haar late thuiskomst waarschijnlijk met een knipoog hebben afgedaan. Beatriz deed niet aan knipogen. 'Je kent die jongen nauwelijks,' zei ze.

'We zijn vrienden.'

'Vrienden? Je kent hem pas twee weken. Het is twee weken geleden dat we hem hier hebben uitgenodigd.'

'Hij is eenzaam.' Lily zei het bij wijze van excuus, maar tegelijk drong tot haar door dat het volledig waar was.

'Soms is er een goede reden waarom mensen eenzaam zijn,' zei Beatriz. 'En ik kan me niet voorstellen dat je ouders het leuk vinden dat je 's avonds stiekem wegglipt om naar die jongen te gaan.'

'Daar zitten ze vast niet mee. Mijn ouders vinden het best dat ik op eigen benen wil staan.'

'Toen we hem uitnodigden, dachten we dat het leuk zou zijn om iemand van jullie leeftijd te leren kennen. Misschien zouden jullie wel vrienden worden. Jullie drieën.' Beatriz knikte in de richting van de slaapkamer, waar Katy nu waarschijnlijk lag te dromen over microkredieten.

'Het spijt me.'

'En probeer te onthouden dat je de deur op slot doet als je terugkomt. Er wonen hier nog meer mensen.'

'Ik zal eraan denken. Het spijt me echt.'

'Als het maar afgelopen is. Oké?'

Lily was verbaasd dat Beatriz haar dwong om te liegen. 'Oké,' zei ze.

Katy was nog op, ze zat te lezen. Ze keek op toen Lily binnenkwam. 'Ha.'

'Ha,' zei Lily en ze liet zich vermoeid op de vloer zakken.

'Zit je in de problemen?'

Lily wurmde haar gymschoen van haar rechtervoet. 'Een beetje.'

Katy ging overeind zitten en rekte zich uit. 'Ik hoop voor je dat hij het waard is.' Ze streek met haar vingers door haar haar – haar zongebleekte haar, dacht Lily onwillekeurig, hoewel het bij ieder ander doodgewoon vaalblond zou worden genoemd. Waarom dacht je bij Katy altijd in lyrische bewoordingen?

'Nou ja,' zei Lily, en ze bewoog haar tenen. Ze waren indrukwekkend smerig, maar ze had geen idee waardoor. 'Hij is in elk geval wel interessant.'

'Vind je? Ik vind hem juist ontzettend saai.'

'Echt waar?' Lily had bij hun eerste afspraakje natuurlijk wel tegen Sebastien gezegd dat ze hem saai vond, maar dat was niet serieus geweest. Het tragische was juist dat hij vermoedelijk een van de interessantste mensen was die Lily ooit had ontmoet; ze had hem alleen maar van saaiheid beschuldigd omdat ze hoopte dat hij door die prikkel zou proberen om nog interessanter over te komen. Lily hoefde niet zo nodig met hem naar bed, haar fascinatie voor hem was niet zozeer seksueel van aard, maar meer antropologisch, of misschien zoölogisch – maar de fascinatie was er hoe dan ook. En dan was er Katy, de meest kleurloze persoon die er bestond, in het middelpunt van het bescheiden verwachtingspatroon voor haar leven, voortvarend op weg naar het exacte doel van haar hogere-middenklassebestaan, die durfde te beweren dat de interessantste jongen ter wereld maar saai was.

'Natuurlijk is hij saai,' zei Katy. Ze stapte uit bed en nam een of andere yogahouding aan op het linoleum – de boogschutter, of de boog, of zoiets. Lily had geen zin om het te vragen. 'Heb jij nooit zulke jongens gekend?'

'Nee,' zei Lily. 'Een ouderloze triljardair in een spookhuis? Nee. Jij wel?'

'Je hebt toch wel in de gaten dat hij gewoon een hipster is? Je hebt toch wel in de gaten dat hij niet de uitvinder van het sarcasme is? Als hij in de VS woonde, zou hij waarschijnlijk een muziekblog hebben.'

'Katy, zijn ouders waren spionnen.'

'Dat wil hij je ongetwijfeld dolgraag laten geloven.'

Lily was onthutst. Zo had ze Katy nog nooit horen praten. 'Word je daar niet draaierig van?'

'Eerlijk gezegd wel.' Ze ging in een achterwaartse boog zitten. Haar T-shirt kroop omhoog en onthulde een perfecte navel. Lily wendde haar gezicht af. 'Hoe ga je het aanpakken bij Beatriz en Carlos?' vroeg Katy.

'Ik kijk ervan op hoe bezorgd ze zijn,' zei Lily.

'Nou ja, ze krijgen betaald om te zorgen dat wij niet vermoord worden.'

'Wie zou mij moeten vermoorden? Sebastien? Hij doet z'n best maar.'

'Of bezwangerd.'

'Nogmaals: hij doet z'n best maar.'

Katy lachte, en Lily voelde genegenheid met een zure ondertoon. Ze wist niet meer wanneer ze zich was gaan afvragen of Katy haar maar vreemd vond. Maar ze was altijd bereid om zich bij een gesprek naar een ander te voegen; ze was nooit zo heftig verliefd geweest dat ze de eigenaardigheden van een jongen vóór een hartelijke lach liet gaan, en in dit geval was ze absoluut niet verliefd.

'Hij wilde me een armband geven,' zei Lily. Ze herinnerde zich hoe Sebastien het ding had vastgehouden – een beetje ongemakkelijk, alsof het iets was wat hij even voor iemand moest vasthouden. 'Een diamanten armband.'

'Dat meen je niet.'

'Nou en of.'

'Een echte?'

'Ik heb gezegd dat ik hem niet wilde.' Lily was een beetje verbaasd geweest hoe snel hij haar weigering had geaccepteerd. Ze had wat meer tegengesputter verwacht, ze was al bezig geweest met het formuleren van de keurige, zorgvuldige bewoordingen waarmee ze zijn cadeau zou weigeren.

'Buitengewoon nobel van je.'

'Ik kon hem niet aannemen. Hij was van zijn overleden moeder of zo.' Lily herinnerde zich Sebastiens uitdrukkingsloze gezicht toen ze had gevraagd wat er was gebeurd nadat zijn ouders waren doodgegaan. Ze had 'doodgegaan' gezegd, uit een soort piëteit – niemand in haar familie verdroeg het als iemand de term 'overleden' gebruikte – maar ze had het nog niet gezegd of het woord was loodzwaar in de lucht blijven hangen.

'Oké,' zei Katy, 'maar grote kans dat hij een hele la vol had. Vol armbanden, bedoel ik.'

'Zelfs dan.'

'Jeetje,' zei Katy. 'Ik zou zo'n cadeau nooit hebben laten schieten. Die knul heeft de verkeerde meid gekozen.'

De opmerking bleef even in de lucht hangen, en hoewel ze wist dat Katy het niet meende, wilde Lily het gesprek een heel andere kant op sturen. 'Wat vond je het aantrekkelijkst aan Anton?' vroeg ze.

Katy hield haar yogapositie nog even aan en liet zich toen terug rollen. Zelfs die rol was sierlijk. 'Wat ik het aantrekkelijkst vond aan Anton,' herhaalde ze, en Lily zag dat ze daar al heel vaak over had nagedacht. 'Hij kon alles groter laten lijken dan het was.'

'Dat klinkt vermoeiend,' zei Lily. Ze was er heilig van overtuigd dat alles om haar heen al groot genoeg was, het hoefde wat haar betrof beslist niet groter.

'Dat was het soms ook,' zei Katy.

'Ben je opgelucht dat hij uit je leven verdwenen is?'

Lily verwachtte dat Katy na een korte stilte bevestigend zou antwoorden, maar in plaats daarvan keek ze haar met een afschuwelijke blik aan – vol mildheid die voortkwam uit een eindeloos, onpeilbaar verdriet – vanaf haar plek op de grond. 'Nee,' zei ze.

'Vind je niet dat het tijd wordt om je eroverheen te zetten? Het leven is al zo kort.'

'Het is niet kort,' zei Katy. 'Het is angstaanjagend lang.' Ze ging rechtop staan en liet haar rug kraken. Lily kon de zachte schaarbeweging horen waarmee haar ruggenwervels hun plek hervonden. 'En voor mij is het net een stuk langer geworden.'

Op een avond tegen het eind van januari werd Sebastien wakker van geklop op de deur.

Hij was diep in slaap geweest, en hij was verbaasd over het gevoel van vreugde dat door hem heen stroomde – vreugde omdat Lily hem kennelijk zo dolgraag wilde zien dat ze vanwege hem uit huis had durven glippen. Misschien konden ze het vreselijke debacle met de armband nu achter zich laten, dacht hij terwijl hij in zijn onderbroek de trap af stommelde. Dit was precies wat er zo heerlijk aan was om iemand in je leven te hebben, zoals elke socioloog zou bevestigen: je wist nooit wat diegene zou doen. Voor Lily's komst waren Sebastiens dagen volgens een volstrekt inwisselbaar patroon verlopen – hij kon voor hetzelfde geld om vier uur 's middags verlopen spaghetti uit blik eten als om vier uur 's nachts; hij sliep om drie uur 's middags nog of was om negen uur 's ochtends al dronken; hij ging midden in de nacht een stuk wandelen of kwam een hele week het huis niet uit. Maar nu was Lily er, en ze kon op elk moment van de dag of de nacht opeens bij hem voor de deur staan, geheel onaangekondigd.

Maar toen Sebastien de deur opendeed, zag hij, hoewel hij in de schaduw alleen een silhouet zag, meteen dat het Lily niet was. Het was Katy.

Hij was zo verbaasd dat hij vergat ironisch te zijn. 'Wat doe jij hier?' vroeg hij.

'Ik moet je spreken.' Katy's gezicht lichtte op in het donker. Sebastien had altijd het idee dat haar ogen op de een of andere manier te groot waren in verhouding tot de rest van haar lichaam.

'Weet Lily dat je hier bent?'

'Waarom zou Lily dat weten?'

'Oké. Prima.' Pas toen zijn hart weer normaal begon te kloppen, drong tot hem door dat het als een gek had gebonsd. 'Wat is er?'

'Ik moet je iets vragen.'

'Er bestaat zoiets als een telefoon. En internet. En overdag.' Sebastiens mond voelde sponzig en in zijn hoofd spookte nog een onprettige droom, maar het begon tot hem door te dringen dat het misschien vroeger was dan hij in eerste instantie had gedacht. Hij liet zijn tong over zijn tanden gaan. Misschien was het pas een uur of twaalf, dacht hij beschaamd.

Katy hield haar hoofd schuin. 'Ik moet weten wat er met Carlos aan de hand is.'

'Waar heb je het over?' Sebastien zocht steun tegen de deurpost, zich plotseling bewust van de koude avondlucht en van het feit dat hij alleen zijn onderbroek aanhad. Nou ja, hij hoefde zich nergens voor te schamen. Als Katy Kellers niet oog in oog wilde staan met een levenslustige jongeman met blauw dooraderde witte benen in zijn ondergoed, had ze maar even van tevoren moeten bellen.

'Hij zit toch financieel in de problemen?' zei Katy. 'Zoiets zei je toch?'

'Is dit dringend? Werd je overvallen door slapeloosheid of een onstilbare nieuwsgierigheid? Er zijn mensen die 's ochtends naar hun werk moeten, weet je. Ik niet, natuurlijk, maar ze zijn er wel.'

'Ik wilde niet dat iemand me hier zag.'

'Ik snap niet wat jij te maken hebt met het doen en laten van de Carrizo's.' Sebastien klonk boos, en hij was ook boos op zichzelf omdat hij het zich aantrok – privacy was tenslotte maar een burgerlijk fenomeen. 'En ik snap ook niet waarom je denkt dat ik meer weet.'

'Natuurlijk weet je meer. Je zit hier de godganse dag iedereen te begluren. En tijdens het eten zei je er ook nog iets over.'

'Wat dan?'

'Of we wel goed te eten kregen. En de rechtszaak.'

'Dat was een grapje.'

'Ik weet dat Lily denkt dat alles wat je zegt een grap is, maar volgens mij maak je nergens grapjes over. Dus hoe zit het, worden de Carrizo's vervolgd? Waarvoor?'

Sebastien krabde verwoed over zijn hoofd. 'Volgens mij heeft het te maken met geld. Waarom sleep je anders iemand voor de rechter?'

'Hoe weet je dat?'

'Ik zeg net dat ik het niet weet.'

Katy keek hem scherp aan. 'Waarom dénk je het dan?'

'Roddel en van horen zeggen,' zei Sebastien. 'Eenvoudig snuffelwerk. Doe ermee wat je wilt. Als je het niet laten kunt.'

'Wat zou ik ermee moeten?'

'Geen idee. Sinds 1996 heb ik geen sprankje fantasie meer.'

'Je bent een rare.'

Sebastien hoopte dat zijn uitgestreken gezicht weergaf hoe weinig origineel die opmerking was.

'Ik moet terug naar huis,' zei Katy.

'Nu al? Jammer.'

Katy liep het trapje af. Haar schoonheid was zo gesloten, zo afhoudend; ze straalde iets hards uit, alsof ze uit een zeldzaam gesteente was gehouwen – Lily daarentegen had iets organisch, iets natuurlijks.

'Mag ik vragen,' zei Sebastien toen Katy wegliep, 'of je Lily gaat vertellen dat je hier bent geweest?'

'Hoezo? Bang dat ze zich dingen in haar hoofd haalt?' Katy draaide zich om en liep verder. 'Maak je geen zorgen. Er zijn een heleboel dingen die ik Lily niet vertel.'

Toen Lily op een dag door San Telmo liep, begon een vrouw met een verlopen gezicht luidkeels tegen haar uit te varen.

De vrouw leek uit het niets te komen. Lily liep naar haar iPod te luisteren en opeens stond het mens voor haar, onsamenhangend foeterend in het Spaans, zodat Lily er geen touw aan vast kon knopen. Terwijl ze doorliep probeerde ze woordjes te ontcijferen – ze ging steeds sneller lopen en moest zich voorhouden om niet te gaan rennen – maar het was zinloos: het was alsof je probeerde te verstaan wat iemand tijdens een droom zei, of iemand die aan afasie leed. Lily week terug in een deuropening. De vrouw volgde haar, nog steeds schreeuwend. Haar huid leek gelooid en er was iets met haar ogen, de verhouding tussen oogwit en iris klopte niet. De vrouw stak haar handen uit en Lily zocht in haar zak naar wat kleingeld. Maar toen ze omlaag keek, zag ze dat het de vrouw niet om geld te doen was; ze wees met haar klauwhanden naar Lily, en die wist niets beters te zeggen dan dat ze het niet begreep, en dat het haar speet dat ze het niet begreep. Daarop kalmeerde de vrouw, hoewel Lily geen idee had waarom, en ze draaide zich om en verdween in een steegje.

Er gingen een paar tellen voorbij en Lily liep gehaast verder. Nu de vrouw weg was, keerde de stilte terug, het zonlicht weerkaatste in de plassen op het beton. In een schuine lichtbundel tolden stofdeeltjes. Aan de andere kant van de straat zaten twee jonge mannen bier te drinken bij een cervecería, ze keken lachend naar Lily en een van de twee hief zijn glas voor een toost. Op dat moment voelde Lily iets slijmerigs op haar wang, en ze wist meteen dat het spuug was. De vrouw had haar in het gezicht gespuugd. Lily veegde de fluim weg met haar mouw. Eén keer, twee keer, keer op keer. Halverwege op weg naar huis drong tot haar door dat haar gezicht nog wel een tijdje anders zou voelen.

De rest van de middag bleef er een onbestemd schuldgevoel aan Lily knagen, in vlagen, tussen het lezen van Borges en de wijn – door de wetenschap dat ze in wezen op vakantie was in een land dat feitelijk straatarm was, in elk geval naar de maatstaven van de vs. Ze wist niet goed hoe ze haar aanwezigheid moest rechtvaardigen. Was het goed dat ze in Buenos Aires was, haar bescheiden spaarcentjes inwisselde tegen een schandelijke wisselkoers en geld in de economie pompte? Was het goed dat ze probeerde – en ze deed ontegenzeglijk haar best, heel wat meer dan Katy – om de taal te leren, contacten te leggen en aan iets van culturele kruisbestuiving te doen? Misschien moest ze ergens vrijwilligerswerk gaan doen. Ze zou op de een of andere manier ook moeten lijden. Maar dat leek weer zo oppervlakkig, en misschien was dat nog wel erger, op een manier die ze niet goed begreep. Alle deelnemers aan het studieprogramma hadden een middagje in een weeshuis geholpen, en daar was pijnlijk duidelijk geworden hoe nutteloos ze met z'n allen waren – ze kregen kleine, overzichtelijke probleempjes om op te lossen en er waren wat kleine klusjes voor ze bedacht die ze gezamenlijk konden doen. En alles was extra langzaam gegaan omdat alles moest worden vertaald en uitgelegd. Ze hadden het personeel eigenlijk alleen maar met meer werk opgezadeld. Het zou voor iedereen beter zijn geweest als ze gewoon thuis waren gebleven. Het besef van je eigen nutteloosheid bezorgde je een onbehaaglijk gevoel. Het was ethisch uitputtend. Lily piekerde erover, daarna vergat ze erover te piekeren en vervolgens zat het haar dwars dat ze het was vergeten. Misschien was dit het tweede stadium van de cultuurshock, na het aanvankelijke enthousiasme.

Katy was niet thuis, dus haalde Lily haar telefoonkaart tevoorschijn. Ze wilde met iemand over al die dingen praten, desnoods met iemand van haar familie. Lily belde eerst naar Maureen, maar die was niet thuis. Ze had Anna kunnen bellen, maar die belde ze eigenlijk nooit. Soms vergat ze Anna zelfs totaal – niet dat ze bestond, natuurlijk, of de rol die ze speelde in bijna alle herinneringen uit Lily's kindertijd. Maar soms was het idee dat Anna een eigen leven leidde op Colby een beetje onwerkelijk. Dat idee kwam voort uit het legendarisch ascetische bestaan dat Anna leidde – ze ging onwaarschijnlijk vroeg naar bed en stond onwaarschijnlijk vroeg op, wat voor Lily een bewijs was dat Anna er bewust voor had gekozen om de wereld en iedereen die daar deel van uitmaakte ver van zich te houden. Lily was op Middlebury weleens om één uur 's middags wakker geworden terwijl ze les had en was de angstaanjagende gedachte door haar heen geschoten dat Anna intussen al zesenhalf uur op was, en wat nog veel angstaanjagender was, was het feit dat dat zo'n beetje alles was wat Lily over Anna's leven wist. Er waren legio dingen die Lily níét over Anna's leven wist. En wat misschien nog belangrijker was, was dat Lily niet wist of Anna nog maagd was. Ze verwachtte ook niet dat ze ooit iets over eventuele ontwikkelingen op dat gebied te horen zou krijgen. Lily had Anna verteld over haar eerste keer, en Anna was geschokt geweest, wat Lily wel kon begrijpen, maar ze had ook ongeïnteresseerd geleken en dat had Lily niet begrepen. Niet alleen omdat seks objectief bezien een interessant onderwerp was, maar Lily vond het ook onbegrijpelijk dat je het afstotelijk kon vinden en er tegelijk niet nieuwsgierig naar was. Voor Lily waren dat in essentie identieke gevoelens. Voor Anna lag dat anders. Als ze het hadden over de fascinerende, vulgaire en aangrijpende realiteit van het leven, reageerde Anna gekmakend nuchter; niet overmatig geïnteresseerd, maar ook niet dusdanig preuts dat ze de grote invloed van het geheel ontkende. Ze praatte erover als de omstandigheden het vereisten, en wat ze erover te zeggen had, was altijd even pragmatisch. Toen Lily haar had verteld dat ze geen maagd meer was, had Anna meteen gevraagd of ze aan de pil zou gaan.

'Kom op, zeg,' had Lily gezegd. Ze had geprobeerd door de wol geverfd en wereldwijs te klinken, maar eerlijk gezegd had ze er nog niet eens bij stilgestaan. Ze had niet overwogen of seks iets was wat ze zou blijven doen, ze had zich puur en alleen gericht op het obstakel in de vorm van haar maagdelijkheid, en een vraag over geboortebeperking voelde alsof je werd doorgezaagd over wat je na je studie zou gaan doen op het moment dat je thuiskwam met je toelatingspapieren van de universiteit. 'Als je het een beetje leuk wilt hebben op de universiteit, Anna-Banana,' had Lily gezegd, 'dan zul je wel moeten leren om je een beetje te laten gaan.'

Toen ze klein waren, waren ze hechter geweest – in die tijd hadden ze tenminste nog gezamenlijke interesses gehad. Zoals alle kinderen vonden Lily en Anna alles wat er voor hun geboorte was gebeurd volstrekt onbelangrijk, maar Janie was natuurlijk de grote uitzondering; dat onderwerp vervulde hen met een vreselijke, prikkelende, schandelijke en onverzadigbare nieuwsgierigheid. Inmiddels wist Lily dat dat waarschijnlijk volstrekt normaal was, maar destijds hadden ze dat nog niet geweten. Ze wisten alleen dat hun vele vragen als veel te direct en hardvochtig werden opgevat. Lily was daar op pijnlijke wijze achter gekomen toen ze op vier- of vijfjarige leeftijd aan Maureen iets vreselijk lomps over Janie had gevraagd – iets over wat er met haar dode lichaam gebeurde, als ze het zich goed herinnerde, maar dat wist ze niet meer precies, en hoe meer ze haar hersens pijnigde, hoe erger het leek. Lily was geschrokken van Maureens diep gekwelde gezichtsuitdrukking toen die met verstikte stem had geantwoord, en Lily was er plotseling van doordrongen geraakt dat Maureen heel, heel erg verdrietig was, maar dat ze probeerde om Lily niet met een schuldgevoel op te zadelen. Lily herinnerde zich nog goed dat ze zich ongelukkig afvroeg – voor het eerst, en er zouden nog vele keren volgen – of alles zoveel ingewikkelder was dan het leek.

En omdat ze van hun ouders hielden en ze geen verdriet wilden doen, waren Lily en Anna opgehouden met vragen stellen. Maar hun aangeboren kinderlijke morbiditeit – onderdrukt en verdrongen – verdween niet geheel en stak soms op vreemde manieren de kop op.

'Wij kunnen ook doodgaan,' had Lily een keer 's avonds laat tegen Anna gefluisterd. Zij was zeven en Anna was vijf. Het was de zomer geweest waarin Lily elke nacht in haar Mulanslaapzak sliep en deed alsof ze op vakantiekamp was. 'Wij allebei. Dat weet je toch?'

'Niet waar.'

'Janie is doodgegaan. Wij kunnen ook elk moment doodgaan.'

'Janie was heel erg ziek,' had Anna met een ernstig gezicht gezegd. Dat was de dwangmatig herhaalde gezinsmantra – tot op de dag van vandaag kon Lily het horen, als een plechtig herhaalde koorzang: *Janie was heel erg ziek, Janie was heel erg ziek* – en Anna was geneigd om slaafs alles te herhalen wat Andrew en Maureen zeiden, iets wat Lily zelfs toen al vreselijk irritant had gevonden.

'Een van ons kan toch ook ziek worden,' hield Lily vol.

'Hou op,' zei Anna met een beverig stemmetje. Zelfs toen ze klein waren, had Lily niet precies geweten waar Anna wel of niet door van streek kon raken. Ze was jaloers geweest op andere meisjes die precies leken te weten hoe ze hun zusjes aan het huilen konden maken of boos konden krijgen, of waardoor je ze een geheim kon laten verklappen of met walging kon vervullen. Lily wist die dingen niet; Anna was als een ei op een lepel die Lily voortdurend liet vallen, ook als het niet de bedoeling was.

'Wij worden niet ziek,' had Anna hardnekkig keer op keer herhaald, die avond en nog vele daaropvolgende avonden. 'Wij niet. Wij niet.'

Lily keek peinzend naar de telefoon. Het kunstlicht in het souterrain leek scherper dan normaal. Toen belde ze Andrew. Haar vader was op zaterdagavond ofwel thuis, of hij was weg, en beide opties boden doorgaans weinig reden tot vrolijkheid. Lily wachtte. Op het schermpje van haar vaders telefoon zou een volstrekt onherkenbare reeks cijfers verschijnen. Lily dacht nog steeds een restant van het speeksel van de vrouw op haar wang te voelen, maar dat was natuurlijk onmogelijk. Andrew nam op.

'Lily!'

'Hallo, vader.'

'Waaraan heb ik deze eer verdiend?'

'Ik wilde gewoon even weten hoe het met je was.' Lily had hem al eerder gebeld, maar nu moest ze doen alsof ze met een reden belde, niet zomaar. 'Even controleren of je het zonder mij niet te gezellig hebt.'

'Daar hoef je niet bang voor te zijn. Maar hoe is het met jou? Moet je niet stappen met die knul?'

Sebastien. Lily had over hem geschreven op de ansichtkaart die ze tien dagen geleden had verstuurd, ze herinnerde zich hoe spannend ze het had gevonden om die exotische naam met die exotische hoofdletters op papier te zetten, ze herinnerde zich haar blijdschap dat ze haar enerverende belevenissen kon delen met de mensen die vastgeroest zaten in hun alledaagse sleur. Nu wilde ze dat ze er met geen woord over had gerept.

'Is het moreel verwerpelijk om in Argentinië te studeren?' vroeg Lily.

'Tja, dat kun je beter aan je moeder vragen,' zei Andrew. 'Zij is de enige echte marxist in de familie.'

Lily was verbaasd over de warmte in Andrews stem toen hij dat zei en vroeg zich voor de zoveelste keer af waarom haar ouders eigenlijk waren gescheiden – maar ze verbaasde zich toch al over het feit dat haar ouders alles, zelfs scheiden, zonder veel bombarie deden. Het was lastig inschatten hoe slecht hun huwelijk in die terminale fase precies was geweest. Ondanks al hun progressieve vertoon leken ze aan alle standaardnormen over de taakverdeling in huis te voldoen: bij zijn dagelijkse bezigheden maakte Andrew alles marginaal rommeliger en viezer, en Maureen volgde hem zonder morren en wiste bijna ongemerkt zijn sporen weer uit. Maar Lily wist dat het niet zo eenvoudig lag. Zo was er een verhaal dat Maureen en Andrew hadden verteld, soms afzonderlijk, soms gezamenlijk, maar altijd op een manier die een diepzinnige symboliek suggereerde, een verhaal dat mogelijk een paar aanwijzingen bevatte: toen Janies einde naderde, hadden de hippie-buren ze een paar stukken kristal gegeven, ze hadden – in Maureens versie van het verhaal – sereen en stralend voor de deur gestaan, in de stellige overtuiging dat zij de redding in handen hadden. In de jaren daarna waren die kristallen verworden tot een vast, zwartgallig privégrapje tussen Maureen en Andrew: als de een zich tot de ander wendde en op plechtige toon 'dat komt vast door de kristallen' zei, was het voor Lily en Anna duidelijk dat ze het over een saaie grotemensenaangelegenheid hadden die hun begrip te boven ging, maar ze lieten het wel uit hun hoofd om te vragen wat hun ouders precies bedoelden.

'Dat heb ik geprobeerd, maar ze was niet thuis,' zei Lily. 'Dus ben ik op jou aangewezen.'

'Ga als je bent afgestudeerd maar latrines graven in Mongolië,' zei Andrew. 'Wat moet je anders? Je studeert filosofie.'

'En vrouwenstudies.'

'Wordt dat nog steeds beschouwd als een academische studierichting?'

'Ik voel me zo nutteloos.'

'Dat ben je ook. Maar je kunt later altijd nog je toevlucht zoeken bij het Vredeskorps, dus kun je het er nu net zo goed nog van nemen. Heb je het een beetje leuk?'

Lily werd overvallen door moedeloosheid bij het horen van het woord 'leuk'. Bij Buenos Aires dacht ze niet in termen als 'leuk'; ze dacht meer aan bewoordingen als 'van een transformerende puurheid'. Maar nu drong met een lichte schok tot haar door dat het wel degelijk leuk was – het ontdekken, de bijna tastbare revelatie van het aanleren van een andere taal, het drinken, de literaire zelfontplooiing, het gevoel dat ze de trendy nomade was in een buitenlandse film. Het was allemaal hartstikke leuk geweest, tot het op een gegeven moment opeens niet meer leuk was.

'Het leuke is verleden tijd,' zei ze somber.

'Als je maar geen domme dingen laat gebeuren. Moet je horen, ik moet ophangen. Garri Kasparov komt zo op CNN.'

'En je bent weg van die vent.'

'Ik ben echt wég van die vent. Maar eh... gaat het wel? Is alles goed?'

'Alles is goed. Geef Garri een kushandje van me.'

Andrew had opgehangen, maar Lily bleef de telefoon aan haar oor houden, ze luisterde naar de stilte van het beëindigde telefoongesprek en staarde naar de lamp boven haar tot ze zwarte vlekken begon te zien. Ze dacht aan de tierende vrouw in de deuropening. Ze probeerde terug te halen wat de vrouw had geroepen, misschien kon ze het achteraf ontcijferen en vertalen, maar het lukte niet. De vrouw was onverstaanbaar geweest en zou dat altijd blijven. Lily legde de telefoon neer.

Die avond was Lily zo voorkomend als ze maar zijn kon bij de Carrizo's. Ze kwam extra vroeg voor het eten en vroeg of ze Beatriz ergens mee kon helpen – hoewel ze ervan overtuigd was dat Beatriz van haar gezicht kon aflezen dat ze hoopte dat dat niet het geval was – en ze had zich voorgenomen om aardiger te zijn tegen Katy. Met Carlos wist ze wel raad: om bij hem nog meer in de smaak te vallen, hoefde ze alleen maar te beginnen over een van hun vele gezamenlijke stokpaardjes – de complotten die multinationals smeedden, de onmiskenbaar imperialistische motieven van de Verenigde Staten, het schandelijke gesjoemel van het IMF. Lily was zich er vaag van bewust dat ze die dingen niet per se geloofde – er waren een hoop dingen bij die ze zei om in de smaak te vallen, om blijk te geven van haar maatschappelijke rechtsgevoel – maar ze was in elk geval niet van plan om met een burger van een zich ontwikkelend land in discussie te gaan over de ware bedoelingen van het IMF. Lily wist ook niet zeker of Carlos al die dingen daadwerkelijk geloofde. Hij beschouwde een gesprek als een sport, en Lily was dol op iedereen die alles in het leven als een sport beschouwde (met uitzondering van echte sporten).

‘Niemand geloofde echt dat Irak beschikte over massavernietigingswapens,’ zei ze bij wijze van aftrap. Ze schonk zichzelf een glas wijn in.

‘Niemand,’ zei Carlos met nadruk. ‘Dat is de grote misleiding. Intussen weet iedereen dat ze het mis hadden, maar wat niemand doorheeft, is dat zijzelf ook nooit hebben geloofd dat ze het bij het rechte eind hadden.’

Lily knikte enthousiast. Er waren misschien wel dingen waaraan je kon merken dat Carlos onder de oppervlakte depressief was, maar dan waren de symptomen toch heel anders dan de berustende, verkrampte, allesoverheersende blanke-middenklassedepressiviteit waaronder haar familie gebukt ging. De somberheid die Carlos kwelde, leek niet op de macabere dodenmars van Maureen – die het bestudeerde en onderkoelde besluit had genomen om nooit ofte nimmer meer ergens vreugde uit te putten. Carlos’ depressiviteit dwong hem tot een onontkoombare onverschilligheid jegens alles, en dat leek bijna op een soort vrijheid. Hij lachte bijna overal om.

‘Het allesoverheersende vadercomplex van George W. Bush was de belangrijkste reden dat jullie je ertegenaan bemoeiden,’ zei Carlos.

Katy en Beatriz hielden zich meestal afzijdig als het over politiek ging, en daar ging het eigenlijk altijd over. Daardoor kreeg Lily het donkere vermoeden dat Katy geen flauw politiek benul had, of nog erger, dat ze er gematigde ideeën op na hield. Beatriz, vermoedde Lily, had gewoon haar buik vol van de verhalen van Carlos, en daar kon ze ook wel begrip voor opbrengen.

‘Het instorten van de Twin Towers was een symbolische castratie van Amerika,’ zei Lily. ‘Daarom kwam het zo hard aan.’ Om de een of andere reden versomberde de sfeer aan tafel. Beatriz keek strak naar de biefstuk op haar bord, haar gezicht stond nog geïrriteerder en chagrijniger dan anders. Lily keek naar Katy om hulp, maar zij keek Lily met een soort vermoeide geamuseerdheid aan. Lily stond er alleen voor.

Het gesprek kabbelde moeizaam voort, waarbij Lily steeds

minder beladen meningen verkondigde om niemand voor het hoofd te stoten, tot uiteindelijk tot haar doordrong dat Beatriz intussen de tafel had afgeruimd, Katy de kamer had verlaten en er in de fles wijn alleen nog wat droesem restte.

Toen ze weer op hun kamer kwam, lag Katy op bed te lezen. Lily keek haar peinzend aan, ze vroeg zich af met wat voor perfecte zorgeloosheid je zo'n serene uitstraling kon bewerkstelligen. 'Waar gaat dat over?' vroeg ze.

'Geheimhouding van de overheid met betrekking tot de inflatiecijfers,' zei Katy zonder op te kijken.

Lily wist dat ze beter haar mond kon houden, maar ze kon het niet laten. 'Waarom zeg je nooit iets?'

'Hoe bedoel je?'

'Waarom zeg je nooit iets tijdens het eten? Heb je nooit ergens een mening over?'

Katy legde het artikel opzij. 'Dat meen je niet.'

'Hoe moet ik het weten als het wel zo is? Hoe moet ik weten of jij ook maar ergens een eigen mening over hebt?'

'Je wilt absoluut niet dat ik me in zulke gesprekken meng.'

'Natuurlijk wel.'

'Echt niet.'

'Je zult nooit iemand op andere gedachten kunnen brengen door er als een zoutzak bij te zitten en met je ogen te rollen.'

'Ik zat niet met mijn ogen te rollen.'

'Wel. Je zat zo met je ogen te rollen dat ze bijna uit hun kassen vielen.' Lily voelde ergens in haar achterhoofd de wijn klotsen. Ze hikte. 'Je vertikt het om iets te zeggen omdat je als de dood bent dat iemand boos op je zou worden. Je wilt alleen maar aardig gevonden worden. Dat is het enige wat voor jou telt.'

'Dat is beter dan je voortdurend wentelen in je eigen zelfgenoegzaamheid terwijl je in werkelijkheid nergens een poot voor uitsteekt.'

'Ik ben vicevoorzitter van Amnesty International geweest!' riep Lily en ze gooide haar slipper naar Katy. Hij miste haar ruimschoots. 'Ik heb drie handtekeningenacties voor een vrij Palestina georganiseerd!'

Katy keek taxerend naar de slipper, raapte hem op en reikte hem Lily aan. 'Rustig nou maar,' zei ze. 'We hoeven hier geen ruzie over te maken.'

Er volgde een pauze. Lily hoopte dat haar woede niet al te duidelijk van haar gezicht af te lezen was.

'Misschien heb je wel gelijk,' zei Katy sussend. 'Alleen... Weet ik veel. Ik weet niet of zulke gesprekken wel goed zijn voor Carlos. Hij drinkt er zoveel bij. Hij is al zo depressief.'

'Ik word doodziek van al die depressieve mensen,' zei Lily. Dat was ook zo. Goeie genade, wat was ze het zat. Af en toe had ze het idee dat haar eigen familie de meest passieve zelfmoordsekte ter wereld was. Was het dan zoveel gevraagd dat haar gastgezin tenminste andere problemen had? 'Heeft niemand in de gaten dat je in elk geval moet proberen om niet depressief te worden?' zei Lily. 'Dat je het een wat lagere prioriteit moet geven? Je kunt de werkelijkheid niet simpelweg aan je voorbij laten gaan omdat je je zo ellendig voelt. We gaan allemaal een keer dood. We zitten allemaal in hetzelfde schuitje.'

Katy deed er het zwijgen toe, en Lily hoorde hoe haar tirade na-echode in de kamer. Ze voelde zich plotseling zielig en klein. Ze wilde voor het eerst naar huis.

'Waarom zit hij eigenlijk zo in de put?' vroeg Lily na een tijdje.

Katy keek haar ongelovig aan. 'Ze worden voor de rechter gesleept,' zei ze. 'Hij raakt zijn bedrijf kwijt. Let je dan helemaal niet op wat er om je heen gebeurt?'

6

Februari

De nacht na hun bezoek aan de gevangenis droomde Andrew over Lily. In de droom lag ze ingezwachteld in een couveuse met slangetjes in en uit haar oren, ogen en neus. Ze zag er zacht en kinderlijk uit, maar ze had wel het postuur van zijn volwassen dochter, en toen ze sprak – Andrew kon niet horen wat ze precies zei – praatte ze op haar lage, volwassen toon, helder en indringend, tot hij wakker werd.

Andrew was teleurgesteld in zichzelf. Zijn dromen waren zijn hele leven ontluisterend alledaags geweest, primitief metaforisch, en altijd met de regelmaat van de klok: hij droomde dat hij viel, hij droomde dat hij ergens onbewust in zijn blootje liep, hij droomde dat hij een college vergat waarvoor hij zich had ingeschreven of, later, dat hij had moeten geven. Hij zou graag wat origineler hebben gedroomd in tijd van crisis.

Hij stond op en ging naar de badkamer. Hij deed het licht aan en zag zichzelf in de spiegel: te dik en met rode ogen. Andrew had de laatste jaren zijn lichamelijke aftakeling gemeten via Maureen: zowel door te kijken hoe zij eruitzag als door hoe ze naar hem keek. Afgelopen kerst had Andrew geconstateerd dat Maureen de kenmerkende trekjes begon te vertonen: kraaienpootjes rond haar ogen en een zweem van onderliggend paars in haar huidskleur, en haar haar was nooit meer zo rood als in zijn herinnering. Maureens beste kwaliteiten waren niet langer zichtbaar. Een achteloze voorbijganger zou nooit kunnen vermoeden dat ze ooit in Oostenrijk op een rijdende trein was gesprongen of dat ze een keer in haar kledingkast marihuana had gerookt en gierend van de lach in een kluwen van kleren was gevallen. Dat was lang geleden geweest, voordat de dingen waren gebeurd die haar hadden vervuld van angst, dingen die iedereen van angst zouden vervullen. Open onbevangenheid was tenslotte een luxe. Soms was Andrew blij dat Lily voldoende zorgeloos uit hun leven was herrezen om de dingen te doen die ze graag wilde. Dat deden andere jonge vrouwen tenslotte ook, ze gingen in het buitenland studeren en na een semester kwamen ze weer thuis en gedroegen ze zich net zoals Lily: ze gebruikten zogenaamd per ongeluk Franse of Spaanse woordjes, zeurden over het gemis van een heerlijke versnapering die ze bij een kraampje op straat kochten en vertelden verhalen waarvan ze hoopten dat die net zoveel bewondering voor hun ondernemingslust zouden oogsten als ze zelf voelden. Dat had Lily allemaal over drie maanden moeten doen – ze had uit moeten gaan met vriendinnen die allemaal ook net waren teruggekeerd uit diverse buitenlanden, allemaal verwonderd over hoe vreemd licht en leerachtig de Amerikaanse dollarbiljetten ineens voelden. Maar dat zou niet gebeuren. Misschien zou Lily over drie maanden weer thuis zijn, maar zelfs dan zou ze niet langer een kind zijn, en ze zou niet langer de dingen zeggen die kinderen zeggen. En soms – zeker nu, bij de gedachte dat ze in haar cel lag te slapen, in elkaar gekropen tegen de kou – kon Andrew geen enkele vreugde putten uit het feit dat ze in elk geval de gelegenheid had gehad om frank en vrij de wijde wereld in te trekken. Zelfs geen moment, zelfs niet als ze daar gewoon recht op had. Want wie probeerden ze nou helemaal voor de gek te houden? Ze waren nooit een gelukkig gezin geweest. Andrew en Maureen hadden Lily in de steek gelaten, vreselijk in de steek gelaten – en daar hadden ze haar keer op keer ook nadrukkelijk op gewezen.

Andrew liep op zijn tenen terug naar bed. Anna straalde een wrokkig wakker-zijn uit, hoewel ze geen enkel geluid maakte; hij was bang dat ze zo'n dochter zou worden die nooit tegen hem durfde te zeggen dat hij snurkte. Hij ging weer liggen. Er ging een zinnetje door zijn hoofd: *Er is geen ander leven dan het leven dat we nu leiden.* Na Janies dood was dat een soort mantra van hem geworden: hij hield zich voor dat haar leven niet meer behelsde dan de tweeënhalf jaar die ze op aarde had doorgebracht. Er waren geen andere versies, er was geen andere afloop. Er was geen enkele dag die rechtmatig deel uitmaakte van onze levens, behalve de dagen die ons waren gegeven.

Andrew luisterde naar een blad dat langs het raam ritselde. Hij bewonderde het koppige licht van de verblekende maan. Het was tenslotte een prachtige wereld, toch?

Elke ochtend stond Anna op als het licht werd, en dan trok ze haar sportkleren aan en ging ze hardlopen. Als ze na een uur of langer terugkwam, ging ze onder het toeziend oog van Andrew zwijgend voor de spiegel zitten en trok ze de pleisters van haar gehavende hielen. Ergens tijdens het eerste jaar van haar studie was ze veranderd in één lange sliert pezen en spieren. 's Middags haalde Andrew haar over om ergens naartoe te gaan, meestal naar de kleine supermarkt op de hoek, waar hij krampachtig de spot dreef met alle exotische, kunstmatige smaken. Anna volgde lusteloos in zijn spoor, met een uit steen gehouwen gezicht.

'Yoghurt met kastanjesmaak?' zei Andrew dan, wijzend. 'Wie verzint zoiets?'

'Er gebeuren de laatste tijd een hele hoop dingen die ik nooit had kunnen verzinnen.'

Andrew verweet het haar niet; ze deed tenminste haar best. Leren om volwassen te worden, was leren dat je best doen zelden voldoende was.

'Frisdrank met vijgensmaak?' zei hij. 'Die ben je vast niet eerder tegengekomen.'

'Ik kom hier allemaal nieuwe dingen tegen.'

Drie dagen na het bezoek aan Lily ging Andrew een stukje

wandelen terwijl Anna aan het sporten was. Hij liep naar spierwitte kathedralen, langs huizen die begroeid waren met een slordige baard van klimplanten. Overal lag hondenpoep, waar je ook keek, en Andrew was verbaasd over de onverschilligheid waarmee dat werd geaccepteerd – alsof iedereen stilzwijgend overeen was gekomen dat een stad zonder hondenpoep geen echte stad was. De hemel had de onschuldige kleur van het ei van een roodborstje. Andrew vroeg zich af hoe het zou zijn om levend uit een vliegtuig te worden gegooid en door die prachtige kleurpotloodblauwe lucht te suizen. Hij vroeg zich af hoe het was om zo verstikt te zijn van angst dat je stem in je keel bleef steken.

Andrew zou zichzelf graag wijsmaken dat ze alles wat er voorheen in hun leven was gebeurd ook hadden overleefd, maar dat was niet zo. Hij probeerde zichzelf voor te houden dat Lily's probleem totaal anders was dan dat van Janie – Lily's situatie was het gevolg van een rationele functiestoornis, een communicatiestoornis. Als Andrew alles zorgvuldig en langzaam zou uitleggen, zou alles worden opgehelderd en zou iedereen inzien dat er sprake was van een misverstand. Hij hoefde geen aanstormende tsunami, apocalyps of terminale ziekte tegen te houden; hij hoefde geen godheid te smeken om aandacht of een gunst. Hij hoefde de buitenwereld alleen maar waarheidsgetrouw een vaststaand feit te vertellen: zijn dochter had niemand vermoord. Zijn vak bestond voor het overgrote deel uit het uitleggen van vaststaande feiten. Om Lily te redden, hoefde hij alleen maar datgene wat hij toch al goed deed, nog beter te doen. Wat was er eenvoudiger? Wat was er makkelijker? Hij zou blij moeten zijn dat zijn problemen zo overzichtelijk waren! Er zat geen tumor in het lichaam van zijn dochter, er werd geen mes tegen haar keel gehouden – er moesten alleen een paar verkeerde ideeën in de hoofden van een handjevol conservatieve mensen worden rechtgezet. Er waren wel grotere dreigingen.

Andrew liep langs een andere kerk. In de buitenmuren waren heiligen uitgehouwen, voor eeuwig zonder perspectief, hun aureolen glansden als muntjes. De kerk was dicht. Andrew bleef staan bij het barokke smeedijzeren hek.

Anna kwam om elf uur terug en ging douchen. 's Middags bleef ze in hun kamer met een broodje dat ze bij de roomservice hadden besteld, met *Sex and the City 2* op HBO dat hij voor haar had aangevraagd, hoewel ze had gezegd dat ze die film al had gezien en zich er alleen maar ellendiger en afgestompter door zou gaan voelen. Andrew liet de receptie een taxi bellen en gaf de chauffeur het adres van Lily's gastgezin in Palermo. Het imposante huis van Sebastien LeCompte stond ernaast, wist hij uit Lily's e-mails, en Andrew hoopte dat hij niet verkeerd zou gokken.

Sommige straten op weg naar Palermo waren weinig aantrekkelijk – Andrew zag bouwsels die waren opgetrokken uit spaanplaat, ongure mannen die alleen in hun onderhemd rondliepen, hompen varkensvlees aan het spit in de zon die zwermen vliegen met regenboogkleurige vleugels aantrokken – maar nadat ze de Avenida Figueroa Alcorta hadden gekruist, ontspande hij een beetje. Buiten het raampje doemde een rijk geornamenteerd soort museum op en de huizen werden geleidelijk groter en chiquer, tot en met de regelrecht ordinaire en opzichtige villa's van de nouveau riche. In Barrio Parque werd het allemaal wat ingetogener en minder overdadig; Andrew kreeg het idee dat dit een buurt was voor mensen die op eerlijke wijze een bescheiden vermogen hadden opgebouwd. Uiteindelijk draaide de taxi een stoffige straat in – de straat waar Lily had gewoond – en Andrew was opnieuw opgelucht. Hij zag het huis dat onmiskenbaar van Sebastien LeCompte moest zijn: het stond naast dat van de Carrizo's en was zoals beloofd groot, wanordelijk en verpauperd; het had ongetwijfeld een negatieve invloed op de waarde van de omliggende panden.

Andrew strekte zijn hals om Lily's voormalige verblijf beter te kunnen bekijken. Tot zijn opluchting zag het er keurig uit – hij had rekening gehouden met open riolering, kippen op het erf, tja, met wat allemaal. Desondanks was wat hij van de advocaten over de Carrizo's had gehoord weinig geruststellend. Naar het scheen hadden ze hun bedenkingen gehad – over bepaalde vooroordelen en vooringenomen ideeën – en Andrew wist maar al te goed hoe irritant Lily zich kon opstellen tegenover mensen die haar niet meteen aardig vonden. Hij keek opnieuw naar het huis en probeerde in de tuin te gluren, daarna gaf hij zichzelf een standje vanwege zijn onfatsoenlijke nieuwsgierigheid. Hij wendde zijn blik af en gebaarde naar het huis van Sebastien LeCompte. De taxichauffeur nam het met een sceptisch gezicht op.

Het huis was inderdaad reusachtig: bij wijze van uitzondering had Lily niet overdreven. Het bestond uit drie verdiepingen met ramen met raamstijlen, en door het dak dat aan één kant doorzakte, kreeg het geheel iets van een ineengedoken wezen in een pandjesjas. Een slingerend pad leidde naar de enorme voordeur, en toen Andrew ervoor stond, zag hij dat die van kostbaar hout met siersnijwerk was, maar hij zag ook dat de deurknop ontbrak. De deurklopper had de vorm van een grauwend monster en Andrew trok er onwillekeurig ook een vals gezicht naar. Hij had de deur kunnen openduwen en naar binnen kunnen sluipen, maar in plaats daarvan klopte hij aan en zette hij een paar passen achteruit. Hij transpireerde. Er streek een warme, klamme windvlaag langs waardoor hij het nog warmer kreeg. Hij wachtte.

Na een schijnbaar eindeloos wachten werd de deur geopend door een magere, opvallend jong ogende man. Hij had bruin haar en grote ogen en hij was merkwaardig gekleed – was het een kamerjas? Een huisjasje? Misschien was dit wel de jongen die ervoor had gezorgd dat Lily was gaan roken, dacht Andrew wrokkig. '*Buenos días*,' zei Andrew, omdat dat volgens hem de beste manier was om het gesprek te openen.

Sebastien LeCompte leek niet verbaasd. Hij glimlachte vaag, waarbij hij een rij voortanden ontblootte die flink wat geld moest hebben gekost. 'U ook een goede dag, meneer,' zei hij in het Engels. Zijn accent was anders dan Andrew had verwacht – nasaal en scherp, het accent van Britse acteurs die een Amerikaan proberen na te doen. Het paste niet bij de persoon. 'En waarmee denkt u me van dienst te kunnen zijn?'

'Spreek je Engels?'

'Ik durf wel te stellen dat dat inderdaad het geval is.'

'Ben jij Sebastien LeCompte?'

'Dat is inderdaad het geval.'

In haar e-mails had Lily Sebastien omschreven als 'een man' met wie ze 'optrok', een formulering die lachwekkend op Andrew was overgekomen, maar na haar arrestatie had hij zich eraan vastgeklampt – misschien had ze echt een relatie met een volwassen man, iemand die zich redelijk en weloverwogen gedroeg, iemand die haar in de huidige situatie zou kunnen bijstaan. Die hoop was al geslonken toen Andrew de beveiligingsbeelden had gezien, en nu hij Sebastien LeCompte in levenden lijve zag, vervloog die helemaal. Sebastien was niet meer dan een jongen: graatmager, warrig haar, aarzelend bij elk gebaar en elke blik, instinctief sardonisch bij alles wat hij zei, de personificatie van de muzieksmaak van zijn generatie. *Ontwikkel gevoelens, jongelui!* wilde Andrew schreeuwen, maar hij deed het niet. De wereld mocht van geluk spreken dat Andrew nog niet de helft van de dingen deed die hij in gedachten had. In plaats daarvan stak hij zijn hand uit. Hij moest proberen – dat was van levensbelang – om erachter te komen of deze jongen hen op de een of andere manier kon helpen.

'Ik ben Andrew Hayes,' zei hij.

Daarop veranderde de gezichtsuitdrukking van de jongen – zijn hoofd ging omhoog, hij trok zijn wenkbrauwen bijna onmerkbaar op en zijn neusvleugels werden breder. 'Lily's vader.'

'Ja, Lily's vader.' Andrew zweeg. Hij probeerde de scherpte uit zijn stem te weren. 'Je weet ongetwijfeld wat er met Lily is gebeurd?'

De jongen leek zich te herstellen. 'Natuurlijk,' zei hij en hij strekte zijn rug. 'Volstrekt onwaarschijnlijk. Hoewel ons kroost ons steeds opnieuw blijkt te kunnen verrassen.'

Andrew wist niet goed wat hij met die reactie moest, maar

hij stond hem in elk geval niet aan. Hij deed een stapje terug. 'Wie zijn "ons"?'

'Neem me niet kwalijk. Ik maak een grapje. Het is onmogelijk dat uw lieve Lily ook maar iets met de moord te maken heeft.'

Andrew streek door zijn haar, hij voelde de weerbarstigheid van zijn schedel. 'Ik hoop eigenlijk,' zei hij zorgvuldig, 'dat jij me kunt helpen.'

Sebastien keek Andrew met een onbewogen gezicht aan. 'Het spijt me werkelijk om dat te moeten horen,' zei hij. Ook met dit antwoord wist Andrew zich eigenlijk geen raad, maar voordat hij verder kon vragen, schraapte Sebastien zijn keel. 'Mag ik vragen,' zei hij, en de spottende ondertoon was uit zijn stem verdwenen, 'hoe het met Lily gaat?'

Andrew knipperde met zijn ogen. Het leek erop dat de jongen het daadwerkelijk wilde weten. 'Mag ik misschien even binnenkomen zodat we erover kunnen praten?'

'Waar zijn mijn manieren gebleven?' Sebastien stapte achteruit in het schemerdonker van het huis en gebaarde Andrew zwierig naar binnen.

'Ze is er vreselijk aan toe,' zei Andrew, terwijl hij naar binnen stapte. 'Aardig dat je ernaar vraagt. Echt vreselijk.'

Sebastiens reactie ging verloren in de alomtegenwoordige duisternis van het huis. Andrew knipperde en ontwaarde een labyrintachtige, ouderwets ingerichte woonkamer – op de schoorsteenmantel stond een arabeske klok, er vlakbij stond een stokoude vleugel, en her en der waren lompe vormen onder lakens verborgen waarvan Andrew vurig hoopte dat het meubels waren. In de hoek ging een raam schuil achter een veelkleurige, sterk verouderde landkaart; een streep zonlicht scheen op een heldergroen, grenzeloos India. Andrew wees.

'Ik dacht dat de Sovjet-Unie intussen verleden tijd was,' zei hij.

'Is dat zo?' zei Sebastien. 'Dat had ik nog niet gehoord.'

Hij klonk oprecht teleurgesteld. Het werd Andrew duidelijk dat dit gesprek een heel ander soort geduld zou vergen dan hij had gedacht. 'Het is vrij uitgebreid in het nieuws geweest,' zei hij.

Sebastien knikte ernstig. 'Ik vrees dat mijn interieur nogal gedateerd is. Voorwerpen verplaatsen zich niet als je ze niet zelf verplaatst, zo blijkt. Ik vermoed dat we daarom nog overal restanten uit de Romeinse tijd tegenkomen.'

Andrew knikte afwezig. Hij was zich er vaag van bewust dat hij beter zijn mond kon houden over het huis, maar dat lukte hem niet. Hier woonde de vriend van zijn dochter, en aan het plafond hing een cluster kroonluchters, en Andrew wist bijna zeker dat alles met spinrag was bedekt. Op de schoorsteenmantel stonden een verzameling oude likeurflessen en een vaas met bloemen die eruitzagen alsof ze altijd al dood waren geweest, en er lag een enorm boek dat alleen maar de Bijbel kon zijn. Aan een van de muren hing een wandtapijt – een echt wandtapijt, zoals je die zag in het nationaal museum van een of ander onbeduidend Oost-Europees land. Het was natuurlijk tot op de draad versleten en stelde het onvermijdelijke jachttafereel voor: bloeddorstige honden die met antropomorfe wreedheid een hert belaagden, de ogen van het prooidier wit van angst. Grote genade, wat een morbide praalvertoon! Hoe had de mensheid ooit zo'n schepsel kunnen voortbrengen? Zou hij sinds zijn jonge jaren in dit huis aan zijn lot zijn overgelaten, met niets anders te lezen dan de boeken van Evelyn Waugh? En waarom was Lily in vredesnaam met hem naar bed gegaan? Nu moest Andrew zich naast alle andere problemen ook nog eens zorgen maken over haar gevoel voor eigenwaarde.

'Waar zijn je ouders?' vroeg Andrew.

'Dat is de vraag die aan de wortel van ons menselijk bestaan ligt, nietwaar?' zei Sebastien opgewekt. 'Inderdaad: waar? U bent zo te horen een van de grote denkers van ons tijdsgewricht – dus zegt u het maar.'

Andrew zweeg even vol onbegrip, daarna ging er een schok van spijt door hem heen. 'O,' zei hij. 'Neem me niet kwalijk dat ik ernaar vroeg.'

'*Pas du tout*. Wilt u iets drinken?'

'Nee, dank je.'
'U vindt het niet erg als ik wel zo vrij ben?'
Andrew maakte een vaag instemmend gebaar en Sebastien LeCompte maakte een buiging en verdween naar de keuken. Andrew liep naar de schoorsteenmantel. Naast de klok stond als een merkwaardig soort metafoor een foto van Sebastien met een doodgeschoten beest. Het dier was vlak bij de hartstreek geraakt, de wond werd omringd door een cirkel van klaproosrood bloed. Op de foto was Sebastien nog jonger dan nu; zijn vader – identiek aan Sebastien, opzichtig gekleed in kakikleurige jachtkledij met allemaal zakken en vakjes met knopen en andere sluitingen – had zijn arm om de schouders van zijn zoon geslagen.
'U weet het zeker?' vroeg Sebastien toen hij terugkwam met een glas met een groene inhoud die alleen absint kon zijn. 'Ik kan zo even naar de winkel op de hoek wippen en iets halen. Bier misschien?'
Andrew schudde zijn hoofd.
Sebastien ging op een van de witte hompen zitten en gebaarde naar Andrew om zijn voorbeeld te volgen. 'Wat wilde u vragen?'
Andrew koos een andere homp uit. 'Als ik het goed begrijp,' zei hij terwijl hij voorzichtig ging zitten, 'waren jij en Lily... bevriend.'
Andrew zag hoe Sebastien zijn woorden zorgvuldig afwoog en toen afzag van een sarcastisch antwoord. In plaats daarvan keek hij langdurig naar het plafond, alsof hij lang over die vraag moest nadenken. 'Ja,' zei hij eindelijk. 'Dat is een vrij accurate omschrijving.'
'En je hebt het overleden meisje ook gekend. Katy.'
'Kortstondig.'
Andrew voelde zijn keel samenknijpen. 'Ik hoop dat je me kunt helpen begrijpen hoe dit allemaal in elkaar steekt. Waarom dit gebeurt. Waarom ze denken dat Lily het heeft gedaan. Want feitelijk slaat dat nergens op. Het is volstrekt onzinnig en ondenkbaar.'

Sebastien stond op en liep naar de schoorsteenmantel. Hij liet zijn vinger over de foto gaan, waarbij hij een streep in het stof achterliet. Hij keek ontstemd naar zijn vinger en veegde hem af aan zijn broek. 'Lily had in elk geval niet veel op met Katy, zoals u ongetwijfeld te horen hebt gekregen,' zei hij op vlakke toon.

'Zo zou ik het niet willen zeggen,' zei Andrew. Hij slikte om de brok in zijn keel weg te krijgen. 'Ze waren misschien geen hartsvriendinnen, maar volgens mij was er ook geen sprake van vijandschap.'

'Ik neem aan dat u de e-mails hebt gelezen? Of heeft het kabelnieuws de vs nog niet bereikt? Hier zorgden ze in elk geval voor heel wat spektakel.'

Plotseling voelde Andrew de neiging om de miezerige strot van de jongen dicht te knijpen. Plotseling wist hij hoe moordlust voelde. '"Spektakel" lijkt me wat overdreven geformuleerd,' zei hij. 'En zo praat ze gewoon. Heel veel mensen praten zo. Heel veel mensen schrijven in e-mails onaardige dingen over hun vrienden, en zij worden niet gearresteerd, omdat het niet officieel verboden is – zelfs hier niet; ik heb het gecheckt. Wat ze ook over Katy heeft geschreven, ze bedoelde er verder niets mee. Als je haar een beetje beter zou kennen, zou jij dat ook weten.'

Sebastien hield zijn hoofd schuin. 'Ze had wel een bijzonder taalgebruik.'

'Luister.' Andrew ging staan. Hij begon hier genoeg van te krijgen. Zijn gezin had hem nodig – alweer? Of eindelijk eens een keer? Hoe dan ook, hij liet zich daarbij niet weerhouden door deze Aristokat. 'Je moet me een paar dingen vertellen.'

Sebastien keek verbaasd, en Andrew vroeg zich af wanneer de knul voor het laatst te horen gekregen had dat hij iets móést.

'Ik wil dat je me vertelt over de avond en nacht van Katy's dood,' zei Andrew. 'Lily was bij jou.'

'Ja.'

'Heb je daar met de politie over gesproken?'

'Kortstondig.'

'Denken ze dat jij erbij betrokken bent?'

'Waarschijnlijk wel.'

'Waarom hebben ze jou niet gearresteerd?'

'Ik was er niet rechtstreeks bij betrokken.' Sebastien keek naar de grond en Andrew overwoog even grootmoedig dat de jongen serieus spijt had van wat hij had gezegd. Misschien uit een soort berouw ging Sebastien verder; zijn stem werd wat zachter en minder theatraal dan daarvoor. 'Er valt niets te vertellen over die avond. Echt niet. Lily was hier. We praatten wat en dronken een paar cocktails. Rond twee uur gingen we naar bed. De volgende ochtend ging ze terug naar het huis van de Carrizo's. Na de vondst van Katy's lichaam kwam ze weer hierheen. Daarna heeft ze de politie gebeld.'

Het was vreemd om de jongen zo onomwonden te horen praten – hij gaf een samenhangende, chronologische opsomming van de gebeurtenissen. De zon was opgeschoven en er vielen twee banen cadmiumkleurig licht over de vloer en Sebastiens gezicht, waardoor zijn sproeten extra opvielen en hij er hartverscheurend onschuldig en jong uitzag.

'De politie kwam redelijk snel en maakte het huis ontoegankelijk,' zei Sebastien. 'De volgende ochtend werd ze gearresteerd. Verder kan ik u er niets over vertellen. Het spijt me.' Hij keek even naar zijn handen en zei toen snel: 'Denkt u dat ik haar mag bezoeken?'

Heel even had Andrew de jongen dolgraag als verdachte gezien. Het was alsof zijn hele universum Sebastien voor het voetlicht had willen schuiven, een jongeman die het met twee meisjes hield en in het naastgelegen huis woonde, en wat een godsgeschenk zou het zijn geweest om zo'n voor de hand liggende verklaring voor het geheel te hebben. Maar nu werd Andrew geconfronteerd met de realiteit dat geloven in Sebastiens schuld inhield dat hij ook in die van Lily zou moeten gaan geloven.

'Ik kan me niet voorstellen dat ze daar toestemming voor geven,' zei Andrew vriendelijk.

'Zou ik haar mogen schrijven?'

'Misschien.'

Er viel een stilte. 'Het spijt me,' zei Sebastien na een tijdje op die scherpe, vlakke toon van hem. Hij zei het nog een keer. Daarna ging Andrew weer twijfelen en vroeg hij zich met een argwanende schok die alle andere verdenkingen ver te boven ging af waar Sebastien precies spijt van had.

'Waarvan?' vroeg Andrew. Hij keek om zich heen, naar de opzichtige kilheid van het interieur, de naargeestige opsmuk, en toen keek hij weer naar Sebastien: dat belachelijke kapsel, die onwaarschijnlijke kleding, het te jonge uiterlijk dat tegelijk met het invallende zonlicht veranderde van slinks in argeloos. Andrew wist niet waarom Lily Sebastien LeCompte leuk vond, maar hij moest het feit accepteren – misschien hield ze zelfs wel van hem. Een mogelijke verklaring voor al haar problemen was dat Lily de jongen in bescherming nam, tegen alle redelijkheid in, uit een vreemd soort martelaarschap of gevoel van onaantastbaarheid, of iets waar Andrew zelfs niet naar zou kunnen raden.

'Wat spijt je?' vroeg Andrew nogmaals, scherper.

'Het spijt me heel erg dat u in zo'n rampzalige situatie verzeild bent geraakt.'

Toen Andrew terugkwam in het hotel, zat Anna lusteloos uit het raam te staren. De film was afgelopen en de tv vertoonde alleen een helderblauw beeld, maar ze had hem niet uitgezet.

'Wat ben je aan het doen, ouwe rakker?' vroeg Andrew.

Anna keek hem sloom en ongeïnteresseerd aan, ze had zelfs niet gereageerd toen hij binnenkwam. Andrew voelde een plotselinge drang om naar haar toe te lopen en zijn armen om haar heen te slaan. Hij wilde haar tegen zich aan drukken en 'stil maar' fluisteren, hoewel de kans klein was dat Anna ooit iemand nodig zou hebben om haar te troosten.

'Pap,' zei ze. Zelfs de manier waarop ze 'pap' zei, klonk alsof ze nukkig een soort concessie deed. 'Komt alles goed met Lily?'

Andrew ging op de rand van het bed zitten en klopte op Anna's schouder. 'We gaan ons uiterste best voor haar doen.'

'Godsamme,' zei Anna op verbitterde toon. Ze ging staan.

'"We gaan ons uiterste best voor haar doen?" Wat ben je toch een onverbeterlijke pessimist.'

Uit de mond van iemand die zo jong was, klonk de term 'onverbeterlijke pessimist' bestudeerd en geobsedeerd. Misschien zelfs wel geërfd, dacht Andrew nerveus. Of erger nog: therapeutisch bewerkstelligd. Hij wierp Anna een naar hij hoopte bemoedigend lachje toe.

'Ik denk dat haar kansen beter zijn dan we zelfs maar hadden kunnen hopen,' zei hij. Andrew had zijn kind zien doodgaan. Optimisme en pessimisme waren voor hem gepasseerde stations. Maar hij wilde niet dat Anna zo zou gaan denken, en hij wilde ook niet dat ze begreep waarom hij zo dacht. 'We hebben uitstekende advocaten,' zei hij. 'En ze is natuurlijk onschuldig. Dat werkt allemaal in ons voordeel.'

Er trok een huivering over Anna's gezicht. 'Natuurlijk,' zei ze met een ijzige blik. Ze vond het vreselijk dat hij het had gezegd, misschien omdat het zo vanzelfsprekend was. Maar Anna zag er geen been in om het hem nog eens extra in te peperen. Hij was haar vader. Dat was misschien wel zijn belangrijkste functie.

'Zou je jezelf er één keer toe kunnen brengen om te zeggen dat alles goed komt?'

Andrew knikte. 'Dat zou ik wel tegen je kunnen zeggen. En misschien is het ook wel zo. Daar hopen we allemaal op en daar doen we keihard ons best voor. Maar je bent intussen volwassen. En het zou weleens een heel langdurige toestand kunnen worden. Dus ik wil dat je overal rekening mee houdt.'

'Moeten we dan altijd en eeuwig overal rekening mee houden?'

'Daar lijkt het vaak genoeg wel op.'

Anna draaide zich naar het raam. Het licht viel op haar loshangende haar, waardoor ze ondanks haar woede iets engelachtigs had. Zijn dochter. Een van zijn dochters, springlevend en vrij. 'Het spijt me, ouwe rakker,' zei hij.

'Ik vind het vreselijk als je me zo noemt, weet je dat?'

'Ik... wat? Dat wist ik niet.'

'Dat verbaast me niks.'

'Vind je het echt zo erg? Ik dacht juist dat ik er ironisch en belezen door klonk.'

'Dat is precies waarom ik er zo de pest aan heb.'

Andrew voelde zich bijna fysiek gekrenkt. Om volstrekt onduidelijke redenen moest hij aan die pluizige Australische diertjes denken, die met die rudimentaire, griezelig buitenaardse klauwtjes. 'Had het gezegd,' zei hij.

'Bij dezen, dan.' Anna liep naar haar koffer en haalde er een plastic tas uit. Vogelbekdieren, dat waren het. 'Ik heb deze spullen voor Lily gekocht,' zei Anna en ze haalde zeep, wc-papier en tampons uit de tas. Shampoo, met cursieve letters op de flacon. Een scheersetje.

'Waar heb je al die dingen vandaan?' vroeg Andrew. 'Ben je de stad in geweest?'

'Jezus, pap. Nee. Ik ben naar dat winkeltje in de hotellobby gegaan.'

'Ze mag vast geen scheermesje hebben.'

'Oké,' zei Anna, en ze stopte het scheersetje weer in de tas. 'Best. Maar we moeten zorgen dat ze de andere spullen wel krijgt. Ze kan niet zonder.'

'We kunnen pas donderdag weer naar haar toe, lieverd.' Moest hij haar vanaf nu 'lieverd' gaan noemen? Dat vond ze vast nog erger.

'Ze kan niet zonder,' herhaalde ze.

'Ik weet het,' zei Andrew. 'Maar ze redt zich nog wel even. Ze heeft zich tot nu toe ook weten te redden.' Hij hoorde zijn eigen stem en het drong tot hem door dat hij kwaad was. Hij wilde dat hij er zelf aan had gedacht om die spullen voor Lily te kopen, hoewel het er eigenlijk niet toe deed. Ze mochten haar toch pas op donderdag bezoeken, dus het maakte niet uit of de spulletjes nu of over drie dagen werden aangeschaft. En toch stoorde het hem dat Anna ze had gekocht. Hij zag voor zich hoe ze met een rood gezicht van het sporten de lobby in liep, haar buitenlandse geld optelde (bij elkaar gespaard met diverse baantjes en ongeacht de buitensporige wisselprovisie ingewisseld op het vliegveld), en vervolgens de beste versies kocht van wat ze dacht dat Lily nodig had. Dat waren dingen die je als ouder zou moeten doen. Alleen al vanwege de puur en alleen praktische aard was het iets wat een vader zou moeten doen. Niet dat het uitmaakte – natuurlijk maakte het niets uit. Maar er was toch al zo vreselijk weinig wat hij kon doen. Andrew voelde onwillekeurig iets van jaloezie dat Anna het helemaal in haar eentje had geregeld.

'Je begrijpt het niet,' zei Anna, en Andrew hoorde het vreemde timbre in haar stem dat de voorbode van tranen was. Ze kuchte om haar normale spreektoon te hervinden. 'Je begrijpt er helemaal niets van.'

Waarvan? wilde hij vragen. Dat je niet kon krijgen wat je wilde? Zelfs binnen het bekrompen narcisme van de jeugd moest er wel iets van begrip zijn, dat je ouders daar juist alles van wisten – waarschijnlijk in alle gevallen, en zeker in het zijne.

'We zullen zorgen dat ze krijgt wat ze nodig heeft, Anna,' zei hij. Dingen die je nodig had en niet kreeg, om het vervolgens ook zonder te redden, waren dat eigenlijk wel dingen die echt nodig waren? Als iemands behoeften eindeloos waren en niet vervuld werden zonder dat dat fatale gevolgen had, waren die behoeften dan niet meer dan verlangens geweest? Na de dood van Janie had iedereen voortdurend aan Andrew gevraagd of het wel ging, en hij had nooit geweten wat hij moest zeggen. Want wat was nu echt de definitie van 'het gaat'? Als het niet meer ging, ging het wel op een andere manier.

'We zorgen dat ze ze zo snel mogelijk krijgt,' zei hij.

Anna knikte nadrukkelijk.

'Goed van je dat je eraan hebt gedacht,' zei Andrew. Hij hoopte dat hij net zo vermoeid klonk als hij zich voelde.

'Het was het minste wat ik kon doen,' zei Anna met een krachtiger stem. De stem van een volwassene, of een pragmaticus.

De volgende ochtend kwam Maureen aan.

Andrew had haar aankomsttijd in de gaten gehouden via de computer, berekend hoe lang het zou duren voordat ze haar bagage had en per taxi door de zogenaamd zo op Parijse boulevards lijkende straten het hotel had bereikt. Hij wachtte tot ze vermoedelijk had ingecheckt en dwong zichzelf vervolgens om nog eens anderhalf uur te wachten. Toen stapte hij in de lift, ging een verdieping omlaag – naar kamer 408, die zich volgens hem bijna recht onder die van hem moest bevinden – en klopte op de deur.

Ze deed bijna meteen open. 'Hallo Maureen,' zei Andrew. Hij had willen zeggen dat ze er fantastisch uitzag, hoewel het niet het juiste moment leek, en het was ook niet zo. Haar kapsel was een warboel – waarschijnlijk omdat ze in het vliegtuig in een ongemakkelijke houding had geslapen – en ze zag blauw onder haar ogen van vermoeidheid. Hij had zich afgevraagd of ze magerder zou zijn geworden, maar hij zag geen verschil.

'Dag, schat,' zei Maureen. Ze sprak hem altijd aan met iets wat lief, vergevend en genegen klonk, en hij sprak haar altijd aan met 'Maureen'. Andrew wist niet goed wat dat zei over wie er misschien meer wilde of verwachtte van hun verstandhouding na de echtscheiding, of wie er meer menselijkheid of grootmoedigheid betrachtte in hun omgang, maar hij vermoedde dat ze allebei vonden dat ze hun eigen aanpak hadden, en hij koos uit de grond van zijn hart voor de zijne. Ze omhelsden elkaar zoals altijd met zorgvuldige vormelijkheid, hoewel Andrew niet goed wist waarom. Na alles wat ze samen hadden doorgemaakt, zouden ze elkaar nu moeten begroeten als broers, als jonge hondjes, als soldaten, of als een stel geestelijk gehandicapten; de nabijheid van elkaars lichamen zou betekenisloos moeten zijn. En toch was er een soort afstandelijkheid tussen hen ontstaan, complex en wijdvertakt, en als Andrew Maureen aanraakte en door haar T-shirt heen de spanning tussen haar sleutelbenen voelde, werd hij zich bewust van een nieuw soort terughoudendheid. Ze rook naar het vliegtuig, een beetje klinisch en onbekend, heel anders dan ze ten tijde van hun huwelijk had geroken – hij herinnerde zich de vage bieslookgeur van haar lichaam onder een of ander rozenparfum waarvan hij altijd had moeten niezen.

Maureen trok zich terug en gaf hem een neutraal schouderklopje. 'Hou je het nog een beetje vol?'

'Min of meer,' zei Andrew. 'Je weet wel.'

Maureen knikte en wierp hem de meewarige blik toe waaraan hij soms een enorme hekel kon hebben – dan dacht hij dat hij er iets afkeurends in bespeurde, alsof Andrew het vreselijk had laten afweten, maar dat zij grootmoedig had besloten hem dat niet aan te rekenen. Misschien was dat wel het grote struikelblok van het gezin – ze wedijverden voortdurend wie zich in de onmogelijkste bochten kon wringen, wie zichzelf het ergst kon kwellen. Maar Maureen en hij hadden die verwoestende dynamiek doorbroken door uit elkaar te gaan. Ze waren geen gezin meer, ze waren alleen nog maar oude vrienden, en best goeie ook.

'Hoe is het met haar?' vroeg Maureen.

'Redelijk,' zei Andrew. 'Ze houdt zich goed.'

Maureen trok een wenkbrauw op, maar Andrew wist zelf ook al dat dit antwoord niet afdoende was. Gedurende de korte periode van Janies leven en dood hadden Maureen en hij een ingewikkeld soort steno ontwikkeld, ruim voorzien van pseudoniemen, bezweringen en symbolen, compleet met een eigen vocabulaire, syntaxis en etiquette. Bepaalde eufemismen werden aangemoedigd; andere werden verboden. Verwijzingen naar een mogelijk overlijden van Janie waren onaanvaardbaar, maar het was ook onaanvaardbaar om de term 'overleden' te gebruiken als het ging om de dood van andere kinderen op de afdeling – en die andere kinderen gingen ook dood; op een vreselijke manier, ze stierven stilletjes, en hun dood was een voorbode van Janies dood, die daardoor denkbaar werd, maar natuurlijk niet draaglijk, en zeker niet benoembaar. Toen Maureen en Andrew geconfronteerd werden met de dood van andere kinderen, zeiden ze niet dat die waren overleden. Ze waren doodgegaan. Maureen en hij hadden stilzwijgend afgesproken dat elke omfloerste benaming oneerbiedig was. Andrew wist dat 'ze houdt zich goed' zo'n beetje het ergste was wat hij tegen Maureen kon zeggen.

Maureen perste haar lippen op elkaar. 'Hoe ziet ze eruit?'

'Net als altijd. Goeddeels.'

'Was ze erg van streek?'

'Op het eerste gezicht niet.'

'Hoe bedoel je, "op het eerste gezicht"?'

Andrew schuifelde ongemakkelijk heen en weer. 'Ze huilde niet, of zo.'

'Was ze al opgehouden met huilen?'

'Heeft ze gehuild?' In alle gesprekken die Andrew met Lily had gehad, had ze een vermoeide, maar standvastige indruk gemaakt, alsof ze vastbesloten was om te laten zien dat ze zo taai was als iedereen altijd beweerde. Andrew dacht aan hoe ze nu overkwam – hoe ze haar tranen verborg om hem in bescherming te nemen – en hij wist dat dit duidde op een groter en ernstiger probleem.

Maureens gezicht nam een uitdrukking aan van onverdraaglijke vriendelijkheid. 'Zullen we even gaan zitten?'

Haar kleren lagen verspreid over het bed, keurige cardigans en wollen broeken, totaal ongeschikt voor het klimaat. Maureen kleedde zich altijd overdreven warm omdat ze het altijd koud had.

'Ik bedenk net dat ik je niets kan aanbieden wat je zelf niet ook op je eigen kamer hebt,' zei ze, in de minibar turend. 'Wil je iets fris? Een mueslireep? Een kleintje wodka?'

'Ik hoef niks,' zei Andrew en hij liet zich zwaar op het bed zakken.

'Heb je de spullen waar ze om vroeg?' vroeg Maureen. 'De shampoo en de tampons en zo?'

'Die heeft Anna gekocht.'

'O.'

Er klonk geen lading in die 'o' – geen verbazing, geen beschuldiging, het was alleen maar een bevestiging dat de informatie was ontvangen – maar toch vond Andrew dat hij zich moest verdedigen. 'Jij weet vast beter hoe het met haar gaat dan ik,' zei hij. 'Dat ligt voor de hand.'

'Dat hoeft helemaal niet,' zei Maureen, en ze kwam weer overeind. 'Met mij praat ze alleen wat makkelijker. Ze is een meisje.'

'Ze waren allemaal meisjes,' zei Andrew somber. Hij vroeg zich af of Maureen wist dat Lily rookte, maar hij durfde het niet te vragen; hij had het idee dat het zou worden opgevat als zijn fout – misschien omdat hij het had ontdekt, of vanwege een taakverdeling waarvan hij nooit op de hoogte was gebracht (Maureen gaat over de seks, Andrew over de kankerverwekkende stoffen?) – en dat hij voor schut zou staan omdat hij dat niet had begrepen.

'Ze waren allemaal meisjes,' zei Maureen. 'Maar daar kun je mij niet de schuld van geven.'

Andrew knikte, maar ergens deed hij dat toch een beetje. Niet dat hij niet van zijn dochters hield – en ja, in zekere zin hield hij ook nog steeds van Maureen, op een vreemde, verkalkte manier. Maar hun gezamenlijke vrouw-zijn voelde soms een beetje bedreigend.

Plotseling klonk er buiten een geluid als van een zweepslag. 'Jezus.' Andrew vloog naar het raam. 'Was dat een schot?'

Maureen kwam bij hem staan. Aan de overkant van de straat stonden in een klein park inderdaad twee mannen met vuurwapens, maar geen van de omstanders leek zich erg druk te maken, afgezien van een zwerm opvliegende vogels.

'Volgens mij proberen ze gewoon de duiven te verjagen,' zei Maureen. Zij was niet opgesprongen toen de knal had geklonken. Die schijnbare onverstoorbaarheid was bewonderenswaardig en griezelig tegelijk.

'Ik vraag me af waarom,' zei Andrew, hoewel het hem eigenlijk niet kon schelen. Hij ging weer op het bed zitten.

Maureen bleef nog even bij het raam staan, ze staarde naar de toenemende duisternis. 'Wat vind je van de advocaten?' vroeg ze, zich omdraaiend.

'Ze lijken me competent,' zei Andrew. Dat was een sleutelwoord waarmee de artsen van Janie werden omschreven, in de tijd dat er nog geen internet was – toen ze na het doorspitten van talloze medische artikelen in de bibliotheek en het vragen om een derde en vierde diagnose tot de ontdekking waren gekomen dat het vooral een kwestie van gokken was wie er gelijk had en wat de waarheid was. Ze waren onder de indruk geweest van het aura van competentie. Het leek mogelijk om flauwekul en angst te ruiken, zelfs als je niet alle details kende.

'Mooi,' zei Maureen, en ze ging naast Andrew zitten. Ze kneep zonder veel gevoel in Andrews hand. Hij keek naar de hare – stevig en onopgesmukt, licht trillend door de sloten koffie die ze waarschijnlijk achterover had geslagen. Hij wist dat ze hem ontzag – dat er nog veel meer te bespreken viel, maar dat ze voorlopig zou doen alsof hij genoeg had verteld. 'Goed,' zei ze. 'Je weet vast wel wat we nu zouden kunnen gebruiken.'

'Kristallen,' zei Andrew automatisch. 'In een hangertje of zo.' Het was lief van haar dat ze de rol van aangever op zich nam voor hun stokoude privégrapje – uit de somberste periode van Janies ziekte, toen de hippie-buren Andrew en Maureen met een veelbetekenend gezicht op de thee hadden uitgenodigd, hun handen in die van hen hadden genomen en ze een hoopje smoezelige kristallen hadden gegeven. Na afloop had Maureen half lachend, half huilend geroepen: 'Kristallen? Ze doen alsof ze iets ongelooflijk belangrijks hebben en ze geven ons een stel van die klotekristallen? Kristallen? Kristallen?' Ze bleef het herhalen, met verschillende intonaties en een verbijsterd gezicht, totdat ze allebei begonnen te lachen; ze rolden manisch en als bevangen over de vloer, waarbij ze hard tegen elkaar botsten en opmerkten hoe smerig het vloerzeil intussen was geworden. Het was het vuil van mensen die aan de rand van de afgrond leefden, had Maureen gezegd, waardoor ze nog harder moesten lachen, maar niet omdat het niet waar was. In die periode voelde Andrew zich sterker met Maureen verbonden dan hij ooit voor mogelijk had gehouden – het was vreemd, beangstigend en wanhopig, heel anders dan in het begin van hun relatie.

Maureen was de enige die de kern en het wezen van zijn leven doorgrondde, een gesprek met anderen voelde steeds meer als het opvoeren van een toneelstukje met Andrew in een rol waarin hij niet paste. Maar een dergelijke vorm van verwantschap had een beperkte houdbaarheidsdatum. Toen alles achter de rug was, hadden ze elkaar absoluut niets meer te zeggen.

'Een kristallen hanger zou leuk zijn,' zei Maureen. 'Maar volgens mij vereist deze toestand meer kristal dan dat.' Ze bleven allebei uitgeput op het bed liggen.

'Zou je kristallen kunnen injecteren?'

'Dat is een goed idee,' zei Maureen. 'Vraag het aan je studenten.' Ze zweeg even, en Andrew probeerde zich een voorstelling te maken van hoe ze er van bovenaf uitzagen. Ze waren twee doodsbange tieners in een kuil, twee kleine kinderen die op een dodelijke manier vergroeid waren bij hun schedels.

'Ik kan er met mijn verstand niet bij dat ze een radslag maakte,' zei Maureen met haar ogen dicht. 'Ik wist niet eens dat ze dat nog kon.'

'We hebben genoeg geld uitgegeven aan turnen.'

'Jezus, dat kun je wel zeggen,' zei Maureen. 'Al die lessen.'

Het klopte, al die lessen: kunst, muziek, kunstschaatsen; om nog maar niet te spreken van de praktischer investeringen – de bijlessen scheikunde omdat ze daar moeite mee had, Engels omdat ze daarin uitblonk, extra toetsoefeningen zodat ze naar de universiteit kon om daarna hopelijk haar gedroomde carrière te verwezenlijken. Kosten noch moeite waren gespaard om hun dochter een geweldige toekomst te geven.

'Waar is die hobo van haar eigenlijk gebleven?' vroeg Andrew.

'Het arme ding. Wat die allemaal heeft moeten doorstaan.'

'Weet je nog, *Oklahoma*?'

Tijdens Lily's bijdrage aan 'People Will Say We're in Love' had Maureen zich naar Andrew gebogen en gefluisterd dat het spel van hun dochter klonk als een Canadese gans, waarna ze allebei zo hard hadden gelachen dat de andere ouders hen tot stilte hadden gemaand.

'Mijn god,' zei Maureen lachend. 'Wat was ik een vreselijke moeder.'

'Over vreselijke ouders gesproken,' zei Andrew. 'Ik ben bij Sebastien LeCompte geweest.'

'Echt waar?' Maureen klonk schor, en Andrew bedacht dat ze totaal uitgeput moest zijn. 'Wat is hij voor iemand?'

'Absurd. Geaffecteerd. Hij ziet eruit als een homoseksuele piraat.'

Maureen bewoog haar hoofd zoals ze altijd deed als iemand iets grappigs zei, maar de puf niet had om te lachen. 'Ze heeft kennelijk dezelfde smaak qua mannen als haar moeder.'

'Hij is net een postapocalyptische butler.'

'Butler én piraat? Verrassend.'

'Maar hij gelooft haar.'

'Natuurlijk gelooft hij haar. Waarom zou hij haar niet geloven?'

'Dat is een alleszins redelijke vraag.'

'Ik ben altijd redelijk.'

'Weet ik,' zei Andrew een beetje korzelig. Het was waar: Maureen was altijd de redelijkheid zelve geweest. Hij begon zich af te vragen of al die redelijkheid misschien had bijgedragen aan het probleem.

'Ik zou bijna zeggen dat we haar nooit hierheen hadden moeten laten gaan, maar dat is flauwekul,' zei Maureen. 'Dit had overal kunnen gebeuren.'

Misschien dat al die redelijkheid – de vrijheid, de lessen, de open communicatie, de overvloed aan communicatie – juist de kern was van waar ze de fout in waren gegaan. Lily had hobo leren spelen, min of meer, maar ze had nooit geleerd dat het universum geen excuus nodig had om je een streek te leveren, geen enkel excuus, dus dat je maar beter kon zorgen dat je het dat ook niet gaf.

'Het had overal kunnen gebeuren,' zei Andrew. 'Maar het is hier gebeurd.' Lily. Die schat van een Lily. De eerste twee jaar van haar leven was ze hun 'enige levende dochter' geweest, 'hun enige nog levende kind'. Ze was hun beloning geweest, hun zuurverdiende beloning. Ze hadden hun verdriet beteugeld om haar te kunnen opvoeden, als een rivier die om een stad heen wordt geleid. Hoe was het mogelijk dat ze haar daarna niet alles hadden geleerd wat ze eigenlijk had moeten weten?

'Hebben we het verkeerd aangepakt?' vroeg hij.

Maureen bleef een hele tijd stil, en Andrew vroeg zich af of ze in slaap was gevallen. Maar net toen hij op zijn tenen de kamer uit wilde sluipen, reageerde ze.

'We zullen rekening moeten houden met de mogelijkheid,' zei ze, 'dat we inderdaad een paar dingen behoorlijk verkeerd hebben gedaan.'

7

Februari

Op maandagochtend ging Eduardo een uur eerder naar kantoor. Hij had een afspraak met de familie van Katy Kellers.

De hemel boven hem was stralend blauw, met in het westen een paar wolkentoefjes. Op maandagochtend was de Avenida Cabildo bezaaid met het afval van de weekendfeesten van de studenten van de Universidad de Belgrano, en Eduardo schopte op weg naar zijn auto de lege bierblikjes opzij. 's Nachts hoorde hij altijd het kabaal van de feestende jongelui. Het was kennelijk een sentimentele generatie; ze waren dol op de populistische weduwe Cristina Fernández. Deze studenten waren totaal anders dan die van een decennium eerder, toen Eduardo naar Belgrano was verhuisd; die jongelui hadden nauwelijks interesse in politiek, ze waren ontevreden over alles en riepen voortdurend *Que se vayan todos!* op straat – het enige wat ze met elkaar gemeen hadden, was dat ze gehoord wilden worden, ongeacht wat ze te verkondigen hadden. Als hij 's nachts in bed lag, ving Eduardo soms flarden op van hun gesprekken, het sonore stijgen en dalen van hun stemmen. De politiek veranderde, maar de gesprekken bleven hetzelfde – altijd performatief, altijd zelfzuchtig, of ze nu discussieerden over de schuldenlast, klaagden over de recessie, of op dat vreselijk spottende, zogenaamd charismatische toontje praatten waarmee ze (eindelijk) iemand in bed probeerden te krijgen. Volgens Eduardo praatten ze alleen maar zo hard omdat ze zichzelf geniaal en hilarisch vonden en dachten dat ze de hele buurt een plezier deden door hun mening zo luidruchtig mogelijk te verkondigen. Eduardo kon zich niet heugen dat hij ooit zo was geweest; tijdens zijn studie was hij geïntimideerd en geïrriteerd geweest, hoewel hij zich wel meende te herinneren – zelfs nu, terwijl hij een door de overheid gefinancierde en door een student geproduceerde kotsplas omzeilde – dat hij de stad ooit imponerend en sprankelend had gevonden. Als je jong bent, denk je dat dat sprankelende benevelend werkt; pas later besef je dat je alleen maar onder invloed was van het beeld dat je voor jezelf had gecreëerd. Misschien had Lily Hayes na aankomst in Buenos Aires iets vergelijkbaars ervaren.

Op zijn bureau lag een briefje van zijn secretaresse dat de familie Kellers verlaat was. Eduardo ging zitten en belde naar beneden voor een krant. Toen die werd gebracht, was hij niet verbaasd dat op de voorpagina een korrelige Lily Hayes prijkte. De foto was een beeld van de beveiligingscamera's van het warenhuis; Lily's gezicht was gespannen en suggestief, dacht Eduardo, er leek een nauwelijks onderdrukte razernij achter schuil te gaan. De krant deed schreeuwerig en sensatiebelust verslag van de moord op Katy Kellers. Eduardo las het verhaal met milde interesse. Meestal, maar niet altijd, waren de media een goed hulpmiddel voor het Openbaar Ministerie. Dat was niet onlogisch: de media vormden tenslotte geen abstracte kolos, achter de media gingen mensen schuil die net als iedereen graag een geloofwaardig verhaal wilden. En tegen de tijd dat de verdachte het nieuws haalde, was die meestal al schuldig verklaard; het OM had alle beschikbare middelen uit de kast getrokken om de waarheid te achterhalen. De vooronderstelling van schuld sijpelde natuurlijk door in de berichtgeving en de aanpak van de zaak-Hayes was geen uitzondering: de media waren erin geslaagd alles op te diepen wat ze ooit online had geschreven (de hatelijke, onvolwassen e-mails, de oeverloze, narcistische dagboekschrijfsels op voor iedereen toegankelijke websites, oude statusupdates op Facebook die ze zelf vast allang weer was vergeten) en alles wat iedereen ooit over haar had geschreven (haar jeugdvriendinnen hadden een paar smeuïge verhalen). Eduardo was zich ervan bewust dat dit hem een onverdiend voordeel gaf. Desondanks voelde hij geen wroeging. Hij was blij dat hij in een land woonde waar ook wat aandacht werd geschonken aan de slachtoffers van misdrijven. Een land als Argentinië kon toch ook niet anders? Als je de inwoners maar lang genoeg onmenselijk behandelt, gaan ze elke onmenselijkheid nauwlettend in de gaten houden.

De komst van de familie Kellers werd aangekondigd, en vlak daarna kwamen ze binnen: vader, moeder en de resterende dochter, dicht tegen elkaar aan.

'Mijn oprechte deelneming,' zei Eduardo en hij stak zijn hand uit naar meneer Kellers. Dat was het meest oprechte en belangrijkste wat hij moest zeggen, dus kwam dat op de eerste plaats.

'Dank u,' zei meneer Kellers. Hij stak langzaam zijn hand uit, alsof hij door het water bewoog, maar de daaropvolgende handdruk was stevig. Zijn vrouw en dochter klitten achter hem. Ze waren klein en blank en droegen prijzig ogende yogakleren – lichtgrijze trainingspullovers die eruitzagen alsof ze van kasjmier waren, vormvaste zwarte broeken die hun welgevormde achterste goed deed uitkomen. Het hele gezin straalde een soort Los Angeles-glamour uit, Eduardo moest zichzelf er steeds aan herinneren dat geen van hen ook maar iets te maken had met de filmindustrie. Kennelijk had die glamour in een bepaalde periode in Californië in de lucht gehangen en was iedereen ermee doordesemd. Eduardo zag hoe mediageniek het gezin zou zijn, hoe aangrijpend en gezond; hij zag nu al voor zich hoe ze bij de persconferenties precies de juiste dingen zouden zeggen. Het was niet cynisch dat hij daaraan dacht. Het was zijn werk om zulke dingen te zien. En de enige manier waarop hij nu nog iets voor de familie Kellers kon betekenen, was door zijn werk heel, heel erg grondig te doen.

Eduardo gebaarde het gezin om te gaan zitten en bood ze een glas water aan. Ze reageerden met een gezamenlijk 'dank u', afwezig en automatisch. Als je ze wat nauwkeuriger bekeek, zag je de symptomen van hun verdriet beter. De lippen van de zus waren droog, bijna gebarsten. Het haar van de moeder, dat in een paardenstaart was gebonden, had duidelijk langer dan gebruikelijk op een verfbeurt moeten wachten; een paar grijze, broze haren piekten uit haar kapsel op de plek waar haar schedel, roze als de binnenkant van een schelp, ertussendoor schemerde.

Hij had vreselijk met ze te doen.

Eduardo legde zo snel mogelijk de grote lijnen van de zaak uit – zijn geloof dat Lily ermee te maken had, de overtuiging dat er nog iemand bij betrokken moest zijn, zijn zekerheid dat hij bijna alle puzzelstukjes bij elkaar had. De familie Kellers knikte voortdurend kort, verbijsterd en diepbedroefd.

Nadat hij alles had verteld wat er te vertellen was, deed Eduardo een paar pogingen tot praten over minder beladen zaken (hadden ze een goede vlucht gehad, hadden ze al dingen geregeld, konden ze hem iets meer over Katy vertellen – dat laatste leidde tot een hartverscheurend gejammer van de moeder waardoor Eduardo instinctief achteruitdeinsde, alsof hij op die manier de vraag kon intrekken). Op een gegeven moment begon Katy's zus stilletjes te huilen, en de manier waarop haar moeder haar troostte – met een afwezig strelen dat met elke beweging de mogelijkheid verder tenietdeed dat ze deze hele toestand ooit te boven zouden komen terwijl ze zelf ook zachtjes begon te huilen – gaf Eduardo de indruk dat deze scène zich al veel vaker had afgespeeld en nog lang na hun terugkeer naar Los Angeles zou voortduren, wanneer de zaken hier achter de rug waren.

Op weg naar de deur bleef meneer Kellers even staan. 'Hoe lang doet u dit werk al?' Het klonk niet als een uiting van twijfel. Hij probeerde simpelweg vat te houden op alle nieuwe gebeurtenissen. Dat was zijn taak in het geheel.

'Zeven jaar.'

'Hebt u veel veroordelingen op uw naam?'

'Ja.'

Meneer Kellers knikte kordaat, alsof hij ingenomen was met

een aankoop, hoewel ze allebei wisten dat hij het hoe dan ook met Eduardo zou moeten doen.

'We spreken over een paar dagen weer af,' zei Eduardo. 'Als u een beetje op orde bent en tijd hebt gehad om alles te laten bezinken.'

Ze knikten. Eduardo liep met ze mee naar hun huurauto. Mevrouw Kellers haalde een grote, dure zonnebril tevoorschijn, een overblijfsel uit minder praktisch ingestelde tijden. De zus had geen zonnebril en keek gegeneerd weg – met opzet recht in de onverbiddelijke zon, dacht Eduardo.

Toen Eduardo die avond thuiskwam, hing er regen in de lucht. Het was pas zeven uur, en terwijl hij somber naar de invallende avond keek, voelde hij de zwarte mantel van een depressieve bui op zijn schouders neerdalen. Soms beschouwde hij het als een weersverandering, andere keren als een boosaardig beest. Maar meestal zag hij het als het deksel van een enorme ketel waarin hij aan de kook werd gebracht – hij kon het deksel bijna boven hem horen klepperen.

De wind maakte zwoegende geluiden, sidderend en mechanisch, en de lucht rook vagelijk zilt. Eduardo keek uit het raam naar de snel invallende duisternis. Hij kreeg plotseling het gevoel dat hij naar of uit een lijkwade keek. Hij huiverde en liep naar boven om de tv aan te zetten. Ergens beneden klonk een bonzend geluid en hij gaf zichzelf een denkbeeldig schouderklopje omdat hij niet meteen opschrok. Hij ging naar de slaapkamer om de ramen dicht te doen. Er klonk nog een bons, geen twijfel mogelijk. Misschien werd zijn huis leeggeroofd of was een voormalige veroordeelde zijn huis binnengedrongen om hem te vermoorden. Eduardo overwoog die mogelijkheid met een abstracte, afstandelijke interesse en liep naar beneden.

Vlak voor de open deur stond Maria, met doorweekte haren.

'Mag ik binnenkomen?' vroeg ze. Haar gezicht leek onder stroom te staan, omhuld door bliksemstralen van haar natte haarslierten. Eduardo voelde zich alsof hij tegen een muur was gesmeten. Hij deed een stap achteruit om haar binnen te laten.

'Het spijt me. Ik had nog een sleutel,' zei ze ten overvloede. Ze hield de sleutel omhoog en liet zich toen in Eduardo's armen vallen. Hij stond er als verdoofd bij. Door de regen op haar gezicht was het lastig te zien of ze had gehuild.

'Wat is er gebeurd?' vroeg hij. 'Is alles goed met je?'

Ze keek hem met een aarzelend lachje aan. 'Het spijt me,' zei ze. Haar lippen waren vol en donker. 'Vind je het goed als ik mijn schoenen uitdoe? Ze zijn doorweekt.'

'Alles wat je aanhebt is doorweekt.'

'Je neemt alles altijd zo letterlijk.'

Maria schopte haar schoenen uit en trippelde blootsvoets naar het raam. Haar jurk plakte tegen haar lichaam. Ze drupte op de vloerbedekking, maar leek het niet te merken.

'Wat is er?' vroeg Eduardo. Ze had waarschijnlijk geld nodig. Als dat zo was, wilde en hoefde hij niet te weten waarom. Als Maria zei dat ze geld nodig had, zou hij haar geloven. Iedereen zou iemand moeten hebben die hem rotsvast vertrouwde. 'Heb je geld nodig?' vroeg hij. 'Gaat het daarom?'

Maria schudde haar hoofd op een manier die bevestigend noch ontkennend was – het leek eerder alsof ze water uit haar oor schudde, of een gedachte uit haar hoofd. Ze draaide zich om en keek even uit het raam, en toen ze zich weer naar hem wendde, leek het alsof haar gemoedstoestand alweer totaal veranderd was, iets waar Eduardo inmiddels absoluut niet meer van opkeek.

'Ziet het er buiten niet betoverend uit?' zei ze.

'Het ziet eruit alsof het noodweer is.'

Eduardo had nooit geloofd in Maria's visioenen, voorspellingen en opwellingen; op het laatst had hij zelfs niet meer gedaan alsof, en meestal hadden zulke opmerkingen van hem tot gevolg dat ze vreselijk teleurgesteld was en haar mening alleen nog maar stelliger werd. Maar dit keer keek ze hem alleen maar aan, klapte in haar handen en riep: 'Maar noodweer ís betoverend!'

Eduardo schudde zijn hoofd. Alles was óf betoverend, óf het was niets. 'Wil je even douchen of zo?' vroeg hij. 'Je hebt het vast steenkoud.'

Maria negeerde hem en keek weer uit het raam. 'Ik heb gehoord dat je een belangrijke zaak hebt,' zei ze. 'Die moordenares van jou is beeldschoon, vind je ook niet?'

Eduardo haalde zijn schouders op. Hij had Lily Hayes nooit bijzonder knap gevonden, maar hij hield wel rekening met het effect dat haar veronderstelde schoonheid op de zaak kon hebben. Als ze mooi werd gevonden, dan was ze dat ook. 'Ben je daarom hier?' vroeg hij.

Het was waar, het was al een paar keer door zijn hoofd gegaan – de lof die hem bij een veroordeling ten deel zou vallen, de manier waarop hij misschien zou stijgen in Maria's achting. Misschien zou ze dan eindelijk inzien... maar eigenlijk wist hij niet wat hij verwachtte dat ze zou moeten inzien.

Haar gezicht verstrakte even, maar toen tuitte ze haar mond en glimlachte ze. 'Ben je niet blij dat ik terug ben?'

'Ik weet het niet. Blijf je?'

Ze haalde haar schouders op. 'Heeft dat meisje het gedaan?'

'Ja.'

'Volgens mij ook,' zei ze met plotselinge heftigheid. 'Vrouwen zijn rare wezens.' Haar ogen leken nu op kleine, zwarte kooltjes, helder en fel. Ze lachte kort, manisch, meisjesachtig. 'Maar misschien ook niet,' zei ze. 'Misschien heeft ze het echt niet gedaan. Denk je daar weleens over na, Eduardo? Wat doe je als ze het niet heeft gedaan?'

Ze gleed naar hem toe en begon aan zijn oor te sabbelen. Eduardo kreeg een licht misselijkmakend, zwevend gevoel. 'Misschien heeft ze het niet gedaan, Eduardo. Dat zou toch tragisch zijn?'

Hij mocht niet twijfelen, maar het maakte ook niet uit als hij wel zou twijfelen. In beide gevallen zou hij toch met zijn eigen eenzame, gebroken hart achterblijven. 'Het zou inderdaad tragisch zijn als ze het niet heeft gedaan,' zei Eduardo stijfjes. Hij legde zijn hand op zijn oor zodat ze zou ophouden met sabbelen. 'Maar ik kan je verzekeren dat die kans minimaal is.'

'Ze heeft wel een bepaalde rol te vervullen, vind je ook niet?' Maria stapte een stukje achteruit en sloeg haar armen over elkaar. 'Ze heeft een symbolische functie. Ze roept bepaalde gevoelens op. Ze heeft iets van een offermaagd. Of een offerhoer.'

'Je kletst maar wat,' zei Eduardo. 'Ik snap waar je heen wilt, maar je bent niet serieus. Je hebt het niet over dit specifieke meisje. Je praat maar een eind weg.'

Maria zuchtte fijngevoelig en minzaam. 'Ik denk gewoon hardop, meer niet. Je zult wel gelijk hebben. Je hebt ongetwijfeld gelijk, Eduardo. Ik ken niemand die zo grootmoedig is als jij.'

Eduardo wist dat dat onmogelijk waar kon zijn. En toch was ze hier. Ze stond voor hem. Haar gezicht was lieflijk en sereen. Hoe kon hij niet geloven dat het waar was? Het vergde immens veel kracht om het niet te geloven.

'Ik heb je gemist,' zei ze, en hij nam haar in zijn armen. Door haar geur knapte er iets in hem; die was in strijd met alle andere herinneringen. Ze kuste zijn hals. Misschien werd hij wel gemanipuleerd, maar Eduardo wilde niet zo cynisch denken. Hij wilde zich kwetsbaar opstellen. Hij was meer dan bereid om zich in de luren te laten leggen. Dat was de prijs die je betaalde om te voelen dat je leefde.

'Je bent zo goed voor me,' zei Maria toen hij haar de trap naar de slaapkamer op droeg. Ze zuchtte. 'Ik weet niet wat ik zonder jou zou moeten beginnen,' zei ze toen hij het licht uitdeed.

Hij had het daarbij kunnen laten, hij had op zijn tenen naar beneden kunnen lopen om zich onder het genot van een glas whisky te verbazen over het geluk dat hem ten deel was gevallen, maar dat deed hij niet. Hij bleef even besluiteloos in het donker staan.

'Maria,' zei hij vervolgens. 'Hoeveel heb je precies nodig?'

Ze zuchtte opnieuw. 'Ach, Eduardo,' zei ze. Hij hoorde hoe ze dieper onder de dekens kroop. 'Nogal veel.'

De volgende ochtend werd Eduardo wakker met een gelijkmatige ademhaling naast hem. Maria was een bult onder de lakens, bekroond door een bos donker haar. Door het raam streken banen zonlicht als witte kaarsen over de vloer. Eduardo voelde zich opgetogen en energiek. Hij wilde naar zijn werk.

Zoiets had hij niet van zichzelf verwacht. Hij had niet gedacht dat hij Maria na haar terugkeer zelfs maar tijdelijk zou willen verlaten – laat staan dat hij daadwerkelijk zin had om naar de gevangenis te gaan om de huilerige exegese van een moordzuchtige jongvolwassene aan te horen. Eduardo hield van zijn werk, maar het was een abstract soort houden van; hij zou eerder hebben gedacht dat hij na de terugkeer van een tastbare geliefde – die pal naast hem lag te slapen – zich dankbaar zou laten wegzakken in een gelukzalige zelfzuchtigheid. Hij had gedacht dat hij simpelweg zou blijven liggen, zich wentelend in zijn geluk en alles vergetend wat met de doden te maken had.

Maar dat deed hij niet. Eduardo keek naar Maria en wilde de slachtoffers meer dan ooit tevoren helpen. Sinds hij haar had leren kennen, was Maria het kompas geweest waarop hij voer bij het in kaart brengen van het onvoorstelbare verdriet van de betrokkenen. Hij wist hoe belangrijk het was om een emotioneel raakvlak te hebben wanneer hij contact had met de nabestaanden, dus als hij met ze sprak, stond hij altijd even stil bij de mogelijkheid (heel even maar, langer verdroeg hij niet) dat hij Maria door een misdrijf zou kwijtraken. Hij had zich het onheilstelefoontje voorgesteld, de vreselijke zekerheid dat hij op de een of andere manier wist hoe hij zou reageren. Maar toen was ze bij hem weggegaan, en nu was ze terug, en dat wonder maakte Eduardo extra bewust van de ondenkbare mogelijkheid dat ze voor altijd zou verdwijnen. Hij dacht aan zijn verdriet van de afgelopen paar maanden en besefte hoe leeg die tijd was geweest; en als hij nu aan de familie Kellers dacht – de afhangende schouders van de vader, het smartelijke gezicht van de moeder – kon hij zich beter dan ooit tevoren voorstellen hoe het zou zijn om te worden geconfronteerd met onpeilbaar, nooit meer voorbijgaand verdriet. Hij kon zich hun diepe woede voorstellen, en hoe ze daarmee zouden moeten leren leven om nog iets van een leven over te houden. En hij kon zich eindelijk met genadeloze helderheid voorstellen hoe groot hun behoefte was om getuige te zijn van de hele afwikkeling. Eduardo wist dat nabestaanden niet noodzakelijk werden gedreven door wraakgevoelens – de Bijbelse oerdrift om kwaad met kwaad te vergelden – en hij had altijd geloofd dat een samenleving gebaseerd was op de wil om deelgenoot van elkaars levens te zijn. Maar nooit eerder had hij zo sterk de kracht ervaren van een liefde die steeds zoekende bleef, dacht hij, kijkend naar de slapende Maria. Na al die jaren kwamen de Dwaze Moeders met hun witte sjaals nog dagelijks bijeen op de Plaza de Mayo. Dit was de les die Maria hem leerde.

Eduardo stond op en liep naar de keuken. Hij legde wat fruit en oploskoffie klaar met een briefje ernaast waarop stond dat hij 's avonds terug zou zijn. Hij was al halverwege de deur toen hij zich omdraaide en weer de trap op liep, zijn trouwring uit het doosje haalde waarin hij hem had opgeborgen en hem weer omdeed.

Lily Hayes zag er op de een of andere manier nog slechter uit dan voorheen. Haar haar was nog doffer, haar ogen troebeler; er zaten grijze vlekken onder, alsof ze er met as overheen had gewreven. Het vaalgele licht dat door het raam scheen, trok grillige lijnen over haar gezicht. Of Lily Hayes nu ooit wel of niet knap was geweest, de snelle aftakeling was onmiskenbaar. Ze was niet langer het meisje dat schaars gekleed voor de Basílica Nuestra Señora de Luján had gestaan, in een roes door haar schijnbaar eindeloze jeugd. Eduardo was elke keer weer verbaasd over hoe betrekkelijk een goede gezondheid, een fraai uiterlijk en levenslust waren; de meeste mensen oogden en functioneerden na een paar dagen in de gevangenis nauwelijks nog normaal, en Eduardo had meestal geen idee hoe lang iemand zich staande wist te houden. Eerlijk gezegd wist hij niet hoe het hem zou vergaan als hij in Lily's schoenen stond.

Bovendien wilde hij dat helemaal niet weten. En hij zou ook nooit iets doen waardoor hij daarachter zou komen, en die onwetendheid was de beloning – misschien wel de enige – voor zijn zondeloosheid.

Desondanks kon hij onmogelijk geen medelijden hebben met Lily Hayes, dus liet hij dat gevoel toe. Hij had het nooit eerder zo sterk gevoeld, en waarschijnlijk zou het nog wel erger worden. Het was zelfs mogelijk dat ze zelf niet geloofde dat ze het had gedaan; het was heel goed mogelijk dat ze zonder dat iemand het wist een autistische aandoening had, of een chemische onbalans, of misschien was ze als kind seksueel misbruikt. De meeste verdachten met wie Eduardo te maken kreeg, hadden het vanaf het begin van hun leven zwaar gehad, waardoor ze enorm veel moeite hadden moeten doen en veel geluk en een uitzonderlijk goed karakter hadden moeten hebben om alsnog op hun pootjes terecht te komen. Eduardo had niet het idee dat Lily zo'n zwaar leven had gehad, maar hij moest wel rekening houden met de mogelijkheid. En zelfs als het niet zo was, dan was het altijd nog mogelijk dat ze niet wist wat ze had gedaan. Eduardo had al eerder zulke gevallen meegemaakt – waarbij het een tijdje duurde voordat de dader zelf doordrongen raakte van wat hij had gedaan – en hij kon zich nauwelijks voorstellen hoe vreselijk zo'n revelatie moest zijn. Iemand die een moord had gepleegd, had zich op onbekend terrein begeven; hij kon zijn daad niet terugdraaien of naar een fabelrijk verbannen, er was geen troost te putten uit een zogenaamd vaststaand feit dat sommige dingen onvermijdelijk waren. Het kon niet ongedaan worden gemaakt, en de kwelling die zo iemand moest doorstaan ging elke vorm van menselijk leed te boven – zoveel verder dan de normale reikwijdte van verdriet, verlies en hartzeer dat hem alleen maar mildheid kon worden geboden. Hij stond helemaal alleen in wat hij had gedaan. Het enige wat restte, was dat de details van die onbegrensde eenzaamheid in de rechtszaal werden geclassificeerd en gesubstantieerd. Voor iemand als Eduardo, die zoveel vrees koesterde voor eenzaamheid, leek dat lot nog het ergst.

'Mag ik een glaasje water?' vroeg Lily. Haar stem klonk rasperig en laag, erger dan de vorige keer.

'Zo meteen,' zei Eduardo, en hij spreidde zijn paperassen uit op tafel. Daar maakte hij altijd een heel ritueel van, alsof het noodzakelijk was dat ze op een specifieke manier geschikt werden. 'Eerst heb ik een paar vraagjes voor je.'

'U draagt vandaag een trouwring.'

Eduardo voelde een instinctieve drang om zijn hand onder tafel te verbergen, maar hij hield zich in. 'Dat klopt,' zei hij.

Lily bewoog haar hoofd heen en weer. 'Misschien is een felicitatie op z'n plaats.'

Eduardo leunde achterover. 'We zitten hier niet om over mij te praten.'

'Wat is dat voor therapeutenpraat?'

Eduardo glimlachte minzaam. 'Het is gewoon een feit.'

Als puntje bij paaltje kwam, maakte het niet echt uit of er misschien een steekje los zat aan Lily Hayes: gerechtigheid diende ter genoegdoening van de doden en hun nabestaanden. Het droeg bij aan het besef dat het leven belangrijk was, ook al was het eindig.

'Vertel eens over je leven hier,' zei Eduardo.

Lily keek hem onbewogen aan en bevochtigde haar lippen. 'Dat is nogal saai, eerlijk gezegd.' Ze klonk schor en Eduardo bedacht dat ze natuurlijk de hele dag nog geen woord had hoeven zeggen. 'Uw aanwezigheid is waarschijnlijk het hoogtepunt van de dag.'

Eduardo was blij dat ze nog grapjes maakte, maar hij lachte niet. 'Je leven hier in Buenos Aires,' zei hij. 'Voor dit alles.'

'Ik heb u alles al verteld.'

'Vertel het nog een keer.'

'Wat moet ik vertellen?'

'Je woonde bij de Carrizo's?'

'Dat weet u.'

'En je vond ze aardig?'

'Ik vind ze aardig.'

'Vertel nog eens over de avond waarop Katy werd vermoord.'

'Dat heb ik u al verteld.'
'Vertel het nog maar een keer.'
'Ik ging bij Sebastien langs. We dronken een paar glazen.'
'Hoeveel?'
'Geen idee. Een paar.'
'Drie?'
'Misschien wat meer.'
'Vier, misschien?'
'Misschien vijf.'
'Misschien vijf. Oké. En jullie hebben marihuana gerookt.'
'We hebben marihuana gerookt, ja.'
'Hoe kwam je aan die marihuana?'
Lily aarzelde.
'Ik kan je verzekeren dat dat wel de minste van je problemen is,' zei Eduardo.
'Die had ik van Katy gekregen,' zei Lily.
Eduardo trok zijn wenkbrauwen op. 'Echt waar?'
'Ja. Ik weet niet hoe zij eraan kwam.'
'Oké,' zei Eduardo. Ze loog ongetwijfeld over die marihuana – waarschijnlijk wilde ze voorkomen dat een of ander onnozel Amerikaans studiegenootje van haar in de cel belandde; zelfs Eduardo vond het drugsbeleid in zijn land soms wel erg rigoureus – maar het maakte waarschijnlijk toch niet uit. En als het wel zo was, zou Eduardo het zich herinneren. 'Hoe laat gingen jij en Sebastien naar bed?'
'Geen idee. Rond een uur of vier, misschien.'
'Om vier uur 's ochtends, zeg je. Oké.' Als Eduardo een bril had gedragen, was dit het moment geweest waarop hij hem had afgedaan. In plaats daarvan kneep hij in zijn neusbrug. 'Maar je bent vrij klein van stuk, en je had vijf glazen drank op en een onbekende hoeveelheid marihuana gerookt. Kun je echt zeker weten hoe laat jullie naar bed zijn gegaan?'
'Nee. Het was in elk geval laat.'
'Weet je überhaupt nog wat er die avond en nacht is gebeurd, na zoveel alcohol en marihuana?'
'Kom op, zeg, het was geen lsd.'

'Ik zal het noteren.' Eduardo maakte met een sardonisch lachje een aantekening. Zelfs als ze iets belangrijks had gezegd, had hij het natuurlijk niet hoeven noteren, maar hij had gemerkt dat zijn indrukwekkende geheugen het bruikbaarst was als hij dat gegeven voor zichzelf hield.

'Ik weet dat ik niemand heb vermoord,' zei Lily. 'En ik weet in elk geval dat we laat naar bed zijn gegaan.'

'En heb je die nacht iets verdachts gezien of gehoord?'

'Nee.'

'Maar dat zou je je niet per se herinneren.'

'Ik weet redelijk zeker dat ik het me wel zou herinneren als ik had gehoord dat er iemand werd vermoord.' Lily raakte geïrriteerd, hoewel dat alleen viel op te maken uit de ongeduldige blik in haar ogen, als van een dier dat vanuit de diepte naar het wateroppervlak opstijgt. 'Ik denk dat zoiets een blijvende indruk op me zou maken.'

'Lily,' zei Eduardo en hij boog zich naar haar toe. 'Ik ga je een hypothetische vraag stellen. Stel dat je het had gedaan, waarom zou je het dan hebben gedaan?'

'Ik heb het niet gedaan.'

'Dat laten we even terzijde. Ik probeer alleen maar een beeld te krijgen van hoe het gebeurd zou kunnen zijn. Ik weet dat je Katy wilt helpen. Ik weet dat je Katy had willen helpen. Heb je enig idee waarom iemand haar zoiets zou aandoen?'

'Nee,' zei Lily. 'Ik heb het niet gedaan, ik had het nooit kunnen doen en ik kan me niet voorstellen waarom iemand het zou willen doen. En u kunt me niet dwingen om zoiets te zeggen.'

Eduardo leunde weer achterover. 'Oké, Lily. Je hebt het niet gedaan. Maar je zult moeten toegeven dat je het wel had kunnen doen.'

'Ik héb het niet gedaan. Ik hád het niet kunnen doen.'

'Hoe bedoel je?'

'U probeert me erin te luizen. U denkt kennelijk dat ik achterlijk ben.'

'Niemand probeert je erin te luizen, Lily,' zei Eduardo. Door dat 'niemand' bleef een directe beschuldiging uit en klonk de beschuldigende een beetje schizofreen. 'Het is maar een simpele vraag.'

'Godallemachtig,' riep Lily. 'Als ik het had gedaan, zou ik wel zo slim zijn geweest om die klote-wc door te trekken.'

Eduardo trok zijn wenkbrauwen op en sloeg zijn notitieblok open. *Als ik het had gedaan*, had ze gezegd. En hoewel Eduardo het zich zeker zou herinneren, was dat toch het enige wat hij daadwerkelijk opschreef.

'Oké, Lily,' zei hij. 'Genoeg gespeculeerd. Ik ga je een heel rechtstreekse vraag stellen. Vergeet even waaróm iemand zoiets zou doen. Heb je enig idee wíé het wel kan hebben gedaan?'

Ze schudde haar hoofd, waardoor haar vettige paardenstaart traag heen en weer zwiepte. Wat zou die beweging in betere tijden een ongelooflijke zorgeloosheid hebben uitgestraald! 'Nee,' zei ze.

'Echt niet? Kun je niemand bedenken die de mogelijke dader zou kunnen zijn? In de hele stad niet? In al die tijd dat je hier bent?'

'Nee.'

'En Carlos? Ik heb begrepen dat hij een drankprobleem heeft.'

'Nee.'

'Hij heeft geen drankprobleem?'

'Het is onmogelijk dat hij het heeft gedaan.'

'En Beatriz?'

Lily lachte vreugdeloos. 'Nee.'

'Sebastien?'

Ze keek hem fel aan. 'Nee!'

'Hoe weet je dat zo zeker?'

Lily stond niet alleen in haar overtuiging: de politie had Sebastien LeCompte na zijn eerste verhoor niet gearresteerd, en diep vanbinnen geloofde Eduardo niet dat Sebastien bij de moord aanwezig was geweest. Desalniettemin leek het erop dat Sebastien LeCompte op de een of andere manier de initiator van de misdaad was geweest, verscholen in de schaduw, op een afstandje van de gebeurtenissen van die avond, de ultieme aanleiding achter alle nevenaanleidingen. Na de arrestatie van Lily was Eduardo drie keer naar het huis van Sebastien LeCompte gegaan om hem te spreken te krijgen. Elke keer had het erop geleken dat Sebastien niet thuis was – hoewel dat onwaarschijnlijk was, want volgens alle beschikbare informatie had de jongen geen vrienden, geen betaald werk en geen verdere contacten in de relationele sfeer, afgezien van die met Lily en mogelijk Katy, die nu respectievelijk in de cel zat en dood was. Het leek er eerder op dat Sebastien LeCompte zich schuilhield. Maar hij kon zich niet eeuwig blijven verstoppen.

'Ik ken Sebastien,' zei Lily.

'Is dat zo? Hoe goed?'

'Goed genoeg.'

'Maar niet goed genoeg om echt van hem te houden. Misschien wel goed genoeg om te weten dat je zulke gevoelens beter niet kunt koesteren.'

Lily wierp Eduardo een boze blik toe.

'Wat vond je vriend Sebastien van Katy Kellers?'

'Weet ik niet.'

'Maar als je moest gokken?'

'Ik geloof dat hij haar wel aardig vond.'

'Je hebt verteld dat ze met elkaar naar bed zijn geweest.'

Lily keek Eduardo vernietigend aan. 'Dat hebt ú gezegd.'

'Bij je eerste verhoor door de politie heb je gezegd dat Katy van Sebastien had gehoord dat er een rechtszaak tegen Carlos Carrizo liep.'

'Dat zei ze in elk geval.'

'Waren ze in de gelegenheid om elkaar te ontmoeten?'

'Hij woonde pal naast ons.'

'Denk je dat ze elkaar regelmatig hebben ontmoet?'

'Ik heb geen idee.'

'Maar als je moest gokken?'

Lily leunde naar achteren. 'Dit gesprek begint me een beetje te vervelen.' Ze hield haar hoofd schuin, geen erg originele houding voor een jong iemand die werd verhoord. Niet alle verdachten waren zo recht voor z'n raap, maar de overige dingen had Eduardo al zo vaak meegemaakt – de houding, de gezichtsuitdrukking, de lichaamstaal, allemaal om duidelijk te maken: *ik heb grotere problemen dan jou.* Maar dat was niet zo. Zeker niet in het geval van Lily Hayes. Zij had nooit een groter probleem gehad dan dit. Het was heel goed mogelijk dat ze vóór deze toestand nog nooit met een echt probleem was geconfronteerd.

'Het begint je te vervelen?' zei Eduardo. 'Dit gesprek, dat dient om je schuld of onschuld vast te stellen met betrekking tot de moord op je kamergenoot? En dat gesprek verveelt je?'

Lily liet haar hoofd zakken en zweeg. Haar paardenstaart hing futloos omlaag. 'Mag ik een glaasje water?' vroeg ze.

'Nee.'

'Ik mag toch wel een glas water?'

'Ik wil je eerst een paar e-mails voorlezen.'

Lily verbleekte. 'Nee,' zei ze.

Eduardo vond het niet prettig om dit te doen. Lily Hayes was jong en eenzaam, en ze had het ergste gedaan wat een mens maar kon doen, om redenen die waarschijnlijk ook voor haarzelf onbegrijpelijk waren. Ze was in een vreemd land en er was een grote kans dat ze nooit meer naar huis zou gaan. Eduardo was niet van plan geweest om de e-mails vandaag aan haar voor te lezen, maar als zij zich weerbarstig opstelde, kon hij dat ook. Hij zou het vroeg of laat toch moeten doen, en je kon ook zeggen dat je het net zo goed achter de rug kon hebben. Het onvermijdelijke ten uitvoer brengen was vaak – maar natuurlijk niet altijd – een soort genade.

Eduardo schraapte zijn keel en bladerde naar de belangrijkste e-mail: een epistel dat Lily tijdens haar eerste week in Buenos Aires aan haar vader had geschreven. Het was min of meer een introductie in Lily's wereld, en als zodanig zou hij ook gebruikt worden door het OM, en Eduardo was van plan om hem tijdens zijn openingspleidooi voor te lezen.

'Mijn kamergenoot,' las Eduardo in het Engels voor, 'heet Katy. Ze begraaft zich voortdurend in haar studieboeken voor economie. Ze is ontroostbaar omdat haar vriendje haar pasgeleden de bons heeft gegeven – vlak voor een jaar in het buitenland, en dan is ze nog verbaasd ook!' Eduardo las het allemaal met een uitgestreken gezicht voor. In een andere context zou deze situatie redelijk hilarisch zijn – hij, die op gewichtige toon en met een duidelijk hoorbaar accent de woorden van een onnozel, zelfvoldaan meisje voorlas. 'Kennelijk heeft ze in haar jeugd nooit naar soaps gekeken,' ging hij verder. 'Dat geldt ook voor mij – dat mocht niet van jullie! – maar ik geloof dat ik intussen zelf genoeg levenservaring heb opgedaan.'

Eduardo keek naar Lily. Van haar gezicht viel niets af te lezen. Als er diep vanbinnen al barstjes begonnen te ontstaan, liet ze daar niets van merken. Hij had geaarzeld of hij verder zou gaan, maar hij besloot het wel te doen, omdat hij zag dat Lily zich niet herinnerde wat er nu volgde.

'Ze is een van de merkwaardigste mensen die ik ooit heb ontmoet,' las hij. 'Ze heeft in haar leven nooit met tegenslag te maken gehad. Dat blijkt uit alles. Ze komt niet voor niets uit Californië.' Eduardo legde het papier neer. Lily's gezicht stond strak en onverzoenlijk. Misschien begon er een zweem van onzekerheid te ontstaan, maar het was moeilijk vast te stellen of dat voortkwam uit angst, woede, zelfmedelijden of oprechte wroeging. 'Je dacht dat Katy een makkelijk leventje had?'

Lily knikte beverig.

'Denk je nog steeds dat Katy een makkelijk leventje had?'

Op dat moment begon Lily te huilen. Eduardo vond het niet prettig, maar hij ging verder.

'Zal ik je voorlezen uit het verslag van de lijkschouwing? En zullen we het dan nog eens hebben over of Katy al dan niet een makkelijk leventje had?'

'Nee. Hou op. Hou alstublieft op.' Lily's gezicht was vlekkerig rood. Ondanks alles vond Eduardo het niet prettig om haar van streek te maken. Ze zou haar vreselijke daad de rest van haar leven met zich meedragen; het zou haar terugvoeren naar haar verleden; ze zou moeten inzien – zoals iedereen zou moeten inzien – dat ze het altijd al in zich had gehad. Haar ouders zouden zich haar herinneren als de warrige tiener met een beugel die ze ooit was geweest, met deze wetenschap. Ze zouden zich haar herinneren als de pientere achttienjarige, als de mollige peuter en de krijsende, rimpelige baby, met deze wetenschap; haar moeder zou zich de zwangerschap herinneren – de minieme beweginkjes die het prille leven aankondigden – en ook daarbij zou ze deze wetenschap hebben. Wat Lily Katy had aangedaan, zou Lily's hele leven verduisteren – het eenmalige, onomkeerbare feit zou elk voetbalwedstrijdje, elk gezinsuitstapje en elke eerste zoen overschaduwen – net zoals het Katy's leven zou verheffen, elk moment zou transformeren, ongeacht hoe onbeduidend of alledaags, tot iets wat voorbestemd was geweest, futiel of groots. Voor hen allebei hadden alle gebeurtenissen geleid naar deze vreselijke, inktzwarte horizon; het was in alles en overal aanwezig geweest, zelfs als ze zich daar allebei niet van bewust waren geweest.

Eduardo legde de e-mail neer. 'Lily,' zei hij zachtjes. 'Je zit in de problemen. Je bent bang. Je bent in de war. Dat is logisch. Wie zou dat niet zijn? Dat is volkomen normaal. Ik weet niet precies wat er die avond of nacht is gebeurd. Maar je bewijst jezelf – en Katy – er een grote dienst mee als je volledig eerlijk bent. Dat is het beste. Ik heb heel veel jonge mensen gezien die net als jij in de problemen zaten, en ik weet – dat vertel ik je in alle oprechtheid – dat niemand de situatie er ooit beter op heeft gemaakt door te liegen.'

Eduardo wist dat het heel onwaarachtig klonk, maar de ervaring had hem geleerd dat het in het algemeen ook echt zo was. Hoe sneller iemand erkende wat er was gebeurd, hoe sneller diegene kon beginnen aan de moeilijke taak om met zichzelf in het reine te komen. Zoiets als wat Lily had gedaan, kon natuurlijk nooit meer worden rechtgezet; het kon waarschijnlijk ook nauwelijks draaglijker worden. Maar het kon op verschillende manieren wel erger worden gemaakt, en volgens Eduardo kon je dat alleen vermijden door eerlijk te zijn. En één ding was absoluut zeker: Lily Hayes had dit niet alleen gedaan. De beste manier om erachter te komen met wie ze het had gedaan, was door Lily de gebeurtenissen te laten rationaliseren; ze moest afstand nemen, alsof het in een film was gebeurd, of met iemand anders. Als ze er op die manier naar kon kijken, konden ze vervolgens proberen om het gordijn opzij te trekken zodat ze zichzelf ter plaatse kon zien, staand in de hoek, als een toeschouwer.

Eduardo legde zijn handen met de handpalmen omhoog op de map, in een pleitend, smekend gebaar. 'Had Katy veel vrienden in de stad?'

'Alleen van de studie,' zei Lily zacht. 'En alleen meisjes.'

Alleen meisjes. Alsof je geslacht je kon vrijpleiten. Was dit gewiekstheid of ontkenning? Eduardo draaide zijn handen om. 'Ging ze met nog iemand anders om?' vroeg hij. 'Schiet je iemand te binnen? Was er iemand met wie ze overhooplag, of iemand met wie ze in rare zaakjes was verwikkeld?'

'Nee.'

'Het is een grote stad. En een gevaarlijke stad, eerlijk gezegd.'

'Nee.' Lily's stem klonk onzekerder.

'Andere vriendjes, afgezien van Sebastien LeCompte?'

Eerder die week zou Lily misschien spottend hebben gezegd dat Sebastien LeCompte beslist niét Katy's vriendje was, maar nu schudde ze slechts zwakjes haar hoofd.

'Je moet haast wel iemand weten,' zei Eduardo. 'Je bent hier al zes weken. Je had dat baantje in de Fuego. Je kent de stad op je duimpje.'

'Nee.'

'De enige manier waarop je jezelf kunt helpen, is door iemand te bedenken. Het is ook de enige manier waarop je Katy kunt helpen.'

Lily schudde haar hoofd, maar Eduardo zag dat ze al had nagedacht over wie ze zou noemen als ze een naam moest geven.

'Eén naam,' zei hij. 'Eén naam die we kunnen natrekken.'

Ze deed haar ogen dicht. De kringen onder haar ogen waren auberginekleurig geworden. 'Misschien Javier,' zei ze, nog steeds met haar ogen dicht.

'Wie?'

'Javier.' Ze deed haar ogen open.

'Javier Aguirre? Je baas in de Fuego?'

Ze knikte.

'Denk je dat hij het misschien heeft gedaan?'

'Nee.'

'Maar het is een mogelijkheid.'

'Alles is mogelijk.'

Dat was waar. Alles was mogelijk. Maria was bij hem weggegaan en vervolgens teruggekomen. Alles was mogelijk, zowel onvoorstelbare schoonheid als onvoorstelbare verschrikking. Hoe sneller Lily inzag dat ook het onmogelijke mogelijk was, hoe beter het voor iedereen zou zijn.

'Dank je, Lily. Heel goed. Zal ik nu een glas water voor je halen?'

8

Januari

Omdat ze zich er niet toe kon zetten om Katy naar de rechtszaak te vragen, ging ze in huis op zoek naar aanwijzingen. Ze liep op haar tenen naar de slaapkamer van Carlos en Beatriz en luisterde aan de deur of ze flarden van een gesprek kon opvangen, maar ze hoorde alleen de tv. Ze bestudeerde Carlos' gezicht tijdens het eten en liet woordjes als 'corruptie', 'fraude' en 'rampzalig' vallen om te kijken of die een reactie opriepen. Ze hoopte half-en-half dat ze Katy de loef kon afsteken met een kostbaar stukje informatie – tijdens een gesprek zou ze een spectaculaire onthulling doen alsof het algemeen bekend was, om vervolgens met grote, verbaasde ogen te zeggen: 'Wat? Wist je dat niet?' Maar ondanks al haar inspanningen miste ze vaak de beste gelegenheden voor haar spionageactiviteiten: als de post werd bezorgd, als de telefoon ging, of als Beatriz en Carlos in de keuken op fluistertoon met elkaar spraken.

Om Lily heen schakelde de stad razendsnel heen en weer tussen spectaculair, afzichtelijk en gewoontjes, als de lucht in een film bij een tijdsprong. In een vreemde inversie van wat ze had ervaren toen ze net in Buenos Aires was aangekomen, werd ze nu overvallen door herinneringen aan New England. Ze herinnerde zich de felle lichtweerkaatsingen boven de rivieren; de dwarrelende, citroengele herfstbladeren, knisperend als dode insecten als je eroverheen liep. Ze herinnerde zich het maagdelijke wit van de winterochtenden, de pure, schroeiende geur van de apocalyps. Ze herinnerde zich de ongrijpbare zwoelheid en dramatiek van de zomer; de geur van ozon voor een onweersbui, het ingetogen bewegen van de bladeren, alsof ze berustten in hun lot of wegdoezelden. Ze herinnerde zich de manier waarop het licht op een late nazomermiddag over het boomschors streek, het hartverscheurende besef van de tijd die verstreek, verstreek, verstreek.

Het drong tot haar door dat ze pas een maand van huis was.

Toen haar gedachten terugkeerden naar Buenos Aires, leek de stad niet meer zo exotisch. Ze vond moeiteloos haar weg met de Subte, ze was vertrouwd met alle handelingen zonder dat ze daarbij dat prikkelende gevoel van trots en onafhankelijkheid voelde. Ze wist welke restaurants te veel geld vroegen, op welke bussen zakkenrollers actief waren en hoe ze die moest omzeilen. Ze wist dat je zomaar ergens een achteloze zoen op je wang van een volstrekte vreemde kon krijgen en ze had geleerd om daar niet vreemd van op te kijken. In de weekends keek ze naar de toeristen met hun camera's, onder de indruk en vol bewondering, en dan voelde ze iets van minachting. Lily was inmiddels anders dan zij, beter; ze had meer gemeen met de porteños dan met de toeristen. En toen ze het bordje HULP GEVRAAGD zag in een café annex club die de Fuego heette, voelde ze zich zelfverzekerd genoeg om te solliciteren, zelfs al had ze geen werkvisum. Een kwartier later was ze aangenomen.

Lily's baas was Javier Aguirre, een Braziliaan met een ongelooflijk donkere huidskleur. Lily wist niet zeker of ze ooit iemand met zo'n donkere huid had gezien – het had iets puurs, vond ze: zo hadden de mensen eruitgezien voordat ze naar het noorden waren getrokken, naar koudere streken, waar ze bleek en gedrongen werden. Op haar eerste avond brak ze een wijnglas en op de tweede avond klopte de kas niet – maar volgens Javier was dat te wijten aan een gebrek aan ervaring en niet aan een gebrek aan eerlijkheid, en ze mocht blijven. Beide keren gaf Ignacio, de doordeweekse barkeeper, haar na afloop sigaretten en tapte hij schuine moppen om haar op te beuren.

'Waarom wil je een baantje?' had Beatriz 's avonds een keer gevraagd terwijl ze in de gootsteen een komkommer afspoelde. 'Geven we je niet genoeg te eten?'

Lily had haar wenkbrauwen opgetrokken. Ze wist niet goed hoe ze het moest uitleggen. 'Natuurlijk wel. Het is gewoon een extra zakcentje.'

Maar dat was niet de echte reden. Lily vond het werk in de Fuego leuk. Ze hield van de praatjes met de klanten en het personeel, en ze hoorde graag de blije geluiden aan een tafeltje als ze het blad met drankjes bracht, ze keek graag naar de onbekende mensen die ze anders nooit zou hebben ontmoet – Javier met zijn kwajongensachtige, onwaarschijnlijk witte grijns; Ignacio, de barkeeper, met zijn slaperige ogen en zijn gelooide gezicht; een dikke man die er vaste klant was en steevast werd vergezeld door een van een hele reeks onwaarschijnlijk slanke vriendinnen. Het was hard werken en na afloop was Lily altijd gesloopt, maar het was een prettige uitputting: soms ving ze een glimp van zichzelf op in de spiegel op het toilet, jong, moe en afgeleefd, en het verbaasde haar hoe prettig ze die aanblik vond. Op die momenten zag ze er allerminst op haar best uit, maar ze leek tegelijk minder op zichzelf dan ooit tevoren.

'Ik werk alleen in het weekend,' voegde ze eraan toe.

Beatriz schudde haar hoofd. 'God mag weten wat voor types je daar tegenkomt.'

Ze dacht ongetwijfeld aan overmatig drankgebruik, verdovende middelen, diverse onbenoembare en onvoorstelbare uitspattingen in het huis van Sebastien LeCompte. Dus voegde Lily eraan toe: 'Het is gewoon om wat extra geld te hebben. Voor boeken en reisjes,' hoewel ze tot dan toe geen enkele behoefte had gehad om naar andere plekken te gaan dan waar ze al was geweest.

Nadat ze in de Fuego was gaan werken, zag ze Sebastien steeds minder regelmatig. Hij stuurde haar 's avonds vaak berichtjes –

obligate en semi-literaire missives die altijd ergens halverwege een gesprek leken te beginnen – die ze met een half oog las tijdens haar werk, en op de een of andere manier had ze altijd het idee dat ze er al op had geantwoord, zelfs als dat niet zo was. Als ze 's avonds laat thuiskwam, nam ze de berichten door die ze niet had meegekregen, het licht afschermend zodat de slapende Katy er geen last van had, waarna ze zich resoluut voornam om de volgende dag terug te schrijven. Maar 's ochtends moest ze zich haasten om op tijd te zijn voor haar colleges, dan goot ze het restje oploskoffie die Katy had klaargemaakt naar binnen en vergat haar voornemen. Op een vrijdagavond – na het nodige onderhandelen en bieden en tegenbieden – stemde Lily ermee in om bij Sebastien langs te gaan om samen wat te drinken. Ze had hem al bijna een week niet gezien.

Ze hadden afgesproken om tien uur, maar tegen de tijd dat Lily over het grasveld naar Sebastiens huis liep, was het al halfelf. Het gras onder haar slippers rook fris en zoet. Ze wist dat Sebastien er met geen woord over zou reppen dat ze te laat was, en ze verkneukelde zich er nu al over dat ze dat feit ten volste zou uitbuiten, zoals een jongen dat zou doen.

Lily klopte met haar knokkels op de deur – het gebruik van het waterspuwergeval leek een gekunstelde concessie waartoe ze niet bereid was – en Sebastien deed snel open. Het huis rook bedompt en Lily vroeg zich af wanneer Sebastien voor het laatst de deur uit was geweest. De schimmel, de duisternis, de griezelige onregelmatigheid van de vloer – waarom had dit alles ooit zo romantisch geleken?

'Ook goeiedag,' zei Sebastien. 'Je bent een lust voor het oog.'

'Je ziet er keurig uit,' zei Lily. Dat was echt zo. Hij droeg een colbertje. En soms schiep Lily er genoegen in om dooddoeners te gebruiken. Het was een gewoonte waarin ze geregeld verviel – hoe meer hij in het abstracte redeneerde, hoe meer ze geneigd was om opmerkingen te maken over zijn zachte haar, het frisse groen van het gebladerte. Ze vroeg zich af of ze haar best deed om minder aantrekkelijk over te komen.

Maar tot haar verrassing moest Sebastien licht blozen en

trok hij zijn colbertje nog eens recht. 'Een mens doet zijn best. En hoe heb jij de talloze uren sinds ons laatste samenzijn doorgebracht?'

'Ach, je weet wel,' zei Lily. Ze rimpelde haar neus en stapte naar binnen. 'Met van alles en nog wat.'

'De vele verplichtingen van het intellectuele bestaan, neem ik aan.'

'Ja.' Lily boog zich naar voren en kuste hem, ze voelde de warmte van zijn wang en zijn stevige sleutelbenen. Hij zou zo aantrekkelijk zijn als hij zijn mond eindelijk eens hield. 'Het is allemaal vreselijk uitputtend, maar dat weet je zelf maar al te goed, natuurlijk.'

'Natuurlijk,' zei Sebastien. Hij verdween in de keuken en kwam even later terug met twee glazen met een amberkleurige vloeistof.

'Het toeval wil,' zei Lily opgewekt bij het aannemen van haar glas, 'dat ik een baantje heb.'

'Een baantje!' zei Sebastien en hij zette zijn glas neer. 'Wat verrukkelijk alledaags!'

Lily had Sebastien om de een of andere reden eigenlijk niet willen vertellen over de Fuego. Ze dacht dat hij dwars door haar beweegredenen heen zou prikken; iemand die zo onecht was als Sebastien beschikte nu eenmaal over het bovennatuurlijke vermogen om ook de grillen van andere mensen te doorzien. Maar op het moment dat Lily het huis binnen was gelopen, had ze met een knagend gevoel van onrust beseft dat ze er niet aan had gedacht om andere gespreksonderwerpen paraat te houden, en ze kon niets bedenken waar ze het verder over zouden kunnen hebben.

'Een baantje!' zei Sebastien opnieuw, en hij tikte zijn glas tegen dat van Lily. 'Arbeiders aller landen, verenigt u!'

Lily had geweten dat hij zo zou reageren; het uitlokken van dit soort spot bood welkome gespreksstof voor hen allebei, en het feit dat ze in haar opzet was geslaagd, stemde haar zowel tevreden als teleurgesteld.

'Het leek me een goede manier om de stad beter te leren

kennen,' zei ze, en ze nam een slokje uit haar glas. Ze wist niet wat erin zat, maar ze voelde zich er een heel oude man door.

'Een kranig jong ding dat zich manmoedig een weg door het leven baant?'

'Zoiets.'

'Ik hoop oprecht dat je je niet verlaagt tot tippelen.'

'Ik vang de gasten op in de Fuego.'

'Wat ongelooflijk prerevolutionair Frans van je.'

'Over een tijdje laten ze me vast ook wel serveren.'

'Mik op de maan en je belandt tussen de sterren, zeg maar. Dat kreeg ik op de middelbare school altijd te horen, en ziehier. Ben ik niet uitgegroeid tot een waarlijk evenwichtige en onafhankelijke volwassene?'

Lily kuste hem opnieuw om hem het zwijgen op te leggen. Zijn mond smaakte fris. 'Nee,' zei ze. 'Zelfs niet nu we aan de cognac zitten. Is dat je streven?'

'Niet vaak,' zei hij en hij kuste haar, serieuzer. Soms leek het alsof Lily tijdens het zoenen zijn hart voelde bonzen, hoewel dat vermoedelijk onmogelijk was. Ze maakte zich los en stak haar tong naar hem uit.

'Weet je ook maar de helft van de tijd eigenlijk wel waarover je het hebt?' vroeg ze.

'Absoluut niet,' zei hij waardig. 'En dat draagt bij aan mijn unieke charme.' Daarop kuste Lily hem nog een keer en pakte ze zijn hand – die ruw, jongensachtig en een beetje vereelt aanvoelde, hoewel ze geen idee had waarvan hij eelt op zijn handen zou kunnen krijgen – en ze voerde hem mee naar het bed. Ze wist opeens dat ze de liefde zouden gaan bedrijven. Ze had er niet bewust over nagedacht om het te doen, maar ze had er ook niet bewust over nagedacht om het niet te doen, en gezien de omstandigheden was dat ook een soort beslissing. En hij was tenslotte een ongelooflijk lieve jongen, alleen jammer dat hij zoveel onzin uitkraamde.

Op bed volgde het gebruikelijke gekronkel tot Lily normaal gesproken op de rem trapte, maar dit keer deed ze dat niet, en Sebastien trok haar hand naar zich toe. Ze streelde voorzichtig. Ze vergat altijd hoe hard die dingen werden en hoe snel dat ging – ze schrok er telkens opnieuw een beetje van. Met haar andere hand had ze nog steeds haar glas vast. Ze zette het neer. Haar hart bonsde nog steeds als een bezetene – vergeet je bravoure, hield ze zichzelf voor, je bent nog steeds elke keer weer zenuwachtig. Het drong tot haar door dat het ging gebeuren. Ze was jong, ongebonden en ze woonde in Zuid-Amerika, en ze beschikte over een indrukwekkende hoeveelheid condooms. Hiervoor was ze gekomen. Ze moest bijna klappertanden. Sebastien kuste haar. Hij trok zijn hemd en zijn broek uit en begon haar met een bloedserieus gezicht uit te kleden. Lily wilde dat hij begreep dat hij niet zo moest kijken. Hij lag boven op haar, en daarna was hij in haar. De penetratie was bijna niet voelbaar. Na afloop keek hij haar met die vragende, onzekere ogen van hem aan en zei hij: 'Ik hou van je.'

Lily had met haar vingers door zijn borsthaar gespeeld – dat vond ze stiekem prettig, hoewel ze wist dat ze tegenover andere meisjes moest doen alsof ze het maar niks vond – maar nu hield ze ermee op. Al dit theater – die gespeelde kwetsbaarheid van hem – zorgde ervoor dat er bij Lily iets versteende en verzuurde. Ze wilde en verwachtte niet dat hij van haar hield, maar ze begreep het gebruik van dit zinnetje als performancekunst ook niet; het bezorgde haar een ongemakkelijk en lichtelijk beledigd gevoel, hoewel ze niet wist waarom.

'Hm,' zei ze. 'Dat zal wel.' Ze lachte even meewarig om tijd te winnen, zoekend naar nog iets om te zeggen. Ze kon alleen maar iets absurds bedenken. Ze ging overeind zitten en begon haar haren in een vlecht te draaien. 'Dat wilde ik je al een tijdje vragen: waarom ziet je huis er zo uit?'

'Hoe?' vroeg Sebastien. Lily keek hem niet aan – ze concentreerde zich op haar haar – maar in zijn stem hoorde ze een leegte, een verre echo, alsof hij zich op de bodem van een diepe kloof bevond.

'Je weet wel,' zei Lily schouderophalend, zoekend naar het juiste woord. Het lukte niet. 'Zo reusachtig.'

‘Het was het verblijf van de ambassadeur.’

‘Was je vader ambassadeur?’

‘Jij met je natuurlijke afkeer van vrouwen.’

‘Oké. Was je moeder ambassadrice?’

‘Nee. Volgens mij waren ze dat geen van beiden.’

‘Volgens jou waren ze het geen van beiden?’

‘Ik geloof dat er een nieuwe ambassadeurswoning in aanbouw was, en de ambassadeur van toen had geen gezin.’

‘Tjonge,’ zei Lily. Het was vreemd om zich Sebastien in de context van een gezin voor te stellen – een ingetogen jongen met vlassig haar, op driejarige leeftijd al levensmoe. ‘Je ouders waren er vast dolgelukkig mee.’

‘Gelukkig! Wat een bekrompen concept. Ik snap waarom die ouwe Andrew en Maureen het zo zwaar hebben, als dat de norm is die ze voor zichzelf hanteren.’

Sebastien wist de voornamen van Lily’s ouders omdat zij hen zo noemde, maar ze besefte nu – te laat – dat ze het niet prettig vond als hij ze gebruikte. ‘En jij mocht het huis van ze houden?’ vroeg ze.

‘Daar kwam het wel op neer. Uit eindeloze dankbaarheid voor het ultieme offer dat mijn ouders hadden gebracht. *Dulce et decorum est* en zo. Oké, er gaan geruchten dat er een nieuwe woning werd gebouwd en dat dit huis toch al zou worden afgestoten, maar ik weet niet of ik dat wil geloven, aangezien ik weiger te geloven in metaforen.’

‘Wat herinner je je van ze?’

‘Van de metaforen?’

‘Van je ouders.’

‘Dat is lastig te zeggen,’ zei Sebastien na een korte stilte. ‘We hebben niet echt de gelegenheid gehad om elkaar goed te leren kennen.’

‘Dat is... Tjonge,’ zei Lily opnieuw, en ze kromp ineen. Hoe kreeg ze het voor elkaar om binnen een minuut twee keer ‘tjonge’ te zeggen. Maar daar was nu niets meer aan te doen. ‘Ik kan me dat nauwelijks voorstellen. Ik ken mijn ouders veel te goed. Ze doen, zeggen of denken niets wat niet honderd jaar geleden al door Freud is aangekondigd.'

Sebastien zweeg en iets wat Lily had gezegd, klonk haar opeens ontzettend verkeerd in de oren.

'Ik vind het echt heel erg van je ouders,' zei ze zacht. Dat meende ze echt. Misschien had ze het eerder moeten zeggen, maar het leek alsof er voor zulke dingen nooit een goed moment was. 'Het zal een enorme schok voor je zijn geweest.'

'Een schok?' zei Sebastien. 'Filosofisch bekeken was het natuurlijk geen schok.' Hij klonk belerend. 'Als je zo rijk bent, hou je als vanzelf rekening met een of andere rampzalige gebeurtenis. Had ik al verteld hoe wanstaltig rijk ik ben?'

Lily knipperde met haar ogen. 'Hoe bedoel je?'

'Dat weet je vast wel. Als het universum je ergens mee begunstigt, wordt dat ergens opgetekend en komt er een moment dat de rekening moet worden vereffend. Met rente. Vaak met een misdadige woekerrente. Geloof je dat niet?'

'Natuurlijk niet,' zei Lily zo sussend als ze maar kon. Het leek alsof Sebastien boos op haar was, maar misschien klonk er gewoon verdriet door in zijn stem. Ze wist maar al te goed dat verdriet een mens tot razernij kon drijven. 'Volgens mij is er alleen sprake van geluk en pech, meer niet.'

'Ik veronderstel dat je leven een stuk draaglijker is als je er niet in gelooft,' zei Sebastien droogjes. 'Anders zie je voortdurend beren op de weg.'

'Ik weet het niet,' zei Lily. Ze deed haar best om niet gekrenkt te klinken. 'Mijn ouders hebben voor mijn geboorte een dochter verloren en ik heb mijn hele jeugd onder hun wrokkige, paranoïde juk doorgebracht en daarna zijn ze gescheiden, dus als ik jouw volstrekt ongefundeerde wereldbeeld zou moeten onderschrijven, wat ik niet doe, zou ik nu het idee hebben dat er geen rampspoed meer in het verschiet ligt.'

'Dat weet ik zo net nog niet,' zei Sebastien. 'Zulk sop is de kool nauwelijks waard. *No offense*, zoals de jongelui tegenwoordig zeggen. Je hebt de dochter in kwestie toch niet zelf gekend? Nogmaals: niet kwaad bedoeld, *il va sans dire*.'

Lily dacht aan de foto op de schoorsteenmantel van Janie

die met een vastberaden, stuurs gezicht op haar hobbelpaard zat. 'Klopt,' zei ze aarzelend.

'En de scheiding van je ouders is ook een van die dingen die gewoon kunnen gebeuren. Daar krijg je niet eens een fruitmand voor.'

'Het zal wel.'

'En dat was het? Geen andere rampspoed of calamiteiten?'

'Nou, mijn opa...'

'Doe me een lol, zeg.'

'Oké. Nee. Geen andere calamiteiten.'

'En geen van de dingen waardoor je gezin is getroffen, vond plaats in de context van een ingewikkeld systeem van moreel inlosbare maatschappelijke onderdrukking?'

'Nou... nee. Geen onderdrukking.'

Sebastien fronste zijn wenkbrauwen als een arts die op het punt staat om een onheilstijding te doen. 'In dat geval vermoed ik dat je nog minstens één relatief vreselijke gebeurtenis te wachten staat.'

'Is dat zo?'

'Een middelgrote catastrofe, als mijn voorspellende gaven me niet bedriegen.'

'Zoals?'

'Misschien dat je echtgenoot een keer een buitenechtelijke verhouding krijgt, maar niet zomaar eentje. Hij bekleedt een heel erg openbaar ambt en die verhouding wordt ook heel erg openbaar, en jij zult bij de daaropvolgende persconferentie in de regen naast hem moeten staan.'

'Oké, dat overleef ik wel,' zei Lily, maar toen corrigeerde ze zichzelf. 'Wat? Nee. Ik doe niet mee aan de persconferentie van een of andere eikel.'

'Of je krijgt een vorm van kanker die uiteindelijk te genezen is, maar waardoor je wel voor het leven getekend bent.'

'Dat zou rot zijn.'

'Maar je zou blij zijn dat je nog leefde.'

'Vanzelf.'

'Vanzelf. Jouw slag mensen is altijd zo gênant blij met het bestaan.'

'Welk slag mensen is dat?'

'Ik bedoel, wat schiet je er nou helemaal mee op? Dat zou ik graag weten.'

Lily stond op en pakte haar topje en haar rok. Ze kleedde zich aan met haar gezicht naar de muur en ging toen op het bed zitten.

'Of je krijgt een kind met een geestelijke beperking dat je bakken met geld kost,' zei Sebastien. 'Zwaar geestelijk gehandicapt, je weet wel.'

Lily voelde een blinde razernij opkomen. Ze was het verdriet van haar ouders spuugzat, maar daar hadden anderen van af te blijven, en ze vond het vreselijk dat iemand het afdeed als iets klinisch, iets onbeduidends. Natuurlijk hadden ze in veel opzichten geluk gehad, maar de wetenschap dat je bevoorrechte positie onverdiend was, was één ding – dat was je verdriet ook, en dat je blij moest zijn en wroeging moest voelen vanwege de bescheiden extraatjes van je saaie, nijvere middenklasseleventje (televisie, sfeerkaarsen op tafel en eens per jaar een uitstapje naar Six Flags), dat was heel wat anders. Misschien was daarom het hele gezin zo ingetogen. Misschien geloofden ze diep vanbinnen – zoals Sebastien blijkbaar deed – dat ze op een gegeven moment de rekening gepresenteerd zouden krijgen.

'Ik hou niet van al dat deprimerende gepraat,' zei ze, haar schoenen aantrekkend.

'Wen er maar aan, dat is alles.'

'Ik ben eraan gewend. Ik weet bijna niet beter.'

'Dat kan ik me niet voorstellen,' zei Sebastien. 'Mijn leven is tot dusver een aaneenschakeling van hilarische momenten.'

Er scheen nog steeds licht onder de slaapkamerdeur in het souterrain door. Lily wierp een blik op haar mobieltje – het was nog voor twaalven. Ze deed de deur open.

'Ha,' zei ze opgewekt. Ze wist zeker dat ze nog een opgewonden blos op haar gezicht had, maar ze had geen zin om erover te praten. 'Wat ben je aan het lezen?'

'Iets over hernieuwd protectionisme,' zei Katy. 'Wist je dat er jaarlijks vier miljoen ton maïs wordt geproduceerd die de boeren aan de straatstenen niet kwijt kunnen?'

'Nee, dat wist ik niet,' zei Lily. Het kwam er veel te zwierig uit, alsof je Sebastien LeCompte hoorde praten.

Katy keek op. 'Je bent met hem naar bed geweest!'

Om de een of andere reden voelde Lily even iets joligs – ze wilde op hoge toon 'nietes!' roepen, zoals Anna als kind zou hebben gedaan als ze ergens van werd beschuldigd – maar ze hield zich in. 'Ik geloof het wel,' zei ze. 'Het ging zo snel dat ik het niet honderd procent zeker weet.'

'Sloerie.'

Lily lachte vreugdeloos. 'Ik vrees het ook.' De joligheid was op slag weer verdwenen en ze voelde een vreemd, dof schrijnend gevoel links in haar borstkas. Misschien waren het wel de eerste symptomen van alvleesklierontsteking door de grote hoeveelheden wijn. Misschien was ze niet geschikt voor werk in de horeca. Misschien begon ze wel oud te worden, zoals iedereen haar had voorspeld.

'Oké,' zei Katy, en ze sloeg gedecideerd haar boek dicht. 'Hoe was het?'

'Wel aardig, denk ik. Na afloop raakten we verwikkeld in een vreemde ruzie.' Lily klopte met haar handen op haar heupen; het leek wel of de botten niet meer goed in hun holtes pasten, als verkeerd gelegde puzzelstukjes. 'En hij zei tegen me dat hij van me hield.'

Katy's perfecte mond viel open. 'Nee,' zei ze. 'Dat meen je niet.'

'Serieus.'

'Godsamme.'

Lily zuchtte. 'Het zou een stuk schelen als hij doorkreeg dat hij niet zo vreselijk zijn best moet doen.'

'Ging daar die ruzie over?'

'Nee.'

'Waarover dan wel?'

'Geluk,' zei Lily. 'Geloof ik.'

'Wat heb je dan precies gezegd?'

Lily zuchtte diep. Ze kwam weer wat meer bij haar positieven, daardoor besefte ze dat ze een beetje dronken was geweest. Ze wilde vasthouden aan de vlotte branie waarmee ze had gereageerd op Sebastiens liefdesverklaring. Ze had een glashelder beeld van de dingen gehad – nog maar een uurtje geleden – en nu verpestte Katy alles met haar naïeve geneuzel.

'Weet ik het, wat had ik moeten zeggen?' zei Lily. 'Ik zei iets van "goh, oké, dat zal wel". Iets in die geest.'

'Lily!'

'Wat?'

'Dat meen je niet.'

'Doe me een lol, zeg,' zei Lily. 'Hij meende het niet. Je kent hem onderhand: hij meent nooit iets serieus.' Lily had nu al spijt dat ze het Katy had verteld. Het was zo vermoeiend om haar altijd alles te moeten uitleggen. 'Maar goed, ik ben niet achterlijk. Ik ben alleen een beetje teleurgesteld dat hij kennelijk denkt van wel.'

'Ik weet het niet, Lily.' Katy blies tegen haar pony; ze leek op een dier dat zijn stekels opzette. 'En als hij het nou wel meende?'

'Getver, wat ben je toch een dromer.'

'Zou kunnen. Maar we zijn eenentwintig! Op onze leeftijd hoort dat erbij. Op onze leeftijd wil je nog niet cynisch zijn. Als je op je eenentwintigste al cynisch bent, is er iets niet in orde met je.'

'Ik ben twintig. Ik word deze maand eenentwintig.'

'Moet je kijken. Dat is nog erger.'

Lily draaide zich om en begon zich uit te kleden. Normaal gesproken was ze daar niet erg preuts in – niet omdat ze dacht dat haar lichaam er best mocht wezen, maar omdat het haar simpelweg koud liet (hoe ijdel moest je zijn om je lichaam te verstoppen terwijl miljarden, letterlijk miljarden mensen er precies zo uitzagen als jij?) – maar het leek raar om zich in nabijheid van Katy uit te kleden terwijl ze nog maar zo kortgeleden bij Sebastien was geweest. Ze was bang dat haar lichaam aan een nieuw soort onderzoek zou worden onderworpen, iets waar ze liever niet aan dacht.

'Weet je al wat je met je verjaardag gaat doen?' vroeg Katy.

'Wat?'

'Je zei net dat je binnenkort eenentwintig wordt.'

'O ja. Op de zeventiende. Ik weet het niet. Niks. Misschien een avondje uit of zo.'

'Misschien mag je van je baas een deel van de Fuego gebruiken.'

'Vast niet,' zei Lily. In het schemerlicht zag ze de blauwe aderen op haar bovenbenen. Soms kostte het haar daadwerkelijk moeite om te geloven dat ze een warmbloedig wezen was – haar bloed was zo duidelijk blauw; alsof ze van de Noordpool kwam. Ze voelde een ietwat plakkerige, prikkende sensatie op de plek waar Sebastien was geweest. Haar gezicht voelde een beetje ruw van zijn baardstoppels; Lily had altijd het gevoel dat ze met grof schuurpapier werd bewerkt als ze een man kuste.

'Je weet maar nooit,' zei Katy.

'Soms wel. Zo dol is mijn baas niet op me. Ik laat dingen vallen en soms klopt de kas niet.'

'Laat je dingen vallen?'

'Ik heb een keer een glas laten vallen. Geen heel dienblad of zo. Maar ik zie het hele idee van een feestje niet zo zitten.'

'Ook goed.' Katy haalde haar boek weer tevoorschijn. 'Je kijkt er wel heel erg somber tegenaan.'

'Ik ben niet somber,' zei Lily, en ze vond zichzelf opeens als haar ouders klinken. 'Ik ben gewoon realistisch.'

9

Februari

Op een avond kwam de uitbarsting, ergens tijdens het vrijen. De gebruikelijke pauze vóór het vervolg – het moment waarop Lily zich omdraaide, zachtjes Sebastiens hand pakte, of hem een kinderlijke vraag stelde, of opstond om een glas water te halen – kwam en ging, en ze bleef hem zoenen, heftiger dan ooit tevoren. In Sebastiens hoofd vormden zich flonkerende, traag bewegende sterrenbeelden, om vervolgens weer te verdwijnen. Zijn hand bewoog langzaam en toen sneller naar het nachtkastje om een condoom te pakken. Na afloop zei hij zakelijk: 'Ik hou van je.' Hij meende het. Hij meende nooit iets oprecht, maar dit keer wel.

'Oké,' zei Lily. Ze probeerde wereldwijs en koeltjes te klinken, misschien voelde ze zich wel echt zo. Door de vele jaren van scherpe innerlijke bespiegelingen beschikte Sebastien over weinig vaardigheden om de emotionele toestand van anderen in te schatten. Elke vorm van communicatie was een omzichtig manoeuvreren. En na afloop voelde hij zich vreemd eenzaam in bed, tussen de verknoopte lakens en met de toenemende duisternis en koelte in de kamer, terwijl Lily slechts centimeters van hem vandaan lag.

Vervolgens had ze iets over zijn ouders gevraagd. (Wat een werkelijk misdadig banale bedpraat! Hij gaf de Amerikaanse films de schuld.) Ze zei dat ze met hem te doen had – ze keek meelijdend, hoewel ze ook een beetje geërgerd leek dat ze met hem te doen moest hebben – en merkte op dat het verlies een hele schok moest zijn geweest. En dat – even voor de goede orde, was niet omdat hij vond dat hij recht had op liefde (van haar of iemand anders) of uit gekrenkte trots (hij had geen trots die gekrenkt kon worden) – was de druppel geweest die de emmer deed overlopen. Een hele schok? De dood van zijn ouders was 'een hele schok' geweest? Ja, natuurlijk, hoewel de totale ontwrichting van zijn bestaan uiteindelijk niet de grootste beproeving was geweest. Hij had aan de foto van zijn vader op de schoorsteenmantel gedacht; op die foto was zijn vader nog jong, besefte Sebastien, begin veertig. Een hele schok? Natuurlijk. Maar vooral verwoestend, verscheurend. Het einde van het bestaan, zoals Lily ongetwijfeld had opgemerkt. De verkeerde woordkeuze riep iets agressiefs in Sebastien op, en hij had bewust ruzie gezocht – doorzichtig, zielig, opgebouwd uit onzinargumenten – waarin hij zich smalend en minachtend had uitgelaten, hij had een luguber beeld geschetst van Lily's toekomst en de zijne. Hij had een heel verhaal afgestoken over alle rampspoed die ooit haar deel zou worden, alle middelgrote problemen waarmee ze op een dag zou worden geconfronteerd. Niet dat hij daar echt in geloofde, want hij geloofde eigenlijk nergens in, en tegelijkertijd had hij gevoeld hoe de sfeer in de kamer steeds slechter werd: eerst door Lily's woede en toen door haar nuchtere afweer, haar behoefte om hem duidelijk te maken dat ze al genoeg ellende had meegemaakt. Dat was alles wat iedereen over hen wilde weten – hoe moeilijk het was geweest, hoe vreselijk ze hun best hadden gedaan, hoeveel lof ze eigenlijk verdienden. Sebastien werd er doodmoe van. Hij was moe van alles. Met elke wending voelde hij hoe het gesprek hem verder van Lily verwijderde, maar hij kon er niet mee ophouden. Hij wist dat hij zijn hand naar haar had kunnen uitsteken, maar het zou zinloos zijn geweest. Hij had haar net zo goed niet kunnen aanraken. Het zou hetzelfde zijn geweest als wanneer hij was opgestaan, de deur achter zich had dichtgedaan en haar nooit meer had aangeraakt.

Lily's dagen begonnen dezelfde emotionele baan te volgen, keer op keer. Als ze 's ochtends wakker werd, was ze opgewekt en gespannen, vol van haar eigen bestaan. Ze was jong en er was nog niets uitgestippeld: goed, ze was niet langer maagd; goed, ze was niet langer onbesproken, maar in algemeen opzicht was alles nog mogelijk, en dat was iets wonderbaarlijks. Als ze 's middags door de stad liep, bekeek ze zichzelf in de derde persoon enkelvoud – in haar eentje in een café, zwervend door een museum – en meestal zag ze degene die ze altijd al had willen zijn; iemand voor wie de mooiste dingen nog in het verschiet lagen. Dat gevoel kwam 's avonds weer terug, als ze van de Fuego of Sebastien terug naar het huis van de Carrizo's liep, met overal om haar heen de verlokkelijke lichtjes van de stad. Een stad bij nacht was nergens mee te vergelijken. Je kon je met het grootste gemak voorstellen dat alles wat er kon gebeuren vlakbij echt gebeurde – vlak achter een dichte deur, vlak buiten haar blikveld. En voor zover zij wist, gebeurde het ook.

Maar in de periode tussen de ochtend en de avond ging het ergens mis. In de late namiddag kreeg Lily een onbestemd gevoel, als de zon een ziekelijke, vaalrode kleur kreeg waardoor alle gebouwen eruitzagen als gloeiende sintels. Op die momenten kreeg Lily het idee dat ze zichzelf voor de gek hield – dat een fictief deel van haar leven door overmatig gebruik zijn glans begon te verliezen en dat er op een gegeven moment helemaal niets van over zou zijn. Dan werd ze overvallen door een onzekere melancholie, alsof de kater van de vorige avond dan pas de kop opstak, en moest ze naar een plek die felverlicht, kapitalistisch en onwerkelijk was om zichzelf weer op te beuren. Soms ging ze naar een Changomas en staarde ze naar de cornflakes, of ze ging naar een nagesynchroniseerde Amerikaanse film die altijd leek te zijn ingesproken door dezelfde stemacteurs. Meestal meed ze haar e-mail – daardoor voelde haar leven in Argentinië maar marginaal, kleintjes en minder indringend; ze was aan de andere kant van de wereld en zo moest het ook voelen – maar als ze zo'n bui had, zocht ze haar toevlucht in een *kiosko* en las ze een paar uur slecht geschreven blogs waarop steeds dezelfde meningen werden geuit. Ze keek hoe de beeldschermen steeds helderder werden in de invallende duisternis.

’s Avonds liep ze door de straten en zoog ze de warmte op die nog in de lucht hing. Op die momenten drong tot haar door dat ze zo ver van huis was dat ze in februari nog in een topje kon rondlopen. Dan trok ze de trui uit die ze in de door airco’s gekoelde kiosko, bioscoop of winkel had gedragen. Ze voelde het zachte briesje over haar schouders strijken dat de avondstemming terugbracht. Haar sluimerende optimisme keerde terug. Door het tedere en turbulente vreugdegevoel vanwege het verleende respijt raakte ze ervan doordrongen dat haar leven nog niet voorbij was. En dan begon ze zich weer stukken beter te voelen.

Sebastien zag Lily een tijdje niet. Ze zwalkte gekmakend heen en weer tussen wel en niet verschijnen: berichtjes bleven dagenlang onbeantwoord, afspraken werden gemaakt, afgezegd en verschoven. Als ze langskwam, was ze afgeleid en afstandelijk, ze rook altijd lichtelijk naar chorizo. Ze verkondigde met grote stelligheid dat het allemaal kwam door haar nieuwe baantje. Ze wilde Sebastien kennelijk doen geloven dat ze volledig in beslag werd genomen door de ins en outs van bestek en fooien en beledigd worden door onhebbelijke klanten. Ze wilde Sebastien kennelijk laten geloven dat zijn merkbaar afnemende beroep op haar aandacht niets voorstelde.

Op een zondagavond lagen Sebastien en Lily na het kijken van een film van Antonioni, waarbij ze allebei hadden gedaan alsof ze hem mooi vonden, in stilte naast elkaar. Lily’s hoofd rustte op Sebastiens borst en hij streelde met zijn duim een haarlok, verwonderd over de stralende glans. Hij was zich heel erg bewust van het rijzen en dalen van zijn borstkas.

‘Goed,’ zei Lily opeens. ‘Wat ga je doen?’

Sebastien probeerde tevergeefs zijn steeds sneller bonzende hart onder controle te krijgen. ‘Wanneer, mijn allerliefste?’ vroeg hij.

‘Nu.’

Door het raam zag Sebastien het donkerblauw van de late schemering. Hij had er nog niet aan gedacht om op te staan en de kaarsen aan te steken. 'Jou nog wat meer kussen, denk ik,' zei hij. 'Als je daartoe genegen bent.'

'In het algemeen, bedoel ik.' Lily ging op haar rug liggen. Sebastien zag een wigvormig stukje van haar blanke buik boven haar spijkerbroek; hij kon haar knokig uitstekende heupbeen onderscheiden. 'Met je leven.'

'Ik heb geen flauw idee waar je het over hebt,' zei Sebastien, hoewel hij dat maar al te goed wist.

'Ik bedoel, ben je van plan om de rest van je leven hier te blijven?' Lily rekte zich overdreven uit. Sebastien bleef zich verbazen over de onvoorstelbaar moeiteloze gezondheid die haar lichaam uitstraalde. Je kon je voorstellen hoe ze ergens in een beekje onbekommerd rond spetterde; hoe ze kikkertjes en kreeftjes ving, gewoon met haar blote handen omdat niemand haar nog had verteld dat die dingen smerig waren.

'Je hebt bergen geld,' zei ze. 'Wat ben je daarmee van plan?'

Sebastien had geweten dat dit moment zou komen, maar hij vond het jammer dat het nu al zover was. 'Een wisselende reeks mooie vrouwen van onderhouden, denk ik,' zei hij. 'In elk geval tot ik oud en impotent ben.'

'Even serieus,' zei Lily. 'Je bent een intelligente vent.' Sebastien huiverde even. Niemand vond het nodig om iets over je intelligentie te zeggen als die een onomstotelijk feit was. 'Je zult op een gegeven moment toch weer moeten gaan studeren, toch?'

'Niet per se.'

'Of je kunt een baantje zoeken. Heb je dat weleens overwogen? Voor het geld hoef je het niet te doen, dat weet ik, maar misschien is het goed voor je. Dan kom je nog eens onder de mensen.'

'Ik heb genoeg mensen gezien. Ik geniet van mijn pensioen.'

'Misschien ben je dan wat minder vaak depressief.'

Sebastien keerde haar zijn rug toe en staarde naar de barsten in de muur. Misschien was dit bazige gedoe wel een goed teken – misschien duidde het niet zozeer op gekwelde teleurstelling, maar op een zekere meelevende betrokkenheid. 'Wie is er depressief?' zei hij. 'Depressiviteit is voor de middenklasse. Ik vermaak me wezenloos.'

'Dus je blijft hier zitten wegteren?'

'Ik moet ergens wegteren, dus waarom niet hier?'

'Dat is toch vreselijk?'

'Het spijt me,' zei hij en hij stond op. Hij kon zijn knieën horen kraken, en dat bezorgde hem een oud gevoel. Je moest zo onvoorstelbaar lang leven om daadwerkelijk oud te zijn, maar Sebastien vroeg zich af of de meeste mensen zich al eerder oud begonnen te voelen en de rest van hun leven bezig waren met afwachten tot hun lichaam dat idee had ingehaald. 'Kun je iets specifieker vertellen wat je daarbij in gedachten hebt? Als een soort opstapje? Moet ik maatschappelijk verantwoord gaan beleggen? Iets met durfkapitaal? Moet ik in de dotcombubbel stappen? Die is toch nog steeds niet leeggelopen? Of misschien is het nog niet te laat om een staartje van de goudkoorts mee te pikken.' Lily lag zichtbaar te wachten tot hij zou ophouden, maar dat kon hij niet. 'Of moet ik de lat lager leggen? Wasvrouw spelen voor de hele buurt? Welke kant moet ik op? Zeg jij het maar.'

'Dus je bent echt van plan om tot je dood hier op je gat te blijven zitten en afhaaleten te bestellen.'

'Zo richt iedereen zijn leven in, als je het in een wat breder perspectief bekijkt.'

'Je bent al net zo erg als mijn familie.'

'Ik ga er gemakshalve van uit dat dat onaardig bedoeld is.'

Er volgde een lange stilte waarin Sebastien kon voelen dat Lily zocht naar wat ze wilde zeggen, zich vervolgens bedacht en er toch weer op uitkwam, telkens iets dichterbij. 'Je wilt je alleen maar wentelen...' begon ze uiteindelijk.

'Wentelen! Wie wil er nou niet lekker wentelen?'

'Jij wilt je wentelen in je passieve aanvaarding van de dood.'

'In tegenstelling tot wat? De actieve verwerping van de dood? Of de actieve aanvaarding van de dood?' Sebastien grijnsde om aan te geven dat het nog niet te laat was om op te houden

met ruziën. 'De passieve verwerping van de dood, misschien?'
Lily lachte even. 'Je bent een onmogelijk mens.'
'Ik wil gewoon weten welke opties ik heb.'
'Je. Bent. Onmogelijk.' Ze kuste hem opnieuw, heftig, maar het was een complexe kus, een beetje gemeen en woest, en toen ze even stiekem tussen haar oogleden door keek, zag ze dat hij zijn ogen nog open had.

Tijdens haar tweede week in de Fuego nam Lily een keer een late dienst over, maar ze vergat om dat aan Carlos en Beatriz door te geven. Halverwege die extra dienst dacht ze eraan, maar het was ongelooflijk druk, ze had zelfs in haar pauze pas tijd om te plassen. Toen ze om halfelf met een blad vol cocktails naar een tafeltje met Belgen manoeuvreerde, zag ze Katy bij de deur aan de bar staan. Het was vreemd om Katy in de Fuego te zien. Van een afstandje zag ze er met haar grote ogen verlegen en mooi uit – ze had iets van een nachtdiertje uit een tropisch oerwoud, een baby-ocelot of zoiets – en Lily zag dat ze al meteen de vampierachtige aandacht van een hele schare benevelde jongemannen trok, en ook die van Ignacio, de barkeeper met zijn gelooide huid. Katy leek niets in de gaten te hebben. Lily keek naar haar handen, die ruw en rauw waren door het gloeiend hete water en stonken naar de gootsteen waarin ze even tevoren had geprobeerd het onmogelijk hardnekkige vuil uit een pan te schrobben. Terwijl ze naar Katy keek, werd Lily zich onbehaaglijk bewust van haar eigen uiterlijk, alsof Katy haar had betrapt in het kostuum voor een optreden dat ze liever geheim had gehouden. Lily was een keer in de heren-wc bezig geweest met het opruimen van een plens braaksel toen er een man was binnengekomen die met een meesmuilend lachje in het Engels had gezegd: 'Had je nou maar je studie afgemaakt, hè?' En tegelijk met haar verontwaardiging had ze ook voldoening gevoeld omdat ze zo verkeerd werd ingeschat. Dit wás natuurlijk ook een kostuum. Eigenlijk had ze dit baantje helemaal niet nodig.
Katy praatte met Ignacio de barkeeper, en hij wees naar de

nis waar Lily stond. Lily keek omlaag en rommelde met wat bestek tot ze een klopje op haar schouder voelde.

'Hé, hallo,' riep ze naar Katy met een zogenaamd verbaasd gezicht. 'Wat doe jij hier?'

Katy riep iets terug.

'Wat zeg je?' zei Lily. Ze verstond Katy echt niet boven de muziek uit. *Me gusta marihuana, me gustas tú*, zong een vergeten artiest. Het was een vrij oud nummer. Lily bedacht dat ze het voor het eerst had gehoord tijdens het eerste jaar van haar studie, op een studentenfeestje. Lily keek om zich heen en zag dat Ignacio met een verlekkerd gezicht naar Katy keek. Toen hun blikken elkaar kruisten, trok hij met een knikje naar Katy vragend zijn wenkbrauwen op. Lily keek hem vuil aan en trok Katy verder de nis in, waar ze deels aan zijn zicht werden onttrokken. Katy zei weer iets wat Lily niet verstond.

'Wat?' riep Lily weer.

'Ik zei: wat is er?'

'De barkeeper heeft een oogje op je.'

Katy keek niet-begrijpend. Lily hield haar hoofd schuin in de richting van Ignacio en keek overdreven wellustig. Katy gluurde om de hoek en stak half serieus haar duim op.

'Jakkes,' zei Lily met opgetrokken neus. 'Serieus?'

'Wat?'

'Wat?'

'Het is hartstikke laat!' schreeuwde Katy. 'Je moet naar huis.'

'Dat kan niet,' riep Lily luidkeels. 'Ik moet tot twee uur werken.'

Javier kwam aanlopen, keurig in het pak, en wees naar Katy. 'Je vriendin mag hier niet komen,' riep hij tegen Lily. 'Tenzij ze een schort omdoet.'

'Twee uur,' zei Lily opnieuw, twee vettige vingers opstekend. Katy groette en ging weg, en Lily zag dat Ignacio haar vertrek nauwlettend volgde. Er school iets griezeligs in die verlekkerde reptielenblik – hoewel Ignacio er natuurlijk ook niets aan kon doen dat hij er zo uitzag. Desondanks voelde Lily een onaangename, achterdochtige rilling over haar ruggengraat gaan voordat Javier haar een rugklopje gaf en voorstelde dat ze op z'n minst kon doen alsof ze haar werk deed.

Die nacht stuurde Sebastien haar om vier uur een berichtje waardoor Lily wakker werd, maar ze vergat hem te antwoorden. De dag daarop vergat ze het ook, en de dag daarop ook, en op de derde dag leek reageren geforceerd en onoprecht, maar ze deed het toch maar. Ze probeerde zo luchtig en ongedwongen mogelijk te klinken – *Hé, SLC, sorry dat ik even BBH was. Zullen we vanavond afspreken?* – alsof ze reuze populair was en hij slechts een van haar vele, vele vrienden was, maar haar daarom niet minder dierbaar. Zijn antwoord volgde een dag later – venijnig en stijf – *Dat was me nauwelijks opgevallen. Je weet me te vinden* – en Lily wist dat ze het weer verkeerd had aangepakt, zoals ze altijd alles verkeerd aanpakte. Soms zou ze willen dat ze zo luchtig door het leven kon dartelen dat ze onkwetsbaar was voor wrok, boosheid en sluimerende onlustgevoelens, dat niemand zich door haar gekwetst kon voelen. Maar zo eenvoudig lag het niet in Lily's leven. Sebastiens poging om haar de gouden armband te geven lag als een loden last op haar schouders, evenals de moeizame seks, hoewel ze dat nooit hardop zou zeggen. Nu voelde het alsof ze hem iets verplicht was; alsof ze hem had verwaarloosd, en hoewel ze hem niet anders behandelde dan zoveel jongens haar hadden behandeld – waarschijnlijk niet anders dan hoe Sebastien haar het liefst zou behandelen, als ze hem de kans gaf – kon ze het bijtende gevoel achter haar hart niet van zich afzetten, de onaangename, kronkelende wroeging.

Ze belde Sebastien de volgende ochtend en stelde voor dat ze samen zouden eten. Zij zou ervoor zorgen, zei ze. Zij trakteerde. Hij stemde in.

In elk geval was de kans klein dat Sebastien ook maar met een woord zou reppen over haar recente afwezigheid. Dat kon ze wel in hem waarderen. Op Middlebury werd stoïcisme niet op prijs gesteld, daar wilde iedereen elk onbeduidend voorval bespreken en tot de bodem uitpluizen. Als je een jongen leuk vond, wilde hij je meteen realtime verslag doen van alles wat er zich in zijn leven afspeelde en een liveblog maken van zijn doen, laten en denken. Als Sebastien een jongen van Middlebury was geweest, zouden hij en Lily de aard van hun relatie al helemaal hebben uitgespit: de mate van monogamie, de vooruitzichten, de mogelijke verwijdering en scheiding, de betekenis van signalen, de betekenisloosheid van signalen. Het was in elk geval een opluchting dat al die dingen haar bespaard bleven.

Lily en Katy praatten veel over Sebastien, ten dele omdat ze verder niet zoveel te bepraten hadden. Katy's familie was te liefhebbend en stabiel om voor veel gespreksstof te zorgen. Politiek was een onderwerp waarbij Lily een zekere aversie bij Katy bespeurde die erop duidde dat het tot een conflict zou leiden als ze er dieper op inging, wat ze natuurlijk uit alle macht probeerde – ze deed buitenissige beweringen en haalde idiote statistieken aan, maar Katy liet zich niet uit haar tent lokken; ze keurde niets af en niets goed, ze vroeg Lily alleen om nadere uitleg over wat die even daarvoor had gezegd. Dus praatten Lily en Katy hoofdzakelijk over jongens, en dan vooral over Sebastien.

'O?' zei Katy. Ze zat op bed en smeerde kringetjes zonnebrandcrème rond haar ogen, op haar kin en borst. De kamer werd gevuld met de geur van kokos. 'Hoe komt dat?'

Lily haalde haar schouders op. 'Volgens mij is het gewoon een fase.'

Katy knikte. 'Hoe is de seks tegenwoordig?'

Lily was verbaasd dat Katy naar zoiets durfde te vragen, maar dat wilde ze niet laten blijken. Ze maakte een zozo-beweging met haar hand. 'Gaat wel,' zei ze. 'Ga je naar het strand of zo?'

Katy keek betrapt. 'Dit is tegen rimpels.'

'Je was toch eenentwintig?'

Katy liet haar hoofd hangen. 'Ik ben nu eenmaal paranoïde op dat gebied.'

'O,' zei Lily. 'Mag ik ook wat?'

'Tuurlijk.' Ze gooide de flacon naar Lily. 'Doe je handen ook maar.'

Gehoorzaam smeerde Lily haar handen in.

'Denk je dat jullie contact houden als je weer terug naar huis gaat?' vroeg Katy, en Lily voelde de lichte achterdocht die ze altijd kreeg als Katy naar Sebastien vroeg. Misschien voelde Katy zich nog steeds schuldig dat ze Sebastien als saai had bestempeld, nu steeds duidelijker werd dat Lily en hij met elkaar zouden blijven omgaan. Maar eigenlijk vermoedde Lily dat er meer speelde – dat deze gesprekken Katy's manier waren om omzichtig met Lily om te gaan, alsof Katy tot de conclusie was gekomen dat Lily iemand was die een speciale aanpak en extra geduld vereiste – en die gedachte zinde Lily totaal niet.

'Geen idee,' zei Lily. 'Waarschijnlijk niet.'

Boven hen hoorde Lily het prettige gezoem van Beatriz die aan het stofzuigen was. Het was een van Lily's lievelingsgeluiden uit het huiselijk bestaan, samen met het gepruttel van een koffiezetapparaat: het deed haar denken aan de ochtend, de voorbereidingen op de komst van mensen. Ze luisterde even met haar ogen dicht.

'Niet?' vroeg Katy.

Lily deed haar ogen weer open. 'Kijk alleen al naar de praktische kant.'

Boven ging de telefoon.

'Hij kan je komen opzoeken,' zei Katy. 'Het is niet bepaald zo dat hij zich dat niet kan veroorloven.'

Lily haalde haar schouders op en trok haar neus op. De telefoon ging opnieuw. 'Ik denk dat ik maar even opneem,' zei ze. Ze liep de trap op, gevolgd door Katy.

De woonkamer baadde in een zee van licht; de rode gordijnen wiegden zachtjes heen en weer in de wind, ze verhulden en onthulden beurtelings een wazige wolkenbaan aan de hemel. De stofzuiger zweeg en in de verte hoorde Lily het galmende geluid van kerkklokken. Wat een leven hadden de mensen hier toch! Ze zou wel voor altijd willen blijven. Ze zuchtte. De telefoon ging voor de derde keer over.

'Sí?' zei Lily half buiten adem.

Het was even stil.

'Eh, is Carlos Carrizo in de buurt?'

'Het spijt me, maar hij is momenteel niet thuis,' zei Lily. 'Kan ik een boodschap aannemen?'

Er volgde weer een stilte en Lily trok de la van de wandtafel open om een pen te zoeken. Ze zag een indrukwekkende hoeveelheid paperassen; documenten en brieven die vol ambtelijke taal leken te staan. Ze herkende de woorden niet, maar ze leken gewichtig en serieus. Spaans was een veel te mooie taal voor zulke zaken, besloot ze. Ze legde de hoorn in haar nek en wenkte Katy.

'Wat?' vroeg Katy geluidloos, maar ze bleef staan.

De man aan de telefoon noemde zijn naam en nummer en Lily wroette in de la, op zoek naar een pen. Ze schreef net het nummer op haar hand toen Beatriz met een volle wasmand boven aan de trap verscheen. De man hing op.

'Wat doe je daar?' vroeg Beatriz. Haar gezicht stond star en haar ogen waren kil, haar haar zat strak naar achteren in een knot. Lily had de hoorn nog in haar hand. Ze legde hem overdreven voorzichtig op het toestel, alsof ze daarmee een complimentje kon verdienen.

'Ik nam een boodschap voor jullie aan,' zei ze.

Beatriz liep langzaam de trap af en Lily wist dat het aanstaande gesprek niet prettig zou worden. Ze wilde zich omdraaien om bij Katy steun te zoeken, maar ze durfde niet; er was iets onbenoembaar angstaanjagends aan de woede van een volwassene die je niet goed kende. Wanneer werden onbekende volwassenen eigenlijk kwaad op je? Nooit in het echte leven – alleen in het verkeer en op internet. Lily dacht terug aan een keer toen ze klein was en door de moeder van een vriendinnetje was uitgescholden vanwege iets wat op die leeftijd te abstract was geweest om te begrijpen. Ze herinnerde zich haar doodsangst; het vreemde, verontrustende gevoel dat het hele universum tegen haar was, en dat dat misschien wel altijd zo was geweest, maar dat ze het nu pas voor het eerst merkte. Beatriz was intussen beneden en zette de wasmand neer.

'Waarom nam je onze telefoon op?' Ze schreeuwde in elk geval niet.

'Omdat jij niet opnam.'

'Ik was aan het stofzuigen.'

'Ik wilde alleen even de boodschap aannemen.'

'Je neemt nooit meer onze telefoon op. Begrepen? Ik kan je verzekeren dat het toch niet voor jou is.'

Lily kreeg het vreemde, prikkelende gevoel achter in haar neus dat er soms op duidde dat ze op het punt stond te gaan huilen. 'Dat dacht ik ook niet,' fluisterde ze. Ze begreep niet waarom ze zich zo ellendig voelde. Ze had niets misdaan. 'Ik wilde alleen maar helpen.'

'En dat?' Beatriz wees naar de paperassen die nog half uit de la staken. 'Wat wilde je daarmee? Ook helpen?'

'Niks!' Lily schoof de la met een klap dicht. 'Ik zocht alleen een velletje papier. Ik heb niets gelezen. Echt niet.'

Beatriz deed een stap naar achteren en haalde diep adem. Lily zag haar eigen angst weerspiegeld in het gezicht van Beatriz, die daarop een beetje leek te bedaren.

'Hou in het vervolg wat meer rekening met onze privacy.' Beatriz klonk nu milder, maar Lily kon horen dat ze zich daarvoor geweld moest aandoen, en dat was bijna nog erger dan wanneer ze had laten blijken hoe kwaad ze echt was. Lily draaide zich naar Katy toe om steun te zoeken bij haar, maar zij bleef open en neutraal kijken, klaar om te geloven en geloofd te worden. Als Beatriz een halve minuut later was gekomen, hadden ze met z'n tweeën in de paperassen staan graaien. Katy zou zijn komen kijken. Gegarandeerd. Geen twijfel mogelijk.

'Jullie hebben beneden een fantastische kamer,' zei Beatriz en ze pakte de wasmand weer op. 'Daar hebben jullie alles wat jullie nodig hebben. Als jullie verder iets nodig hebben, vragen jullie het eerst aan mij.'

Daarna liep ze met de wasmand naar het souterrain en vlak daarna hoorde Lily de wasmachine.

Katy floot zachtjes. 'Jakkes,' zei ze. 'Was dat even pech hebben.'

Lily haalde haar duim over het telefoontafeltje. Ze hoopte dat er stof lag dat ze zogenaamd zou kunnen wegvegen of dat ze een kleine onrechtmatigheid kon verwijderen, maar huize Carrizo was altijd volstrekt smetteloos.

'Wat stond er in die papieren?' vroeg Katy na een korte stilte.

'Dat is het hem juist,' zei Lily. 'Ik heb geen idee.'

Toen Lily zich die avond met een pizzadoos naar Sebastiens huis haastte, was haar humeur nog steeds ver onder het vriespunt. Ze had Beatriz teleurgesteld en nu zou ze Sebastien geheid ook teleurstellen. Dat was simpelweg onvermijdelijk. Ze klopte aan en wachtte.

Maar eigenlijk, hield ze zich voor, kon het helemaal geen kwaad om je wat minder uit te sloven voor een jongen. Als ze dacht aan alle bochten waarin ze zich had gewrongen om er maar voor te zorgen dat de jongens die ze kende het maar naar hun zin hadden – wat had ze zich uitgesloofd! – kromp ze letterlijk ineen. Voor jongens die aan de telefoon extra recalcitrant waren, had ze van tevoren soms zelfs vragen opgeschreven die ze kon stellen. Had iemand ooit zoveel moeite voor haar gedaan? Zou ze dat hebben gewild? Lily vond dat ze zich intussen wel wat onverschilligheid mocht veroorloven, en dat nu het moment was om de daad bij het woord te voegen.

Na een momentje wachten verscheen Sebastien aan de deur. Hij droeg een kastanjebruin vest van het soort dat professoren in films droegen, maar zover Lily wist nooit in het echte leven. Zijn haar was prettig warrig – het begon wat langer te worden, wat ze heel aantrekkelijk vond, maar ze haalde het niet in haar hoofd om dat te zeggen, uit angst dat hij het meteen uit pure pesterij zou afknippen. Ze produceerde haar allerliefste glimlach. 'Hallo,' zei ze. 'Is dat vest niet te warm?'

'De mythische Lily Hayes! Grote genade!' zei hij, en hij wuifde zichzelf zogenaamd wat koelte toe. 'Waaraan heb ik dit zeldzame genoegen te danken?'

'Ik heb een pizza meegebracht,' zei Lily, nog steeds glimlachend. 'Hou je van pizza? Je bent tenslotte ooit een Amerikaanse tiener geweest.'

'Ik ben nooit een Amerikaan geweest. En ook geen tiener, strikt genomen.'

Lily klemde haar kaken op elkaar. 'Kun je me desondanks vergeven? En mag ik alsjeblieft binnenkomen? Ik wil die doos ergens kwijt.'

'Vergeven is maar saai,' zei Sebastien terwijl hij haar naar binnen gebaarde. Het was smoorheet in huis en de enige verlichting was afkomstig van een paar kaarsen die al grotendeels waren opgebrand, waardoor de kamer in een flakkerend middeleeuws licht werd gezet. Lily zette de doos op de eettafel.

'Jullie Amerikanen met jullie proto-christendom, jullie neoplatonisme,' zei Sebastien. Hij maakte de doos open en keek misprijzend naar de pepperoni. 'En jullie varkensvleesproducten. Ach, jullie constante, zelfvoldane vergevingsgezindheid zal wel een redelijk tegenwicht vormen voor het nuttigen van pizza's met onrein dierenvlees. Dat is de belangrijkste concessie van de abrahamitische religies, volgens mij.'

'Als je het niet lekker vindt, halen we het er wel af. En ik weet al dat je boos op me bent, dus je kunt al die toespelingen wel achterwege laten. En er is toch al geen touw aan al je beweringen vast te knopen, zelfs niet in het kader van jouw eigen, interne logica.'

'Boos op jou, mijn lentebloesempje? Ban die gedachte snel uit je hoofd.'

'Het spijt me dat ik afgelopen week zo weinig van me heb laten horen,' zei Lily voorzichtig. 'Ik was druk.'

'Ik begrijp het. Ik had zelf ook duizend-en-één andere dingen aan mijn hoofd. Die kinderen met hun eindeloze voetbaltrainingen, je weet hoe het gaat.'

'Ik zeg toch dat het me spijt, Sebastien.'

'En ik zei dat ik het niet erg vond.'

Lily wilde Sebastien niet laten merken hoe ongelooflijk vermoeiend ze hem begon te vinden. Ze wilde het voor zichzelf ook niet echt toegeven; ze voelde – nu al! – een steek van nostalgie als ze terugdacht aan haar gevoelens in die eerste paar weken, en ze koesterde de vage hoop dat die zouden terugkomen. Er waren tenslotte momenten – zoals hoe Sebastien had gekeken toen ze voor het eerst bij hem voor de deur had gestaan, met zijn open, onbevangen en prachtig jeugdige gezicht – die haar nog steeds vlinders in haar buik bezorgden. Maar vervolgens was hij gaan praten, steevast eindeloos langdradig, steevast op ironische toon, waardoor Lily's gedachten begonnen af te dwalen. Katy had Sebastien een keer omschreven als een fossiele vlieg die opgesloten zat in het amber van zijn huis, en dat beeld bleef Lily hardnekkig en irritant achtervolgen.

Ze pakte twee stoffige borden uit de kast, spoelde ze af en zette ze op tafel. Ze legde op elk ervan een pizzapunt en nam een hap van de hare. Sebastien niet.

'Ben je in hongerstaking?' vroeg ze. Zijn huid glom en hij zag er ziekelijk uit; Lily voelde plotseling en voor het eerst hoe fragiel zijn aantrekkingskracht voor haar eigenlijk was. 'Ben je bereid om je eisen kenbaar te maken?'

Bij wijze van uitzondering zei Sebastien niets.

Later, na een plichtmatige en weinig gedenkwaardige vrijpartij, bleef Lily ongedurig. Ze zat op de rand van het bed met haar gezicht van Sebastien afgewend en deed haar bh weer aan. Het was nog vroeg, de sterren waren doffe topazen aan de hemel die pas een bescheiden licht begonnen af te geven. De herinnering aan de ruzie met Beatriz nestelde zich als het drukkende gevoel van een aanstaande hartaanval achter Lily's borstbeen. Ze zuchtte diep. Sebastien zei niets. Lily wilde ergens heen gaan. Ze gingen nooit samen ergens naartoe. Ze zuchtte opnieuw.

'Zit je iets dwars, liefste?'

'Ik verveel me,' zei Lily en ze wurmde zich in haar topje. 'Zullen we uitgaan?'

'Waar zou je heen willen?' Sebastien lag op bed, nog steeds naakt. Hij was exotisch schaamteloos over naaktheid. Vóór de seks vond Lily dat altijd een heel prettige eigenschap van hem, erna had ze dat iets minder.

'Ik weet het niet.' Ze draaide met haar schouders. Ze kraakten hoorbaar en Lily was blij toen Sebastien even zichtbaar schrok van het geluid. 'Maakt me niet uit. Gewoon ergens. Jij mag het zeggen.'

Sebastien kwam ietsje overeind en keek haar gemaakt serieus aan. 'Lily Hayes, ben je vanavond soms niet helemaal in goeden doen?'

Ze draaide weer met haar schouders, maar dit keer maakten ze geen geluid. 'Dat zou kunnen,' zei ze.

Sebastien ging helemaal rechtop zitten. 'Wat is er?'

Lily was verbaasd door zijn directheid – ze had verwacht dat hij op de gebruikelijke manier zou reageren – en opeens leek het mogelijk dat ze hem gewoon kon vertellen wat er was gebeurd. Niet dat het veel zou helpen – je kon je problemen waarschijnlijk net zo goed voorleggen aan een Magic 8-Ball. Maar het kon ook geen kwaad, dacht ze.

'Ik heb bonje gehad met Beatriz.'

'Alweer?'

'Ja, alweer.' Op de een of andere manier leek de hele toestand zo oneerlijk, groter en ernstiger dan een simpel misverstand, hoewel Lily niet exact kon aangeven waarom precies. Sebastien stond op, trok zijn boxershort aan – eindelijk! – ging naast haar zitten en legde zijn hoofd op haar schouder. Lily wist dat het ironisch bedoeld was – het was een reactie en een parodie op zulke gebaren – maar zijn haar was zacht en zijn huid was warm, en ze hoopte dat hij een tijdje zo zou blijven zitten.

'Ik hoop heel erg dat ík niet de oorzaak was,' zei hij.

'Dit keer niet, daar hoef je niet over in te zitten.' Lily ging met haar vingers door zijn haar en streelde zachtjes over zijn schedel. Hij zat zo mooi in elkaar. 'Ze flipte omdat ik de telefoon opnam.'

'De brutaliteit!'

'Vertel mij wat! Ik bedoel, ik snap in de meeste gevallen wel waarom Katy nooit problemen met ze heeft. Zij gaat 's avonds nooit de deur uit, om maar wat te noemen.'

Sebastiens ogen glinsterden lichtjes op. 'Is dat zo?' vroeg hij, en Lily kreeg weer even het onbestemde, onprettige gevoel dat iedereen om haar heen meer wist dan zij.

'Nou ja,' zei ze. 'Zo precies weet ik het ook allemaal niet, hoewel we in dezelfde kamer slapen. Ze moet wel heel erg stil zijn om er ongemerkt tussenuit te glippen. En ze lijkt me ook niet bepaald het type om ertussenuit te glippen.'

'Hm,' zei Sebastien. Lily hield op met door zijn haar kroelen en gaf een tikje tegen zijn schouder om aan te geven dat hij rechtop moest gaan zitten.

'Maar op mijn donder krijgen voor dingen die ik echt verkeerd doe is één ding. Op mijn donder krijgen voor zoiets terwijl Katy er vlak naast staat is gewoon oneerlijk.'

'Het gaat om het principe, bedoel je dat? Om abstracte dingen als gerechtigheid en rechtvaardigheid?'

'Het komt erop neer dat Beatriz gewoon de pest aan me heeft, ongeacht wat ik doe. Als Katy en ik exact hetzelfde zouden uithalen, beschuldigt Beatriz mij van kwade bedoelingen en Katy krijgt een schouderklopje. Maar misschien heb ik ook wel kwade bedoelingen. Soms in elk geval wel.'

Sebastien trok haar tegen zich aan. Hij rook vaag naar uien, wat Lily niet onprettig vond; ze werd aangenaam verrast door zulke momenten van onmiskenbare mannelijkheid, die compenseerden zijn kinderogen, zijn sproeten en zijn eeuwige betweterigheid. Ze zou hem dat zo graag willen vertellen; al die keren dat hij maar door bleef zwetsen, wilde ze haar hand op de zijne of op zijn heup leggen en zeggen: *Hou op. Hou alsjeblieft op. Ik was sowieso al diep onder de indruk.* Maar ze wist dat dat niet in goede aarde zou vallen omdat hij het ordinair en alledaags zou vinden. En Lily had toch al de indruk dat zij wellicht niet de enige was op wie hij indruk probeerde te maken.

'Kwade bedoelingen?' vroeg Sebastien en hij gaf Lily een kus op haar slaap. 'Ik wist wel dat je een slecht mens was.'

'Misschien ben ik dat echt,' zei Lily somber. 'Zo lijk ik wel op iedereen over te komen.'

'Kom, mijn zwaarmoedige zijderups,' zei Sebastien en hij klopte Lily vaderlijk op de schouder. 'We gaan uit. Ik zal mijn wandelstok pakken.'

De maan was reusachtig en meloengeel, hij leek bijna te zwaar voor de hemel. Lily was ervan uitgegaan dat de opmerking over de wandelstok een grapje was, maar Sebastien had er inderdaad een opgegraven uit de krochten van het huis, hij zwaaide er parmantig mee rond en tikte er van tijd tot tijd mee op de grond. Hij vertelde dat zijn ouders hem op Fiji hadden gekocht. De stok was versierd met stukjes zeeoorschelp die glansden als de ogen van een nachtelijk wezen, en Lily bleef angstvallig uit de buurt van het ding toen ze door de bosjes over een heuvel liepen, in de richting van een rivier, volgens Sebastien.

Lily was in een speelse bui. De griezelige wandelstok maakte haar zenuwachtig, op een wonderlijk kinderachtige, maar niet geheel onprettige manier. Buiten, in de zwoele avondlucht, wogen de problemen met Beatriz een stuk minder zwaar. Het was onmogelijk om door iedereen aardig te worden gevonden; je kon je hele leven je uiterste best doen zonder dat je er iets mee opschoot. Lily maakte een radslag. Sebastien klemde de wandelstok onder zijn arm en klapte beschaafd in zijn handen. Ze maakte er nog eentje – kan ermee door, dacht ze. Het kostte haar moeite, terwijl het haar altijd redelijk moeiteloos was afgegaan. Maar zo ging het met zoveel dingen – je dwaalde even af van waar je mee bezig was en als je er weer op terugkwam, leek het alsof het een eeuwigheid geleden was.

Lily had nog maar drie maanden in Argentinië over.

Ze liepen verder tot ze bij de rivier kwamen. De lucht was helder en de maan was zo groot dat Lily de kringen eromheen kon onderscheiden, ze vormden een vage vingerafdruk aan de hemel. Het had een romantisch moment kunnen zijn – Lily voelde hoe Sebastien aanstalten maakte om haar hand te pakken en haar te zoenen – maar ze wilde die sfeer doorbreken. Ze voelde zich ondeugend, slinks; ze wilde Sebastien zover krijgen dat hij iets joligs deed, iets waarbij hij met geen mogelijkheid ongenaakbaar kon lijken. Ze vroeg zich af waarom ze er niet eerder aan had gedacht om hem mee naar buiten te nemen. Waarschijnlijk omdat het veel te voorspelbaar had geleken. Maar ze zag nu dat Sebastien in de buitenwereld niet geheel op zijn gemak was; zij had nu in zekere zin het thuisvoordeel.

'Zullen we Poeh-stokjes spelen?' vroeg ze.

'Wat?'

'Zoals in *Winnie de Poeh*?'

'Ik vrees dat ik die niet ken.'

'Heb je nooit *Winnie de Poeh* gelezen?'

'De voorkeur van mijn ouders neeg toch meer naar schrijvers van het Europese vasteland.'

'Je gooit allebei een stokje in het water en kijkt welk stokje het eerst aan de andere kant van de brug is.'

'Het klinkt reuze spannend.'

'Het is een spelletje voor fictieve knuffelbeesten, dus ja, het is suf. Kom op, zoek een stokje.' Hier had Lily ook nooit eerder aan gedacht: om Sebastien gewoon voor het blok te zetten. Ze was altijd veel te omzichtig, ze liet hem altijd de gespreksonderwerpen bepalen, ze liet zich door hem steeds dieper in zijn sardonische moeras trekken waar zij zich met geen mogelijkheid staande wist te houden. Maar nu waren ze buiten, en het lawaai van de rivier maakte badinerend gebabbel onmogelijk; Lily wist dat Sebastien alles zou doen wat zij van hem vroeg.

'Wat?'

'Ga een stok zoeken,' zei ze streng. 'En zorg dat het een goeie is.'

Sebastien wierp haar een onheilspellende blik toe en liep de bosjes in. Lily rende het struikgewas in en vond een stok. Buiten adem rende ze terug. Haar handen waren vies. Dit was vriendschap; dit was het basismateriaal voor herinneringen en nostalgische terugblikken. Ze troffen elkaar op de brug.

'Oké,' zei ze met een blik op het water. De rivier stroomde zwartglanzend onder hen, het weerkaatste licht van de maan was beverig en onregelmatig. 'Laat vallen.'

Ze lieten hun stokjes vallen. Lily pakte Sebastien bij de arm en trok hem mee naar de andere kant van de brug. Vlak daarna verscheen er een stokje, gevolgd door een tweede. 'Ik weet niet meer welke van wie is,' zei Lily. Ze lachte iets uitbundiger dan ze normaal gesproken zou doen. Dit was tenslotte háár impulsieve avontuurtje, en ze wist dat ze moest doen alsof ze het ongelooflijk arbitrair naar hun zin hadden. Dat was in de hedendaagse wereld doorgaans de taak van de vrouw, wist ze. Daarvoor had ze genoeg films gezien.

'De mijne was eerst,' zei Sebastien. 'Ik herken hem uit duizenden. De mijne heeft gewonnen!'

'Je hebt vals gespeeld!' riep Lily. Ze was hoe dan ook van plan geweest om te zeggen dat hij vals had gespeeld, hoe het ook zou zijn afgelopen.

'Jij hebt me laten winnen,' zei hij.

Lily gaf hem een speelse klap op zijn achterwerk, pakte zijn handen en trok hem naar de grond. Ze wilde een blijmoedig, sprankelend en nieuwsgierig elfje zijn. Ze wilde iemand zijn die zich af en toe in de nesten werkte, maar alleen omdat ze zo vol levenslust zat en zich niet wilde conformeren, alleen omdat ze heel bijzonder was, en niet omdat ze ooit kwaad in de zin had.

Ze vlocht haar vingers door die van Sebastien. Ze lagen een hele tijd naast elkaar in het gras en Sebastien vertelde van alles en nog wat over de diverse sterrenbeelden. En hoewel ze een paar keer zeker wist dat hij onzin verkondigde, besloot ze dat niet tegen hem te zeggen.

Toen ze veel later die avond in haar eigen bed lag – nadat ze in de hal haar schoenen had uitgedaan, behoedzaam haar weg had gezocht over het linoleum en de deur van het souterrain muisstil achter zich had dichtgetrokken – kon Lily niet slapen. Een enorme inwendige zee van onrust groeide uit tot een orkaan; de dromerige magie van de avond was vervlogen en er restte slechts een onaangenaam vaststaand feit: Beatriz haatte haar. Beatriz háátte haar. En niet alleen vanwege dingen die ze wel had gedaan, maar ook vanwege dingen die ze niet had gedaan. Katy slaagde er steeds in om buiten schot te blijven, en hoe kwam dat? Alleen maar omdat ze zo'n lief gezichtje had en zo onschuldig leek? Omdat ze tijdens het eten nooit haar mening ergens over gaf? Of deed ze daadwerkelijk iets goed, iets waarvan Lily kon leren? Klopte het dat Katy op de een of andere manier beter oplette?

Lily ging met een ruk rechtop zitten. 'Hoe wist je dat ze aangeklaagd werden?'

Het zou kunnen dat Katy sliep – het was laat, het licht was uit en Katy had niets gezegd toen Lily was binnengekomen en in het bovenste bed was geklommen, waarbij haar tenen pijn deden bij elke sport van het trapje – maar ergens vermoedde Lily dat ze nog wakker was: de kamer gonsde door de aanwezigheid van een ander bewustzijn en Lily wist plotseling zeker dat Katy op haar had liggen wachten.

Het bleef stil. Lily voelde het bed zachtjes bewegen toen Katy zich omdraaide. 'Dat heeft Sebastien me verteld,' zei ze even daarna.

Lily stootte bijna haar hoofd tegen het plafond. 'Heeft Sebastien je dat verteld? Wanneer?'

'Ik ben naar hem toe gegaan om het te vragen.'

Lily ging weer liggen. Haar hart bonsde. Ze probeerde haar stem onder controle te houden. 'Ik wist niet dat jullie bevriend waren.'

Lily voelde hoe Katy haar schouders ophaalde. 'Dat zijn we ook niet echt.'

Niet echt bevriend kon van alles en nog wat betekenen, wist Lily. Ze konden vijanden zijn, of vrijanden, of neukmaatjes, of talloze variaties daarop. Ze peinsde er natuurlijk niet over nadere uitleg te vragen. 'Ik dacht dat je hem niet kon uitstaan,' zei ze.

'Ik zei dat we niet echt bevriend waren. En nee, ik kan hem prima uitstaan.'

Lily zag alles opeens in een heel ander perspectief, onmetelijk groot en voor de hand liggend. Natuurlijk. Ze dacht aan de manier waarop Katy hun gesprekken altijd naar Sebastien had geleid – waarom zou iemand zich zo druk maken om het seksleven van een ander meisje? Ze dacht aan de avond na dat eerste etentje, toen Sebastien en Katy samen op de veranda hadden gestaan – Sebastien die er onrustig bij had gestaan, Katy die een sigaret rookte (wie had dat ooit kunnen denken?). Lily had ze door het badkamerraam gezien, maar ze had er verder niet bij stilgestaan. Nu besefte ze dat Sebastien waarschijnlijk vanaf het begin de voorkeur aan Katy had gegeven en dat Lily bij gebrek aan beter zijn tweede keus was geweest. En misschien speelde er nog steeds iets van een verliefdheid of affaire tussen de twee – hoe het precies zat maakte niet uit; het veranderde verder niets. Misschien hield Sebastien wel echt van Lily, met een diffuse, indirecte en anonieme liefde. Haar ervaring had haar geleerd dat de meeste jongens zo waren; ze konden met oprechte tederheid liefhebben, maar hun liefde was bijna altijd gericht op de generieke kwaliteiten van een meisje – haar lieftalligheid, haar zachtheid of relatieve schoonheid, haar archetypische vrouwelijke eigenschappen, wat voor freudiaanse moederlijke uitstraling ze had – en dus was die uitwisselbaar en niet specifiek. Ultiem inhoudsloos, ook al was het in technische zin echt. Ze hoefde alleen maar naar Harold te kijken, de aanstaande econoom! Lily was zo slim geweest om gedurende die hele relatie een strategie van passief verzet te hanteren. Alle jongens waren hetzelfde, zelfs Sebastien, die zo veelbelovend buitenissig had geleken. Hij wilde alleen maar een meisje (om het even wie!) dat lief, redelijk en aantrekkelijk was. En Katy was dat allemaal, meer zelfs dan Lily.

'We zijn misschien niet de allerbeste maatjes,' zei Katy, 'maar het is overduidelijk dat hij stapelgek op je is.'

Lily zei niets. Ze ging op haar zij liggen en staarde langdurig naar het plafond. Ze sliep niet. En dit keer wist ze honderd procent zeker dat Katy ook niet sliep.

10

Maart

Op woensdag kwam de uitslag van het DNA-onderzoek binnen.

Zoals Eduardo al had verwacht, was er nergens in het huis een spoor van Sebastien LeCompte aangetroffen. Zoals hij ook al had verwacht, was er evenmin iets gevonden van Javier Aguirre, de nachtclubeigenaar die Lily had genoemd. Bovendien had Aguirre een waterdicht alibi – een avondje in een striptent, compleet met beveiligingsbeelden die je eigenlijk niet wilde zien en geboekstaafd door geldopnames bij een pinautomaat. Het DNA dat wel overal op de plaats delict was aangetroffen – in het sperma in Katy's lichaam, in de bloedvlekken op de vloerbedekking, in de inhoud van het vreemd genoeg niet-doorgespoelde toilet – was afkomstig van ene Ignacio Toledo, die af en toe als barkeeper in de Fuego werkte en die naar het scheen sinds de moord op Katy niet meer op zijn werk was verschenen.

Toledo was twee keer eerder gearresteerd – een keer wegens het bezit van cocaïnepasta en een keer wegens het vernielen van een auto, hoewel zo goed als zeker was dat het eigenlijk een poging was om het voertuig te stelen. Hij had beide keren belastende getuigenissen tegen zijn vrienden afgelegd en na de tweede veroordeling had hij achttien maanden in Villa Concepción gezeten. Hij stond niet bekend als gewelddadig, in elk geval niet volgens zijn strafdossier, maar dat deed er verder ook niet toe. Elk mens creëerde ter plekke zijn levensverhaal; elke moordenaar had ooit vele jaren volstrekt onschuldig geleefd. En Eduardo wist dat als er twee belangrijke factoren voorafgingen aan geweld, dat de gevangenis en cocaïnepasta waren.

Zoals Eduardo al had verwacht waren er ook diverse sporen van de aanwezigheid van Lily Hayes op de plaats van het misdrijf gevonden – op Katy's mond (de verdediging zou proberen dit te verklaren met de zeer onwaarschijnlijke poging tot reanimatie), op een bh van Katy (Eduardo was reuze benieuwd hoe de verdediging dat zou proberen te verklaren) en, het meest verdacht, op het mes. Eduardo wist al wat de verdediging daarover zou zeggen: het was een keukenmes waar iedereen in huis toegang tot had. In de gesprekken die Eduardo had gevoerd had zowel Beatriz als Carlos kenbaar gemaakt dat ze zich niet konden herinneren dat Lily ooit iets te eten had gemaakt; bovendien had Lily in haar eerdere verhoren, waarbij hij uitgebreid navraag had gedaan naar de dagelijkse gang van zaken in huis, ook niet één keer iets gezegd over het bereiden van een maaltijd. Desondanks zou de jury het volkomen plausibel vinden dat Lily het keukenmes tijdens haar verblijf bij de Carrizo's weleens in handen had gehad – en wie kon met zekerheid zeggen dat dat niet zo was? Eigenlijk waren de sporen op de bh-sluiting veelzeggender – en in zekere zin ook belangrijker. Hierbij ging het om een voorwerp waar Lily normaal gesproken geen contact mee zou maken, en hier lag het bewijs dat ze dat wel had gedaan.

'Waarom heb je tegen ons gezegd dat Javier Aguirre het heeft gedaan?' vroeg Eduardo aan Lily. Ze werd geflankeerd door haar twee advocaten, die al dagen eerder door de familie Hayes in de arm waren genomen, maar die pas kortgeleden op de hoogte waren gesteld van het feit dat hun cliënt zonder juridische bijstand was verhoord. Eduardo kende beide mannen vagelijk: Velazquez, wiens kale hoofd zo glom dat het leek alsof het in de was was gezet, en Ojeda, die zo enorm dik was dat je het idee kreeg dat als je heel, heel erg stil was, je hem daadwerkelijk dikker kon hóren worden. Ojeda verstond zijn vak –

hij was geniaal, meedogenloos en ongelooflijk efficiënt – en volgens Eduardo maakte hij bewust gebruik van zijn corpulentie om zijn tegenstanders zijn vaardigheid te laten onderschatten. Eduardo bewonderde hem stiekem om die tactiek, en hij voelde er ook een zekere affiniteit mee. Velazquez en Ojeda zouden Lily natuurlijk verbieden om in de rol van verdachte met Eduardo te praten, maar door het noemen van Javier Aguirre als mogelijke dader kon Eduardo haar wel als getuige horen, en zelfs haar advocaten konden dat niet verhinderen.

'Dat heb ik niet gezegd,' zei Lily.

'Je zou kunnen worden aangeklaagd wegens smaad, weet je. Hij kan je voor de burgerrechter dagen.'

'Ik heb niet tegen u gezegd dat hij het heeft gedaan.'

'Moet ik het verslag voorlezen?'

'U dwong me om iemand te noemen!'

Eduardo trok een onbegrijpend gezicht. 'Hoe heb ik je dan gedwongen? Heb ik je bedreigd? Ben je op wat voor manier dan ook fysiek gedwongen?'

Lily keek naar de grond. Haar ongewassen haar hing in zware gordijnplooien langs haar gezicht; haar donkere ogen gloeiden ertussendoor. Ze gaf geen antwoord.

Eduardo boog zich voorover. 'Waarom, Lily? Waarom noemde je Javier? Had je problemen met hem? Op je werk?'

Lily schudde haar hoofd. 'Ik heb nooit problemen met Javier gehad.'

'Maar hij heeft je wel ontslagen.'

'Vanwege mijn verjaardagsfeest, ja.'

'Ik heb gehoord dat je daarvoor ook al problemen met hem had.'

Lily schoot overeind. 'Wie heeft dat gezegd?' vroeg ze. Het zou ontroerend zijn geweest als het niet zo dubbel was: ze maakte zich nog steeds druk om hoe er over haar werk werd gedacht.

'Je liet dingen vallen. De kas klopte niet.'

'Ik was nieuw!'

'Je hebt ons de naam Javier Aguirre gegeven, en dat heeft ons op een dwaalspoor gezet.'

'Dat was niet mijn bedoeling.'

'Maar we zaten de hele tijd al op het goede spoor, hè?'

'Oké,' zei Velazquez en hij stond op. 'Zo is het welletjes.'

Die avond luisterde Eduardo naar de opnames van zijn gesprekken met Lily, in de hoop dat hem iets nieuws zou opvallen. Het was alsof de tijd zich had gesplitst, alsof zijn leven zich nu op twee evenwijdige sporen afspeelde. Maria was voortdurend aanwezig: haar gladde rug, haar licht gebogen neus, de volmaakte en blijvende zekerheid van haar slaap. En tegelijk was Lily ook voortdurend aanwezig; fragmenten van Eduardo's gesprekken met haar golfden als eb en vloed door zijn bewustzijn.

Dus je hebt de hele dag liggen slapen? En je vond het niet vreemd dat Katy maar niet verscheen? Je hebt er niet aan gedacht om haar te gaan zoeken?

Godsamme, ik heb haar gezocht. Ik heb haar gevonden!

Eduardo luisterde keer op keer de opnames af. Hij drukte opnieuw op 'play' en liep opnieuw door het cellencomplex, zijn keurige schoenen piepten op de vloer, het besef van de hardnekkige en alomtegenwoordige viezigheid werd extra benadrukt door de scherpe geur van schoonmaakmiddel. Het leek alsof hij alleen maar donkergrijze muren zag, het licht dat door de hoge lichtkoepels viel was grauw en grijs of felgeel, afhankelijk van het tijdstip. Het leek alsof hij voortdurend onder het reusachtige bord met daarop de tekst PROHIBIDO FUMAR stond en snakte naar een sigaret, zijn hoofd voelde ietsje lichter door woede of desillusie of vaste, priemende helderheid.

Je hebt niet overwogen om eerder naar haar op zoek te gaan.

Ik dacht dat ze sliep.

Op de bandopname klonk er een licht gelispel in Lily's stem dat Eduardo in het echt nog niet was opgevallen. En de opnames onthulden ook nog andere, minder onbeduidende geheimen. Langzaam maar zeker werd de link tussen Lily en Ignacio

Toledo duidelijk. In eerste instantie leek Ignacio Toledo geen rol in Lily's leven te hebben gespeeld. Maar als je wat beter keek – als je Lily Hayes kende zoals Eduardo haar kende – zag je dat dat wel degelijk het geval was.

Het belangrijkst was wellicht dat hij de tegenpool was van Sebastien LeCompte. Sebastien was knap, in sommige ogen, en bovendien onwaarschijnlijk rijk. Maar hij was ook in alle opzichten onuitstaanbaar: ondoorgrondelijk, gekmakend emotieloos, hij draaide zowel in woord als daad eindeloze rondjes in half-ironische, raadselachtige draaikolken. Een nachtje met iemand die over geen van die eigenschappen beschikte was voor iemand als Lily de ideale figuur om wraak mee te nemen – een ongecompliceerde echte vent uit de arbeidersklasse. Lily was tenslotte ook degene die foto's had gemaakt van een man zonder broek, ze was een verknipt wezen: een meisje dat op jacht was naar authentieke, Argentijnse karikaturen, dingen waaraan ze zich kon overgeven en waarover ze later kon opscheppen. In tegenstelling tot Sebastien LeCompte was Ignacio Toledo volkomen echt, en echt gevaarlijk.

Lily had bij aanvang van hun avondje natuurlijk niet geweten hoe gevaarlijk hij was. Maar ze had voor die avond ook niet geweten hoe gevaarlijk ze zelf kon zijn. En dus zou de avond beginnen met een kleine wreedheid: haar woede over de breuk met Sebastien en zijn omgang met Katy zou de geringere woede over haar ontslag bij de Fuego overschaduwen, ze zou erheen gaan en daar zou ze Ignacio Toledo treffen, de enige met wie ze wraak kon nemen op iedereen – Sebastien en Katy, Javier, zelfs Beatriz Carrizo (die wit om de neus zou zijn geworden bij de gedachte dat zo'n man bij haar in huis op de thee zou komen, laat staan om er een moord te plegen) – allemaal tegelijk. Het was meesterlijk efficiënt, zelfs als Lily niet exact had geweten waardoor haar handelingen die avond werden ingegeven, wat volgens Eduardo ook het geval was geweest – haar beweegredenen lagen besloten in de reusachtige blauwe ijsberg van haar onderbewustzijn, ze lagen onopgemerkt op de loer achter haar blanco gedachten. Dus zou Lily tegen sluitingstijd naar de club gaan, misschien zonder precies te weten waarom, maar wel vervuld van een roekeloze geldingsdrang en daadkracht. Wat zie jij er aangeslagen uit, zou Ignacio Toledo misschien zeggen, en haar iets te drinken aanbieden. Ik mag hier eigenlijk niet komen, zou ze wellicht antwoorden. Toledo zou zijn wenkbrauwen optrekken, een vinger tegen zijn lippen drukken en zeggen: ik hou mijn mond wel.

Vanaf dat moment zouden ze samenzweerders zijn – eerst bij een tweede glaasje, dan bij een derde. Daarna zouden ze weggaan uit de club en op enig moment zou Toledo met de cocaïnepasta voor de dag komen, en hoewel Lily er geen gebruik van maakte (er waren alleen sporen van marihuana in haar bloed aangetroffen) zou de aanwezigheid van de substantie haar een adrenalinestoot geven, een rebelse opwinding omdat ze getuige was van iets wat veel subversiever was dan alles wat er gangbaar was onder de hoogbegaafde blanke jongelui van Vermont. Na verloop van tijd zou Ignacio met een plan voor de avond komen, en Lily zou ermee instemmen. Waarschijnlijk had ze hem tot dan toe niet zo goed gekend, maar ze was uit op iets avontuurlijks, ze wilde de donkere uithoeken van de stad verkennen. En op dat moment zou Ignacio zich nog min of meer haar beschermheer voelen.

Eduardo wist zeker dat ze niet van plan waren geweest om Katy te vermoorden. Dat bleek alleen al uit de niet-doorgespoelde wc. Maar ze waren teruggegaan naar het huis – dronken en high, ze wilden iets van Katy wat die niet wilde geven, of misschien wilden ze haar iets geven wat zij niet wilde hebben: drugs, seks of geld (van haar, of misschien van de Carrizo's) of een combinatie van die dingen. Misschien dreigde Katy om de Carrizo's te bellen, of zelfs de politie, en opeens viel Lily – haar agressie kreeg de vrije loop door de drugs, haar remmingen verdwenen door de alcohol – ten prooi aan een onvermijdelijke, allesoverheersende woedeaanval. Het daaropvolgende geweld was vermijdbaar; ze was niet iemand die hoe dan ook ooit iemand zou vermoorden, ongeacht hoe haar leven verder zou verlopen. Maar ze was altijd al iemand die een moord zou kúnnen plegen – net als een schrikbarend groot aantal andere mensen, wist Eduardo intussen. Ignacio Toledo was de leverancier van de drugs, het criminele verleden – en misschien zelfs wel het idee, de eerste vonk die het hele huis deed exploderen in een zee van geweld. Maar Lily leverde de blauwdruk: de sluimerende psychische afwijking, de eerste aanzet. En ze zorgde voor de gelegenheid. Zij had het huis beschikbaar gesteld – er waren geen sporen van braak – en tegelijk had ze Katy beschikbaar gesteld.

Keer op keer kwam er een eind aan de opnames, keer op keer, en Eduardo kroop naast Maria in bed. Haar terugkeer had ervoor gezorgd dat hij de ware Lily had doorzien – Maria had hem de moed gegeven om te blijven zoeken tot hij het zag – zonder verblind of verlamd te worden door de verkeerde, steeds weer terugkerende verhalen. Op televisie waren ze allemaal geobsedeerd door Lily Hayes en volstrekt overtuigd van haar schuld. Maar het was Eduardo de afgelopen weken duidelijk geworden dat hun stelligheid ongefundeerd was; hun overtuiging klopte wel, maar was in feite reactionair en onverdiend. De buitenwereld kende Lily niet zoals hij haar kende. Er werden beelden van de beveiligingscamera in het winkelcentrum en eigen foto's van Lily vertoond, en op tv werd voortdurend herhaald wat iedereen het schandelijkst vond: Lily in de kerk met haar nauwelijks verhulde borsten; de zoen met Sebastien op de dag van de moord op Katy; en de scène voor het schap met condooms, haar ogen verdwaasd opgetrokken, slechts een paar uur later. Die foto's waren natuurlijk erg. Maar volgens Eduardo waren ze niet zo erg als de andere, waarop Lily niet zelf te zien was – de vrouw met de bloedblaar, het kleine naakte jochie. Daar zag je de echte Lily – niet als onderwerp op een foto, maar als genadeloze regisseur achter de schermen. Jammer, vond Eduardo, dat ze op tv die foto's niet lieten zien. Maar je kon niet verwachten dat de media zich bewust waren van hun invloed, net zomin als je van een hond kon verwachten dat hij naar de plek keek waarheen je wees in plaats van naar je vinger.

Maar ongeacht hoe banaal de buitenwereld oordeelde, Eduardo probeerde toch voor de gerechtigheid te zorgen die die wereld wilde – dat was nu eenmaal menselijk. En hij wist dat als Maria niet bij hem was teruggekomen, hij had kunnen verdrinken in de mogelijke gevolgen van zijn succes, of in de mogelijke prijs voor zijn falen. Eduardo had al eerder gefaald. Niet vaak, maar toch een paar keer – één keer in het bijzonder, toen een moordenaar en verkrachter die door de media allang schuldig was bevonden, vrijuit was gegaan omdat een onervaren politieman slordig was omgegaan met het sperma dat op de plaats delict was aangetroffen. De zaak was daardoor niet van tafel geveegd, maar de onhandigheid – het broddelwerk, had een verontwaardigde tv-commentator het genoemd – waarmee het DNA-materiaal was vergaard, had ertoe geleid dat dit belangrijkste stukje bewijsmateriaal niet was toegelaten. Daardoor had Eduardo geen poot meer gehad om op te staan. Na de uitspraak was hij buiten de rechtszaal omzwermd door verslaggevers die allemaal verwoed op hun ellendige BlackBerry's stonden te hameren, die ze allemaal nog vlak voor het tekort hadden weten te bemachtigen. Eduardo had de hele stad ervoor afgestroopt – hij was naar de Movistar in Palermo geweest, de Claro in Recoleta – maar tevergeefs, en dus had hij het hele stuk naar zijn kantoor moeten lopen om daar de noodzakelijke verontschuldigende e-mails te versturen.

En als Maria niet was teruggekomen, was hij misschien wel bezweken onder de last van zijn angst, die voortvloeide uit alles wat hij hoopte. Als ze niet bij hem was weggegaan, als Eduardo dat kwellende verdriet nooit had gekend, zou het misschien nog erger zijn geweest: dan zou hij volledig in beslag zijn genomen door aardse ambities, de wens dat zijn succes hem zou opstuwen naar de beroepsgroep waarin hij op grond van zijn verdiensten thuishoorde – waarin hij voor Maria thuis zou moeten horen – zodat hun leven eindelijk zou leiden tot een min of meer bevredigende rust. Maar het vertrek en de terugkeer van Maria hadden Eduardo een dieper inzicht gegeven in wat verlies betekende, net zoals Dostojevski's beulen hem waarschijnlijk, toen hij bevend opstond en besefte dat hij nog leefde, een helderder inzicht in de wederopstanding hadden gegeven. Eduardo was nu wijzer en hij was in staat om te kijken, te luisteren en open te staan voor alles wat hij kon leren.

De hele dag? Dacht je dat ze de hele dag sliep?

Ik lag te slapen.

Eduardo's overtuiging werd niet meer groter, maar hij was wel in beweging. Hij bewoog van zijn cerebellum naar zijn onderbuik: hij kreeg kippenvel als hij Lily's stem op de opnames hoorde. Hij wist nog niet precies hoe de moord was gegaan, welke vreemde combinatie van drugs en lust eraan ten grondslag had gelegen. Maar als hij keek naar de foto's van Lily met haar wonderlijk afwezige gezichtsuitdrukking, de vreemd uitgestreken blik – begon de zekerheid tot hem door te dringen, instinctiever dan voorheen, dat ze echt had gedaan wat hij beweerde.

Sliep jij, of dacht je dat zij nog sliep?

Ik weet het niet. Allebei.

Je sliep en tegelijk dacht je dat Katy nog sliep?

Hun gesprekken draaiden in zoveel kringetjes rond dat Eduardo af en toe in de war raakte door de overbodigheden en herhalingen, de kleine aanpassingen in zinsbouw; hij had het gevoel dat hij in een doolhof van relevante en irrelevante veranderingen belandde.

En toen probeerde je haar te reanimeren.

Ja.

Heb je weleens eerder iemand gereanimeerd?

Nee.

Heb je ooit een reanimatiecursus gevolgd?

Nee.

Vertel me dan nog eens een keer wat je precies probeerde te doen.

Toch hield Eduardo vol, hij liet Lily's stem 's ochtends na het opstaan door zijn hoofd echoën, met één oog dicht starend naar de verchroomde spiegel terwijl hij de opkomende stoppels van zijn kin schoor. Hij zag er elke dag hetzelfde uit, en toch had hij ergens het idee dat hij zichzelf steeds beter zag worden en dat er een moment zou komen waarop al zijn goede eigenschappen opeens in volle glorie zichtbaar zouden worden.

Vertel eens over Sebastien LeCompte.

Ik heb u alles verteld wat ik weet.

Help me herinneren.

Echt alles. Ik heb u dingen verteld die ik zelf niet eens weet.

Heb je me dingen verteld die je niet weet?

Omdat u me liet gokken.

Dus je hebt tegen me gelogen.

Nee!

Eduardo wist dat hij nooit dankbaar mocht zijn voor zijn werk, want als hij zijn werk moest doen, betekende het dat er kwaad was geschied en dat er leed was berokkend. Dus probeerde hij niet te genieten van dit nieuwe momentum, hoewel hij dat natuurlijk wel deed.

Je had een hekel aan Katy. Dat is geen misdrijf.

Ik vond Katy aardig.

Niet waar.

En zelfs als dat niet zo was...

Wat als dat niet zo was?

De waarheid zou boven water komen, als de geheimen der zee, als fossielen uit hun kleilaag, zoals alles wat ons inzicht geeft in onze wereld en uiteindelijk onszelf.

Maar desondanks was je wel aardig tegen Katy.

Ja.

Ondanks wat?

Wat?

Je zei net dat je desondanks wel aardig tegen Katy was.

Dat zei u.

Bij elk moment liep Eduardo op zijn tenen de slaapkamer in, bij elk moment legde Maria snel haar boek neer. Ze hield strikt geheim wat ze las, om redenen waarover ze weigerde te praten. Eduardo had lang geleden geleerd dat hij zich door die heimelijkheid gekwetst zou voelen als hij dat toeliet en dat hij zich daar alleen tegen kon wapenen door het te negeren, hoe onbevredigend dat ook was.

'Wat zegt ze?' vroeg Maria dan, terwijl ze haar fragiele bifocale bril neerlegde en haar boek onder de lakens verborg. Haar teennagels waren melkwit gelakt, haar huid was bijna doorschijnend.

'Dat mag ik je niet vertellen,' zei Eduardo dan.

'Ze laat niets los. Ik zie het aan je.'

'Ze zegt niets wat ze niet al eerder heeft gezegd. Ik luister de opnames af.'

Maar dat was niet helemaal waar. Lily had misschien niets nieuws gezegd, maar Maria had hem op een nieuwe manier leren luisteren – en terugkijkend had hij beseft dat het meest belastende wat Lily in de gesprekken had gezegd iets was geweest wat ze allebei niet als belastend hadden herkend. Argentinië had steeds als een droom gevoeld, had ze gezegd. Niets van wat ze er had meegemaakt, had volledig echt geleken. En de avond dat ze Katy had vermoord, begreep Eduardo nu, had het minst echt van alles geleken – het was slechts de flard van een droom die in de laatste duisternis van de nacht in een nachtmerrie veranderde. Zo erg moest het hebben geleken, en niet erger dan dat. Zo had Maria hem leren kijken; Maria had hem geleerd om voorbij de betekenaar naar de betekenis te kijken. Ooit zou hij haar een aantal van die dingen vertellen. Hij zou haar ervoor bedanken.

'Heb geduld, *mi amor*,' zou Maria met een teder klopje op zijn dij fluisteren. 'Binnenkort zegt ze wel iets.'

Op woensdag nam Andrew Anna mee naar Tigre, iets ten noorden van de stad, om de oceaan te zien.

'Het is niet echt de oceaan,' zei Anna, opkijkend van de folder die ze las. Ze hing tegen een leuning omdat er alleen staanplaatsen in de trein waren. Andrew probeerde niet te letten op de informatieborden boven haar hoofd die ten overvloede waarschuwden voor de gevaren die malariamuggen met zich meebrachten. Ze droegen allebei bontgekleurde shorts en slippers die ze hadden meegenomen in een vlaag van optimisme die hem nu onbegrijpelijk toescheen.

'Het is gewoon een rivierdelta,' zei Anna.

Andrew haalde zijn schouders op. 'Het kan evengoed wel leuk zijn.'

Toen ze klein waren, waren Anna en Lily dol geweest op de zee. Andrew en Maureen waren er vaak 's zomers met ze naartoe gegaan – vroeg op de dag om de echte hitte voor te zijn, met een lading cola achterin, soms nog voordat de zon de dauw had verdreven en als de nevel nog als tule boven de aarde hing. Andrew las *The Economist* terwijl de kinderen hem ingroeven en uitgroeven. Ze gingen er ook weleens 's winters heen, als het gras verdord was, de sneeuw het zand bedekte en het water dofgrijs glansde. Andrew en Maureen maakten warme chocolademelk klaar en verpakten de kinderen in gloednieuwe, dikke skipakken. Toen Maureen in verwachting was van Lily, had ze wat spullen van Janie voor de aanstaande baby willen bewaren, maar Andrew kon de gedachte niet verdragen dat hij een ander kind in Janies kleren zou zien – een ergere nachtmerrie kon hij zich niet voorstellen – en dus had Maureen zich daarbij neergelegd, want in die tijd hadden ze een heel eenvoudige regel: als er een manier was waarop de een het verdriet voor de ander kon verzachten, deden ze dat. Dus waren er nieuwe skipakken aangeschaft, evenals nieuwe luiertassen, nieuwe peuterschoentjes en een nieuw arsenaal knuffelbeesten. Andrew had de kinderkamer overgeschilderd. Het Beatrix Potter-interieur was vervangen door Winnie de Poeh.

'Wat wordt er verondersteld zo leuk aan te zijn?' vroeg Anna.

'We huren een kano,' zei Andrew. De folder was rijkelijk voorzien van foto's van stralende gezinnetjes die rondpeddelden in rode kajaks. Andrew vond het een rare gedachte dat andere mensen naar dit land gingen voor hun vakantie. 'We gaan een boottochtje maken. Dat vind je toch nog steeds wel leuk?'

De trein kwam tot stilstand en de deuren gingen open. Afgetekend tegen het felle zonlicht veranderde Anna in een donker silhouet en Andrew moest zijn ogen tot spleetjes knijpen om haar te kunnen zien. 'Morgen,' zei ze, 'wil ik met jullie mee naar de advocaten.'

Andrew en Maureen hadden de volgende dag een afspraak met de advocaten om de uitslag van het DNA-onderzoek te bespreken. Lily's DNA was aangetroffen op Katy's mond – niet zo verrassend, gezien haar poging om Katy te reanimeren – en ook op het moordwapen – wat ook niet verrassend was, aangezien het een keukenmes van de Carrizo's was. Wat wel een beetje vreemd was, was dat haar DNA op een bh van Katy was gevonden. Gelukkig behoorde het meeste DNA-materiaal dat in de nabijheid van Katy's lichaam was gevonden toe aan iemand anders. Andrew wist alleen dat het om een man ging die al een bekende van de politie was. Beide feiten waren verdacht en dus bemoedigend. Nadat ze de telefoon had opgehangen had Maureen Andrew met een leeg gezicht aangestaard en gezegd: 'Nou ja, je kunt net zo goed met Anna ergens heen gaan, want verder kunnen we vandaag toch niets doen.' Hij had de gelegenheid met beide handen aangegrepen. Sinds Maureens komst bracht Anna het grootste deel van de tijd bij haar door, ze praatten op fluistertoon met elkaar, keken naar soapseries en maakten gretig gebruik van de minibar, zoals Andrew had bemerkt toen hij ze een keer ophaalde voor het ontbijt. Dat bezorgde Andrew een vreemd wrokkig gevoel; het was niet zo dat hij de gemene smeris was en Maureen de aardige, Maureen was gewoon beide. Andrew kon Anna niet iets uit de minibar laten drinken en hij kon het haar ook niet verbieden. Het feit dat ze het niet in zijn bijzijn deed, was een tegemoetkoming van haar kant, besefte hij – zoals ze hem ook nog steeds 'pap' noemde en Maureen 'mam' toen Lily hen allang bij hun voornaam aansprak.

'Het wordt een saaie bedoening, lieverd,' zei Andrew toen hij Anna naar de stationshal had gevoerd, waar een indringende geur van zoetigheid hing. De ruimte was vergeven van de kiosken waar kauwgum, frisdrank en roddelbladen werden verkocht. Andrew deed zijn uiterste best om de koppen te mijden.

'Saai?' zei Anna. 'Meen je dat nou?'

'Neem me niet kwalijk, spreekt u Engels?' Voor hen stond een zorgelijk kijkend echtpaar met een kaart.

'Nee,' zei Andrew, en hij duwde Anna naar de uitgang. Buiten was de lucht stralend blauw en stonden de palmbomen er aanstootgevend groen bij.

'Waar was dat nou goed voor? Ze wilden alleen de weg vragen.'

'Daar kunnen wij ze toch ook niet bij helpen? Moet je kijken.' Andrew maakte een weids gebaar. Voor hen klotste het bierkleurige water van de delta onregelmatig tegen de rompen van de huurbootjes. Vlakbij liep een man met op zijn rug een vrouw in bikini. Andrew begreep niet wat een volwassen vrouw ertoe bracht om zich zo te laten dragen. Het hele plaatsje rook naar kokoszonnebrandolie en Quilmes. Andrew hoorde de dijen van de vrouw tegen de rug van de man kletsen.

'Pap,' zei Anna. 'Ik probeer met je te praten.'

'Luister, lieverd – o, shit.' Een mug vloog hinderlijk dicht bij Anna; Andrew bukte om hem bij haar been weg te jagen – dat er bloot en goed ingesmeerd uitzag, zag hij: waar haalde ze in vredesnaam de energie vandaan om haar benen te scheren? – en kwam weer overeind. 'Het wordt een zwaar gesprek.'

'Ik weet dat het geen prettig gesprek wordt,' zei Anna. 'Daarom wil ik er ook bij zijn.' Een tweede mug danste gretig naar haar andere been toe, en Andrew verjoeg die ook – hoewel het vermoedelijk een verloren strijd was, besefte hij. Hij kon Anna niet beschermen tegen malaria, of een sluipende dood, of een onvoorstelbaar onrechtvaardige opsluiting. Maar zo kreeg hij tenminste nog het gevoel dat hij íéts deed.

'Pap,' zei Anna. 'Hou daarmee op.'

Andrew ging staan. Aan de overkant van de straat zag hij een kraampje waar ze ijs en cola verkochten. 'Wil je een ijsje?'

'Jezus, pap. Probeer je me af te schepen met een ijsje? Ik ben geen negen meer.'

'Het spijt me, Anna. Je kunt niet mee naar die bespreking. Bovendien willen ze met mama en mij alleen praten.' Dat was niet waar. Andrew trok Anna mee naar de ijscokraam. '*Un helado, por favor*,' zei hij met een brede glimlach tegen de verkoopster.

'Welke smaak?'

'Eh... chocolade, alstublieft.'

'Waarom wil je me er niet bij hebben, pap?' vroeg Anna. 'Serieus. Zeg het maar. Ben je bang dat je iets te horen krijgt wat je niet wilt weten?'

'Dat weet ik nu al.' Andrew temperde zijn stem. Hij had liever niet geweten dat de ijsverkoopster Engels sprak. 'Wat er gebeurd is, is vreselijk, en we krijgen alle details te horen. En het is gebeurd met een meisje dat maar een paar jaar ouder was dan jij. Dat is een deel van de reden waarom het niet goed is als jij erbij bent. Deze hele reis is al rottig genoeg voor je.' Andrew zocht in zijn broekzak naar kleingeld.

'Dat weet ik allemaal, pap,' zei Anna. 'Daar gaat het me niet om.'

'Waarom dan wel?' Andrew reikte haar het ijsje aan en was opgelucht toen ze het aannam.

'Ik ben benieuwd of we misschien andere dingen te horen krijgen die we niet willen weten.' Anna klonk voorzichtig, en Andrew vroeg zich onzeker af of ze doelde op Lily's seksleven.

'Ik weet het niet, lieverd,' zei hij. Hij zag in dat het verkeerd was geweest om Anna mee te nemen naar Argentinië. Het was allemaal te veel; ze was te jong, haar ontluikende leven met al zijn eigen drama's en teleurstellingen was abrupt tot stilstand gekomen, en waarvoor? 'Maar maak je alsjeblieft geen zorgen.' Hij trok Anna tegen zich aan en ze stond het met tegenzin toe, ze hield haar ijsje overdreven ongemakkelijk van zich af. Andrew verbaasde zich er steeds weer over hoe lang Anna was, hoe stevig en slungelachtig; haar lichaam was vanuit zijn genetisch materiaal uitgegroeid tot een geheel eigen wezen, alsof ze het resultaat was van oneigenlijk gesjoemel met recombinant DNA. De mogelijkheid dat een kind van hem kon uitgroeien tot zijn lengte en ooit misschien zelfs boven hem uit zou torenen, was bijna even ondenkbaar als het feit dat een dergelijk wezen ooit dood zou kunnen gaan. Andrew realiseerde zich tot zijn grote schrik dat hij Anna's aanwezigheid nodig had. Ze had tenslotte al meer voor Lily gedaan dan hij, of wie dan ook. Maar dat was allemaal geen excuus om haar te laten blijven.

'Anna,' zei hij. 'Zou je niet liever naar huis willen?'

'Wat?' Ze wrong zich los uit zijn armen. Andrew had het bedoeld als een suggestie, maar hij besefte dat het als een dreigement had geklonken.

'We kunnen vragen of oom Phil je van het vliegveld ophaalt en je naar Colby brengt.'

'Ik wil niet terug.'

'Op een gegeven moment zul je wel moeten.'

'Als Lily is vrijgelaten. Nu heeft ze me hier nodig.'

'Anna, luister.' Misschien moest Andrew gewoon eerlijk zijn. Misschien moest hij voor het eerst in lange tijd gewoon rechtstreeks zeggen wat hij dacht. 'Ik heb je hier nodig. Lily heeft je hier nodig. Je moeder heeft je hier nodig. Maar het feit dat we je hier allemaal nodig hebben, wil niet zeggen dat je hier moet zijn. En terwijl we uit al dit gedoe proberen te komen, moeten Maureen en ik ook onze verantwoording tegenover jou nemen. We zijn ook nog steeds jouw ouders.'

Het ijs droop intussen over Anna's hand, die het niet merkte of deed alsof ze het niet merkte. Andrew deed zijn rugzak af en ging op zoek naar de vochtige doekjes die Maureen er ongetwijfeld in had gestopt.

'Begrijp je dat, Anna?' Andrew vond de doekjes en verbaasde zich voor de zoveelste keer over Maureens ingetogen efficientie, haar vermogen om in te spelen op mogelijke toekomstige rampen, groot en klein. 'Ik wil dat je blijft. Ik heb je nodig. Maar er zijn grenzen. We moeten Lily beschermen én we moeten jou beschermen. En morgen moet je in het hotel blijven. Voor ons.'

Er trok een zweem van aarzeling over Anna's gezicht, maar toen klaarde ze op en glimlachte ze. Andrew gaf haar een vochtig doekje en ze likte het gesmolten ijs van haar pols. 'Oké, pap.'

'Oké?'

'Ja. Oké. Zullen we dan nu kijken of we een kano kunnen huren?'

De volgende dag reden Maureen en Andrew in stilte naar Lomas de Zamora. Andrew hield een papieren zak in zijn hand geklemd met daarin een broodje eiersalade; hij had het net gekocht en de zak begon nu al te lekken, waardoor het papier glibberig en doorschijnend werd. Bij de gevangenis gaf Maureen de chauffeur een biljet van twintig peso en Andrew was ervan overtuigd dat het wisselgeld vals zou zijn, maar hij had niet de puf om er iets van te zeggen.

Ze kwamen in de wachtkamer en gingen zitten. Maureen was niet eerder in de gevangenis geweest en Andrew was blij dat hij wist hoe hij haar door de metaaldetector moest dirigeren en haar het toilet kon wijzen, zodat ze kon zien dat het allemaal niet zo vreselijk was als ze zich misschien had voorgesteld. Ze wachtten. Maureen rommelde in haar handtas en haalde haar portemonnee eruit. In het biljettenvakje zag Andrew naast kassabonnetjes en haar instapkaart ook het blauwe hoekje van haar paspoort. Hij stootte haar aan.

'Dat ding moet je niet overal mee naartoe slepen,' fluisterde hij.

'Ik weet het,' zei ze verontschuldigend.

Daar had Lily het ongetwijfeld vandaan – Andrew had er nooit eerder bij stilgestaan, maar nu leek het overduidelijk. Maureen was een kind kwijtgeraakt door een dodelijke ziekte en een ander kind van haar zat nu in de gevangenis, en desondanks doolde ze luchthartig door de stad met haar paspoort in haar handtas en nam ze handenvol bankbiljetten aan wisselgeld aan zonder ze zelfs maar even tegen het licht te houden om te kijken of ze wel echt waren.

'Wil je iets hartverscheurends lezen?' vroeg ze.

'Nee,' zei Andrew kortaf omdat hij een beetje nijdig op haar was vanwege haar achteloosheid. 'Niet echt.'

Maureen negeerde hem – ze wist dat Andrew datgene wilde zien waardoor zijn hart zou breken, dat hij het als ondraaglijk zou ervaren als hij het niet onder ogen kreeg. Ze haalde een dagboek uit haar uitpuilende tas.

'De bladzijde met de paperclip,' zei ze toen ze hem het dagboek aangaf.

Het dure, crèmekleurige papier was volgeschreven in Lily's handschrift, en Andrew bedacht met een steek van jaloezie dat Maureen (of Anna) eraan had gedacht om een notitieboekje en een pen voor Lily te kopen en een manier had gevonden om het bij haar te krijgen. Hij las.

Dingen die ik thuis ga doen:
- biefstuk eten
- vrijwilligerswerk in een verzorgingshuis
- vier keer per jaar vroeg genoeg opstaan om de zonsopgang te zien (één keer per seizoen)
- aardig zijn tegen iedereen
- een inzamelingsactie voor Katy organiseren
- sorry zeggen tegen Harold
- sorry zeggen tegen Sebastien
- sorry zeggen tegen mam en pap

Andrew staarde naar het papier – het schone, lichtgekleurde papier, het beverige handschrift (Waardoor? vroeg hij zich af. Ondervoeding of angst? Of gewoon door jaren internetgebruik?) – en zijn ogen vulden zich met tranen. Hij wist uit veel ervaring dat hij nu het beste zijn ogen naar beneden gericht kon houden en ze wijd open moest sperren om te voorkomen dat de tranen naar beneden liepen. Hij was nog het diepst geroerd door het regeltje over aardig zijn tegen iedereen. Op Lily zou deze hele ramp overkomen als een straf omdat ze niet aardig genoeg was geweest. Ze had niemand vermoord, maar ze had wel een paar venijnige e-mails verstuurd. En nu zat ze in de gevangenis en zwierven die e-mails overal rond als bewijs van haar verdorvenheid. Logisch dat ze beloofde dat ze aardig zou zijn, zich altijd braaf zou gedragen, nooit meer slechte dingen over anderen zou denken of wat dan ook, als ze haar maar vrijlieten.

'Mam en pap?' zei Andrew.

'Ik weet het. Wie had dat gedacht?'

'Hoe kom je eraan?'

'De advocaten hebben het voor haar verstuurd.'

Andrew staarde weer naar Lily's handschrift. Er schemerde iets in door waardoor hij bang was voor hoe ze er deze week zou uitzien; hij gaf het niet graag toe, maar hij had zijn twijfels over haar innerlijke veerkracht. Ze was niet de pietluttigste van alle meisjes van haar komaf. Ze had tijdens haar studie altijd bijbaantjes gehad en 's zomers werkte ze meer dan fulltime, ze weigerde elke financiële steun – waarschijnlijk door een warrig en tegenstrijdig idee dat ze op eigen benen moest kunnen staan, waarbij ze gemakshalve wel een aanzienlijke studiebeurs en nog aanzienlijker ouderbijdragen accepteerde, maar verder elke andere gift weigerde – en uit alles bleek dat ze daadwerkelijk plezier had in haar tijdelijke, zelf-opgelegde armoede. Tegen het eind van elke maand leefde ze hoofdzakelijk op een rantsoen van popcorn en hotdogs, met dank aan haar baantje in de bioscoop, wist Andrew. Maar dat kwam natuurlijk allemaal voort uit haar jeugd, die niet arm, maar ook niet overvloedig was geweest: een kindertijd waarin bescheiden wensen werden gekoppeld aan wat in de praktijk haalbaar was. Het ontbreken van de geneugten des levens riep bij haar geen angst op – deels omdat ze niet buitensporig materialistisch of daartoe gerechtigd was, maar ook omdat ze niet echt kon geloven dat zo'n situatie ooit blijvend zou kunnen zijn. En die gedachte wás gerechtvaardigd, zag Andrew nu in – dat volle vertrouwen in de welwillendheid van de wereld om haar heen. Lily deed niemand kwaad, redeneerde ze, dus mocht ook niemand haar kwaad doen. Die redenering oversteeg in zijn eenvoud elke andere overtuiging. Het was bijna te schrijnend om aan te denken.

Na geruime tijd verscheen er een bewaker die hun voorging door de gang. Maureen hield angstvallig Andrews hand vast. Lily zat met gebogen hoofd in de bezoekersruimte, precies zoals hij haar de vorige keer had achtergelaten. Hij verdrong de gedachte dat ze daar de hele week zo had gezeten, wachtend op hun terugkeer.

Maureen liep naar Lily en nam haar in haar armen. 'Mam,'

zei Lily met verstikte stem en ze legde haar hoofd op Maureens schoot. Andrew boog zich over hen beiden heen en gaf Lily een kus op haar wang. Haar haren waren één bonk klitten en ze rook naar olie en vuil wasgoed. Andrew wist niet of dat het gevolg was van wanhoop of opstandigheid, en welke van de twee erger zou zijn.

'Lieverd van me,' zei Maureen. Ze hield Lily's hoofd zachtjes met twee handen vast, alsof ze een pasgeboren baby was – kwetsbaar, met zachte fontanellen. 'Ik hou van je. Ik hou van je. Ik hou van je.'

Dat was het eerste wat Andrew bij hun eerste bezoek had moeten zeggen. Het had het eerste moeten zijn, niet het laatste. Hij klopte Lily op de schouder en haalde vervolgens het broodje uit de zak. 'We hebben dit voor je meegebracht,' zei hij. Het was een broodje chorizo met eiersalade – daar was ze zo weg van dat ze er zelfs over naar huis had geschreven, en het was Andrews idee geweest om er eentje mee te nemen. Lily hief haar hoofd op en ze keek met een treurige blik naar het broodje, alsof ze zich met geen mogelijkheid kon herinneren wat je met zo'n ding moest.

'Heb je geen trek?' vroeg Maureen.

'Ik weet het niet,' zei Lily.

'Neem maar gewoon een hap, dan kom je er vanzelf achter,' zei Maureen. Dat was een trucje uit de kindertijd van de meisjes, toen ze geregeld een te laag bloedsuikergehalte hadden – ze waren veel te druk met spelen, vergaten te eten en dan was het huilen geblazen, waarna Maureen omzichtig moest proberen om een klein hapje kaastosti bij ze naar binnen te krijgen. Maureen gaf Lily het broodje, dat ze heel even lusteloos in haar hand hield, om vervolgens voorzichtig een hapje te nemen. Ze bleef een hele tijd kauwen, alsof ze niet genoeg speeksel produceerde om het weg te krijgen. Ze hield bevallig haar hand voor haar mond, een vreemde gewoonte die ze van iemand op de universiteit had overgenomen, en het zag er nu nog vreemder uit door haar vieze haar en vettige huid, alsof ze een soort *Grey Gardens*-achtige aan lager wal geraakte adellijke dame was. Lily was nooit ijdel geweest – ze had altijd wel een grasvlek op haar broekpak, een wimper op haar wang of een koekkruimel in haar mondhoek; ze tilde elke onwillige hond en kat op die ze tegenkwam, waardoor ze altijd onder de haren zat. Maar ze was wel altijd schoon op zichzelf geweest, redelijk presentabel. Zoals ze er nu uitzag, leek ze nauwelijks nog op zichzelf.

Maureen dacht kennelijk hetzelfde, want ze zei: 'Wacht even, lieverd,' waarop ze weer in haar enorme tas begon te spitten. 'Ik heb een haarborstel voor je meegenomen.'

Lily hield op met kauwen, maar ze slikte niet. 'Dat meen je toch niet?'

'Het is niet zo'n gek idee om je een beetje op te knappen voor de advocaten,' zei Maureen.

'Dat meen je goddomme toch niet?' Er zat een stukje ei op haar lip, of misschien was het een huidschilfertje. 'Wil je dat ik mijn haar borstel? Maak je je dáár godverdomme druk om? Heeft dat je hoogste prioriteit?'

Andrew keek naar Maureen. Maureen was vroeger altijd heel strikt geweest als het om vloeken ging – Lily had een keertje gevloekt toen ze met een vriendin zat te bellen, waarop Maureen gedecideerd de stekker uit het contact had getrokken – maar nu bleef haar gezicht vragend en gedwee. 'Liefje,' zei ze.

'Noem me niet zo, oké? Schei daarmee uit. Ik ben volwassen. Als je oud genoeg bent om door iedereen van moord te worden verdacht, ben je ook oud genoeg om niet langer door je fucking ouders te worden aangesproken met "fucking liefje".'

'Het is niet zo dat iedereen denkt dat je iemand hebt vermoord,' zei Maureen. 'We weten allemaal dat je niemand hebt vermoord. Het lijkt me alleen verstandig als je er ook een beetje zo uitziet. Als iemand die niet alle hoop heeft laten varen.'

'En als ik dat nou wel heb?' sneerde Lily.

'Dat is nou juist een deel van het probleem,' zei Andrew, en Lily en Maureen keken hem aan alsof ze verbaasd waren dat hij er nog was.

'Waar heb je het over?' zei Lily. Ze klonk niet eens boos meer. Hij was haar woede niet waard.

'Het gaat om de indruk die je maakt, dat bedoel ik alleen maar.'

Andrew herhaalde alleen maar wat Maureen net had gezegd, dus begreep hij niet waarom ze hem allebei aankeken alsof hij inderdaad een harteloze bruut was, zoals ze altijd al hadden vermoed.

'Je maakt toch zeker een geintje?' zei Lily, en ze wendde zich weer tot Maureen. 'Maken jullie allebei een geintje? Want vroeger hadden jullie nooit gevoel voor humor.'

'Oké, Lily,' zei Maureen. 'Oké.' Ze aaide Lily voorzichtig over haar rug, en vreemd genoeg stond die dat toe. Andrew dacht aan een keer toen Lily drie of vier was geweest – het was zomer, en ze lag languit op de bank in een piepklein broekje aan een felblauwe lolly te likken, tegelijk meezingend met de herkenningsmelodie van een of andere vreselijke, eindeloze soapserie, terwijl Maureen met haar vinger letters op haar T-shirt tekende. Door de ramen scheen een zilverkleurig namiddaglicht; uit de babyfoon in de hoek van de kamer klonken de geluidjes van de kleine Anna, die zuchtte in haar ondoorgrondelijke dromen, en misschien dachten ze op dat moment allemaal wel dat het leven toch nog draaglijk kon worden. *Ik hou van je*, schreef Maureen keer op keer, lang voordat Lily zou leren wat die tekens die Maureen met haar vinger maakte inhielden. *Ik hou van je. Ik hou van je.*

'Oké, oké,' zei Maureen, en Andrew zag dat ze zachtjes met de borstel door Lily's haar ging, en dat Lily zich er niet tegen verzette. Andrew verwachtte dat Maureen sussende geluidjes zou maken of troostende woordjes zou zeggen, als erkenning dat ze wist dat Lily zou toegeven – maar dat deed ze niet. Ze bleef met de ene hand borstelen en met de andere aaide ze over Lily's rug, en langzaam maar zeker kreeg die weer haar normale haar en zag ze eruit als een gewoon meisje op een slechte dag, en niet per se in een inktzwarte periode in haar leven.

Velazquez en Ojeda kwamen binnen en Andrew en Maureen stonden op om hen te begroeten. Lily bleef zitten. Andrew vond die passiviteit van haar maar niets, die aanvaarding dat anderen haar alles uit handen namen en alles voor haar regelden. De advocaten gingen zitten en legden hun mappen op tafel. Ze gaven Lily geen blijk van genegenheid of geruststelling. Misschien omdat haar situatie toch niet zo somber was als die eerst had geleken, misschien omdat haar situatie veel erger was dan gedacht en ze de hoop al hadden opgegeven. Of misschien – en dat was volgens Andrew het waarschijnlijkst – omdat de advocaten opgingen in hun eigen beslommeringen en al vooruitkeken naar de maaltijd die thuis op hen wachtte.

'Goed,' zei Ojeda. Hij zweette nu al; zijn das zat te strak, het ding leek op een paarse zijden wurgslang. 'Per saldo komt het erop neer dat het DNA-onderzoek in ons voordeel werkt. Om te beginnen is er overal DNA aangetroffen van een man, een man met een strafblad, die nu als hoofdverdachte zal worden beschouwd. Hij is twee keer eerder gearresteerd – een keer wegens drugsbezit en een keer wegens autodiefstal – en hij heeft bijna twee jaar in de gevangenis gezeten. Hij is de man die dit misdrijf heeft gepleegd, en het is van cruciaal belang dat hij nu al in beeld is gekomen.'

Maureen en Andrew knikten. Lily hield haar hoofd schuin, van haar gezicht viel niets af te lezen.

'Maar Lily's DNA is ook op drie plaatsen gevonden,' zei Velazquez. 'Op de mond van het slachtoffer, op een bh die mogelijk aan het slachtoffer heeft toebehoord, en op het mes.'

'Als u het over "het mes" heeft,' zei Maureen, 'bedoelt u dan het mes waarmee het is gedaan?'

'Het moordwapen, ja.'

'Zit mijn DNA daarop?' vroeg Lily met een iel stemmetje.

'Het is een keukenmes,' zei Velazquez. Hij keek naar Maureen. 'Een mes voor algemeen gebruik. Het DNA van Beatriz Carrizo zit er ook op. En Lily heeft het ongetwijfeld gebruikt bij het koken. Ja toch, Lily?'

'Zeker.' Lily knikte en vouwde haar handen in elkaar op haar schoot – een beetje gemaakt, vond Andrew. 'Ongetwijfeld.'

'Kun je je een specifieke keer herinneren dat je het mes hebt gebruikt?' vroeg Ojeda.

Lily verbleekte, haar gezicht leek opeens breekbaar als een eierschaal. Andrew probeerde wanhopig een herinnering op te roepen aan een keer dat Lily iets te eten klaar had gemaakt, maar het lukte hem niet. Lily stond geheel onverschillig tegenover alles wat met koken te maken had. Met Thanksgiving stond ze altijd in de keuken te oreren en wijn te drinken terwijl Maureen de kalkoen bedroop, de aardappels stampte en de vulling maakte. Een enkele keer kreeg Lily een klusje toebedeeld – iets van het aanrecht naar de tafel brengen, glazen poetsen, een opscheplepel pakken – maar Andrew had haar nooit vrijwillig een stuk kookgerei zien pakken, en hij betwijfelde of daar recentelijk verandering in was gekomen.

'Nou ja,' zei Ojeda, 'je hoeft niet meteen met een voorbeeld te komen.'

'Dan over het lichaam van het slachtoffer,' zei Velazquez. 'Het feit dat jouw DNA op haar mond zat, komt overeen met je verklaring dat je hebt geprobeerd haar te reanimeren.'

Andrew schraapte zijn keel en alle aanwezigen keken hem aan. 'Neem me niet kwalijk,' zei hij, 'maar is dat niet zo'n beetje de doodsteek voor de zaak van de aanklager? Dat het DNA bewijst dat Lily heeft geprobeerd Katy te redden, precies zoals ze heeft gezegd?'

Ojeda keek Andrew onbewogen aan. 'Het komt overeen met onze lezing, ja,' zei hij. 'Maar de aanklager zal ook met een passende verklaring komen.'

Andrew deed zijn mond open en sloot hem weer.

'Tot slot,' zei Velazquez, en hij sloeg een andere map open. 'De bh-sluiting. Dat valt ook eenvoudig te verklaren. Lily woonde in dezelfde ruimte. Voor hetzelfde geld gaat het om een bh van haar.' Hij haalde een foto uit de map en schoof hem naar Lily toe. Andrew leunde naar voren. Het was een foto van een witte bh met een klein blauw bloempje op de sluiting. 'Lily, is deze van jou?'

Lily fronste haar voorhoofd. 'Ik weet het niet,' zei ze. 'Het zou kunnen.'

Velazquez keek naar Ojeda. 'Je weet het niet?'

'Liefje...' zei Maureen.

'Nee,' zei Lily en ze wendde snel haar gezicht af. 'Hij is niet van mij.'

'Droegen jullie weleens kleren van elkaar?' vroeg Ojeda.

'Nee,' zei Lily zwakjes. 'Niet dat ik me herinner. Ze had mijn maat ook niet.'

'Maakt niet uit,' zei Ojeda en hij maakte een aantekening. 'Misschien heb je hem een keer in handen gehad. Of jullie wasgoed is door elkaar geraakt. Jullie woonden onder één dak – alles is mogelijk. Het is niet raar dat jouw DNA op haar spullen zit. En bovendien zijn er fouten gemaakt bij het verzamelen van het materiaal. Niet een van de monsters is met de juiste zorg genomen en behandeld – helaas is dat niet ongebruikelijk. Als er geen bruikbare dingen voor ons bij zitten, zullen we wijzen op die onachtzaamheid. Maar daar hoef jij nu niet over in te zitten.'

Velazquez boog zich naar voren. 'De belangrijkste kwestie is die van de andere verdachte. Hij is degene die de moord heeft gepleegd – dat weten we, en de aanklagers weten het ook. Dus zullen ze proberen hem en jou op dezelfde plek te situeren. En daarvoor zullen ze van jou willen horen dat je hem kende. Sterker nog, ze willen van je horen dat je een verhouding met hem had.'

In een eerder leven – of in een eerdere week – zou Lily hebben gezegd: 'Maar ik kende hem helemaal niet', alsof dat zou uitmaken. Maar nu zei ze niets en knikte ze alleen maar somber, ze aanvaardde zonder protest deze zoveelste idiote bewering.

'Dus is het van het grootste belang dat je ons vertelt of je hem kende, en zo ja, hoe jullie verhouding precies was.' Velazquez schoof een andere foto naar voren – van een man met een gelooide huid en een lome blik in zijn ogen – en Lily boog naar voren om te kijken. Ze had een open en nieuwsgierige gezichtsuitdrukking, alsof het inderdaad mogelijk was dat ze de persoon kende, dat ze met hem naar bed was geweest, dat ze had gedaan waarvan ze werd beschuldigd en dat ze het op de een of andere manier was vergeten.

'O, ja. Dat is Ignacio. Hij werkt in de Fuego.' Lily keek met grote ogen op. 'Denken ze dat hij het heeft gedaan?'

Ojeda en Velazquez wisselden opnieuw een blik. 'Wat weet je van hem?' vroeg Velazquez.

'Niks,' zei Lily. 'Ik kende hem amper.'

'Het is belangrijk dat je hier heel goed over nadenkt,' zei Ojeda. 'Als je zegt dat jullie nooit samen iets hebben gedaan en dat je zelfs nooit met hem hebt gepraat en de aanklager vindt bewijs dat dat wel het geval is geweest – zelfs als het maar één keer was – dan is dat heel, heel erg slecht voor onze zaak. Het spijt me, Lily, maar dat is de realiteit.'

Lily keek nog een keer en haar blik kreeg iets aarzelends – Andrew wist niet zeker of het uit herkenning was of dat ze iets probeerde te verzinnen. 'Ik weet het niet,' zei ze. 'Volgens mij werkte hij er doordeweeks. We zullen weleens een praatje hebben gemaakt. Een enkele keer.'

Ojeda knikte. 'Oké,' zei hij. 'Verder nog iets? Heb je verder nog met hem te maken gehad of zo?'

Lily schudde haar hoofd.

'En het spijt me dat we het moeten vragen, maar heb je een relatie of seksuele verhouding met hem gehad? Iets op dat gebied?'

'We kunnen vragen of je ouders even weggaan, Lily. Als je dat liever hebt.'

Lily schudde opnieuw haar hoofd. 'Nee,' zei ze. 'Zoals ik al zei, ik kende hem van het werk. Een beetje.' Ze legde haar hoofd in haar handen. 'Jezus. Ik herinner me nog hoe hij die avond naar haar keek.'

'Welke avond?' vroeg Velazquez scherp.

'De avond dat Katy naar mijn werk kwam.'

'Wanneer was dat?'

'Ik weet het niet.' Lily beet op haar lip. 'Een week voor mijn verjaardag, misschien?'

'We hebben meer aan een datum.'

'Misschien de tiende?' zei ze aarzelend. 'Tien februari? Rond die tijd. En ik heb ze elkaar zien kussen. Geloof ik. Op mijn verjaardagsfeestje. Op de zeventiende. Denk ik.'

Dit keer wisselden Ojeda en Velazquez geen blik; misschien vonden ze dat dit keer overbodig. Velazquez boog zich naar voren. 'Lily,' zei hij. 'Daarover zullen we het binnenkort nog uitgebreid hebben, maar eerst moet ik je nog iets anders vragen, en het is heel belangrijk dat je ons de waarheid vertelt. Begrijp je dat?'

Lily's ogen werden nog groter. 'Ja,' zei ze.

'Heeft Ignacio Toledo je ooit drugs verkocht?'

'Denk goed na, Lily,' zei Ojeda snel. 'Het is niet goed voor je als je deze vraag onjuist beantwoordt.'

Lily slaakte een diepe zucht, Andrew kon zien dat ze haar adem had ingehouden. 'Ja,' zei ze.

Maureen deinsde terug, als door de terugslag van een geweer.

'Alleen wiet,' zei Lily. 'En maar één keer.'

'Oké,' zei Velazquez. 'En wanneer was dat?'

'Op de dag dat ik was ontslagen.'

'Graag een datum, alsjeblieft.'

'De achttiende, denk ik.'

'Zoals je weet is Katy Kellers op de twintigste vermoord. Dus dit was twee dagen ervoor?'

'Ik denk het,' zei Lily. 'Ja.'

'En het spijt me, Lily, maar ik moet het weten: de marihuana die Toledo je heeft verkocht – was dat andere marihuana dan die waarvan je tegen de aanklager hebt gezegd dat je die van Katy had?'

'Wat?' zei Maureen. Ze wendde zich tot Lily. 'Waar heeft hij het over?'

'Lily,' zei Ojeda indringend. 'We verwijten je niets. We zijn hier om je te helpen. Maar dan moet je ons wel de waarheid vertellen.'

Lily staarde met grote ogen naar de tafel. 'Nee,' zei ze. 'Ik heb nooit marihuana van Katy gekregen, bedoel ik. Alleen van Ignacio. Wat ik eerder heb gezegd, was gelogen.'

De advocaten keken elkaar aan en knikten. Deze vraag had ze goed beantwoord. En Andrew had gezien hoe Lily overgehaald kon worden om van gedachten te veranderen. Hij had gezien hoe ze overgehaald kon worden om te zeggen wat iemand maar wilde.

11

Februari

Het was al laat toen Lily wakker werd, de zon scheen in stoffige, uitbundige banen door het raam. Het bed van Katy onder haar was leeg en netjes opgemaakt, en Lily's verdenkingen van de vorige avond leken onterecht, misschien wel paranoïde. Wat er tussen Katy en Sebastien voorviel, ging haar tenslotte niets aan. Ze was jong en ruimdenkend, ze stond filosofisch negatief tegenover plichtmatige monogamie, en als Katy en Sebastien met elkaar hadden gerotzooid – of meer – dan stond Lily daarbuiten. Het stond haar ook vrij om met anderen te rotzooien – en meer! – en misschien zou ze dat ook wel doen.

De dagen daarna was Lily aardiger dan voorheen tegen zowel Katy als Sebastien. Aardig tegen hen zijn was makkelijker dan de ingewikkelde onzichtbaarheidscampagne die ze in het huis voerde – de enige manier om niet de wrevel van Beatriz over zich af te roepen, dacht Lily, was door ver, ver uit haar buurt te blijven. Ze keek niet langer 's avonds televisie met de Carrizo's, ze ging eerder van tafel en ze probeerde zo vaak mogelijk van huis te zijn. De huishoudelijke werkzaamheden waren een probleem; Lily wilde niet dat de anderen dachten dat ze zichzelf daar te goed voor vond, maar ze wilde ook niet dat de indruk ontstond dat ze er de kantjes af liep, dus zocht ze een evenwicht – ze spoelde zelf haar vaat af en zette het dan naast de vaatwasser zodat Beatriz het samen met de rest kon inruimen. Ze ging ook minder eten, als om aan te geven dat ze niet het idee had dat haar iets werd misgund. Ze wist dat het allemaal misschien een beetje overdreven was – ze herinnerde zich vergelijkbare gekrenkte en weerspannige acties uit haar jeugd, waarbij ze zich verzette tegen grove onrechtvaardigheden zoals het tijdstip waarop ze naar bed moest, en ze wist dat ze zich als volwassene niet zo moest opstellen. Maar dat was vechten tegen de bierkaai. En trouwens, als Beatriz het al in de gaten had – of spijt had van hoe ze Lily had uitgefoeterd – dan liet ze daar niets van merken.

Op de universiteit liet Lily steeds meer colleges voor wat ze waren. Alle geruchten die je van andere uitwisselingsstudenten hoorde, bleken waar te zijn: je hoefde alleen maar op te komen dagen als er een toets was. In de Fuego leerde ze steeds beter hoe ze zich zelfverzekerd moest bewegen en hoe ze het serviesgoed heel moest houden. Haar Spaanse woordenschat op het gebied van eten en drinken werd in sneltreinvaart groter. Ze begon de bestellingen op haar uitgestoken dijbeen op te nemen en ging meedoen aan de rookpauzes van het keukenpersoneel; speciaal voor die gelegenheid (en alleen die gelegenheid) schafte ze haar eerste pakje sigaretten aan. Tijdens die pauzes luchtte iedereen zijn hart over het doodsaaie werk in de Fuego en Lily deed enthousiast mee. Doen alsof ze het ongelooflijk saai werk vond was een van de vele kleine opstekers die haar bestaan kleur gaven.

Als ze op de avonden dat ze bij Sebastien verstek liet gaan in bed lag, maakte Lily in gedachten lijstjes met alle dingen die ze zou doen als ze weer thuis was. Ze zou alle Amerikaanse dingen eten en drinken die ze in het verleden zelden nuttigde, maar die ze nu acuut miste: Laffy Taffy met bananensmaak, Skippy-pindakaas, Coffee Mate-creamer in decadente tijdelijk populaire smaken. Ze zou het nieuws zorgvuldiger volgen zodat ze iets had om met Andrew over te praten. En het belangrijkste van alles: ze zou vaker naar buiten gaan. De heuvels rond Middlebury waren zo prachtig – paars in de herfst, appelgroen in de zomer – en ze leken zo dichtbij dat je ernaartoe kon lopen. Misschien was dat ook wel zo – ze had het nog nooit geprobeerd! Waarom had ze het eigenlijk nooit geprobeerd? Als ze terug was, zou ze het doen. Ze zou in de loom bewegende schaduwen door het bos wandelen. Ze zou contact opnemen met haar vriendinnen – vooral die van de middelbare school, die waren verdwenen naar een van de talloze tweederangs vrije kunstacademies in de staat New York – en vragen hoe het met ze ging. Ze zou een betere zus voor Anna worden. In plaats van sms'jes zou ze haar allerlei handige toebehoren voor langeafstandslopers sturen. Ze zou later wel bedenken wat dat precies waren. En ook heel belangrijk: ze zou het contact met haar ouders verbeteren. Ze stelde zich voor dat ze eindeloos ging lunchen met haar moeder en lange wandelingen in de zonsondergang zou maken met haar vader. Waarom was er nooit tijd of gelegenheid voor die dingen geweest toen het zo voor de hand had gelegen? Het deed er niet toe. Buenos Aires maakte haar beter en wijzer. Over een paar dagen werd ze eenentwintig. En als ze terugging, zou alles anders worden. Ze zou gaan kamperen. Ze zou door traag verstrijkende herfsten wandelen. Ze zou vroeg opstaan om de berijpte zonsopgang in New England te bewonderen.

Op de avond van Lily's verjaardag dronken zij en Katy op hun slaapkamer alvast een beetje in om in de stemming te komen. Ze namen om de beurt een slokje uit een fles wodka die, samen met een waterpistool in de vorm van een haai, een mooi regenboogkleurig whiskyglas en een reusachtig broodje chorizo met eiersalade dat nog warm was toen ze het uitpakte, het verjaardagscadeau van Katy had gevormd. Lily had heel even iets van argwaan gevoeld toen ze het broodje zag – probeerde Katy een wit voetje bij haar te halen, wilde ze iets goedmaken, wilde ze lollig zijn? – voordat ze zichzelf tot de orde had geroepen.

'Hartstikke bedankt!' had ze zwaaiend met het broodje gezegd. 'Je weet dat ik hier dol op ben.'

'Yep,' zei Katy en ze gaf Lily een knuffel. 'We maken er een geweldige avond van!'

Lily bevestigde luidruchtig dat het inderdaad een geweldige

avond zou worden. Ze had op Katy's aandringen aan Javier gevraagd of ze haar verjaardag in de club mocht vieren en tot Lily's verbazing had hij ja gezegd. Lily keek hoe Katy zich aankleedde – ze trok een strakke spijkerbroek aan die Lily niet eerder had gezien en een zwart shirt dat metallic glansde in het licht – terwijl ze naar Beyoncé luisterde. Katy danste uitdagend en bewoog haar vinger net zoals in de videoclip.

'Dit nummer is een ommekeer geweest voor de sekseverhouding in onze generatie,' zei Katy, nog steeds dansend. Ze was al een beetje dronken. Lily hield verbaasd haar hoofd schuin. Normaal gesproken was zij degene die met gewichtige beweringen kwam over de rolverdeling tussen man en vrouw. Maar vanavond had ze geen zin om veel verder te kijken dan haar eigen leven. 'Ja toch?' zei Katy.

'Zou kunnen,' zei Lily. Ze werd een beetje kriegel door Katy's joligheid; ze had liever gezien dat Katy iets minder opgewekt was. 'Heb je die van thuis meegenomen?'

'Wat?'

'Die spijkerbroek.'

'O. Nee. Die heb ik hier gekocht.' Katy ging over op 'Alejandro' van Lady Gaga en draaide haar bovenlijf om haar achterste te bekijken, dat veel kleiner en appetijtelijker was dan dat van Lily, het was een wereld van verschil. 'Hij zit zo strak dat ik moet uitkijken dat ik geen urineweginfectie krijg.'

Lily knikte, maar lachte niet.

Katy deed haar beste Lady Gaga-imitatie. 'I know that we are young and I know that you love me...' Ze giechelde. 'Oef. Ik had niet zoveel taart moeten eten.'

Lily knikte opnieuw en nam nog een slok uit de fles. Beatriz had zowaar zelf een taart gebakken – met roze glazuur en in sierlijke letters *Feliz cumpleaños!* erop, de hele mikmak – maar Lily had er niet van kunnen genieten. Het incident met het telefoontje lag nog zwaar op haar maag en ze was nu al bang voor hoe ze zich vanavond weer in de nesten zou werken. Ergens wist Lily dat ze allebei te laat en dronken thuis zouden komen, maar Lily zou degene zijn die morgen van Beatriz de wind van voren kreeg – bij hun nachtelijke binnenkomst zou ze een hoestbui krijgen, struikelen of iets breken, of ergens een overduidelijk bewijs van hun losbandigheid achterlaten. En Beatriz zou Lily trakteren op een scheldkanonnade terwijl Katy sliep, dingen aanstreepte in een economieboek of het hele gebeuren van een afstandje in stilte aanschouwde. Lily had zich al min of meer neergelegd bij deze gang van zaken, maar ze keek er niet bepaald naar uit.

'Dit nummer klinkt net als dat van Ace of Base,' zei Katy. '"Don't Turn Around." Het heeft hetzelfde ritme. Vind je ook niet?'

'In 2009 nog wel,' zei Lily. Ze liep naar de spiegel en boog zich met open mond naar voren om een beetje eyeliner aan te brengen.

'Komt Sebastien vanavond ook?' vroeg Katy.

Lily begon aan haar andere oog. Dit keer kraakte haar kaak toen ze haar mond opendeed. 'Nee,' zei ze. Ze voelde het effect van de wodka; alsof er nieuwe levenskracht door haar heen stroomde. Ze poederde haar sproeten naar de vergetelheid en gaf zichzelf een scherp, havikachtig gezicht. Wat wist Sebastien? Hij wist niets van haar. Hij wist niet eens dat ze jarig was. Die gedachte bezorgde Lily het heerlijke gevoel dat ze in haar eigen cocon leefde, en bij het aanbrengen van de rest van haar make-up begon ze in haar hoofd aan een soort bezwerende spreuk: *Hij weet niet dat ik jarig ben, hij weet niet dat ik jarig ben.* Ze kleurde haar wangen mauve, haar ogen paars en haar lippen sexy donkerrood. Haar magische wapenrusting was gereed. Ze hikte. Alles was aangenaam wazig.

'Waarom niet?' vroeg Katy, en Lily merkte dat het de tweede keer was dat ze het vroeg.

'Ik heb hem niet uitgenodigd.'

'Heb je hem niet uitgenodigd?'

Lily haalde haar schouders op. Ze hield van het knokige gevoel dat haar sleutelbenen gaven als ze dat deed; alleen dan leek ze echt mager. 'Ik denk niet dat hij het er erg naar zijn zin zou hebben,' zei ze op onnatuurlijk hoge toon.

Het was waar, Sebastien zou het vast niet naar zijn zin hebben, maar dat kwam vooral omdat Lily er een avond van wilde maken waar hij maar beter geen getuige van kon zijn. Als Sebastien Katy leuker vond dan Lily – nog steeds of al vanaf het begin – dan was dat best. Die dingen gebeurden. En zo hoorde het ook te gaan. Lily was een moderne vrouw, er waren geregeld mannen in de club die haar wel zagen zitten, en het was haar verjaardag. Als ze het een keer met een ander deed, stonden zij en Katy en Sebastien weer gelijk: dan waren ze allemaal even ruimdenkende mensen met evenveel geweldige mogelijkheden in het verschiet. Zonder onderlinge wrevel. In liefde en oorlog was alles toegestaan, en dit was geen van beide.

'Ik weet het niet, hoor,' zei Katy. 'Hij had er vast wel bij willen zijn.'

'Ach,' zei Lily, en ze haalde opnieuw haar schouders op. 'Misschien wordt het tijd voor iets nieuws.'

Katy fronste even en Lily zag de gebruikelijke Katy doorschemeren – eeuwig bezorgd of haar gedrag en gedachten wel door de beugel konden – maar vervolgens lachte Katy en zei ze: 'Het zou kunnen. Je ziet er geweldig uit.'

Lily dwong zichzelf tot een lachje en deinde mee op de muziek. 'Vind je?' Ze maakte een draai en gaf Katy een tikje op haar arm. 'En hoe staat het met jou, dame? Klaar om je rouwkleed af te doen en lekker loos te gaan?'

Katy bloosde – bij Lily zag het er dan meteen uit alsof ze een toeval had gehad, maar Katy zag er alleen maar gebruind en gezond en stralend uit.

'Misschien,' zei ze.

'Misschien?' piepte Lily gemaakt verontwaardigd. Normaal gesproken praatte ze niet zo op hoge toon en ze vond haar eigen stem maar niks als ze vriendelijk wilde overkomen bij andere vrouwen, maar dit was, zoals zoveel dingen in het leven, een noodzakelijk kwaad. 'Moet je jezelf horen. Heb je een oogje op iemand?'

Katy bloosde nog erger. 'Misschien,' zei ze. 'Nog niet echt.'

In de Fuego genoot Lily al bij voorbaat van de gedachte dat zij een hele hoop mensen kende die Katy niet kende. Ze zwaaide overdreven enthousiast naar collega's met wie ze anders nauwelijks een woord wisselde, sprak iedereen met zijn of haar voornaam aan, ook als ze dat anders nooit deed, en maakte verwijzingen naar vrij alledaagse voorvallen alsof het privégrapjes waren ('Hopelijk bestelt er vanavond niemand Patrón, hè Roderigo?' zei ze; Roderigo keek niet-begrijpend). 'Oi, Hector!' riep ze naar Hector. 'Twee wodka-tonic, graag.' Ze reikte Katy met alle egards haar glas aan, alsof de Fuego van haar was en Katy bij haar te gast was. Katy nam het glas gretig aan en gaf het meteen weer terug om naar het toilet te verdwijnen.

Lily liep naar een rustig hoekje en goot haar eigen glas naar binnen, haar hoofd bewegend op het ritme van de muziek. De bastonen overstemden het gebons van haar hart. Ze knikte naar een paar collega's, maar ze waren allemaal druk bezig. Ze babbelde even met een paar studiegenoten die in de hoop op gratis drank naar de club waren gekomen. Ze begon aan Katy's glas. Het voelde ongemakkelijk om zo in haar eentje te staan, maar dat gevoel maakte al snel plaats voor onverschilligheid, gevolgd door een scheut rusteloosheid. Ze dronk Katy's glas leeg en liep terug naar de bar. Toen ze betaalde – ze had met Javier afgesproken dat alleen de eerste consumptie gratis was – zag ze vanuit haar ooghoek Ignacio de Schildpad. Hij stond in de nis vlak bij de keuken, met een vrouw. Lily keek wat scherper. De vrouw was Katy. Het was Katy, en Ignacio had zijn beide handen stevig op haar kont. Lily keek even weg. Toen ze weer keek, stonden ze gewoon te praten. Leek Katy van streek? Geschokt? Lily kon het niet zien. De club was een deinende, luidruchtige massa, en Lily voelde zich geheel onthecht van alles wat er om haar heen gebeurde. Ze pakte haar glas en beende naar de nis.

'Je moet even met me meekomen,' zei ze, en ze trok Katy aan haar arm. Ze probeerde zorgelijk te kijken in de hoop dat Ignacio zou denken dat het om een onbenullige vrouwenaangelegenheid ging, maar ze besefte dat de bijna-paniek van haar gezicht af te lezen was en dat het geen zin had om te doen alsof.

'Wat is er?' zei Ignacio. 'Wat doe je?'

'Kom mee,' zei Lily. Ze gebaarde naar het toilet en morste een beetje drank. Katy haalde verontschuldigend haar schouders op naar Ignacio de Schildpad en liep achter Lily aan. In het steriele licht keek ze Lily met een hand op haar heup scherp aan.

'Alles in orde?' vroeg ze.

'Het gaat erom of jij wel helemaal in orde bent,' zei Lily.

'Wat bedoel je?'

Lily wist opeens niet meer precies waarom ze Katy had meegenomen naar het toilet, maar ze wist nog wel dat het belangrijk was. 'We moeten praten,' zei ze.

Katy keek haar ernstig aan. 'Oké,' zei ze.

'We moeten echt praten,' zei Lily, en toen zweeg ze. Ze groef in haar geheugen tot ze bleef hangen bij wat het meest aan haar knaagde. Opeens doorzag ze wat in haar ogen één groot complot was. 'Waarom kwam je niet voor me op?' vroeg ze.

'Wat?'

De wc werd doorgespoeld en er kwam een meisje tevoorschijn, onvast op haar hoge hakken. Ze waste haar handen zonder zeep. Om onduidelijke fatsoensredenen wachtte Lily tot het meisje weg was.

'Bij Beatriz.'

'Wat? Wanneer?'

'Toen ze me betrapte toen ik in die paperassen zat te graven.' Ja, dat was het. Katy had haar verraden en het was de hoogste tijd dat ze het uitpraatten.

'Voor je opkomen? Ik heb geen idee waar je het over hebt.'

'Beatriz mag me gewoon niet,' zei Lily. 'En dat vind ik niet eerlijk.'

'Carlos mag je in elk geval wel,' zei Katy. Lily zag dat Katy ook een beetje dronken was.

'Carlos vindt iedereen aardig,' zei Lily.

'Niet waar. Van mij moet hij niets hebben. Hij vindt me maar saai, omdat ik zo weinig zeg.'

'Niet waar.'

'Dat vind jij toch ook?'

Lily zweeg. Het was een waarheid als een koe en daarom wist ze niet wat ze moest zeggen. Dit was het soort waarheid waarover je uit piëteit nooit iets zei – zoals wanneer een slank meisje zich bij een dikke vriendin beklaagde over haar lichaam, waarna beide partijen zich opeens bewust werden van de pijnlijke uitglijder en er besmuikt het zwijgen toe deden.

'Heb je er weleens bij stilgestaan hoe Beatriz het vindt dat Carlos en jij zulke dikke maatjes zijn?' vroeg Katy.

Lily proefde een muffe smaak in haar mond. 'Zo zit het niet in elkaar,' zei ze.

'Dat weet ik ook wel. Maar denk je niet dat Beatriz wel dat idee zou kunnen krijgen? Met al dat drinken, lachen en discussiëren van jullie? Terwijl jij zo jong en adembenemend mooi bent?'

Lily schudde haar hoofd. Katy had beter een andere beschrijving kunnen kiezen. 'Adembenemend mooi' was toch wat overdreven. Lily's mond begon te vertrekken en te trillen; ze stond op het punt van huilen, maar het wilde niet echt losbreken, en tegelijk kon ze haar mond ook niet onder controle krijgen – waarschijnlijk zag ze eruit als een ober die zo wanhopig probeerde om een vol dienblad in evenwicht te houden dat je bijna ging hopen dat hij het opgaf en de hele handel maar op de grond liet kletteren.

'Ik zeg niet dat ze denkt dat er iets aan de hand is,' zei Katy met een zorgelijke blik op Lily's gezicht. 'Natuurlijk niet. Maar als je op betere voet met Beatriz wilt komen, is het misschien beter om bij Carlos de boel een beetje te temperen.'

'Wat moet ik bij Carlos temperen?' zei Lily bijna jammerend. Ze had geen flauw benul waar Katy het over had. Het had niets te maken met haar kleding. Het had niets te maken met waar zij en Carlos over praatten. En het had zeker niets te maken met hoe ze met hem omging – ze raakte hem niet aan, ze knipperde niet koket met haar ogen, ze gooide niet lachend haar hoofd achterover, ze wapperde niet met haar haar. Dat wist ze honderd procent zeker, ze zou zichzelf maar een aansteller vinden als ze zulke dingen deed.

'Het is gewoon...' Katy beet op haar lip. 'Je persoonlijkheid.'

'Mijn persoonlijkheid?'

'Je weet wel. De dingen die je doet.'

'Wat voor dingen?'

'Nou ja, het opnemen van die telefoon is een perfect voorbeeld.'

'Ik was gewoon beleefd! Waar heb je het over? Zou jij de telefoon niet hebben opgenomen?'

'Denk even na. Ze hebben toch een antwoordapparaat? Dus het is niet alsof ze het unieke, eenmalige telefoontje missen dat ze de loterij hebben gewonnen.'

Lily keek Katy met open mond aan. Een groepje meisjes – glanzende shirtjes, glanzende haren – kwam het toilet binnen en kroop gezamenlijk in één hokje, waarop er geschuifel, gesnuif en uiteindelijk gegiechel klonk.

Katy dempte haar stem. 'En je weet ook dat Carlos een bedrijf heeft, toch?' zei ze. 'En dat ze juridische problemen hebben.'

'Alsof dat mij ook maar íéts kan schelen! Ik kan me met geen mogelijkheid een slaapverwekkender onderwerp voorstellen!'

'Dus een eventuele boodschap zou weleens een behoorlijk ingewikkeld verhaal kunnen zijn. En zo goed is jouw Spaans nou ook weer niet.'

'Mijn Spaans is prima. Ik begrijp alles wat ze zeggen.'

'Carlos en Beatriz praten tegen ons langzamer. Een stuk langzamer. Versta jij alles wat onbekenden zeggen? En bij de telefoon zie je de spreker niet, wat het nog veel lastiger maakt.'

De glansmeisjes kwamen weer tevoorschijn, ze veegden hun neus af, maakten voor de spiegel hun haar in orde en vertrokken.

Katy ging verder. 'En misschien voel je je wel heel erg rot omdat Beatriz boos op je is en sluip je op kousenvoeten met een schuldig gezicht door het huis, maar heb je op enig moment ook daadwerkelijk tegen haar gezegd dat het je spijt? Je hebt het wel uitgelegd, maar heb je ook je excuses aangeboden?'

Lily zweeg. Dat had ze niet gedaan.

'Het gaat niet om wat je doet,' zei Katy met het air van iemand die blij is dat ze eindelijk haar hart kan luchten. 'Het gaat erom dat je er niet bij nadenkt.'

Katy had gelijk. Lily dacht niet na over zulke dingen. Dat wilde ze niet. Ze wilde niet op haar tenen door het leven gaan – ze wilde impulsief zijn, ze wilde dat de mensen dat van haar zouden begrijpen en haar desgewenst zouden vergeven. Ze wilde dat iedereen doorhad dat ze het goed bedoelde. Ze wilde dat iedereen niet zo godvergeten opgefokt deed. Haar oren tuitten en ze rook een giftige metaalgeur, en heel even dacht ze dat ze zou flauwvallen. Maar toen herstelde ze zich, ze concentreerde zich en rechtte haar schouders. Ze zou zichzelf zijn en zeggen wat ze bedoelde, ongeacht wat anderen ervan dachten.

'Ik vind het niet erg van jou en Sebastien,' zei Lily. 'Wat jullie ook met elkaar hebben.'

Katy zette grote ogen op en deed een stap achteruit. 'Ik heb niets met Sebastien.'

'Ignacio is in elk geval echt eng. Je kunt wel wat beters krijgen dan een van die twee.'

'Waar heb je het over? Sebastien en ik hebben niets met elkaar. Je bent niet goed snik.'

'Serieus, het kan me echt niet schelen.'

'Dat hoeft ook niet. Bel hem maar en vraag het hem.'

'Precies.' Lily voelde een scheut van wanhoop, een diepe, peilloze eenzaamheid. Ze vroeg zich af of dat kwam omdat ze dronken was, of dat ze zich altijd zo voelde en het er alleen uit kwam omdat ze had gedronken. 'Het spijt me,' zei ze, en ze gaf Katy een halfslachtige knuffel, niet precies wetend wat haar eigenlijk speet. Ze ving een blik van zichzelf op in de spiegel en zag dat haar make-up was uitgelopen. Ze ging met haar tong over haar lippen en proefde het zout van haar zweet, gecombineerd met de wrange, krijtachtige smaak van haar make-up.

'Het geeft niet,' zei Katy en ze klopte Lily op de schouder, duidelijk verrast over de wending die de avond had genomen. Lily zag er opzichtig en cartoonesk uit in de spiegel. Wat probeerde ze in vredesnaam te bewijzen? Voor wie? Sebastien was er niet eens bij. Ze had het soort hoofdpijn dat je kreeg na een huilbui, terwijl ze niet had gehuild. En Sebastien was er niet bij. Sebastien wist niet eens dat ze jarig was.

12

Maart

Toen Eduardo opnieuw naar het huis van Sebastien LeCompte ging, leek het nog net zo doods en verlaten als de voorgaande keren. Eduardo liep voor de vierde keer het overwoekerde tuinpad op, liet voor de vierde keer de zware klopper tegen de deur bonzen, veegde het spinrag van een van de benedenramen en tuurde naar binnen. Het was net als eerder donker in huis, maar dit keer dacht hij in een hoek voor een raam zonder gordijnen dat op het westen uitkeek kandelaars te zien, die schaduwen in de vorm van een hand over de vloer wierpen. De met witte lakens bedekte meubels leken op zandduinen.

Eduardo vond het een raar idee dat er zo'n huis in Buenos Aires stond. Het leek op een overblijfsel uit een ander tijdperk – een tijd waarin keurige, gefortuneerde heren in andere delen van de wereld hun tijd doorbrachten met ruziën met hun wederhelft over cocktails en tennis, terwijl de mensen in zijn land zich vooral bezighielden met onverstandige wapenaankopen – en als het goed was onderhouden, zou het een schitterend huis zijn geweest. Helaas was het door verwaarlozing in verval geraakt, en Eduardo begreep absoluut niet waarom een jongen die kon doen en laten wat hij wilde ervoor koos om er te blijven wonen – of waarom een dergelijk huis eigenlijk was toebedeeld aan een verwende tiener. De enige reden die Eduardo kon bedenken, was dat de jongen het had gekregen als een niet geheel zuivere compensatie voor het noodlot dat zijn ouders had getroffen, dus misschien was het wel een redelijke ruil.

Eduardo liep naar de zijkant van het huis en probeerde daar naar binnen te kijken, maar aan die kant hingen er zware, groene fluwelen gordijnen voor de ramen. Hij liep naar de achterkant en keek naar het kreupelbos dat erachter lag; op die plek was hij bij zijn eerdere bezoeken niet geweest. Hij wilde zich net omdraaien om door een onbedekt achterraam te kijken toen zijn oog op een groen lapje grond viel. Een tuin. Eduardo liep erheen. Hij zag groene scheuten die onlangs nog water hadden gehad, met ernaast de hangende peulen van een gewas dat hij niet herkende. Was dit het werk van Sebastien LeCompte, de playboy en klaploper? Misschien waren er krakers in het huis getrokken.

Eduardo maakte nog een rondje om het huis, klopte op elk raam en riep luid en herhaaldelijk: 'Ik weet dat je thuis bent. Ik weet dat je thuis bent.' Toen hij de hoek omkwam om een laatste keer op de voordeur te kloppen, stond daar een slonzige, in een streepjespyjama geklede jongen op blote voeten.

'Hallo,' zei Eduardo. 'Jij bent vast Sebastien LeCompte. Ik ben Eduardo Campos.' Hij zwaaide routineus met zijn legitimatiebewijs, maar de jongen keek niet eens. 'Ik werk voor Justitie.'

'Eindelijk komen jullie opdagen,' zei Sebastien. 'Het eten staat al dagen te verpieteren.' Er klonk iets van een verongelijkte huismoeder door in zijn stem bij wat volgens Eduardo als een macaber grapje bedoeld was. De jongen gebaarde naar binnen en Eduardo zag dat de tafel inderdaad uitgebreid gedekt was: borden, bestek, tinnen bokalen – een rijkversierde dis voor een stel depressieve huisgeesten.

'Ik wil je wat vragen stellen over Katy Kellers,' zei Eduardo en hij borg zijn legitimatiebewijs weer op. 'Mag ik binnenkomen?'

'Ik zou wel een heel slechte gastheer zijn als ik dat weigerde.'

De grootste blikvangers in de kamer waren een vijftal grote

voorwerpen – meer dan Eduardo van buitenaf had kunnen onderscheiden – allemaal bedekt met katoenen lakens, waardoor het huis iets kreeg van het winterverblijf van een rijke familie die aan de kust woonde. Op de schoorsteenmantel stond een oude arabeske klok die in een grijs verleden aan het eind van de middag of vroeg in de ochtend was blijven stilstaan. Eduardo wist behoorlijk zeker dat het erg lang geleden was geweest. Naast de klok stond een ingelijste foto met daarop een jonge Sebastien naast een man die onmiskenbaar zijn vader was, ze poseerden bij een dode tapir. In het midden van de kamer stond een wankele, door de tand des tijds aangetaste Steinway. Dit was echt een schoolvoorbeeld van vergane glorie; het was jammer dat er geen eeuwig verontwaardigde studenten in de buurt waren om er schande van te spreken.

'Gaat u zitten,' zei Sebastien. Hij trok het laken van een van de meubels en leek verbaasd dat er een sofa tevoorschijn kwam. Hij gaf er een uitnodigend klopje op en onthulde een andere bank voor hemzelf. Eduardo ging zitten.

Eduardo wees naar de vleugel. 'Die ziet eruit alsof hij ooit heel duur is geweest.'

Sebastien keek met een matig geïnteresseerde blik naar het instrument, alsof zijn mening werd gevraagd over een onbeduidend museumstuk. 'Wanstaltig duur, vermoed ik.'

'Speel je piano?'

'Ja. Ik ben een mateloos begaafd pianist, maar helaas koester ik mijn talent in stilte. En u? Misschien kunt u ons muzikaal verpozen?'

'Een ander keertje, misschien.'

'Ik zou hem u graag als geschenk aanbieden, maar ik vrees dat het dan wel erg krap wordt in uw auto.'

Eduardo negeerde de opmerking. Hij wees naar de foto van Sebastien en de tapir op de schoorsteenmantel. 'Een mooi exemplaar,' zei hij. 'Heb jij die geschoten?'

'Dat? O, dat ben ik niet.'

Eduardo keek nog een keer. De oudere man leek als twee druppels water op degene die nu tegenover hem zat en het kind op de foto was een miniatuuruitvoering van Sebastien. 'Je broer, dan?' vroeg hij.

'Geen familie. Ik heb het ding ergens op een vlooienmarkt opgeduikeld. Hoezo, ziet u een gelijkenis? Vreemd, dat is me nog nooit opgevallen.'

Eduardo deed alsof hij iets in zijn aantekenboekje schreef. Het was wonderlijk dat Sebastien al zo vroeg in het gesprek loog, en om zoiets onbenulligs. Mensen die wisten dat ze gingen liegen, probeerden in eerste instantie vaak om zo geloofwaardig mogelijk over te komen: ze leverden uitgebreide en precieze informatie over zichzelf, ze deden onthullingen, ze beantwoordden het grootste deel van de verifieerbare vragen omslachtig en tot in detail, en als ze dachten dat het geen kwaad kon, erkenden ze grif bepaalde dubbelzinnigheden – alsof die dingen er echt toe deden. Alsof Justitie zich een beeld wilde vormen van hun algehele bedrogvaardigheid in plaats van de specifieke zaak waar het om ging: wat ze op een bepaald moment hadden gezien en gedaan. Vanwege die vaak voorkomende neiging beperkte Eduardo zich meestal tot rechtstreekse vragen waarop hij het antwoord al wist en die de mensen meer dan bereid waren om naar waarheid te beantwoorden – naam, leeftijd, beroep, diverse andere algemeen bekende feiten over hun leven – zodat er een patroon ontstond en er een zekere onderlinge band werd opgebouwd waarbij de persoon in kwestie zich op zijn gemak voelde. Dat werkte in Eduardo's voordeel, iets wat slechts weinig mensen in de gaten hadden. Iemand die tijdens een leugendetectortest de hele tijd doodsbenauwd was, zowel bij de waarheden als bij de leugens, leverde geen betrouwbaar resultaat op; het was juist de relatieve rust die voor de juiste uitslagen zorgde, en daarom probeerde Eduardo die bij zijn verhoren tot stand te brengen.

Maar hij zag dat zijn gebruikelijke aanpak bij Sebastien LeCompte niet zou werken en bij hen allebei alleen maar ergernis zou opwekken. Hij deed opnieuw alsof hij iets opschreef. 'Hoe lang ken je Lily Hayes al?' vroeg hij zonder op te kijken.

Eduardo hoorde Sebastien met zijn vingers op de bank kloppen. 'Ik heb al een verklaring afgelegd bij de politie.'

'Help even mijn geheugen opfrissen,' zei Eduardo, opkijkend. 'We beginnen opnieuw. Hoe lang kende je Lily Hayes?'

'Ongeveer een maand.'

'Hoe hebben jullie elkaar leren kennen?'

'De Carrizo's nodigden me uit voor het avondeten. Daar hebben we elkaar ontmoet.'

'Hoe zou je je relatie met haar omschrijven?'

'Zinsbegoochelend seksueel.'

Over het algemeen had Eduardo liever te maken met de wat meer doorsneefiguren die hij tegenkwam – een onbeduidende drugsdealer met een vettig baardje, een onbewogen psychopaat, een aan één stuk doorratelende schizofreniepatiënt – dan met iemand als Sebastien LeCompte. Het was belangrijk dat Sebastien dat niet merkte. 'Dus jullie waren nogal hecht?'

Sebastien leunde achterover en sloeg met een peinzend gezicht zijn armen over elkaar. 'Kunt u die vraag preciseren?'

Eduardo legde zijn handen zorgvuldig op zijn schoot. Toegeven aan deze vertragingstactiek benadrukte alleen maar het geringe belang ervan.

'Wat bedoelen we precies als we de term "hecht" gebruiken?' vroeg Sebastien. 'In zeker opzicht waren we zo hecht als twee mensen maar kunnen zijn, in een ander opzicht kenden we elkaar nauwelijks.'

'Kun je specifieker zijn?'

'Vermoedelijk niet.'

'Jullie gingen met elkaar naar bed?'

Sebastien liet ostentatief zijn mond openvallen. 'U stelt mijn ridderlijkheid zwaar op de proef. Hoe kan een echte heer zo'n vraag op een beschaafde manier beantwoorden?'

'Had je een intieme verhouding met Lily?'

'Dat probeerde ik in elk geval wel te bewerkstelligen.'

'Vertel eens over de avond waarop Katy werd vermoord.'

'Als u de moeite neemt om uw dossier erop na te slaan, vindt u het hele verhaal, tot in de akeligste details.'

Eduardo voelde een doffe beginnende hoofdpijn; hij zou het liefst tegen Sebastien zeggen dat ze allebei hun tijd en intelligentie verdeden met deze infantiele woordenstrijd. 'Weet je,' zei hij, en hij probeerde zo vriendelijk mogelijk te klinken, 'op deze manier draag je niet erg bij aan de zaak. Misschien wil je dat ook niet, maar daar ga ik liever niet van uit. Ik heb begrepen dat je vermaard bent vanwege je ongenaakbaarheid. Maar als je Lily wilt helpen, zul je moeten inzien dat dit averechts werkt.'

Van Sebastiens gezicht viel niets af te lezen. Door het open raam waaide een briesje door de kamer, waardoor de gordijnen zachtjes ruisten.

Eduardo boog zich naar voren. 'Vertel me over de avond waarop Katy Kellers werd vermoord.'

'Lily en ik hebben hier samen de nacht doorgebracht. Zoals ik al ettelijke malen heb gezegd.'

'En wat hebben jullie gedaan?'

'Een film gekeken.'

'Welke film?'

'Zijn jullie echt zo sadistisch ingesteld? Moet ik het echt nog een keer bekennen?'

'Welke film?'

'*Lost in Translation*. We hebben naar *Lost in Translation* gekeken. Als ik had geweten dat jullie haar de volgende dag in het cachot zouden gooien, als ik had geweten dat ik het aan zoveel onbekenden zou moeten toegeven, had ik wel gezorgd dat het iets obscuurders was.'

'Wanneer vielen jullie in slaap?'

'Waarschijnlijk rond een uur of vier.'

'En wanneer werden jullie wakker?'

'Omstreeks elf uur.'

'En Lily is de hele tijd bij jou geweest?'

'Ja.'

'Dat weet je zeker?'

'Ja.'

'Kan ze zijn opgestaan terwijl jij sliep?'

'Onmogelijk.'

'Hoe weet je dat?'

'Omdat we in elkaars armen sliepen. We deelden dezelfde glasheldere dromen en bedreven om het uur de liefde. We hebben een waarlijk kosmische band.'

'Oké.' Eduardo maakte weer een aantekening, zijn pen kraste droog over het papier. 'Heb je enig idee hoe Lily over jouw verhouding met Katy Kellers dacht?'

Sebastien maakte een verstikt geluid, vermoedelijk een ongelovig lachje. 'Verhouding?' zei hij. 'Is dat tegenwoordig de officiële benaming?'

Eduardo klemde zijn kaken op elkaar, maar hij probeerde zijn mondspieren ontspannen te houden. 'Iets korters dan? Een eenmalige aangelegenheid, misschien?'

'In dat geval zou je het een nulmalige aangelegenheid moeten noemen, als het u om exacte cijfers te doen is.' Sebastiens stem klonk nu vlakker dan vlak – gepolijst, in de was gezet.

'Dus je bent niet naar bed geweest met Katy Kellers?' vroeg Eduardo.

'Mijn god, wat wordt dit eentonig.'

'Niet één keer? Daar blijf je bij?'

'Niet één keer. Nooit. Ik weet redelijk zeker dat het me anders wel was bijgebleven.'

'Lily Hayes heeft iets anders verklaard.'

'In dit geval, en alleen in dit geval, vrees ik dat Lily Hayes ernaast zit.'

Eduardo's hoofdpijn verplaatste zich van zijn slapen naar het midden van zijn schedel; hij groef zich in en maakte het zich gemakkelijk, klaar voor een lang verblijf. Eduardo was niet van plan iets te laten merken. 'Je hoeft niet tegen me te liegen,' zei hij, afgeleid door de hoofdpijn. Het was zijn eerste misser.

Sebastien lachte spottend. 'Als er iets was waarover ik zou moeten liegen, zou ik het zeker hebben gedaan. Maar het geval wil dat dat niet zo is. Ik heb geen intiem contact met de overledene gehad. En eerlijk gezegd ben ik geschokt dat u zo'n onbeschofte vraag durft te stellen.'

Eduardo bleef aandringen. 'Volgens getuigen,' zei hij, 'hadden Lily en Katy op de avond van Lily's verjaardag in de Fuego ruzie met elkaar.'

Sebastiens gezicht vertrok heel even in een nauwelijks onderdrukte psychomotorische geagiteerdheid. Eduardo keek Sebastien net lang genoeg aan om hem te laten merken dat hij het had geconstateerd. Hij zei tijdens verhoren nooit iets over een verandering in gezichtsuitdrukking – als hij dat wel deed, zou degene tegenover hem weten dat hij op zulke vluchtige dingen lette, hoe makkelijk het was om iemands waarneming te beïnvloeden en hoe snel twee verschillende interpretaties van hetzelfde voorval zich tegen elkaar konden keren en elkaar konden uitsluiten. Door zichtbaar, maar zonder verder commentaar op een gezichtsuitdrukking te reageren, kreeg de ander het idee dat hij onbewust iets had laten doorschemeren. Daardoor raakte die persoon even van slag en liet hij zich misschien verleiden tot een belangrijke onthulling, en dat was uiteindelijk het enige wat er echt toe deed.

'Dus volgens jou was jij niet de aanleiding voor die ruzie?' zei Eduardo.

'Zeker niet,' zei Sebastien, die zijn gezicht weer onder controle had.

'Wat was het dan?'

'Ik weet het niet. 'Waar maken meisjes ruzie om? Hun cupmaat? Seksuele dominantie? Een meningsverschil over de mogelijke gevolgen van de handelsbeperkende maatregelen van de Mercosur? Geen idee.'

'Vertel me wat je wel weet. Misschien kunnen we samen de puzzelstukjes in elkaar passen.'

'Dat lijkt me sterk. Ik was er niet bij.'

'Was je die avond niet in de Fuego?'

'Nee.'

'Wil je beweren dat je niet op de verjaardag van je eigen vriendin was?'

'Inderdaad.'

'Je weet dat we dat kunnen natrekken.'

'De politie kan tegenwoordig echt alles, zeg.'

'Waarom was je er niet? Leek het je niet verstandig om met Katy en Lily tegelijk op dezelfde plek te zijn?'

Sebastien LeCompte keek op. 'Ik was er niet bij omdat ik niet was uitgenodigd.' Zijn stem gaf een geheel nieuwe dimensie aan het begrip 'effen'; het was zijn enige uitvinding in het leven, zijn enige bijdrage aan de mensheid.

'Je bewijst jezelf geen dienst door over zulke dingen te liegen,' zei Eduardo. Dat was absoluut waar. Kleine leugentjes werkten alleen maar contraproductief.

'Uw vasthoudendheid op dit punt verbaast me hogelijk.'

'Waarom zou Lily Hayes – je vriendin, het meisje met wie je naar bed ging – je niet uitnodigen voor haar verjaardag?'

'Die vraag kunt u beter aan Lily voorleggen. Ik ben erg benieuwd naar het antwoord.' Er klonk nu iets korzeligs in Sebastiens stem en Eduardo besefte opeens dat hij niet loog – en hoewel het misschien niet de enige vraag was die hij tot nu toe naar waarheid had beantwoord, was het wel de enige waarheid die hem daadwerkelijk iets deed. Dus moest Eduardo zich hierop concentreren.

'Dat komt nogal onbeleefd op me over,' zei Eduardo. 'Je wederhelft niet uitnodigen voor je verjaardag.'

'Onbeleefd lijkt me niet het juiste woord. Het was in elk geval heel geëmancipeerd. Dat krijg je met die moderne vrouwen, hè?'

Eduardo wist intussen dat er bij Sebastien geen toonverschil zat tussen serieus en ironisch, en hij wist dat deze vreemde spraaktechniek – de semantische monotonie – diepgeworteld, alomtegenwoordig en authentiek was, hoewel hij misschien versterkt werd door de context van het verhoor. Dat betekende dat zelfs als Sebastien LeCompte zelden iets serieus zei, hij zeker niet altijd een grapje maakte. Eduardo besloot iets nieuws te proberen.

Hij leunde voorover, ging weer achterover zitten, schudde zijn hoofd licht en boog weer naar voren. 'Weet je,' zei hij op samenzweerderige toon, alsof hij een acteur was die samen met

Sebastien een rol speelde in een toneelstuk dat hem de strot uithing en het geen kwaad kon om er samen even tussenuit te knijpen voor een rookpauze. 'Mijn vrouw is ook nogal excentriek.'

Sebastien trok bestudeerd geamuseerd een wenkbrauw op, maar hij zei niets.

'Ze is om de haverklap boos op me en in negen van de tien gevallen heb ik geen idee waar het om gaat. Echt niet. Het is één groot raadsel voor me. Had jij dat ook weleens met Lily? Nee, je hoeft geen antwoord te geven. Natuurlijk had je dat.' Eduardo had er bijna iets aan toegevoegd als 'we hebben tenslotte allemaal haar Facebookverhalen gelezen', maar hij besloot het toch maar niet te doen. Een verwijzing naar iets over Lily wat algemeen bekend was, was misschien geen slecht idee – mogelijk zou het Sebastien tot een meewarig, vals lachje verleiden – maar als Eduardo iets losliet over wat hij gedurende het onderzoek had ontdekt, zou Sebastien ook weer helemaal in zijn schulp kunnen kruipen. Als hij er al een beetje uit was gekomen, wat mogelijk niet het geval was.

'Maar weet je, Sebastien, als mijn vrouw boos op me is en ik geen idee heb waarom en ik maar naar de aanleiding moet gokken, dan heb ik het soms zowaar bij het rechte eind. Als ik er heel, heel goed over nadenk. Hooguit in een kwart van de gevallen, maar statistisch is dat nog niet eens zo slecht. Dus vertel eens. Stel dat je er een slag naar zou moeten slaan, wat zou dan de reden kunnen zijn waarom Lily die avond boos op je was?'

Sebastien bleef zwijgen. Zijn gezicht was zo stoïcijns dat het niet eens leek alsof hij iets probeerde te verbergen. Als Eduardo niet beter had geweten, had hij gedacht dat deze jongen werkelijk niets te verbergen had.

'Bovendien was Lily kwaad op jou en Katy,' zei Eduardo. 'Dat weten we. Dus wellicht is dat een aanwijzing. Wat zou de aanleiding kunnen zijn geweest dat Lily tegelijk boos op jou en Katy was?'

Sebastiens gezicht bleef totaal onaangedaan. Hij keek niet ontwijkend – niet naar de grond, niet opzij, hij knipperde niet te veel met zijn ogen en frunnikte niet aan zijn haar. Hij zat met zijn handen licht gekromd op schoot; zijn houding was volkomen kalm, aandachtig en geduldig, alsof hij degene was die op antwoorden wachtte en niet andersom. Hij was behoorlijk goed in dit soort dingen, dacht Eduardo. Misschien had hij voor hetzelfde vak als zijn ouders moeten kiezen.

'Maakt niet uit,' zei Eduardo. Hij stond op en gaf Sebastien zijn kaartje. 'Denk er maar eens rustig over na. Maak je geen zorgen, soms duurt het even voordat iets je te binnen schiet. Laat het me weten als je je iets herinnert, hoe onbelangrijk het ook lijkt.'

Na die woorden ontwaakte Sebastien eindelijk uit zijn schijnbare trance en begeleidde hij Eduardo naar de deur met de stellige verzekering dat hij dat absoluut zou doen.

Andrew en Maureen stonden zonder iets te zeggen op het balkon van het hotel. Een verdieping hoger lag Anna in Andrews kamer te slapen. Vijf kilometer verderop wachtte Lily in de gevangenis de gebeurtenissen af. Andrew en Maureen dronken allebei rechtstreeks uit een miniflesje wodka, de alcohol schroeide in hun mond. Aan de overkant van de straat stond een kantoorgebouw dat geheel donker was, met uitzondering van één kamer, die oplichtte als een fluorescerende postzegel. Daarboven leken de sterren op glinsterende speldenprikjes, zo ver en kil dat Andrew nauwelijks kon geloven dat het enorme vuurbollen waren. Het was zo onrechtvaardig dat hij hier naar al die dingen kon kijken en Lily niet. Jaren geleden had Andrew tijdens een vlucht over de Atlantische Oceaan een minuscuul bleek stipje in het water onder hem gezien. Het had hem herinnerd aan die beroemde foto van de aarde vanuit de ruimte – klein en helverlicht, als een glanzende parel in de leegte – waarvan iedereen korte tijd had gedacht dat die wellicht voor een vreedzame wereld kon zorgen. Met zijn ogen tot spleetjes geknepen had Andrew gedacht dat het misschien een ijsberg was, of de weerkaatsing van het maanlicht op een walvis, of een tot dan toe onontdekte Arctische bioluminescentie. Of heel, heel misschien, had hij gedacht, was het wel iets anders. Het verbaasde hem hoe graag hij wilde geloven dat het iets anders was – hoe graag hij zijn mond erover wilde houden, zodat het een geheim tussen hem en het heelal bleef. Pas toen ze in de buurt van Engeland kwamen, was tot hem doorgedrongen dat het gewoon een reflectie van het vliegtuig was geweest.

De rest van het gesprek met de advocaten was een eindeloze herhaling van zetten geweest. Andrew had geprobeerd aantekeningen te maken, maar na verloop van tijd had hij zich beperkt tot een gemelijk onderstrepen van aantekeningen die hij al eerder had gemaakt. Na Lily's onthulling dat ze drugs van Ignacio Toledo had gekocht, waren er geen opzienbarende dingen meer aan het licht gekomen; ze bleef geruststellend trouw aan haar lezing van de gebeurtenissen op de dag van de moord, en door de veelvuldige herhaling werd het geheel steeds oorspronkelijker en kernachtiger; net als een Bijbeltekst of een nummer van de Beatles werd het zo bekend dat je de inhoud niet echt meer hoorde. Lily vertelde haar verhaal zo vaak dat Andrew het bijna voor zijn ogen kon zien gebeuren: hij zag bijna levensecht de spookachtige schaduw van Sebastien die stoned was, hij hoorde bijna het blikkerige geluid van de spelletjesprogramma's waar Lily naar had gekeken terwijl het nog niet ontdekte lichaam van Katy – grote god – levenloos een verdieping lager in het souterrain lag.

Toen de advocaten eindelijk waren vertrokken, was het bezoekuur voorbij. Maureen had geprobeerd Lily zover te krijgen dat ze de rest van het broodje opat, maar dat had ze niet gedaan; ze lieten het zielige restant op tafel achter, hoewel Lily zei dat ze het van de bewakers waarschijnlijk toch moest weggooien. Vervolgens hadden ze Lily allebei op de wang gekust, en ze had zich langer aan Maureen vastgeklampt dan de bewakers lief was, en toen was het alweer tijd om te vertrekken.

'Kom,' zei Maureen en ze trok licht aan Andrews pols. 'We gaan naar binnen.' Andrew volgde haar de kamer in, het wodkaflesje tussen zijn wijsvinger en duim, en schoof een stapel krantenknipsels opzij zodat hij op bed kon zitten. In de hoek van een van de artikelen zag hij de rand van die afschuwelijke foto van Lily's eigen camera, waarop ze met een veel te brede glimlach en een veel te uitbundig decolleté voor de kerk stond. Andrew draaide het artikel om en Maureen kwam naast hem zitten. Ze rook naar mos en cederhout, en een of ander nieuw rijpere-vrouwenparfum. Maar ze rook vooral onbekend.

Maureen zuchtte. 'Ik kan er met mijn verstand niet bij dat ze heeft gelogen over die drugs.'

'Volgens mij heeft ze ook niet gelogen,' zei Andrew. 'Niet echt. Ze heeft die informatie niet vrijwillig gegeven.'

'Ze had beter moeten weten.'

'Ze was bang. Ze zat tegenover een stel advocaten. Ze wist niet wat ze moest zeggen.' Andrew streek door zijn haar. 'Bovendien was het maar een beetje wiet.'

'Maar een beetje wiet? In dit land? Godallemachtig. Alleen een beetje wiet zou al erg genoeg geweest zijn, zelfs als ze het niet van een moordenaar had gekocht.' Ze zuchtte opnieuw en schudde haar hoofd. 'Jezus. Ik moet er eigenlijk niet aan denken, maar het had Lily kunnen zijn. Voor hetzelfde geld was het haar overkomen in plaats van Katy.'

'Ik weet het,' zei Andrew. Het was waar. Het had Lily kunnen overkomen. Het was hun al een keer overkomen. Met Janie.

Maureen volgde met haar pink de rand van de hals van haar wodkaflesje en nam vervolgens nog een slok. 'Was ik onredelijk toen ik over haar haar begon?'

'Het was niet verkeerd.'

'Vind jij dat ik onredelijk was?'

Andrews oog werd weer even getrokken door de foto: de grimmige sereniteit van de kerk, Lily's borsten die uit dat belachelijke topje puilden, dat haar vermoedelijk minder dan het equivalent van drie dollar had gekost. Had ze geen geld gehad om iets te kopen dat voldoende stof bevatte om haar wat beter te bedekken? Desnoods hadden zíj iets voor haar gekocht! Dat wist ze toch wel? En tegelijk was het onvoorstelbaar dat zoiets zulke gevolgen kon hebben. Andrew schudde zijn hoofd. 'Misschien kwam het allemaal net even te laat.'

'Hoe bedoel je?' Maureens stem klonk scherp.

'Ik bedoel gewoon,' zei Andrew langzaam, 'dat er dingen zijn waar we het eerder met haar over hadden moeten hebben. Over hoe ze overkomt op anderen. Al een tijdje geleden.'

'Ik, bedoel je.' Maureen beet hoorbaar op een nagel. De fysiologie van haar ongerustheid was als een kindertaal die Andrew zich pas op dat moment weer herinnerde.

'We, bedoel ik.'

Andrew wist niet zeker of ze specifiek op dat gebied de fout in waren gegaan, maar ze hadden in elk geval iets verkeerd gedaan. Hoe hadden ze het anders moeten aanpakken? Ze hadden gewoon geprobeerd de boel bij elkaar te houden, daar was Andrew nog steeds trots op en daar zou hij ook altijd trots op blijven, dat ze het nog zo lang hadden weten te redden; meestal liepen zulke gebeurtenissen al veel eerder op een echtscheiding uit. Natuurlijk was er kort na Janies dood een moment geweest dat ze aan het wankelen waren gebracht. Maureens moeder was overgekomen en die vrouw was zelfs onder ideale omstandigheden star en humorloos, met haar kleurloze, uitgestreken Japanse-keizerinnengezicht. Met hun drieën hadden ze zich afgestompt door de dagen gesleept, als lome diepzeewezens: ze waren kleine, doorzichtige krabben die bij fumarolen rondscharrelden, ze waren blinde, doofstomme, hersenloze octopussen. Maureen had als een zombie door het huis gedoold en Andrew had geweten dat ze er niets van zou hebben gemerkt als hij haar had laten wegglijden, of als hij zichzelf had laten afglijden: misschien naar de geriatrische afdeling van het Vredeskorps (hij wist dat die bestond: voor mensen die gebukt gingen onder een verlaat idealisme), of in de armen van een jongere, niet-verwoeste vrouw. Het was bijna ongelooflijk dat ze nog de moeite hadden genomen om zich te wassen en zich aan te kleden, en al helemaal dat ze hadden geprobeerd hun huwelijk in stand te houden. Een buitenstaander zou ze waarschijnlijk voor heiligen hebben versleten, hoewel dat natuurlijk flauwekul was – ze konden geen enkel mededogen opbrengen voor wie dan ook, behalve voor elkaar en Janie (kort voor haar dood alleen voor Janie, en kort na haar dood alleen voor elkaar). Janies dood was de monstrueuze planeet waar al het andere omheen draaide. Zelfs het leven en de dood van andere kinderen in het ziekenhuis werden gedomineerd door Janie; enerzijds leek het overlijden van een ander kind een voorbode van het heengaan van Janie, een gruwelijke realiteit die hun realiteit nog gruwelijker maakte; anderzijds gaf het ze het gevoel dat ze die kogel op het nippertje hadden weten te ontwijken (en zoals Churchill ooit had gezegd, was er niets mooiers dan beschoten worden zonder dat je geraakt werd). Als slechts een bepaald percentage kinderen met X ten dode was opgeschreven en kind Y ging dood, was de kans dan groter of kleiner dat Janie ook zou doodgaan? Dat was iets waarover Andrew en Maureen het daadwerkelijk hadden. Maureen wees erop dat ze waarschijnlijkheid en zekerheid door elkaar haalden. Geen van beiden wees erop dat ze in hun narcistische verdriet het andere kind en het andere gezin totaal vergaten – het gezin dat op dat moment ergens huilend een kleine, met verguldsel versierde lijkkist uitkoos. Er bestond geen ander gezin, er bestond geen ander kind. Hun wereld bestond uit Janie, Maureen en Andrew, ze dreven in een bootje op zee en alle continenten waren overspoeld.

Hoe konden ze daarna nog van elkaar houden? Hoe konden ze daarna zelfs nog naar elkaar kijken? Maar op de een of andere manier kregen ze het voor elkaar, en toen volgden de jaren met Lily en Anna: mollige handjes, vlasgeel donshaar, schattige huisdiertjes – een zwart-wit poesje dat uitgroeide tot een bloeddorstig monster van tien kilo, een knuffelbaar dwergkonijn met hangoren dat van de ene op de andere dag veranderde in een serieverkrachter – en was hun leven leefbaar geweest, in elk geval tot de kinderen naar school gingen. Maar toen dat moment aanbrak, was de voorstelling afgelopen: de bühneverlichting ging uit, het orkest pakte zijn instrumenten in en het publiek verdween in een roes van levenslust in de avond. En Andrew en Maureen bleven achter met elkaar als gezelschap, eindelijk alleen met elkaar.

Andrew stond op het punt om Maureen een paar van die dingen te vertellen, maar toen hij naar haar keek, zag hij dat ze in een ondiepe en welverdiende slaap was weggezakt. Hij stond voorzichtig op om de kranten niet te laten ritselen en deed het licht uit.

Hij ging met de lift een verdieping naar boven en bleef even in het harde licht van de frisdrankautomaat staan, luisterend naar het gezoem van de koeling, voordat hij naar zijn kamer liep. Hij trok zijn sleutelkaart door het slot, zag het groene lampje oplichten en deed de deur open.

Anna was nergens te bekennen. Ze was niet in de inloopkast, niet in een van de slaapkamers en niet in de badkamer. En toen Andrew in de sportzaal ging kijken, was ze daar ook niet. De portier had haar niet gezien. Andrew ging terug naar zijn kamer om zijn schoenen aan te trekken. Hij was niet van plan om Maureen wakker te maken en op te biechten dat hij nog een dochter was kwijtgeraakt.

Toen hij dit keer de deur opendeed, zat Anna in een hoek op de grond met opgevouwen benen, alsof ze een overtollig videomeubel was. Andrew bleef wankelend in de deuropening staan. 'Waar heb jij uitgehangen?' vroeg hij.

'Heb je gedronken?' zei Anna. In het maanlicht leek haar haar bijna grijs en hij ving een glimp op van hoe ze er ooit zou uitzien – in een ondenkbaar verre toekomst, zo ver weg dat Andrew er nooit getuige van zou zijn.

'Neem me niet kwalijk, hoor, maar heb jíj gedronken?' vroeg hij. 'Waar kom je in vredesnaam vandaan?'

'Ik ben negentien,' zei Anna en ze ging staan. Ze was nog een halve kop kleiner dan Andrew, maar door haar jonge, ranke lichaam leek ze ver boven hem uit te torenen. 'Je kunt me hier niet opgesloten houden. Ik ben niet degene die in de gevangenis zit.' Ze hikte.

'Je kunt er niet stiekem tussenuit knijpen. Dit is een gevaarlijke stad.' Andrews stem beefde. 'Weet je wel hoe ongerust ik was?'

'Bang dat iemand me overhoopsteekt?'

'Godsamme, Anna. Ja. Natuurlijk. Of iets dergelijks.' Andrew had haar het liefst in zijn armen genomen, maar hij moest er niet aan denken dat ze hem zou afweren.

'Iets dergelijks? Zoals wat?' vroeg Anna. 'Dat ik iemand vermoord?'

'Schei uit,' zei Andrew met stemverheffing. Anna keek verrast. Omdat hij normaal gesproken altijd even bedaard sprak, leek iedereen te zijn vergeten dat hij zich wel degelijk verbaal kon laten gelden als hij dat nodig vond.

'Pap.' Anna zwaaide ietsje op haar benen. 'Zou je nog steeds van haar houden als ze het wel had gedaan?'

'Schei uit,' zei Andrew opnieuw. 'Ga zitten.'

Ze ging zitten.

'Doe je schoenen uit,' zei Andrew, hoewel hij geen idee had waarom hij dat wilde. Misschien omdat ze zonder haar schoenen er niet nog een keer vandoor zou gaan. Of misschien ook wel. Misschien wist hij in de verste verte niet wat zijn dochters wel of niet zouden doen. Wellicht wilde hij gewoon alleen maar dat Anna iets deed wat hij zei. 'Geef ze aan mij,' beval hij.

Ze deed het. Andrew voelde zich een fractie meer meester van de situatie. 'Oké,' zei hij. 'Ik pak een glas water voor ons allebei.'

Andrew ging naar de badkamer en liet de kraan stromen tot het water koud werd. Hij zag in de spiegel dat de huid rond zijn mond en ogen diepe rimpels vertoonde. Zijn tanden werden met de dag geler. Hij zag er ouder uit dan hij ooit voor mogelijk had gehouden, en erger nog, hij had sterk het vermoeden dat hij vanaf nu alleen nog maar ouder zou worden.

Toen hij terugkwam, zat Anna op bed. Andrew gaf haar een glas water en dronk het zijne in één teug leeg. Hij veegde zijn mond af. 'Ze heeft het niet gedaan,' zei hij.

'Weet ik,' zei Anna. 'Maar stel dat het wel zo was?'

'Dat is geen zinvolle gedachte.'

'Alles is een zinvolle gedachte. Dat is een rechtstreeks citaat van jou. Dat heb je zelf letterlijk gezegd.'

'Nou, dit is geen zinvolle gedachte.'

'Veronderstellingen. Je zegt altijd dat je handelt in veronderstellingen.'

'Anna...'

'Tegenfeitelijkheden, toch? Dat woord komt toch uit jouw koker? Dus stel dat ze het heeft gedaan? Stel dat ze het heeft gedaan?'

'Hou daarmee op.'

'Of dat ik iets dergelijks had gedaan? Stel dat ik iets vreselijks had gedaan?'

Andrew staarde in zijn glas. Hij herinnerde zich een keer toen Anna en Lily klein waren en een enge droom hadden gehad, waarop ze bij Andrew en Maureen in bed waren gekropen en die hadden moeten beloven dat ze nooit dood zouden gaan. Andrew had dat nooit willen beloven, want het was nu eenmaal onontkoombaar dat hij en Maureen op een dag dood zouden gaan, en dat de beste van alle scenario's was dat Lily en Anna dan bij hen zouden zijn. Andrew had zich een soort afrekening voorgesteld, een confrontatie (hoewel hij geen idee had wanneer dit precies zou moeten gebeuren) waarbij Anna en Lily hem met beschuldigende vingers zouden aanwijzen en zouden verwijzen naar de videoband waarop die gebeurtenis was vastgelegd: 'Kijk, je hebt beloofd dat je niet zou doodgaan, en kijk, nou ben je dood. Je beloofde van niet en nu heb je het toch gedaan.' Liegen over dit onontkoombare gegeven voelde als onvergeeflijke bedriegerij – als hij hierover valse verwachtingen wekte, wekte hij valse verwachtingen over alles.

Maar Maureen was het niet met hem eens geweest. Zij vond dat kinderen kinderen waren en dat je ze best een belofte mocht doen om ze een vredige nachtrust te bezorgen – op de desbetreffende avond, met de wind die ruiste door de besneeuwde dennenbomen buiten, onder de lakens die vaag naar lavendel roken – en dat tegen de tijd dat Andrew en Maureen hun laatste adem uitbliezen de kinderen groot waren en zelf kinderen hadden, waardoor ze begrip zouden hebben voor het leugentje en ze hen vast wel zouden vergeven.

Dus hadden Andrew en Maureen het beloofd: ze hadden hun twee levende kinderen diep in de ogen gekeken en gezegd dat ze nooit zouden doodgaan. Andrew herinnerde zich hoe opgelucht Anna was geweest – hoe ze tevredengesteld en slaperig aan haar oor had getrokken en Honey Bunny, haar knuffelkonijn, bij een poot had gepakt en achter zich aan de trap op had gesleept – maar Lily was klaarwakker gebleven en had hen met felle, donkere ogen aangestaard die zeiden: 'Dat is niet waar. Ik weet dat jullie dat niet kunnen beloven. Ik weet dat het niet waar is.'

Andrew hakte de knoop door. 'Jij zou nooit iets vreselijks doen,' zei hij tegen Anna. 'Dat kun je niet. Maar als je het zou doen, zou ik altijd van je blijven houden. Daar zijn we je ouders voor.' Dat was waarschijnlijk geen leugen. Hij zou waarschijnlijk nog steeds van haar houden. Dat was de blijvende rekbaarheid van ouderliefde; al het slechte in je kinderen was tot op zekere hoogte terug te leiden naar iets slechts in jezelf, en je kinderen afvallen vanwege hun fouten maakte alleen je eigen fouten groter.

Anna keek hem indringend aan en heel even zag hij haar weer als kind, geeuwend en gerustgesteld, zwaaiend met haar konijn terwijl ze zich omdraaide om de trap weer op te klauteren. Toen veranderde het beeld, het verhardde zich tot iets afstandelijks, onbuigzaam en wijs, iets wat dingen kon weten die Andrew niet wist en misschien wel nooit zou weten.

'Nee,' zei ze. 'Dat zeg je alleen maar.'

13

Februari

Toen Lily op de dag na haar verjaardag wakker werd, was het een stralende ochtend. Door de ramen viel een onwaarschijnlijk roze licht naar binnen; het was alsof ze ontwaakte in een grote schelp en ze werd overvallen door een onheilsgevoel – chaos, oorlog, een invasie van ruimtewezens – voordat tot haar doordrong dat het maar de zonsopgang was. Dit gebeurde elke ochtend; elke ochtend baadde ze even in dit buitenaardse licht zonder dat ze de komst ervan had meegekregen. Ze ging half overeind zitten. Het was vreemd en zelfs een beetje storend dat de kamer ongemerkt in deze kleur kon worden gehuld. Ze keek over de rand van haar bed naar Katy en voelde de duizeligmakende golf van een kater waarvan ze wist dat die haar de rest van de dag zou blijven kwellen. Katy lag in diepe rust onder haar. Bij die aanblik keerden alle gebeurtenissen van de vorige avond terug en herinnerde Lily zich dat ze het moest uitmaken met Sebastien. Ze ging weer liggen.

Het speet haar dat ze er een punt achter moest zetten, maar ze had geen keus; ze was buitenspel gezet en als ze deed of er niets was gebeurd, zou ze zichzelf alleen maar belachelijk maken. Lily had geen idee hoe ze in een situatie terecht was gekomen waarin zoiets mogelijk was – als er iemand was die altijd streefde naar een bestaan van intermenselijke transparantie, met zo min mogelijk spanningen en gespeend van dramatiek, dan was zij het wel – en toch was het misgegaan. Lily had niets van Sebastien geëist, ze had zelfs niet echt iets van hem gewild: ze had hem niet gevraagd om beloften te doen, ze had hem niet in een situatie gemanoeuvreerd waarin hij had moeten liegen. Het feit dat hij haar als oud vuil behandelde, wees er alleen maar op dat hij dat kennelijk wilde.

Lily ging op haar zij liggen en kreunde zacht. Ze besefte dat ze zich kinderachtig had gedragen; ze had gewild dat iedereen vrij en onbaatzuchtig met elkaar omging, en op een bepaald moment was ze gaan geloven dat de mensen ook echt zo waren. Waarom had ze dat geloofd? Had ze in haar jeugd te veel herhalingen van *Friends* gezien, waarin iedereen met elkaar in bed dook zonder dat er iemand serieus werd gekwetst en de oprechte, eponymische verhouding – vriendschap – intact bleef? Of misschien lag de kern van het probleem bij haar ouders; misschien was het een soort overgeërfde naïviteit. Misschien kwam het voort uit de zogenaamde hippiejeugd van Andrew en Maureen (hoewel het enige bewijs hiervoor bestond in Maureens bewering dat ze de hele zomer van 1971 op blote voeten had gelopen), of uit Andrews ouderwetse, overdreven studentikoos hoopvolle wereldbeeld – al die Francis Fukuyama-nieuwe-mensheidflauwekul die hij twintig jaar geleden met hart en ziel had omarmd en die hij nu tegen beter weten in in het ene na het andere artikel in stand moest houden? Lily wist het niet. Ze wist alleen dat ze moest erkennen dat ze het mis had gehad. Het was waar dat haar generatiegenoten niet langer hun toevlucht hoefden te nemen tot list en bedrog om hun zin te krijgen – tenzij het ze daar juist om ging, en in dat geval beschikten ze over tal van nieuwe middelen om zich van list en bedrog te bedienen. Bij de gelegenheden dat Lily zich in allerlei bochten had gewrongen om haar verschillende afspraakjes in elkaar te passen, had ze dat gedaan omdat ze écht meerdere jongens tegelijk leuk had gevonden – met de een wilde ze over politiek praten, met de ander over muziek en met een derde wilde ze 's nachts avontuurlijk de buurt afschuimen, op zoek naar gratis meubilair als op de eerste van de maand een heleboel mensen naar een andere flat verhuisden. En met die achterliggende gedachte had ze ook nieuwe dingen gedaan: ze was naar een vakbondsbijeenkomst gegaan, hoewel ze de dingen die er aan de orde kwamen eigenlijk strontsaai vond; ze had op straat de restanten van de piñata van een kinderfeestje gevonden en het ding een halfjaar in haar studentenkamer bewaard; ze was naar het concert gegaan van een afgrijselijke band die muziek maakte die een aanslag op het menselijk oor was, desondanks had ze na een tijdje staan dansen, terwijl ze de muziek nog steeds niet om aan te horen vond. Lily wilde geen vast vriendje omdat ze alle jongens om haar heen aardig vond. Ze waren allemaal haar vrienden en Lily gaf oprecht om haar vrienden; ze was op geen van hen verliefd, maar ze zou voor elk van hen een nier hebben afgestaan. Ze begreep nu dat Sebastien haar heel anders zag. Hun situatie was niet het gevolg van het feit dat hij te veel meisjes leuk vond, maar dat hij ze allemaal verafschuwde.

Het drong tot Lily door dat ze een ongelooflijke dorst had. Ze klom van de ladder en liep naar de badkamer, waar ze direct uit de kraan een lading water naar binnen werkte. Toen ze opkeek, schrok ze van haar eigen aanblik in de spiegel. Wat was er met haar gezicht gebeurd? Ze had wasbeerogen door de uitgelopen make-up, maar dat was het niet. De vorige avond had ze gevonden dat ze er een beetje woest uitzag, vermomd als het type meisje waardoor ze zich heimelijk geïntimideerd voelde – en normaal gesproken zag ze er de ochtend na een avondje uit belachelijk uit, zoals iemand wier halloweenkostuum uit elkaar was gevallen omdat ze iets te uitbundig feest had gevierd. Waarom zag ze er nu anders uit? Lily boog zich naar voren en bestudeerde haar gezicht. Sinds kort waren er sikkelvormige lijntjes rond haar mond zichtbaar; en ergens in haar achterhoofd had ze geweten dat het rimpeltjes waren – babyrimpels, proto-rimpels, hoe je ze ook wilde noemen – maar tot nu toe had ze ze als iets tijdelijks beschouwd, iets waar ze wel overheen zou groeien, net als jeugdpuistjes. Ze deed een stapje achteruit. De lijntjes waren nauwelijks zichtbaar, maar ze waren er wel, en ze waren een deel van de reden waarom ze er anders uitzag: ze oogde ouder.

Niet echt oud, natuurlijk, maar oud genoeg om er niet meer stralend verfomfaaid uit te zien; zoals iemand wier ongerepte schoonheid dusdanig was verflauwd dat haar kokette brilletje er eigenlijk alleen nog maar onelegant uitzag. In het ochtendlicht leek Lily met haar uitgelopen make-up en haar dat alle kanten op stond niet op iemand die zich niet om haar uiterlijk bekommerde. Ze leek op iemand die zich heel erg om haar uiterlijk bekommerde. Lily boog zich voorover en boende haar gezicht, er bleven zwarte vegen achter op het handdoekje, die ze er een tijdje tevergeefs uit probeerde te schrobben. Met een hulpeloos gebaar gooide ze de handdoek in de wasmand, probeerde er niet aan te denken wie hem zou vinden en liep terug door de gang.

De zon verlichtte nog steeds meedogenloos tot in alle hoeken de slaapkamer en Lily kroop weer in bed. Een bundel zonlicht viel precies op haar kussen. Misschien was het niet storend, al dat uitbundige licht – misschien was het wel prachtig. Het hield in dat er schoonheid bestond, ongevraagd, weldadig en overal aanwezig, zelfs als je je er niet van bewust was. Dat was een bitterzoete gedachte, maar het was ook hoopgevend. Nog even en de verbroken relatie met Sebastien zou tot het verleden behoren. Nog even en Lily zou vroeg genoeg op zijn om dit licht mee te krijgen; ze nam zich voor om het niet te vergeten, om de wekker te zetten zodat ze de dag dankbaar kon verwelkomen. Maar vandaag nog even niet. Vandaag was ze moe. En dus ging Lily weer liggen – met een prettig schuldgevoel, met de decadente luiheid van de nieuwe oudere – en ze viel weer in slaap.

Toen Lily voor de tweede keer wakker werd, was het schandalig laat; de zon was al ver over zijn hoogste punt heen. Uitslapen tot in de middag bezorgde haar altijd een schuldig gevoel – alsof ze een heel leven had verkwanseld en niet alleen een deel van de dag – en ze schoot overeind. Ze keek op de wekker en schrok. Het was bijna halfvier. Grote kans dat ze niet eens op tijd op haar werk zou zijn.

Tien minuten later haastte ze zich over de Avenida Cabildo; de hemel boven haar opende zich voor een ongebruikelijke namiddagregenbui die nog meer bijdroeg aan haar toch al opgejaagde gevoel. Doorweekt, maar slechts vijf minuten te laat arriveerde ze bij de Fuego. Javier zat aan het uiteinde van de bar een stapel papieren door te nemen. Hij wierp Lily een zelfgenoegzaam lachje toe. Ze boog haar hoofd, pakte snel haar schort en probeerde er ijverig en gedwee uit te zien. Maar toen ze weer naar Javier keek, zag ze dat hij haar wenkte. Het voelde onheilspellend, maar Lily herinnerde zichzelf eraan dat alles deze dag onheilspellend had gevoeld. Ze liep naar het einde van de bar.

'Ha, Javier,' zei ze. 'Wat is er?'

'Hoe voel je je vandaag, Lily?'

Ze lachte quasi zielig en maakte een zozo-gebaar met haar hand. 'Gaat wel. Een beetje moe.'

'Daar hoef je dan niet langer over in te zitten. Je mag naar huis.'

'Wat?' Lily gebaarde naar het eetgedeelte, waar het werkrooster hing. 'Ik sta voor vanavond ingepland.'

'Dat weet ik, Lily,' zei Javier. 'Maar ik geloof niet dat dit iets wordt.'

'Wat?' Het voelde alsof ze op iets hards had gebeten. 'Waarom niet?'

'Ik ben eraan gewend dat mijn klanten de boel op stelten zetten, maar niet dat mijn personeel dat doet.'

Had Lily zich misdragen? Misschien als je er heel, heel erg puriteinse ideeën op na hield. 'Het was mijn verjaardag,' zei ze zwakjes.

'Dan is mijn verjaardagscadeau dat je de boel op stelten hebt mogen zetten. Je bent ontslagen.'

'Maar ik was niet eens aan het werk. Het was buiten werkuren.'

'Ja. Het was een tegemoetkoming.'

'Maar dan was ik toch een gewone klant? Dan mag ik de boel toch ook op stelten zetten?' Lily lachte even, maar Javier lachte niet mee.

‘Even serieus, Lily. Vind je dit werk echt leuk? Vind je dat je er goed in bent?’

Eerlijk gezegd wel. Lily had gedacht dat ze goed in haar werk was. Of in elk geval redelijk goed, en dat het steeds beter ging. Ze had het idee dat de klanten en haar collega’s haar aardig vonden. Ze lachten en deden joviaal in haar aanwezigheid, en ze had altijd gedacht dat ze op haar gesteld waren. Maar net als bij Beatriz, Sebastien en andere mannen, en misschien wel bij iedereen, besefte Lily nu dat er onder de plagerijen misschien iets venijnigs schuil was gegaan – iets wat ze niet had opgemerkt of bewust anders had opgevat om haar geluksgevoel niet te verstoren. ‘Ik vond het leuk,’ zei Lily. ‘Ik vind het leuk.’

Javiers gezicht werd iets milder en hij zei: ‘Tja, het spijt me, Lily. Maar ik weet dat je dit baantje niet echt nodig hebt.’

‘Ik ben nooit eerder ontslagen.’

‘Heb je hiervoor wel vaker gewerkt?’

Tot haar schaamte vulden Lily’s ogen zich met tranen. Waarom dacht iedereen altijd meteen het slechtste van haar? ‘Natuurlijk,’ zei ze, en ze wachtte even af of ze hierdoor uitstel van executie zou krijgen. Toen ze zag dat dat er niet in zat, zei ze tegen Javier dat ze haar kastje ging uitruimen.

Een paar minuten later liep ze gewapend met haar waterfles, boek en gewone schoenen door de invallende schemering. Het regende niet meer. Ze was echt nog nooit ergens ontslagen: het was zelfs jaren geleden dat ze ergens in de problemen was geraakt, als ze het gedoe met Beatriz niet meetelde. Ze was nog steeds beverig van de adrenaline die het gesprek had opgewekt – het voelde als de korte energiestoot wanneer je je bezeerde, vlak voor de pijn opkwam.

‘Hé.’

Lily draaide zich om. Het was Ignacio de Schildpad, hij stond tegen een vuilcontainer geleund. Lily zag in een flits het beeld dat ze had gezien – of dacht dat ze had gezien – van Ignacio en Katy, met zijn handen op haar billen in het stroboscooplicht. Lily had Katy er de vorige avond naar willen vragen, maar ze was zo dronken geweest dat ze het niet meer helemaal zeker wist, en nu Katy en zij ruzie hadden gehad en vervolgens een fragiele, kwetsbare vrede hadden gesloten, wist ze niet zeker of ze erover zou beginnen.

'Ha,' zei Lily. 'Ik ben net ontslagen.'

Ignacio schudde zijn hoofd. 'Rot voor je,' zei hij. Lily rook de indringende geur van wiet. Waarschijnlijk had hij net een joint gerookt.

'Het zal wel. Hé.' Lily kreeg een gewaagd idee. Ze was al ontslagen, dus kon ze ook nog wel iets licht crimineels doen. 'Kan ik wat van dat spul van je kopen?'

Ignacio trok geamuseerd zijn wenkbrauwen op. 'Tuurlijk,' zei hij. 'Wil je een zakje?'

'Ja, doe maar.'

Ignacio begon in zijn rugzak te grabbelen.

'Nu meteen al?' vroeg Lily.

Ignacio keek door het lege steegje. 'Wil je het later?'

'Nee, nu is prima,' zei Lily.

Ignacio knikte en haalde een plastic zakje met een paar zwarte rozetjes erin tevoorschijn. 'Voor jou veertig peso,' zei hij. Lily hoopte dat hij zou voortmaken. 'Met korting. Omdat je zo'n rotdag achter de rug hebt.'

Lily vond een vochtig biljet van vijftig peso in haar portemonnee, gaf het aan Ignacio en pakte het zakje aan. Het zweet stond op haar rug en ze maakte dat ze uit de voeten kwam, zonder op het wisselgeld te wachten. 'Bedankt,' riep ze achterom toen ze de straat weer op liep.

'Geen dank,' zei Ignacio.

Lily draaide zich om en botste bijna tegen een vrouw met een heel leger kleine hondjes naast haar. Ze waren zo klein dat ze verwoed met hun kopjes schudden in hun pogingen om het tempo bij te houden, de kleinste van het stel had parelmoerkleurige staarogen.

'*Permiso*,' mompelde Lily. De vrouw wierp haar een afkeurende blik toe en liep door.

Terwijl ze naar de Subte liep, besloot Lily om Sebastien niet te vertellen dat ze was ontslagen. Ze zou niets zeggen tegen Sebastien, Katy, Beatriz of wie dan ook. Ze kon het niet opbrengen. Bovendien zou ze toch wel iets te doen vinden voor de vrije avonden, zonder verplichtingen en met niemand aan wie ze verantwoording hoefde af te leggen. Het zakje wiet in haar tas leek bijna te pulseren, zo voelde het. Ze had geen vastomlijnde plannen, ze had geen kwaad in de zin, en afgezien van Sebastien en Katy had ze geen echte vrienden. Maar alles wat je deed, was meer van jezelf als niemand anders ervan wist. Een maagdenpalmblauwe deken begon neer te dalen. De kroegen begonnen tot leven te komen. In de stad was alles mogelijk, en er was niemand die op haar wachtte.

Lily wachtte met thuiskomen tot de gebruikelijke tijd. Katy zat in de woonkamer tekenfilms te kijken. Lily bleef bij de deur staan en overwoog nog even weg te gaan, maar dan bleef ze langer weg dan waarop Beatriz rekende, en dat risico wilde ze niet lopen. Ze bleef bij de entree van de woonkamer staan.

'Ha,' zei ze. 'Waar kijk je naar?'

'Al sla je me dood,' zei Katy. Naast haar lag een studieboek met een pen als bladwijzer tussen de pagina's. 'Het is volstrekt surrealistisch. Ik heb een uur geleden de tv aangezet en ik blijf maar kijken. Hoe was het op je werk?'

Lily had uitgekeken naar het moment dat ze Katy weer zou spreken, in de hoop dat ze nu dichter bij elkaar stonden, maar Katy klonk nonchalant als altijd.

'Goed,' zei Lily. 'Je weet wel.' Op tv maakte een pratend knaagdiertje met een krankzinnige blik in zijn ogen salto's. 'Wat is dit voor mafs?'

'Zeg dat. Ik vraag me af waarom ik ooit ben opgehouden met tekenfilms kijken. Waarschijnlijk omdat ik naar de middenschool moest.'

'Je bent nooit te oud voor tekenfilms.' Lily liep naar de bank, haar handtas nog bij zich. Ze wilde hem niet in huis laten slingeren – Beatriz had vast ergens een drugshond. 'Ik ken een hoop mensen die naar niks anders kijken.'

'Zelfs op onze leeftijd nog?'

'Ja.'

'Waarom?'

'Geen idee,' zei Lily en ze ging zitten. 'Ze vinden het hilarisch.'

'Onze generatie heeft een rare afwijking als het gaat om kinderdingen,' zei Katy na een korte stilte.

'Hoe bedoel je?'

'Zoals kleurboeken en ironische T-shirts met dinosaurussen erop en zo.'

'Zou kunnen. Misschien een soort vroegtijdige heimwee.'

'Heb jij dat nooit?'

'Wat?'

'Zou jij nooit terug willen naar vroeger? Dat je bij jezelf denkt: waarom ga ik daar en daar nooit meer heen, waarom zie ik die en die nooit meer, om vervolgens te bedenken dat die tijd voorbij is en dat je niet meer terug kunt?'

Lily knikte, hoewel ze niet wist of zij dat gevoel weleens had gehad. Onder het regime van Andrew en Maureen was er geen twijfel geweest over de koers van het leven en wat de eindbestemming zou zijn. Maar ze had Katy niet eerder zo horen praten en wilde het gesprek gaande houden.

'Misschien komt het omdat we als we klein zijn niet echt geloven dat de tijd alleen maar vooruit gaat,' zei ze. 'En dan kom je erachter dat het inderdaad zo is, maar ergens wil je er toch niet aan.'

'Denk je dat dat het is?' zei Katy.

'Ja.' De rode muskusrat stuiterde als een bezetene over het scherm. 'Misschien.' Het klonk alsof het waar kon zijn, dus misschien was het dat ook. Je had een kind immers pas een verhaaltje verteld als je het voor de tweede keer had verteld; op het moment dat kinderen zich bewust werden van hun bestaan, hadden ze al een hele reeks sprookjes en fabeltjes opgeslagen, dus ervoeren ze die eerste verhaaltjes misschien niet als rechtstreekse vertellingen, maar meer als een ritueel of passiespel, waardoor het leven iets terugkerends en omkeerbaars kreeg, alsof alles wat gebeurde op de een of andere manier altijd gebeurde. 'Herinner je je dat gevoel als kind dat je in een verhaaltje leeft?' vroeg Lily.

'Ik weet het niet,' zei Katy aarzelend. 'Ik geloof het niet.'

'Mijn hemel,' zei Lily. 'Dat idee had ik echt. Ik was ervan overtuigd dat ik in een verhaal leefde. Ik vond het knap verwarrend. Ik dacht steeds: dit is het deel waarin dít gebeurt.'

'Waarin wat gebeurt?'

'Even denken.' Lily dacht even na. 'Zoals die keer dat mijn ouders iemand hadden ingehuurd die op mijn vijfde verjaardag in een Winnie de Poeh-pak op de stoep stond.'

'Dat klinkt doodeng.'

'Maar dat was het niet! Dat was het gekke, ik was totaal niet bang. Waarschijnlijk had ik al zoveel films gezien waarin gewone kinderen opeens in een magische wereld terechtkwamen dat ik het beschouwde als iets waar ik recht op had.' Het stond Lily inderdaad nog glashelder voor de geest. Toen ze Poeh het tuinpad op had zien lopen, had ze als een oud dametje verrukt in haar handen geklapt, waardoor Andrew en Maureen hadden moeten lachen en een foto hadden gemaakt. 'Wie is dat?' had Maureen met een meisjesstemmetje gezegd, zoals ze altijd praatte als ze de kinderen iets vertelde wat niet waar was – die toon was Lily toen al opgevallen, hoewel ze hem meer associeerde met de toon die Maureen gebruikte als er iets ongelooflijk bijzonders gebeurde. Maar wat Maureen en Andrew niet hadden geweten – wat ze nooit hadden geweten – was dat Lily eigenlijk helemaal niet verrast was. Op de desbetreffende foto dacht ze: Dit is het moment. Eindelijk gebeurt het. Nu begint de magie.

'Zo te horen heb je een stel hele lieve ouders,' zei Katy.

'Klopt,' zei Lily, zelf verbaasd over de ernst waarmee ze het zei. 'Ik heb heel, heel lieve ouders.'

De volgende dag ging Lily op de gebruikelijke tijd de deur uit. Ze had zich voorgenomen dat ze het die dag zou uitmaken met Sebastien, maar ze bleef het moment uitstellen – ze keek naar de vogels die in grillige V-formaties door de lucht scheerden en ze kreeg zin om er in haar eentje op uit te trekken. De regen had de geur van vochtige kastanjebladeren achtergelaten. Lily genoot van dit kortstondige, louterende respijt, het kon geen kwaad als ze het nog een dagje uitstelde, besloot ze. Dus reed ze met de Subte helemaal tot het eind van de route en weer terug, en ze wandelde helemaal rond de dierentuin die dicht was omdat het zondag was. Het maakte Lily niet uit; de helft van de lol van een dierentuin was de geur. Ze lachte hardop, liep een hoek om en zag een felrode telefooncel.

Ze grabbelde in haar zakken en glimlachte in zichzelf toen ze muntjes voelde. Wie zou ze eens bellen? Anna, misschien. Op het moment dat ze aan haar zus dacht, kreeg ze een onverwachte steek van heimwee, en ze toetste bijna het hele nummer in voordat ze de hoorn weer op de haak legde. Anna was vast druk; Anna hield niet zo van telefoneren; Anna zou vanzelfsprekend nooit worden ontslagen, zelfs niet als ze zo'n onbenullig baantje als Lily had. Maar misschien hing ze vooral weer op omdat Anna volwassen was, en Lily wilde weleens dat het niet zo was. Maar gedane zaken namen geen keer: Anna was niet langer het kleine meisje dat samen met Lily probeerde om met behulp van een ouijabord contact te krijgen met de geest van Janie, een plan dat ze eindeloos lang hadden besproken en op een vochtige, mysterieuze zomeravond eindelijk ten uitvoer hadden gebracht, waarbij Anna, toen het plankje begon te bewegen, in haar broek had geplast.

Nog voordat ze eruit was of ze hem wel wilde spreken, had ze Andrews nummer ingetoetst. De telefoon ging drie, vier, vijf keer over en Lily was verbaasd over haar eigen opluchting toen hij eindelijk opnam. 'Hallo?' zei hij.

'Ha, Andrew. Met mij.'

'Goddank. Als je zoveel getallen ziet, denk je bijna automatisch dat het Interpol is.'

Lily zweeg even om hem te laten weten dat als ze in dezelfde kamer waren geweest, ze moedeloos haar ogen ten hemel had geslagen.

'Hoe gaat het daarginds, kindje?' vroeg hij.

'Best goed,' zei Lily. 'Luister even, ik heb een belangrijke vraag voor je.' Nu moest ze die snel bedenken.

'O jee.'

'Zo belangrijk nou ook weer niet. Maak je geen zorgen.' Lily trommelde met haar duim tegen de onderkant van de hoorn. 'Vind jij je werk leuk?' vroeg ze tenslotte.

'Wat een vraag,' zei Andrew. 'Zijn jullie bezig met een hoe-leer-ik-mijn-ouders-kennen-onderzoek? Heeft mijn decaan je ingehuurd om me te bespioneren? Ben je met een of ander twaalfstappenplan begonnen?'

'Nog niet,' zei Lily. 'Nou?'

Andrew zuchtte diep. 'Ik geloof het wel,' zei hij. 'Het is in elk geval interessant.'

'Is het dat echt?' vroeg Lily, die een houvast had gevonden. 'Is het nog steeds interessant? Heb je nog steeds het idee dat je nieuwe dingen leert?'

Lily hoorde Andrew aan de andere kant van de lijn nadenken. Dat was een van de prettige kanten van die ouwe: hij dacht daadwerkelijk na als je hem een vraag stelde.

'Tja,' zei hij eindelijk. 'Ik ontdek hoe jullie generatie over de dingen denkt. En ik vind het leuk om te zien hoe ze zich ontwikkelen, dat is ook een vorm van leren, denk ik.'

Lily zuchtte. Ze had soms met haar ouders te doen; het leek wel alsof ze al het goede in hun leven al hadden gehad. De rekensom van hun leven was af. Het was natuurlijk prachtig om dingen te hebben die je kon kwijtraken, maar vanaf nu zouden ze er niets meer bij krijgen.

'Je hebt er altijd je mond vol van hoe geweldig jouw generatie is,' zei Andrew. 'Geef eens een voorbeeld.'

'We zijn beter met technologie.'

'Tjonge. Hoera.'

'We zijn minder racistisch.'

'Oké, die slag is voor jou.' Andrew zweeg even. 'Lilylief? Gaat alles goed?'

Andrew had haar in geen eeuwigheid Lilylief meer genoemd, het was een koosnaampje dat dateerde uit haar peuterjaren, toen hij onzinliedjes voor haar verzon: *Lilylief, Lilylief, hou op met huilen, alsjeblief. Lilylief, Lilylief, je bent papa's hartendief. Lilylief, Lilylief, geen gezeur, stel mama en papa niet teleur.* Toen ze klein was, had Lily het een leuke bijnaam gevonden. Maar toen ze groter werd, nog voor haar tienerjaren, was het samen met andere woordjes, mensen en dingen veranderd in iets wat ze ongelooflijk vernederend had gevonden, en ze had Andrew gesmeekt om haar niet meer zo aan te spreken.

'Het gaat wel,' zei ze, in de hoop dat het stoïcijns klonk.

'Je klinkt somber. Je klinkt als je moeder.'

'Echt waar? Ik ben gewoon een beetje moe.'

'Zorg dan dat je wat slaap inhaalt, oké?' Er klonk iets zangerigs in Andrews stem, en Lily was even bang dat hij zou gaan zingen. Misschien overwoog hij het zelfs wel. Maar hij zou ook weten hoe genadeloos cynisch Lily zou reageren, dus hield hij zich in. Lily had hem goed afgericht, maar misschien was dat ook wel een beetje jammer.

'Ik hou van je, pap,' zei Lily gemeend.

'Ik hou van je, Lily,' zei Andrew met iets ongerusts in zijn stem. 'Ik hou zielsveel van je.'

Lily ging op het gebruikelijke tijdstip terug naar het huis van de Carrizo's, half hopend dat Katy weer voor de tv zou zitten. Ze zag al helemaal voor zich dat het een vast ritueel zou worden – iets wat prettig eigenzinnig en niet goed uit te leggen was, waaraan ze later met plezier zou terugdenken. Maar dit keer was Katy spoorloos. In plaats daarvan zat Beatriz met een glas water en de krant aan de keukentafel, en toen Lily binnenkwam, keek ze op en vormde haar mond al het welbekende zinnetje: 'Waar ben jij geweest?'

'Op mijn werk,' zei Lily verbaasd. Ze zette langzaam haar tas neer en rekte zich uit, in de hoop dat ze er gepast vermoeid uitzag.

'Ik dacht dat je geen werk meer had.'

'Wat?' Lily pakte haar tas weer op, misschien wel met in haar achterhoofd de gedachte dat ze snel moest kunnen vluchten.

'Ik dacht dat je was ontslagen,' zei Beatriz.

'Van wie heb je dat?' Lily stond voor een raadsel. Had Javier Aguirre gebeld om het te vertellen? Waarom zou hij in vredesnaam zoiets doen?

'Ik probeer het er niet nog eens extra in te wrijven, Lily.' Beatriz vouwde de krant op. Lily kon niet geloven dat er nog mensen bestonden die wisten hoe je een krant opvouwde. 'Maar ik moet wel weten waar je uithangt, vooral 's avonds, en ik wil niet dat je erover liegt. Zolang je bij ons woont, ben ik verantwoordelijk voor je.'

Nee, Javier was het niet geweest. Hij had het telefoonnummer van de Carrizo's niet, Lily kon zich niet herinneren dat ze hun naam weleens had genoemd, en bovendien was het volstrekt onlogisch dat hij zoiets zou doen – dat was veel te wraakzuchtig, veel te bemoeizuchtig. Overdreven betrokken, in zekere zin. Dus hoe wisten ze het? Hadden ze overal in de stad ogen en oren? En wie waren die dan?

Beatriz legde haar hand op Lily's schouder. 'Lily,' zei ze. 'Luister. Ik snap dat je het gênant vindt.'

Dat had Lily misschien ook wel durven erkennen als Beatriz iets langer had gewacht. Maar het was ondraaglijk om zoiets van een ander te horen te krijgen; het had iets aanmatigends, dat iemand er automatisch van uitging dat je je ergens voor schaamde. Dus dook ze onder Beatriz' hand vandaan en rende ze naar haar kamer, waar ze tot haar eigen ontsteltenis in huilen uitbarstte. Ze hield zich voor dat ze zich niet moest aanstellen. Ze hield zich voor dat ze op deze manier de prille grip op haar volwassenheid kwijtraakte. Maar daardoor moest ze alleen nog maar harder huilen, en ingegeven door dezelfde impuls als waarmee je iets wat een beetje kapot was helemaal aan barrels gooide, liet ze zichzelf erger gaan dan strikt noodzakelijk was.

De volgende dag vertrokken de Carrizo's naar de doopplechtigheid van een neefje en ging Katy de hort op met haar al even voorbeeldige vriendinnen. Om het te vieren, liet Lily haar colleges voor wat ze waren en bracht ze de dag door met rondlummelen in huis. Behalve het doorzoeken van Katy's kast om achter haar cupmaat te komen (70C, Lily wist niet goed wat ze met deze kennis moest), gedroeg ze zich keurig. Ze plofte achteloos op de bank, gewoon omdat het kon. Ze nam de telefoon van de haak en legde hem weer neer. Ze neusde in de keukenkastjes en inspecteerde de volkomen onbegrijpelijke keukenmachines. Maar ze trok geen laden van de Carrizo's open – grote kans dat Beatriz alles van boobytraps had voorzien – en overschreed ook niet de onverbiddelijke grens van hun slaapkamer. Ze haalde haar voldoening uit het afwassen van haar eigen bord en het zelf kiezen van een zender op tv. Als je haar haar gang liet gaan, was Lily behoorlijk betrouwbaar, alleen zou niemand dat ooit beseffen, dacht ze bitter.

Tegen de avondschemering liep Lily door het hoge gras naar Sebastiens huis. Ze had hem laten weten dat ze om halfacht zou komen en ze was al aan de late kant, maar ze wist dat ze het niet langer kon uitstellen. Bovendien was het vooruitzicht altijd erger dan de gebeurtenis zelf – het vooruitzicht en de herinnering. En misschien zag ze nog wel het meest op tegen de latere herinneringen. Lily had een ijzeren geheugen als het ging om pijnlijke gesprekken, ze echoden woord voor woord na in haar hoofd, alsof het belangrijke teksten waren die ze tijdens haar jeugd in haar hoofd had gestampt (ze wilde dat ze zich de teksten uit haar jeugd nog kon herinneren, waarom konden zulke dingen niet in je geheugen geëtst worden, net als de dingen die er in je kinderjaren in gestanst waren en er nu nooit meer uit gingen?). Lily wist dat het komende gesprek met Sebastien niet anders zou zijn, en ze keek er niet naar uit dat de woorden haar de rest van haar leven zouden bijblijven – de confrontatie zou extra macaber en tegelijk lachwekkend zijn vanwege de setting in die waanzinnige kamer, zittend voor dat vreselijke wandtapijt, waarvan het haar niet zou verbazen als Sebastien bij aankoop had verordonneerd dat het er tot op de draad versleten uit moest komen te zien.

Sebastiens huis doemde steeds groter voor haar op, tot ze het had bereikt. Lily bleef even staan op de veranda. Naast haar droefheid ervoer ze de vreemde spanning die haar bij dreigend onheil wel vaker overviel. Het was een vaag gevoel van nieuwsgierigheid en energie, het gevoel dat ze mogelijk getuige zou zijn van een belangrijke gebeurtenis, van een mysterie dat ze wellicht zou oplossen, of een uitdaging die ze zou aangaan. Ze kende het gevoel van de eerste misstappen uit haar kindertijd – van de keer dat ze die bananenslak had doodgemaakt, van de keer dat ze Maureen per ongeluk aan het huilen had gemaakt vanwege Janie – maar het had ook boosaardiger verschijningsvormen. Het was er geweest toen Anna haar enkel had gebroken toen ze in de woonkamer gymnastiekoefeningen deed; het was aanwezig geweest toen ze in groep 8 zat en de lerares probeerde uit te leggen wat er zojuist met die wolkenkrabbers in New York was gebeurd.

Lily stak haar hand uit naar de deurklopper. Het gevoel was weer onmiskenbaar aanwezig – alsof ze weer tussen haar timide klasgenootjes zat (leerlingen van groep 8 die te jong waren om te weten waar ze bang voor of verdrietig om moesten zijn, en te oud om een instinctieve paniekaanval te krijgen), hetzelfde gevoel als de keer toen ze de trap op was gerend en het alarmnummer had gebeld, met Anna schreeuwend op de achtergrond. Afgezien van de angst en het manische was er ook een soort bevrijding. Misschien een bevrijding, zoals wanneer je van een brug sprong – de kortstondige extase tijdens de val – maar wat het ook was, het was ook nu aanwezig, nu ze voor de laatste keer aanklopte bij Sebastien LeCompte en hem naar de deur hoorde lopen. *Daar gaan we dan. Het is zover.* Lily deed haar ogen dicht. *Op een dag zijn we allemaal dood, maar nu nog niet.* Ze hield haar adem in. *En eindelijk gebeurt er iets.*

14

Februari

Op de laatste avond, de avond van Katy's dood, wist Sebastien al dat het voorbij was.

Lily stond om acht uur voor de deur – te laat – en hij omhelsde haar koeltjes. Hij rook de alkalische geur van bleekmiddel, het gemorste bier op haar schoenen en iets mufs in haar haren – nu ze werkte, rook Lily steeds naar de buitenwereld. Ze gaf zich over aan zijn omhelzing met de gelatenheid van iemand die al heeft besloten om iets heel groots af te nemen en er dus geen moeite mee heeft om iets onbeduidends te geven.

'Sorry dat ik zo laat ben,' zei ze, terwijl ze vast wel wist dat hij er niets over zou zeggen. Ze klonk te behoedzaam, te aardig; in haar stem hoorde hij de grootmoedigheid van de genomen beslissing. Sebastien wist dat hij nauwelijks iets met haar gemeen had en ook nooit had gehad. Maar wat kon hij eraan doen? Hij moest zich gedragen zoals hij altijd deed. Hij moest doen alsof hetgeen er te gebeuren stond, niet gebeurde.

'Is dat zo?' Sebastien werd nu zelfs moe van zichzelf. 'Ik hou de newtoniaanse tijdrekening nooit zo bij.'

Lily knikte afwezig – meegaand, dacht hij onwillekeurig – en maakte zich los uit zijn omhelzing en schopte haar schoenen uit. Sebastien besloot om hun laatste momenten samen niet te verdoen met onverkwikkelijkheden en spanningen. Hij zou niet zijn handen ten hemel slaan, niet smeken om haar liefde, niet haar haren strelen en zeggen: 'Wat is er toch, liefste? Wat is er toch?' Hij had tenslotte zijn ouders als voorbeeld. Als hij ergens tegen bestand was, dan was het eenzaamheid. Als hij iets kon verdragen, dan was het om in de steek te worden gelaten. Hij kon alles verdragen.

'Mag ik iets te drinken voor mezelf inschenken?' vroeg Lily.

Dat had ze nog nooit gevraagd. 'Ik doe het wel voor je,' zei Sebastien. 'Heb je thuis al gegeten?'

'Ze zijn de stad uit,' zei Lily, en ze liep naar het toilet. 'Beatriz heeft wat kliekjes voor ons achtergelaten.'

Ze deed de deur dicht en zette de kraan aan, en vlak daarna hoorde Sebastien de druktoetsen van haar mobieltje. Hij was niet verbaasd. Zo gingen die dingen. Ze was jong en energiek en ze hoorde thuis in het land van de levenden. Sebastien zou niet proberen haar onder dwang vast te houden in zijn sterfhuis, om tot in de eeuwigheid zijn postmortale bestaan te delen.

Lily kwam terug van het toilet en glimlachte zwakjes.

'Heb je zin om een film te kijken?' vroeg Sebastien. Eigenlijk had hij willen zeggen: 'Zullen we ons verpozen met het aanschouwen van een van de vele inferieure producten van de cinematografische industrie?', maar om de een of andere reden bleef alles met ook maar een beetje een cynische ondertoon steken in zijn keel. Het was alsof hij transformeerde in een jongere, oppervlakkigere versie van zichzelf, iemand die nooit sterk en dapper had hoeven zijn.

'Mij best,' zei Lily mat. Ze plukte aan haar haren met de onrust van een traumaslachtoffer. Misschien was ze toch niet zo bijzonder – gewoon een knap meisje, iets benedengemiddeld adembenemend, iets bovengemiddeld pienter, gecombineerd met alle gebruikelijke beetjes geluk die gemiddeld bevoorrechte mensen ten deel vielen. Misschien zou hij haar makkelijker vergeten dan hij eerst had gedacht.

Sebastien duwde *Lost in Translation* in de dvd-speler en deed het licht uit. Lily haalde een joint tevoorschijn, stak hem aan en gaf hem zonder iets te zeggen aan Sebastien. Hij was verrast, maar hij zou geen vragen stellen; in plaats daarvan nam hij een diepe haal in de hoop dat daardoor de scherpe kantjes van zijn emoties zouden verdwijnen. Op het scherm doolde Scarlett Johansson door een hectisch Tokio. Sebastien voelde het effect van de wiet, de golven van rust en de kronkels van paranoia. De tijd verstreek. Hij raakte Lily niet aan en zij raakte hem niet aan. De film was afgelopen. Sebastien keek naar Lily, die nog steeds naar het lege scherm staarde. Hij was er niet klaar voor, maar hij wist ook dat hij er nooit echt klaar voor zou zijn.

'Zullen we het theatrale gedoe maar overslaan?' zei hij.

'Wat voor theatraal gedoe?' vroeg Lily. Haar pupillen waren reusachtig groot door de wiet en de duisternis.

'Neem alsjeblieft geen loopje met mijn intelligentie,' zei Sebastien. Hij besefte meteen dat het door dat 'alsjeblieft' als een verzoek klonk, niet als een eis.

'Ik heb geen idee waar je het over hebt.'

'We zijn hier toch klaar mee?' Sebastien vervloekte uit de grond van zijn hart wat die nieuwe energie van haar met hem deed: hij moest haperend naar woordjes zoeken. Als hij ook maar ergens om kwaad op haar kon worden – iets waartoe hij nu nog niet in staat was – dan was dit het.

'Sebastien.' Ze wendde haar gezicht af, hij wist niet of het uit verbijstering, verdriet of woede was. 'Ik vind het niet erg van jou en Katy, oké?'

Door Sebastiens hoofd spookte een nieuwe onheilsboodschap, maar hij was te ver heen om hem te kunnen doorgronden. Zijn tong was dik en willoos. 'Katy en ik wat?'

'Ik vind het niet erg. Echt niet. Ik weet dat het niets met ons te maken heeft. Ik ben niet bezitterig aangelegd.'

Sebastien deed heel, heel hard zijn best om het te begrijpen, maar door de wiet was hij niet in staat om een zin van begin tot eind te volgen. Lily keek triest.

'Maar ik denk wel dat het beter is als we niet meer zo vaak met elkaar optrekken,' zei ze.

Sebastien zweeg. Hij kon niets zinnigs bedenken.

'Ik ga een stukje lopen,' zei Lily. 'Ik moet even wat frisse lucht hebben.'

'Ik loop met je mee.' Sebastien krabbelde overeind. Hij had geen idee hoe hij het concept 'lopen' in de praktijk moest brengen, als Lily zou instemmen, maar hij wist dat ze zou weigeren.

'Nee,' zei ze. 'Ik wil alleen zijn. We hebben het er morgen wel verder over.'

'Zoals je wilt,' zei Sebastien, en hij maakte voor de vorm een onvaste buiging.

Ze bleef geruime tijd weg. Later zou Sebastien proberen om zich te herinneren hoe lang precies, maar dat viel niet mee, want door de wiet was zijn perceptie van tijd nogal subjectief geweest, en elke minuut die ze weg was, leek langer, zwaarder en tastbaarder dan eigenlijk mogelijk was. Hij herinnerde zich dat hij een tijdje uit het raam naar het huis van de Carrizo's had gestaard. Alle lichten waren uit. Later zou Sebastien talloze slapeloze nachten wensen dat hij de tuin in de gaten had gehouden, dat hij alert zou zijn geweest op eventuele steels bewegende schaduwen. Maar hij had zo vaak naar het verlichte huis staan turen dat hij zich van die keer alleen herinnerde dat alles donker was.

Sebastien was er niet zeker van of Lily wel zou terugkomen. Hij droomde de hele nacht van haar – hij droomde dat ze praatten en dat ze elkaar kusten, hij droomde keer op keer dat ze terugkwam. En ergens in die eindeloze zee van dromen dacht hij dat ze op een gegeven moment echt was teruggekomen, dat ze naast hem lag, in elk geval een tijdje. Maar hij wist het niet helemaal zeker, want hij viel al snel weer in slaap. Hij wilde bij de Lily zijn die van hem hield.

Toen Sebastien 's ochtends wakker werd, was ze er niet. Goudkleurige zonnestralen verlichtten de wereldkaart aan de muur – met alle plekken waar hij ooit was geweest of nooit naartoe zou gaan. Hij wist nog dat hij had gedacht dat er geen plek op de kaart was waar hij nog niet was geweest en waar hij ooit toch een keer heen zou gaan. Naast hem was het bed nog een beetje vochtig en het rook zoet naar Lily's volwassen parfum. Ze was weg, en Sebastien dacht dramatisch en onwerkelijk dat hij haar wellicht nooit meer zou terugzien.

Maar dat gebeurde wel. Die middag was ze terug. Met een lijkbleek gezicht en een felrode vlek op haar wang kwam ze het pad op rennen, en ze huilde hysterisch en onbedaarlijk, ze huilde zoals ze later nooit meer zou huilen en niemand haar gedurende alles wat daarna volgde nog zou zien huilen. Haar haar golfde als een wilde massa om haar heen. Sebastien stond doodsbang aan de grond genageld en dacht: *Wat is er, lieveling van me? Wat is er aan de hand?*

DEEL II

15

Februari

De volgende ochtend kwamen er twee politiemensen bij Sebastien aan de deur. Na een surrealistisch, hallucinant uitstapje naar de winkel om een tandenborstel te kopen hadden Sebastien en Lily zich teruggetrokken in zijn huis. Lily had de hele nacht gehuild en overgegeven – soms tegelijk – en Sebastien had steeds onwaarschijnlijker dingen gebracht om haar te troosten: water, daarna geroosterd brood, vervolgens om vier uur 's ochtends een paar versterkende gebakken eieren en om zeven uur een verkwikkend glaasje wodka. Ze had alles geweigerd. Sebastien had ergens gedurende de nacht even geslapen – of hij was in elk geval op de bank ingestort – maar één compartiment van zijn bewustzijn was de hele tijd alert gebleven, en toen er de volgende ochtend op de deur werd geklopt, had hij niet het idee dat hij daardoor werd gewekt.

Sebastien liep naar de keuken en haalde een natte kam door zijn haar. Hij had nog steeds de kleren van de vorige dag aan. Er werd opnieuw geklopt, dit keer krachtdadiger. Hij liep naar de badkamer en deed de deur open, Lily zat met haar rug tegen het porseleinen ligbad. Ze keek op. Haar gezicht was dik en bleek, alsof ze een inwendige bloeding had gehad. 'Is er iemand aan de deur?' vroeg ze.

Sebastien stak zijn hand uit. 'Kom,' zei hij.

Ze deden open en voor de deur stonden twee politiemensen, jong en buitengewoon keurig verzorgd. Sebastien bood ze met veel omhaal koffie aan. Dat was bluf – hij had geen koffie in huis – maar de agenten sloegen zijn aanbod toch af. Ze zeiden tegen Lily en Sebastien dat ze hen graag wilden meenemen naar het bureau. Voor een gesprek, zeiden ze.

Sebastien was opgelucht dat ze in de politieauto geen handboeien om hoefden – hij had gehoord dat de dienaren van de wet iedere gelegenheid aangrepen om nodeloos barbaars met mensen om te gaan. Dit gaf hem de gelegenheid om zijn hand op die van Lily te leggen – hij pakte hem niet vast, hij liet hem er licht op rusten – in een gebaar waarvan hij hoopte dat het ondersteunend en niet bezitterig voelde. Hij moest ervan uitgaan dat ze nog steeds uit elkaar waren.

Door het woord 'gesprek' dacht Sebastien dat hij en Lily samen met de politie zouden praten, maar dat bleek niet het geval te zijn. Ze werden bijna meteen gescheiden: Sebastien moest mee door de ene donkere gang en Lily door een andere, voor gesprekken die apart werden gehouden en, zo bleek, heel, heel lang zouden duren.

Sebastien werd eerst ondervraagd door een van de politiemensen die voor de deur hadden gestaan. Hij stelde rechtstreekse vragen en voor deze keer antwoordde Sebastien niet met veel omhaal – hoewel hij, na jaren van doen alsof alles wat hij zei werd opgenomen, wist dat dat nu echt het geval was.

'Wat hebben jullie 's avonds gedaan?' vroeg de agent.

'We hebben een film gekeken,' zei Sebastien.

'De hele avond?'

'Het grootste deel.'

'En verder?'

Sebastien wist niet wat Lily haar ondervragers vertelde, en óf ze al iets zei, maar hij had het gevoel dat hij haar antwoorden op de een of andere manier kon opvangen, dat hij ze via een soort magnetische aardstralen kon registreren – vooropgesteld dat de agent even zijn mond hield zodat hij zich kon concentreren.

'We hebben gepraat,' zei Sebastien. Hij voelde iets giftigs, verderfelijks, en een akelige beklemming. Het drong tot hem door dat hij zich er al ruimschoots van tevoren op had voorbereid om te liegen.

'Jullie zijn de hele avond en nacht samen geweest?'

Ik ga een stukje lopen, had Lily gezegd. Het zou niet meevallen om iemand ervan te overtuigen dat hij niet had gevraagd waar ze heen ging, maar hij had het echt niet gevraagd. Het enige wat er op dat moment toe deed, was hun aanstaande, definitieve afscheid; het doel en zelfs de duur van haar afwezigheid leken op dat moment onbelangrijk. Sebastien had haar met benevelde ogen de deur uit zien lopen. En op dat moment – of iets ervoor, of iets erna – was voor Sebastien elke causaliteit in het universum in elkaar gestort. Hij had alleen maar naar het hypnotiserende, betoverende blauwe menuscherm van de dvd-speler kunnen staren. Het had gevoeld alsof hij omhoog zweefde, onheilspellend dicht naar het plafond, en hij had zijn beddensprei vastgepakt om te voorkomen dat hij ertegenaan botste. Hij had gedacht dat hij doodging en hij had zichzelf erop moeten wijzen dat het niet zo was. Zijn lichaam werd doortrokken door een onaangename kou, als van de luchtuitlaat van de metro, of van een bron waaruit water opborrelde uit een reusachtig ondergronds reservoir, of een boorplatform dat kobaltblauw gal uit de aarde spuwde. Elk beeld was geruime tijd blijven hangen, hij vergat welk gevoel hij wilde visualiseren. Maar de gemene inwendige kilte had hem wakker geschud, en hij was bang dat hij iets aan de weet zou komen over zichzelf – iets vreselijks wat hij nooit meer van zich zou kunnen afzetten.

Hij was heel, heel erg stoned geweest.

'Ja,' zei Sebastien.

'Jullie zijn de hele avond en nacht samen geweest?'

Wie weet was Lily ook wel de hele tijd bij hem geweest. Het had geleken alsof ze geruime tijd weg was gebleven, maar misschien was dat helemaal niet zo. Het had geleken alsof ze de deur uit was gegaan, maar wellicht had ze dat helemaal niet gedaan. En toen Sebastien eenmaal de eerste leugen had verteld, kwam de tweede er een stuk makkelijker uit.

'Ja,' zei hij opnieuw.

Toen de eerste agent vertrok, was zijn plaats ingenomen door de tweede, die precies dezelfde vragen stelde; Sebastien had ergens geweten dat deze wisseling van de wacht betekende dat deze gesprekken nog maar het begin waren, maar hij wist niet precies waarom. De tweede agent had het soort gezicht waardoor je juist geneigd was om te liegen, maar Sebastien had de verleiding weerstaan en geen nieuwe onjuistheden verteld. In plaats daarvan had hij vastgehouden aan zijn eerste lezing van de gebeurtenissen, en dit keer was – en klonk – hij een stuk zekerder dan bij de eerste keer.

Na afloop had de politie Sebastien weer thuisgebracht. Buiten was het donker, dus moest het al erg laat zijn. Ze zetten hem af bij zijn huis en hij ging naar binnen om op Lily te wachten. Een week later wachtte hij nog steeds.

Het begon Sebastien langzaam te dagen dat hij Lily niet zou mogen bezoeken – hoewel hij elke dag naar het bureau ging (best galant van hem, vond hijzelf) om het te vragen. Hij kreeg te horen dat alleen bezoek van familieleden was toegestaan, en dan alleen nog op donderdag. Hij mocht wel dingen voor haar afgeven: briefjes, telefoonkaarten en, in een ingeving van helderheid en samenzweerderigheid, een aantekenboekje en een pen. Maar ze lieten hem niet binnen, en Lily's vader – die op een dag vol onderdrukte woede voor zijn deur had gestaan, Sebastien was onder de indruk geweest van Andrews zelfbeheersing, die duidelijk de indruk wekte dat hij half-en-half had verwacht dat hij Sebastien zou aantreffen tijdens het aanrichten van een nieuw bloedbad in de hal – had gezegd dat er zelfs weinig kans was dat Sebastien haar mocht bellen.

Sebastien had verwacht dat hij het nodige zou moeten overwinnen om naar de gevangenis te gaan – in elk geval genoeg om het idee te krijgen dat hij een beetje met Lily mee leed. Afgezien van het afstaan van een DNA-monster – een vreselijke vernedering die alleen draaglijk werd gemaakt door het feit dat hij het voor Lily deed – werd er niet veel van Sebastien gevraagd; hij wenste dat hij zichzelf tot eenzelfde vreselijke situatie kon veroordelen, dat hij met zijn vuisten tegen de muren kon slaan zodat hij dezelfde kwelling zou doorstaan. Maar iedereen bij de gevangenis was irritant beleefd, zelfs verontschuldigend, toen ze Sebastien voor de vijfde, zevende of tiende keer vertelden dat hij haar niet mocht bezoeken, nee echt niet. Bij zijn tegenwerpingen haalden ze onmachtig hun schouders op, alsof ze zich alleen maar aan een scenario hielden dat ze niet zelf hadden geschreven en zelf ook niet bijster goed vonden. Een van de bewakers – een vrouw die Sebastien vanachter kogelvrij glas met knipperende ogen aankeek – leek de situatie zelfs enigszins ontroerend amusant te vinden, en na een tijdje drong tot Sebastien door dat ze hem Lily met alle liefde had laten bezoeken als het had gemogen. Maar het mocht niet. Toen Sebastien besefte dat het een gevecht tegen de bierkaai was, had hij zijn buik er even vol van. Hij ging een paar dagen niet naar de gevangenis. En toen capituleerde hij eindelijk en kocht hij een televisie.

Al snel bleek dat het een onverstandige aankoop was. Toen de installateur het toestel kwam plaatsen – verbaasd dat het niet om een extra tv ging of de vervanging van een andere – legde Sebastien hem uit dat het hem vooral ging om informatie over een bepaald voorval in het nieuws. Op dat moment had hij met de beste wil van de wereld niet kunnen weten wat voor overvloed aan informatie hij over zich heen zou krijgen. Met name de dagtelevisie leek geheel gericht op mensen als Sebastien – mensen zonder werk of andere bezigheden, mensen die hun dagen half gekleed in ledigheid op de bank doorbrachten, zich vergapend aan en geobsedeerd door elk detail in de zaak van de vermoorde Katy Kellers en de verdachte Lily Hayes. De berichtgeving was speculatief, bestond uit cirkelredeneringen en was overbodig langdradig, en Sebastien dompelde zich er vele onwerkelijke uren in onder. Na een dag tv-kijken had hij de cyclus van nieuwsberichten van begin tot eind gezien en weer opnieuw zien beginnen; hij had elke presentator en presentatrice zichzelf zo goed als letterlijk keer op keer zien herhalen, maar hun ontsteltenis bleef onverminderd – bijvoorbeeld het feit dat Lily tijdens een verhoor naar het scheen een radslag had gemaakt, was een bron van verbazing die elk uur alleen maar groter werd. Tegen het eind van de eerste dag was Sebastien er redelijk zeker van dat alle presentatoren een blijvende hersenbeschadiging aan hun vak moesten overhouden. Tegen het eind van de tweede dag was hij er zeker van dat ze allemaal geniaal waren. Hij registreerde elke variatie in toon en nadruk, de subtiele wijzigingen in zinsbouw en veranderingen van woordvolgorde terwijl ze keer op keer hetzelfde verhaal deden; hij bedacht dat ze misschien wel een code hanteerden die te geraffineerd en genuanceerd was voor het onbeholpen, banale bevattingsvermogen. Er zat toch inderdaad een substantieel verschil tussen de betekenis van 'Lily Hayes stond algemeen bekend vanwege haar grillige gedrag' en 'Lily Hayes' grillige gedrag was algemeen bekend'? Na twee dagen televisie kreeg Sebastien het idee dat dat daadwerkelijk het geval was.

Voor zover Sebastien uit het geheel kon opmaken, werd Lily door de media vooral tot verdachte bestempeld op basis van bepaalde dingen die ze de dag na de moord had gedaan. Het meest veelzeggend leek het feit dat de chauffeur van een bestelwagen Lily met bebloed gezicht over het grasveld had zien rennen voordat ze bij Sebastien de politie belde. Op tv riep dit gegeven op tot twee verschillende, insinuerende vragen die steeds door een wisselend stel commentatoren werden gesteld – maar altijd op dezelfde indringende toon om de kijkers te doen geloven dat deze gewichtige vragen ze (de commentatoren) net pas te binnen waren geschoten en dat zij (de kijkers) getuige waren van een staaltje gewichtig denkwerk op live-tv, en dat je vanwege dit soort dingen eigenlijk niet zonder kabelabonnement kon.

De vragen luidden als volgt: 1. Waarom, vroegen de deskundologen, had Lily de politie niet gebeld voordat ze naar Sebastien was gerend? (Tenzij ze natuurlijk overmand door schuldgevoel de plek van het misdrijf voor de komst van de politie had willen ontvluchten.) 2. En waarom, bepeinsden dezelfde deskundologen, had ze die nacht bij Sebastien doorgebracht – op een steenworp afstand van de plek waar Katy haar noodlottige einde had gevonden – terwijl ze niet wist of de moordenaar nog zou terugkeren? (Tenzij ze natuurlijk precies wist wie de moordenaar was, en hoe bang ze wel of niet voor diegene hoefde te zijn.) De onderliggende vooronderstellingen bij die vragen kwamen op Sebastien nogal tegenstrijdig over, maar kennelijk was hij de enige; ze werden altijd tegelijkertijd te berde gebracht en vaak bijna in één adem, alsof de ene vraag verband hield met de andere, en de ene de andere niet goeddeels ontkrachtte.

Het overgrote deel van de informatie was meer van hetzelfde, maar de tv kwam wel elke dag met weer wat nieuwe trivia: Lily's schoolrapport (ze had hooguit zeventjes voor Spaans!); een foto van Lily in een toneelstukje van school (verkleed als een groene paprika en duidelijk overacterend); onaardige Facebookcorrespondentie tussen Lily en een vriendin over een derde meisje (wier naam discreet was weggelaten, maar volgens Lily's inschatting was ze 'fucking onuitstaanbaar'). Sebastien was stiekem gefascineerd door en een beetje dankbaar voor de informatie die de tv elke dag opdiepte voor fragmentjes met Lily's onlinepersoonlijkheid – 'is dit per saldo het social mediaprofiel van een moordenares?' – voordat hij eerst met afschuw vervuld was en zich vervolgens schaamde. Hij bezwoer dat hij niet zou toegeven aan zijn nieuwsgierigheid, maar zette de tv niet uit. Op enig moment had hij zichzelf ervan weten te overtuigen dat als kennis macht was, bezeten nieuwsgaring gelijkstond aan loyaliteit.

Een enkele keer schrok Sebastien op als hij zichzelf op het scherm zag – en hij deed zijn ogen dicht als ze de beelden lieten zien in de Changomas bij het schap met condooms, en bij het fragment waarop Lily en hij elkaar een tongzoen gaven, met achter hen het wapperende afzetlint van de politie. (Een van de minder grote rampen bij deze enorme ramp, nam Sebastien aan, was dat hij nooit meer iemand zou kunnen zoenen.) Hij vroeg zich af hoe zijn leven eruit zou zien als het met behulp van beveiligingsbeelden werd gevisualiseerd: hier zien we hem triomfantelijk koffie inschenken bij een 7-Eleven in Cambridge tijdens het introductieweekend van Harvard; hier zien we hem koortsachtig op zoek naar een pak voor de begrafenis van zijn ouders, zijn gezicht is grauwgrijs en uitdrukkingsloos; hier zien we hem cornflakes kopen in de winkel op de hoek, keer op keer op keer, moederziel alleen. Al die beelden zwierven ergens rond in het universum, bedacht Sebastien, en ze zouden een versie van zijn biografie tonen, mocht iemand ooit besluiten om ze bijeen te garen en te ordenen. En Sebastien zag ook hoe overtuigend zijn levensverhaal in beveiligingsbeelden zou zijn; voor de gemiddelde kijker, of zelfs voor hemzelf, ongeacht hoeveel andere ware gebeurtenissen er ontbraken.

Het was het ergst als ze beelden van Katy lieten zien – en dat deden ze met meedogenloze regelmaat, bijna net zo vaak als de beelden van Lily; vaak werden hun foto's naast elkaar vertoond. Elke keer als Katy te zien was, kromp Sebastien ineen door een soort mentale duizeligheid; zijn brein kon nog niet automatisch bevatten dat ze dood was. Gevoelsmatig leek ze nog niet dood – misschien omdat hij vage kennissen had wier dood net zo weinig indruk had gemaakt als hun leven. Sebastien had Katy kortstondig in het echte leven gekend, en nu zag hij haar af en toe kort op tv; ze was nog steeds knap, nog steeds afstandelijk, nog steeds iemand die hij niet echt kende. Ongeacht hoe hard hij zijn best deed, Sebastien kon haar niet zien als de dode die ze nu was en altijd zou blijven. Hij wenste vurig dat hij het wel kon, want zijn onvermogen voelde als oneerbiedigheid. Elke keer als Katy te zien was, kreeg hij kortstondig een bezorgd gevoel – fragmentarisch, onderbewust, niet in woorden te vatten – dat het zijn taak was geweest om haar te beschermen, en dat hij dat om de een of andere reden was vergeten.

Die momenten riepen bij Sebastien een vraag op die hij liever uit de weg ging: waarom was hij niet net als Lily gearresteerd? Hij ging in gedachten keer op keer terug naar die dag. In zijn geheugen waren de herinneringen al steeds meer omfloerst; de dag was gehuld in een oogverblindend, transcendentaal licht, en het begon met het moment waarop hij Lily aan had zien komen rennen. Hij had nog niet geweten wat er aan de hand was en hij had heel even gedacht dat ze terugkwam om te zeggen dat het haar speet – misschien huilde ze wel van angst dat ze een onoverbrugbare kloof tussen hen had geslagen; hij hoopte dat ze eindelijk zou toegeven dat haar hart al net zo broos en gesloten was als dat van hem. Was er een moment geweest dat ze haar hoofd snikkend op zijn schouder had gelegd en Sebastien blij was geweest dat ze op die manier was teruggekomen – blij dat ze toch was teruggekomen? Nee. Maar Sebastien had zichzelf ook even met terugwerkende kracht gefeliciteerd voor deze zegen – en hij had geweten dat dat net zo slecht was, of misschien wel slechter.

Als er een gevangenisstraf stond op het koesteren van bedenkelijke morele opwellingen, dan kwam hij daar zeker voor in aanmerking.

Sebastien keek elke dag of er nog nieuwe ontwikkelingen waren in huize Carrizo. Carlos en Beatriz waren overhaast teruggekomen van hun reis naar het noorden (waar ze volgens de vrouwen in de Pan y Vino en het nieuws voor de doopplechtigheid van een neefje naartoe waren gegaan), en hoewel hij ze niet zag, dacht Sebastien in eerste instantie dat ze zich in huis verborgen hielden. 's Avonds reden er toeterende en roepende jongelui langs, maar Carlos kwam geen enkele keer naar buiten om ze weg te jagen. De auto stond er de ene keer wel en de andere keer niet; ook het aan- en uitgaan van de verlichting ontbeerde logica. Maar zo vreemd was dat volgens Sebastien niet. De normale, zinnige gang van zaken was tijdelijk opgeschort. De auto van de Carrizo's hoefde zich ook even niet aan de gebruikelijke routine te houden.

Pas na een week kreeg Sebastien in de gaten dat de Carrizo's niet langer in het huis woonden. Hij zat om twee uur 's middags te warm gekleed in zijn kamerjas suffig uit het raam te staren toen het tot hem doordrong. De Carrizo's woonden niet meer in het huis. Natuurlijk niet. Wie zou het daar nog uithouden? Het was vervloekt, afschrikwekkend. En bovendien was het een plaats delict. De Carrizo's woonden er niet meer. Ze kwamen alleen af en toe langs om wat spullen op te halen.

Het duurde bijna nog een dag tot volledig tot Sebastien

doordrong dat hij helemaal alleen op de heuvel woonde – echt alleen, voor het eerst in zijn leven – vanaf het moment dat Katy was vermoord.

En toch, uit gewoonte of door een andere dwingende kracht, bleef Sebastien met een vreemde walging het huis van de Carrizo's in de gaten houden. De zon had in die periode de verkeerde intensiteit, hij was te zwak of juist te fel. Ook het gras had de verkeerde kleur – het begon roestrood te kleuren, iets waarin Sebastien een griezelige symboliek vermoedde, tot hij zich realiseerde dat het gewoon kwam omdat de Carrizo's het gazon niet langer sproeiden. In de namiddag wierp het huis lange schaduwen die niet gewoon naar de straat gleden – ze leken steels en doelgericht te sluipen. De dagen sleepten zich schijnbaar eindeloos voort. Sebastien hing lakens voor de ramen tegen het akelige en meedogenloze avondlicht.

Hij vergat bang te zijn voor de moordenaar, hoewel hij wist dat die er wel moest zijn. Door niet te geloven dat Lily degene was die Katy had vermoord – en daarvan was hij overtuigd – werd het moeilijk om te geloven dat Katy überhaupt was vermoord. Maar het was wel zo, en Sebastien probeerde zich een beeld te vormen van degene die het had gedaan. Hij zag een rondsluipende man voor zich die beide huizen in de gaten hield en misschien per ongeluk het huis van de Carrizo's was binnengedrongen; bij Sebastien viel tenslotte veel meer te halen. Misschien had de moordenaar Katy wel bij vergissing gedood. Misschien had hij beter Sebastien kunnen nemen, als hij per se iemand van het leven wilde beroven. Of misschien had de moordenaar het wel op Lily voorzien – misschien kende hij haar uit die afschuwelijke club waar ze werkte, waar gozers met opstaande kragen en kakkineuze kapsels kwamen om met zichzelf te pronken en te dure cocktails te drinken. Misschien was het een van hen, of was het niet een van hen, maar iemand die zo wilde zijn. Of de moordenaar had het écht op Katy voorzien, om redenen die Sebastien nooit zou weten. Elke theorie was op zijn eigen manier verontrustend, maar ze hadden één ding gemeen: ongeacht wat hij van plan was geweest, de moordenaar had kennelijk geweten dat Sebastien geen bedreiging vormde. De moordenaar had op de een of andere manier juist ingeschat dat Sebastien niet iemand was om wie hij zich druk hoefde te maken – als hij al angstkreten hoorde, was hij toch te schijterig om iets te doen, en er was een grote kans dat hij toch te stoned, te sloom en te apathisch zou zijn om überhaupt maar iets te horen.

Dus probeerde Sebastien uit piëteit bang te zijn. Hij zou eigenlijk moeten overwegen om te verhuizen, wist hij. Hij zou op zijn minst fatsoenlijke sloten op de deuren moeten laten zetten. Maar hij was niet bang. Niet echt. Toen zijn ouders om het leven waren gekomen, was hij bang geweest – niet zomaar bang, maar volkomen paranoïde, op een manier die onontkoombaar leek. Dat gevoel had twee dagen na het ongeluk zijn hoogtepunt bereikt, op de dag dat Sebastien zelf met het vliegtuig terugging naar Argentinië en hij er heilig van overtuigd was dat degene die zijn ouders had vermoord, moeiteloos de schijnbeveiliging van na 11 september had omzeild en nu op Logan International Airport rondliep om de klus af te maken; iedereen die Sebastien die dag zag, leek te zijn uitgekozen voor zijn of haar rol in Sebastiens eigen verhaal – een verhaal dat zich altijd uitspon naar die ene, noodlottige afloop. Eenzaam en alleen op zijn heuvel probeerde Sebastien weer iets van die angst op te roepen, maar het lukte hem niet. Hij was niet echt bang. In plaats daarvan voelde hij een surrealistische, loodzware last op zijn schouders; hij had voortdurend dromen waarin hij met een misselijkmakende schok besefte dat hem de zorg voor iets of iemand was toevertrouwd – de ene keer een klein kind, dan weer een puppy, één keer een pluizig fictief diertje dat een beetje op een cavia leek – en dat hij het veel te lang uit het oog was verloren, waarna hij zich terug haastte in de wetenschap dat het toch al te laat was. Sebastien wist dat zo'n abstracte en metafysische angst een mens tot waanzin kon drijven. En na een tijdje drong tot hem door dat het misschien wel een opluchting zou zijn als er een echte moordenaar verscheen – zo verdorven was zijn vrees, zo sterk verlangde hij naar een zichtbare gruwel.

Na verloop van tijd kwam het telefoontje naar het alarmnummer boven water. Sebastien had geweten dat het vroeg of laat zou gebeuren. Hij was er niet bij geweest toen Lily had gebeld – op dat moment rende hij over het grasveld om de politie de weg te wijzen naar het souterrain – maar het kostte Sebastien steeds meer moeite om zich dat te herinneren toen hij de opname samen met de rest van de wereld keer op keer te horen kreeg. Op tv zorgde de opname voor talloze nieuwe speculaties over de syntactische en tonale implicaties, over voorheen nog onaangeroerde lasterverhalen en geheel nieuwe improvisatiemogelijkheden; de media reageerden met ongebreideld en volgens Sebastien volstrekt ongepast enthousiasme. Sebastien zag een programma waarin een 'vocaal analist' zijn deskundige mening gaf over wat Lily's spraakpatroon onthulde over haar psychologische toestand. Volgens Sebastien was de analist niet alleen een charlatan, maar baseerde hij zich ook nog eens op een volstrekt niet-representatief voorbeeld van Lily's stem; op het bandje van het alarmnummer klonk ze totaal niet als zichzelf. (Sebastien was er zelfs niet geheel van overtuigd dat het Lily's stem wel was, hij speelde met het idee om de analist te bellen – misschien als hij een keer in een programma zat waarbij de luisteraars konden bellen, of thuis, midden in de nacht – om hem dat te vertellen.) De Lily op het bandje klonk niet zoals zo vaak buiten adem, maar juist het tegenovergestelde; ze klonk alsof ze te veel adem had en niet meer wist wat ze ermee moest doen of waarvoor hij diende.

Sebastien hoorde de opname zo vaak dat hij begon te klinken als een eindeloze lus, of als een mythische gebeurtenis die op de een of andere manier voortdurend plaatsvond omdat hij nooit had plaatsgevonden; net als literatuur, toneel en Bijbelteksten vereiste de opname grammaticaal de tegenwoordige tijd. Lily's stem klonk alsof hij met een tang uit haar mond werd getrokken. Nog voordat ze iets anders zei, gaf ze het adres van de Carrizo's. Gedurende het hele telefoontje sprak ze Engels met de persoon in de meldkamer, zonder dat ze het zelf in de gaten leek te hebben. *Qué es su emergencia? Ze is dood, ze is dood.*

O mijn god, o mijn god, schiet alstublieft op. O mijn god, ze is dood. Quién? Katy. Mijn kamergenoot. Schiet alstublieft op.

Dit was natuurlijk koren op de molen van al die figuren op tv. Als Lily er zo zeker van was geweest dat Katy dood was, vroegen ze zich hijgerig en verlekkerd af, waarom had ze dan zo manmoedig geprobeerd haar te reanimeren? *Ik weet het niet*, had Lily benepen gezegd volgens het uitgelekte politieverslag dat voortdurend werd aangehaald. *Misschien omdat ik in eerste instantie dacht dat ze nog leefde. Maar tegen de tijd dat ik de politie belde, wist ik gewoon dat ze dood was. Ik wist het gewoon.* Dat zou Sebastien ook graag tegen die mensen op tv zeggen, of tegen wie dan ook: ergens had hij het ook geweten, toen hij met zijn armen om Lily heen geslagen bij het huis van de Carrizo's stond. Hij had geweten dat Katy Kellers dood was. Het was een zekerheid die onmiskenbaar en onloochenbaar was, bijna voelbaar, maar dieper geworteld – het was niet de kilte die je voelde als de zon achter een wolk verdween, maar meer het verlaten gevoel waarmee dat gepaard ging. De politie kamde het huis uit en Sebastien stond achter Lily, hij hield haar vast bij haar schouders en daarna bij haar ellebogen, hij voelde haar bonzende hartslag. Ze kneep haar handen zo hard dicht dat haar hele lichaam beefde. Sebastien schrok van die felheid; het suggereerde een leed dat hij bij niemand zou kunnen verdragen, maar al helemaal niet bij haar. Daarom had hij haar gezoend – eerst voorzichtig, daarna heftiger. Hij werd absoluut niet door begeerte gedreven, zelfs niet door tederheid. Hij had haar alleen maar willen afleiden, hij wilde dat haar angstaanjagend geklauwde handen zich ontspanden.

Maar dat was voor de camera's niet zichtbaar. Die lieten alleen zien hoe Sebastien zich naar Lily boog. Ze lieten Lily's gezicht zien, verslapt, leeg en volgens de commentatoren bijna verveeld. En ze lieten zien hoe Sebastien haar keer op keer zoende, terwijl de politiemensen het afzetlint afrolden en zo een lijn trokken tussen Katy en alle anderen.

16

Maart

Op donderdag kwam er om tien uur 's ochtends een taxi voorrijden om Andrew, Anna en Maureen weer naar Lomas de Zamora te brengen.

Anna zat ingeklemd tussen Andrew en Maureen, wier haar nog nat was van het douchen; Andrew zag meerdere grijswitte strengen bij haar slapen. De pijnlijk bekende geur van haar shampoo vulde de auto, en Andrew werd onwillekeurig meegevoerd naar een niet nader bepaald verleden – het voelde alsof hij was ontwaakt in een onbekend deel van zijn leven, lang geleden, zonder te weten of er vreugde of verdriet in het verschiet lag. Zijn tijdsbesef was één grote chaos, hij kon niet geloven dat er al zoveel tijd was verstreken – sinds hij voor het laatst samen met Maureen en Anna in een auto had gezeten, sinds hij Lily voor het laatst had gezien – en hoe weinig van die tijd normaal was verlopen. Er leek zo'n groot stuk te zijn weggevallen, als de uren die iemand onder narcose doorbracht.

Bij de gevangenis werden ze snel naar binnen geleid. Andrew liet Maureen en Anna voorgaan, hij wilde Lily geen moment met haar moeder laten missen. Dus liep hij achteraan en werd het zicht hem ontnomen toen hij Maureen zag opschrikken: 'O mijn god.'

'Wat? Wat is er?' zei Andrew, en hij haastte zich de kamer in. Over Maureens schouder zag hij dat Lily op haar gebruikelijke plek in haar gebruikelijke houding zat, maar het verschil was dat ze kaal was.

'Mijn god,' zei Maureen opnieuw. 'Wat hebben ze met je gedaan?'

Lily had haar handen weer op tafel uitgespreid. Andrew had intens gehoopt dat hij haar dit keer in een andere houding zou aantreffen. 'Ik heb luizen,' zei Lily.

Maureen nam Lily's hoofd in haar handen. Haar gezicht was met afschuw vervuld, en Andrew wist dat dat deels kwam omdat ze zich voorstelde hoe Lily nu op tv zou overkomen. 'Hoe kun je nou luizen hebben?'

'Iedereen hier heeft luizen.'

'Hadden ze je geen speciale shampoo kunnen geven?'

'Mam,' zei Anna.

'Wat denk je, mam?' zei Lily, en ze trok haar hoofd terug. 'Er is geen shampoo. Al helemaal geen speciale shampoo. We hebben nauwelijks zeep.' De vermoeide berusting in haar stem was vreemd geruststellend; Lily had die stem tenslotte talloze keren gebruikt, bij talloze gelegenheden. Er ging een zinnetje door Andrews hoofd, misschien een herinnering, misschien gefantaseerd: *Mam, het is een universiteit. Natuurlijk hebben ze gescheiden douches!* Maar op het moment dat het zinnetje door zijn hoofd ging, besefte hij dat Lily's toon nu verontrustend anders was; er viel niets triomfantelijks in te horen. Lily had jarenlang gedacht dat ze veel meer over de wereld wist dan Andrew en Maureen, en jarenlang had ze het mis gehad. Nu had ze eindelijk een keer gelijk, maar wilde ze dat het niet zo was.

Andrew keek opnieuw naar Lily's kale hoofd. Hij zag dat haar haar niet helemaal weg was, aan de ene kant was het slordig en scheef afgeknipt, alleen op de bovenkant van haar schedel was het gladgeschoren. Het zag eruit als iets wat ze zelf had kunnen doen, onder andere omstandigheden. Andrew zag weer een andere Lily voor zich – opstandig, experimenterend, zoekend naar een andere identiteit, op een van de Seven Sisters-scholen had ze zich tijdelijk of blijvend bekeerd tot de lesbische liefde; als eerstejaars was ze met Thanksgiving met een kaalgeschoren hoofd thuisgekomen en had ze keer op keer gezegd: *jullie snappen het niet, jullie snappen het niet, jullie snappen het gewoon niet*, hoe vaak Maureen en Andrew ook hadden benadrukt dat ze het volkomen en volledig begrepen. Dit beeld ging over in een ander, nog angstaanjagender beeld: een andere Lily, als grillige twintiger, een sektelid of religieus smekelinge, haar haar in de deemoedige tonsuur van een oosters klooster, die tegen Andrew en Maureen schreeuwde: *jullie snappen het niet, jullie snappen het niet, jullie snappen het gewoon niet* – en dit keer was het waar. Het beeld verdween en er kwam iets voor in de plaats wat Andrew voor altijd zou bijblijven, hoe hard hij ook zijn best deed om het af te schudden: het schokkende, afschuwelijke beeld van een Lily die verdoemd was. Hij zag een kale Lily die wegens hekserij op de brandstapel eindigde, een kale Lily die door de Spaanse Inquisitie werd gefolterd, een kale Lily die in een veewagon op transport werd gezet naar het oosten. Andrew wist dat de vergelijking niet opging, hij wist dat het idioot overdreven was om het leed van zijn dochter te vergelijken met dat van echte slachtoffers uit de geschiedenis, en dat het van weinig respect getuigde en zinloos was. Maar hij bleef al die andere Lily's voor zich zien, en zijn knieën begonnen bijna te knikken als hij aan ze dacht: allemaal jong, kaal en onschuldig; allemaal onbereikbaar voor iedere hulp, allemaal hoofdpersoon in een verhaal met een afloop die de buitenwereld nu kende.

'Het maakt niet uit, mam,' zei Lily. Maureen stond naast haar en probeerde haar tranen te bedwingen. Lily stak haar hand uit en streelde haar moeder met een vreemde veegbeweging; het was een onnatuurlijk gebaar, alsof Lily een gebruiksaanwijzing had gelezen over hoe je iemand van wie je hield moest aanraken zonder dat je het ooit had zien doen. 'Niet huilen. Het is maar haar.'

'Ik weet het,' zei Maureen. 'Ik huil niet.' Maar het was duidelijk te zien dat ze wel huilde of op het punt stond om te gaan huilen, hoewel er geen tranen zichtbaar waren. Maureen was in staat om een huilbui uit te stellen als het er niet het geschikte moment voor was. Andrew had het haar al vele malen zien doen.

'Het maakt niet uit, mam,' zei Lily opnieuw. 'Het geeft niet. Het geeft niet.'

Maureens gezicht stond inwendig nog steeds op instorten. Deze aanblik was nog veel schrijnender dan haar daadwerkelijk te zien huilen. Het betekende dat er iets was gebeurd wat ze niet kon verdragen en niet zou verdragen – maar eerst moest ze het nog iets langer verdragen.

In de taxi onderweg terug naar het hotel streelde Maureen over Anna's hoofd. 'Ik weet dat het niet zo belangrijk is,' zei Maureen. 'Maar ze had zulk mooi haar.'

De rest van hun bezoek aan Lily was met horten en stoten en zwijgzaam geweest – de spanning van de eerste bezoeken was weg en ze waren allemaal in de ban geweest van een vreemde, scherpe verlegenheid. Op een wel heel erg ongemakkelijk moment was Lily ertoe overgegaan om te vertellen welke bezienswaardigheden in de stad ze beslist niet mochten missen. Misschien werd deze nieuwe opgelatenheid wel veroorzaakt door haar kaalheid.

'We wilden altijd rood haar hebben,' zei Anna tegen Maureen. 'Echt rood, zoals dat van jou.'

Of misschien was het onwennigheid, omdat ze zo met z'n vieren in een kamer zaten – na de echtscheiding waren ze regelmatig bij elkaar gekomen, maar meestal ter gelegenheid van een feestdag, een bruiloft, een begrafenis of een andere bijzondere gelegenheid, en in aanwezigheid van familie, vrienden of een van Lily's zwaarbeproefde vrijers.

'Daarvoor moet je bij je vader en zijn dominante genen zijn,' zei Maureen.

Maar waarschijnlijk kwam de vervreemding niet door Lily's kaalheid of de verlate hereniging van hun gezin. Het kwam eerder doordat Lily in de gevangenis zat en ze na een uur met z'n drieën zouden vertrekken, zonder haar. En zelfs als Lily rationeel wist dat Andrew en Maureen er niets aan konden doen, moest ze hun vertrek wel zien als een vorm van verraad. Waarom hadden Andrew en Maureen zich anders niet fysiek verzet toen de bewakers kwamen? Waarom hadden ze niet geprobeerd samen met Lily te ontsnappen? Waren ze voor haar gaan staan en hadden ze tegen de bewakers gezegd dat ze hen mochten opsluiten, maar hun dochter nooit? Nee. In plaats daarvan waren ze opgestaan, hadden ze Lily omhelsd en geruststellende en bemoedigende woordjes gefluisterd, en daarna waren ze vertrokken en was de angstaanjagende kloof tussen Lily en alle anderen nog breder geworden. Andrew had het bijna horen gebeuren. Hij had het in elk geval in Lily's stem gehoord – 'We hebben al nauwelijks zeep,' had ze gezegd, en met dat 'we' leek ze zich al te hebben verzoend met haar verblijf in een andere wereld. In een heel fundamenteel opzicht had ze nu buiten haar schuld meer gemeen met de allerslechtste mensen ter wereld dan met haar eigen familie.

'Het was zo mooi,' zei Maureen. 'Net als dat van jou.'

'Zo mooi was het niet,' zei Anna. 'Net zomin als het mijne. Zoals Lily al zei: "Het is maar haar."' Maar Anna deinsde niet terug voor Maureen, ze schoof zelfs iets dichter tegen haar aan.

Die nacht droomde Andrew dat hij wegvloog. Toen hij wakker werd, staarde hij naar de plafondventilator, wachtend op de hypnotiserende verdoving van de draaibeweging. Over drie dagen zou hij uit Buenos Aires vertrekken. Zijn ticket was al geboekt.

Andrew had dezelfde droom vaak gehad toen Janie ziek was. In de droom kwam niet aan de orde dat hij voorgoed wegging – hij wist dat hij in een roes was door de achterbaksheid van dat idee – maar hij was nooit in staat om wijs te worden uit die ongrijpbare droomherinneringen en uit te vissen hoe hij het zover had laten komen. Het enige wat hij zich echt herinnerde, was zijn uitgelatenheid: in de dromen vloog hij laag genoeg om een gedetailleerd beeld van de wereld onder hem te kunnen zien; om de een of andere reden vloog hij altijd in noordelijke richting (misschien naar Canada – als een ontsnapte slaaf? Of een dienstweigeraar?) en datgene dat ervoor had gezorgd dat hij weg mocht, lag al eindeloos ver achter hem. Het had waarschijnlijk veel weg van het gevoel dat je kreeg als je in het echte leven iets onvoorstelbaars deed. Geen enkele cel in het menselijk lichaam was dezelfde als op de dag van de geboorte, en toch werden we verantwoordelijk gehouden voor alles wat we in onze voormalige hoedanigheden hadden gedaan.

Desondanks had Andrew na de dromen altijd een bijna tastbaar schuldgevoel gehad – vergelijkbaar met het schuldgevoel na een incidentele seksdroom (over vroegere geliefden, of bijnageliefden, of leerlingen) in de tijd dat hij en Maureen een pasgetrouwd stel waren. Andrew kon zich nu nauwelijks voorstellen dat zulke triviale dingen ooit zo belangrijk voor hem waren geweest. Er waren lange seksloze periodes geweest in die inktzwarte maanden toen Janie op sterven lag, elkaar aanraken leek ondenkbaar (geen verleidelijke verboden vrucht, maar iets buiten elk voorstellingsvermogen, het behoorde niet tot het rijk van mogelijke gebeurtenissen, het maakte deel uit van de parafysica of de mythologie), en Maureen had zelfs een keer tegen hem gezegd dat het haar niet kon schelen als hij met een ander naar bed ging. Zoals Maureen ongetwijfeld had geweten, was het zeer onwaarschijnlijk dat Andrew iets op dat gebied zou ondernemen (met wie had hij het in vredesnaam moeten doen?), maar hij had haar aanbod niet afgedaan als een provocatie, een bespotting of een valstrik. Andrew had Maureen echt geloofd toen ze het zei. In dezelfde periode droomde Andrew geheel voorspelbaar dat zijn tanden uitvielen.

Andrew stond op en trok zijn kamerjas aan. Hij deed het licht aan. Buiten mauwde een uitgemergelde zwerfkat tegen een vuilnisbak. Andrew deed de deur naar de woonkamer open en schrok. Anna zat op het puntje van de bank tv te kijken, met het geluid bijna uit.

'Ha,' zei hij. Zijn stem klonk schor. 'Waarom ben je op?'

'Waarom ben jij op?'

Andrew haalde zijn schouders op en begon naar koffiefilters te zoeken. Hij trok het koelkastje open en staarde wezenloos naar de inhoud. 'Wil je een bakje yoghurt?' vroeg hij. Anna wees naar het bakje dat ze al in haar hand hield. Andrew deed de koelkast weer dicht.

Als hij naar huis ging, was het de bedoeling dat hij zou proberen zijn normale leven weer op te pakken. Hij zou afspreken met Peter Sulzicki, de advocaat; hij zou afspreken met de accountant en hij zou misschien proberen om weer eens op de universiteit te verschijnen. Vanaf nu zouden hij en Maureen elkaar om de week aflossen – een gezamenlijk opgesteld plan waarvan Andrew wist dat hij het niet eindeloos kon blijven uitstellen. Door elkaar af te lossen zou Lily elke week bezoek krijgen, en Andrew en Maureen zouden allebei een voet – of in elk geval een teennagel, had Maureen gezegd – in hun vroegere leven houden. Ze wisten allebei ook dat ze het geld nodig hadden, evenals de mentale adempauzes die hun werk hen bood.

Ze wisten ook, zonder dat ze het daar ooit over hadden gehad – net zoals ze nooit over het mogelijke overlijden van Janie hadden gesproken, tot het al de realiteit was geworden, iets in het verleden waarvan ze met elke verstrijkende seconde verder verwijderd raakten – dat ze hier misschien nooit meer van verlost zouden raken. Misschien zou het een eeuwigheid gaan duren, en ze moesten vasthouden wat ze nu hadden en later weleens hard nodig konden hebben. Andrew had het uitvoerig met zijn decaan besproken, en die had hem met zijn vingertoppen tegen elkaar en onverwacht begripvol aangehoord. Hij had een volle baard en leek te weten dat iedereen van hem verwachtte dat hij er bedachtzaam doorheen zou strijken; Andrew vermoedde dat hij het juist daarom niet deed. Toch was hij heel behulpzaam geweest. Er was een extra assistent aangesteld en een rooster opgesteld.

Andrew schonk een kop koffie in en hij liep naar de bank. Op tv werd een sporter geïnterviewd. 'Wie is dat?' vroeg Andrew.

'Een tennisser,' zei Anna.

'O.' Waarom dacht Andrew er nooit aan om de tv aan te zetten? Het was zo'n prettige afleiding. Hij hield zijn hoofd schuin en liet het Spaans over hem heen kabbelen; de gewaarwording had iets verleidelijks – het bleef net buiten je bevattingsvermogen. 'Ik wist niet dat ze hier aan tennis deden,' zei hij.

'Hij heeft de US Open gewonnen.'

'O.'

'Heeft hij iets interessants te vertellen?'

'Ik weet het niet. Waarschijnlijk niet.'

Andrew stond op en liep naar het raam. Hij legde zijn hoofd tegen de ruit. Het licht was naargeestig en waterig, Andrew moest denken aan het licht uit zijn dromen: de zon die laag boven de wolken hing en langgerekte schaduwen over de grond wierp; Andrew die zich boven alles bevond en uitkeek over majestueuze fijnsparrenbossen, weiden met bloeiende allium, ratelende treinen op schraagbruggen. In de droom was Andrew altijd verbaasd hoe eenvoudig dit alles hem afging. Hij vroeg zich elke keer af waarom hij het niet eerder had gedaan.

Hij draaide zich om en zag dat Anna hem fronsend aankeek. 'Moet ik vragen of alles goed met je is?' zei ze.

Andrew wist dat ze dat niet uit oprechte bezorgdheid zei. Het was een confrontatietechniek die ze van Maureen had overgenomen, gebaseerd op het uitgangspunt dat de spreker in stilte meer had geleden dan jij – meer dan je ooit voor mogelijk zou houden – en dat het erkennen van je zwakte de laatste beproeving was die je met superieure veerkracht en eerzaam moest doorstaan.

'Met mij gaat het wel,' zei Andrew. 'Ik sta natuurlijk niet te juichen over wat er met het haar van je zus is gebeurd.'

'Eerlijk gezegd is dat typisch iets wat ze ook zelf had kunnen doen.' Anna pakte de afstandsbediening en zette het geluid harder. 'Ze is altijd al raar geweest.'

Andrew liet Anna's woorden even bezinken. Was Lily raar geweest? Ze was in elk geval altijd ondernemend geweest, en misschien waren er momenten geweest dat ze een beetje een buitenbeentje was. Ze had wel iets eerder kunnen beginnen met het dragen van een bh – het was een principekwestie voor haar geweest, eentje die ze doodserieus en zonder een greintje humor verdedigde – en dat was wel een beetje raar, meer dan simpelweg grappig, dat zo'n jong meisje streed voor zo'n oude en allang verloren zaak. Maar dat betekende alleen maar dat ze een eigen mening had. Andrew was ondanks zijn preutsheid best trots op haar geweest. 'Raar?' zei hij. 'Vind je?'

Anna trok haar wenkbrauwen op en zweeg.

'Hoe bedoel je, "raar"?' zei Andrew. Lily was op sociaal gebied misschien wat onbeholpen; wellicht beschikte ze niet over de aangeboren intuïtie waarover meisjes van haar leeftijd werden geacht te beschikken. Hij herinnerde zich een telefoontje van haar, ergens tijdens haar eerste jaar op de universiteit, waarin ze haar beklag deed over een college politieke wetenschap. Ze kon het niet, zei ze, ze snapte niet waarvoor de mensen wel en niet ontvankelijk waren – waarom sommige slogans wel aansloegen en andere niet, waarom sommige onbewaakte momenten werden beschouwd als heerlijk menselijk en andere als manipulatief, waarom de mensen sommige politici vertrouwden en andere wantrouwden. Waarom was *It's the economy, stupid* zo'n bekende uitdrukking geworden?

'Tja,' had Andrew gezegd, 'waarschijnlijk omdat alles inderdaad om de economie draait, sufferd.'

'Maar daar ging het helemaal niet om,' had Lily gezegd. 'Het was gewoon een soort toverformule.'

'Is dat wat ze je daar leren?' had hij bezorgd gevraagd.

'Ik snap niet hoe jij dat doet,' had ze gezegd. 'Hoe weet jij wat de mensen willen horen?'

'Dat doe ik ook niet,' had hij gezegd. 'Ik probeer te raden wat landen willen. Dat is veel makkelijker. Ze gedragen zich als biljartballen.'

Op tv waren ze overgegaan op de reclame en Anna's wenkbrauwen trokken steeds verder omhoog. 'Laat ook maar, pap,' zei ze. 'Als jullie er nooit iets van hebben gemerkt, hoeven jullie het ook niet van mij te horen.'

'Anna,' zei Andrew streng. 'Het is overduidelijk dat je iets probeert te zeggen. Ik wil graag weten wat.' Misschien was Lily op sociaal gebied inderdaad een beetje onhandig, maar het was niet per se 'raar', zoals Anna zo onbarmhartig had gesteld. Misschien was Lily ietsje slimmer dan de middenmoot en legde ze daardoor wat minder makkelijk contact met die middenmoot, maar dat was verder niet zo uitzonderlijk. Zo breed was de kloof tussen haar en de meeste mensen om haar heen trouwens ook weer niet: ze was intelligent, maar niet zo intelligent als ze zelf dacht. En volgens Andrew had een beetje zelfoverschatting ook zijn positieve kanten; het was goed voor je zelfvertrouwen, je durfde risico's te nemen en je legde de lat hoog. Die eigenschap had Andrew talloze keren gezien bij de jongens die zijn colleges volgden, maar bijna nooit bij de meisjes, dus vond hij het ergens wel vertederend dat hij zo'n dochter had.

Anna staarde naar de televisie. Andrew had geen flauw benul hoe hij haar ertoe kon bewegen antwoord te geven als zij dat niet wilde. Maar toen keek ze hem aan, met een vreselijk geduldige volwassen blik in haar ogen die hij nooit eerder had gezien. 'Weet je nog,' zei ze, 'die keer dat ze dat beest doodmaakte?'

Andrew begon te lachen, maar hij hoorde dat er iets van angst in zijn lach doorklonk. 'Nee,' zei hij.

'Het was een bananenslak of zoiets. Weet je het echt niet meer?'

'Een slak? Waarom zou zoiets me bijblijven?'

'Zij en een vriendinnetje maakten hem dood.'

'Ja?'

'Ze hadden hem in de achtertuin gevonden. Ik geloof dat ze zeven was.'

'En die slak,' zei Andrew. 'Wat was precies de betekenis van die gebeurtenis? Was het een troeteldiertje van ons? Een collega van je moeders werk?'

'Het was Lily's idee. Zij haalde die vriendin over. Het was best verontrustend.'

'Verontrustend? Kom op, Anna. Als zij zeven was, hoe oud

was jij dan? Vijf? Ik weet niet of jouw definitie van verontrustend toen al erg ontwikkeld was.'

Anna haalde haar schouders op. 'Ze schiep er genoegen in om hem dood te maken. Dat kon je zien.'

Andrew kon horen dat Anna nauwelijks verwachtte dat hij haar geloofde en ook dat het haar nauwelijks kon schelen, en hij werd overvallen door een diepe treurnis die als woede doorklonk in zijn stem. 'O, en wat nog meer?' vroeg hij. 'Ga je me nu soms vertellen dat ze in bed plaste en stiekem dingen in brand stak als ik even niet keek? Het was een slak, Anna. Je moet het wel in het juiste perspectief blijven zien. Een slak doodmaken is wat anders dan een puppy doodmartelen.'

'Volgens mij zou je niets in de gaten hebben gehad als ze dat ook deed.'

'Jezus christus!'

'Ik zeg niet dat ze dat deed,' zei Anna. 'Dat deed ze niet. Dat weet ik omdat ik weet wat ze deed en hoe ze was.'

'Heb je de afgelopen tijd soms te weinig aandacht gekregen, Anna?' vroeg Andrew. 'Ben je misschien een ietsepietsie jaloers op je zus?' Hij wist dat het allesbehalve constructief was om zulke dingen te zeggen, maar hij was boos, en hij had lang geleden besloten om nooit zijn stem te verheffen of te schreeuwen als hij boos was. Je zelfbeheersing verliezen werkte alleen maar in je nadeel; je kraamde sputterend en hakkelend wartaal uit – als Andrew iemand in zijn mobieltje hoorde tieren, dacht hij onwillekeurig dat diens woede veel doeltreffender zou overkomen als de spreker zijn stem weloverwogen in bedwang wist te houden. Als Andrew kwaad was, probeerde hij te argumenteren zonder in de verdediging te gaan, hij legde intenties en interpretaties uit en sprak in zinnen die met 'ik' begonnen. Hij probeerde zijn venijn niet op bijzaken te richten en zijn vijandigheid onzichtbaar te houden, dat was effectiever. Maar zelfs Andrew kon niet altijd zijn kalmte bewaren, en als hij voelde dat zijn kookpunt naderde, had hij een typische eigen tactiek: hij probeerde de herkomst van het gedrag van zijn tegenstander te doorgronden. Daardoor wekte hij de indruk dat hij ver boven het conflict stond (bijna academisch), straalde hij uit dat het gedrag van de ander irreëel was (geheel buiten ieder bevattingsvermogen, dus moest hij er wel van uitgaan dat diegene zich liet leiden door vreemde, duistere krachten), en was hij tegelijk gekmakend irritant.

'Ik snap dat deze reis moeilijk voor je is,' zei Andrew. *Jij zit tenminste niet onschuldig opgesloten in een vreemd land!* wilde hij schreeuwen. *Jij bent tenminste niet dood! Want het zou nog veel erger kunnen zijn, Anna, ouwe rakker.* 'Ik weet dat we heel erg op Lily gefocust zijn. En misschien krijg je niet de aandacht die je op dit moment van ons verdient. Maar dit is niet de manier om dat te laten blijken. Dit is niet de manier om met die gevoelens om te gaan. Dit is geen goede manier om aandacht te krijgen.'

Anna was laaiend. 'Je bent een enorme klootzak, pap.'

'Oké, touché. Ik ben een klootzak. We proberen met z'n allen om je zus hierdoorheen te slepen om jou te kwellen. Want ik geniet van zulke dingen. Omdat ik een klootzak ben.'

'Zo bedoel ik het niet. Dat weet je best.'

'Hoe bedoel je het dan? Verklaar je nader. We hebben toch alle tijd van de wereld, Anna. En we hebben toch niets belangrijkers aan ons hoofd.'

Anna schold hem stijf, ze vloekte en tierde zoals ze haar hele volwassen leven nog nooit had gedaan, hoewel hij het met Lily wel eerder had meegemaakt, en daarna stormde ze de kamer uit. Andrew bleef een tijdje op bed zitten, wrijvend over zijn borstkas, alsof hij zo de butsen wilde gladstrijken die de afgelopen tijd in zijn hart waren geslagen.

Een paar uur later liep Andrew de trap af, klaar om een tijdelijke wapenstilstand te sluiten. Hij klopte op Maureens kamerdeur en ze deed open.

'Ha,' zei hij.

Toen hij Maureen zag terwijl hij Anna had verwacht, bekeek hij haar gezicht met een nieuwe blik: de rimpeltjes die als vlechtwerk rond haar ogen waren geweven, waardoor haar ogen door het contrast helderder leken. Hij was opgelucht om te zien dat ze niet had gehuild, in elk geval niet kortgeleden.

'Ik kan niet weg,' zei Andrew tot zijn eigen verbazing. Het was absoluut niet wat hij van plan was te zeggen.

'Hoezo?' Maureen deed de deur verder open. Andrew stapte over een stapel sportkleren van Anna naar binnen.

'Ik kan het gewoon niet over mijn hart verkrijgen,' zei hij.

'Vanwege dat afgeknipte haar? We hebben wel grotere problemen.' Maureen liep naar het raam en trok het gordijn open. In het schemerige licht wist Andrew niet zeker of hij het rood in Maureens haar kon zien. Misschien stelde hij het zich alleen zo voor, alsof hij de doorschijn van een oud schilderij zag.

'Hier hebben we het al eerder over gehad,' zei Maureen. 'Je moet wel terug. Daar speelt je leven zich af.'

'Is dat zo?' zei Andrew gemelijk. 'Ik weet het niet. Niks zit nog op z'n vertrouwde plek.'

'Misschien heb je het op de verkeerde plek opgeborgen.' Maureen ging op het onopgemaakte bed zitten. 'De tol van de jaren.'

'Dat is niet het enige.' Andrew ging naast Maureen zitten. Hij probeerde zijn schouders los te maken. 'Je dochter is boos op me,' zei hij na een korte stilte.

'Dat weet ik.'

'Oké,' zei Andrew nukkig. 'Heeft ze iets gezegd?'

'Waar ging het om?'

'Dat heb je vast al gehoord.'

'Nee. Echt niet.'

Andrew staarde naar het lege tv-scherm. Het had iets vreemd geruststellends; hij voelde een kortstondige, nergens op gebaseerde hoop dat er een orakel zou verschijnen met een gunstige voorspelling. 'Ze zei iets over Lily,' zei Andrew. 'Dat Lily een beest had doodgemaakt.'

'O,' zei Maureen zacht. 'Bedoelde ze die slak?'

'Wat?' zei Andrew. 'Ja. Waarom wist ik daar niets van?'

'Geen idee.'

'Ik bedoel, waarom weet verder iedereen het wel? Ik overdrijf vast niet als ik zeg dat het letterlijk in de krant heeft gestaan. Ik snap niet waarom ik het niet wist.'

'Ik ook niet. Ze heeft een hele week gehuild.'

'Waarom had ze het dan gedaan?'

'Ik heb geen idee.'

'Nou ja,' zei Andrew somber na een korte pauze. 'Een slak is niet echt een dier.'

'Nee.'

'Ik vind het nogal kort door de bocht van Anna om een slak als een dier te omschrijven.' Andrew deed zijn ogen dicht. 'Je gaat je ongewild afvragen of ze kwaad is op Lily.'

'Dat is ze ongetwijfeld,' zei Maureen. 'Jij niet dan?'

'Kwaad op Lily? Nee. Waarom zou ik kwaad op haar zijn?'

'Omdat ze een paar behoorlijk ondoordachte dingen heeft gedaan.'

'Ze is een kind.'

'Zelfs voor een kind heeft ze behoorlijk domme dingen gedaan. Dingen die wij op die leeftijd niet zouden hebben gedaan. Dingen die Anna nooit zou doen.'

'Je zult wel gelijk hebben.'

Maureen zuchtte. 'Je wilt zo graag dat ze slimmer worden dan jij.'

'Natuurlijk,' zei Andrew bedroefd. 'Wat heeft het anders allemaal voor zin? Daar gaat het om. Je zegt: oké, we hebben geprobeerd het beste van ons leven te maken en dat is aardig gelukt, maar je hoopt dat iets anders beter werkt.'

'Je geeft je vaardigheden door aan de volgende incarnatie,' zei Maureen. 'Dat maakt het zo angstaanjagend en tegelijk verbazingwekkend.'

'En saai,' zei Andrew. 'In elk geval bij Lily.'

'Wat was dat saai! Wat was ze ongelooflijk saai als baby, hè?' Maureen lachte. 'Waar kwam dat door? En is het niet vreselijk om zoiets te zeggen?'

'Waarschijnlijk zijn baby's gewoon saai als je geen doodsangsten uitstaat,' zei Andrew. Het was waar. Janie was vermoedelijk ook saai geweest, maar ze hadden te veel in de rats gezeten om het te merken. 'Alles wordt interessant als je doodsbang bent. Ik durf te wedden dat je dit allemaal allesbehalve saai vindt.'

'Nee. Ik kijk als aan de grond genageld toe.' Maureen lachte opnieuw. 'We zijn niet bepaald geluksvogels, hè?'

'Niet echt.' Hij vervolgde: 'Het had beter gekund,' maar toen stopte hij met praten omdat hij en Maureen elkaar kusten. Hij had niet gemerkt dat het eraan zat te komen. Misschien dat er even een flard van opzet was geweest – misschien had zijn hand heel even haar gezicht beroerd – voordat het gebeurde. Maar het viel onmogelijk vast te stellen wie de aanzet gaf; ze bleven allebei plausibel in een staat van ontkenning. De rest was bekend terrein; een routine die zo routineus was dat hij bijna tot een ritueel was verheven. De talloze keren dat ze dit hadden gedaan. Het was vreemd hoeveel je je herinnerde, of je nu wilde of niet. Ze waren balletdansers op leeftijd die de eerste uitvoering uit hun jeugd herhaalden, gewoon om te kijken of ze nog wisten hoe het moest.

Na afloop vielen ze in slaap. En voor het eerst sinds zijn aankomst in Buenos Aires sliep Andrew zonder te dromen.

Op donderdag werd Ignacio Toledo in Ciudad Oculta gearresteerd.

Hij zag er niet uit zoals Eduardo zich had voorgesteld. Het was zelfs lastig om vast te stellen wat voor man hij eigenlijk was. Toledo werd Eduardo's kantoor binnengebracht in een zware, bruine jas die hij weigerde uit te trekken, ondanks het feit dat het stikheet was. In tegenstelling tot de meeste cokegebruikers die Eduardo onder ogen had gekregen, stond Ignacio niet onrustig te friemelen en te frunniken, en hij zag er ook niet verwaarloosd uit, het was moeilijk om je een voorstelling van hem te maken op de binnenplaats van een gevangenis, zwavelzuur en kerosine kokend op een lepel. Ignacio Toledo leek zelfs te beschikken over een bepaald charisma: hij had een lome blik in zijn ogen en de scherpe, ruige trekken die getuigden van een ongenaakbaar stoïcisme. Op het eerste gezicht zag je iemand die de minnaar van Katy of Lily zou kunnen zijn geweest, of van beiden; iemand die misschien zelfs een moordzuchtige passie in een van hen had kunnen opwekken.

Maar als je wat oplettender naar Ignacio Toledo keek, zag je iets anders. Dan zag je dat hij donkere wallen onder zijn ogen had, dat zijn gebit ouder oogde dan hij in werkelijkheid was en dat zijn blik tegelijk schrikkerig en sluw was. Of niet? Eduardo wist het niet zeker. Bij Ignacio Toledo wist Eduardo voor een keertje niet wat voor vlees hij precies in de kuip had. Zelfs zijn verschijning zonder pro-Deoadvocaat was lastig te begrijpen. Bij Lily was die beslissing voortgekomen uit een bijna suïcidaal arrogante naïviteit, en wellicht was er hier ook sprake van iets dergelijks. Of misschien was Toledo berekenender en had hij hiervoor gekozen omdat de aanwezigheid van een advocaat een verkapte schuldbekentenis inhield. Maar dat was uiteindelijk niet meer dan een ander soort naïviteit, en Eduardo vroeg zich af of Ignacio Toledo probeerde Eduardo doelbewust in een van beide richtingen te sturen. Eduardo wist het niet en hij kwam ook niet dichter bij het antwoord, want elke keer als hij dacht dat hij Toledo iets beter doorgrondde, veranderde er iets in diens houding – zo subtiel en schijnbaar argeloos dat Eduardo niet eens zeker wist of er wel iets was veranderd. Het was alsof je een glimp probeerde op te vangen van een vis tussen de rietstengels, maar het enige wat je zag, was een vage beweging, net buiten je blikveld, iets wat evengoed je eigen schaduw had kunnen zijn.

'Luister,' zei Eduardo. Hij knipperde met zijn ogen, alsof hij zo de vreemde parallax kon corrigeren die hij ervoer. De zon die door het raam achter Toledo naar binnen scheen, leek op een enorme oranje meloen. Eduardo had de pest in, en hij moest al een uur plassen. Hij had Toledo met zijn gezicht naar het raam moeten neerzetten, maar nu was het te laat om van plaats te wisselen.

'Je hebt niets te verliezen,' zei Eduardo. 'We weten dat je in huis bent geweest. Je DNA zat overal.'

Toen Eduardo dat tegen Lily had gezegd, was het bluf geweest, maar dit keer was het waar, en het was vreselijk ergerlijk dat Toledo deed alsof ze een spelletje speelden waarbij hij Eduardo wellicht toch nog te slim af kon zijn. Wat hoopte hij daarmee te bereiken? Zou hij zo dom zijn dat hij geloofde dat ze Lily als enige dader beschouwden en dat het een fatale vergissing zou zijn om toe te geven dat ze elkaar kenden? Eduardo kon het zich niet voorstellen. Ignacio Toledo moest wel weten dat zijn DNA overal was aangetroffen, hij moest weten dat zijn betrokkenheid vaststond en het alleen maar in zijn voordeel kon werken als hij wie dan ook erbij betrok – inclusief Lily Hayes – zolang Eduardo hem die gelegenheid bood. Maar Toledo was weinig mededeelzaam, en Eduardo werd steeds meer afgeleid door zijn volle blaas.

'Ik ben er niet geweest,' zei Toledo.

Eduardo stak zijn hand op. Hij wilde Toledo het zwijgen opleggen zo gauw hij overduidelijk leugens begon te verkondigen. 'Echt overal,' zei Eduardo beslist. 'We weten dat je er bent geweest. Het was geen vraag.'

Toledo wrong als een gekooid dier onrustig zijn handen. Misschien overwoog hij om verminderde toerekeningsvatbaarheid aan te voeren ter verdediging, en in dat geval was dit een uiterst subtiel toneelstukje. Maar zoiets zou wel problemen geven, want dan zouden er vraagtekens worden geplaatst bij alles wat hij eventueel over Lily Hayes zou loslaten, terwijl Eduardo nog steeds vurig hoopte dat hij een heleboel over het meisje zou loslaten.

'Wat wél een vraag is,' zei Eduardo, 'is wat de rol van Lily Hayes in het geheel was. Haar DNA is ook op de plaats delict gevonden, en we proberen erachter te komen waarom. Begrijp je dat?'

Eduardo overwoog de mogelijkheid dat Ignacio Toledo niet geloofde dat DNA wettig bewijsmateriaal was; het was moeilijk om je voor te stellen dat iemand zo buiten de realiteit stond dat hij letterlijk zijn stront achterliet in de wc op de plek van een misdrijf. Dat vooruitzicht ontmoedigde Eduardo een beetje. Het was wel een erg makkelijke manier – alsof je een voetbalwedstrijd won omdat het andere team de bal had opgepakt en ermee was weggerend.

'Dit is Lily Hayes,' zei Eduardo en hij schoof haar foto over tafel. 'Je kent haar ongetwijfeld.' Eduardo tikte op Lily's gezicht, maar hij keek er niet naar. Hij keek niet graag naar de foto; hij vond het niet prettig om de sporen van vergankelijkheid onder dat relatief jonge en gezonde uiterlijk te zien – de grauwe kringen onder haar ogen, haar tanden die al geel begonnen te worden, als op een oude foto. De Lily op de foto dacht dat ze was ontsnapt aan de beperkingen van de jeugd en nog niet de verantwoordelijkheden van een volwassene hoefde te dragen, maar ze had het mis. Ze werd al achtervolgd door de consequenties van haar daden, net als door haar sterfelijkheid; ze loerden al over haar schouder – al had ze daar nog geen weet van en zag ze de schaduw die zich naar haar uitstrekte nog niet.

Eduardo boog zich voorover. Hij meende even een zilte geur bij Toledo te bespeuren, maar die verdween weer. 'Ik heb begrepen dat je negentig dagen in de gevangenis hebt doorgebracht wegens vandalisme.'

Toledo reageerde met een schouderophalen. 'Zo te horen weet je alles beter dan ik.'

'Je hebt het daar vast wel naar je zin gehad,' zei Eduardo. Hij leunde weer achterover en zijn stoel kantelde iets opzij doordat een van de zwenkwieltjes kapot was. Het viel niet met zekerheid te zeggen of er kort iets van weerzin op Toledo's gezicht te zien was. Hij geeuwde zijn kleine, spitse tanden bloot.

'Hallo? Ben je er nog?' zei Eduardo, op de tafel kloppend. Hij beet op de binnenkant van zijn lip om scherp te blijven. 'Luister. Het enige wat je op dit moment kunt doen is vertellen wat Lily Hayes' rol in het geheel was. Dat is niet alleen het beste wat je in jouw situatie kunt doen, het is ook het enige wat je in jouw situatie kunt doen. Snap je dat? Dit is de laatste keer dat je zelf kunt kiezen. Dit is echt je enige kans.'

Het leek alsof Toledo een beslissing nam – zijn ogen werden even wat groter, of misschien ook niet – en Eduardo voelde een onrust waarin hij de aanzet van ongewenste zekerheid herkende.

'Geloof je me niet?' zei Eduardo. 'Haal er dan maar een advocaat bij. Ik verzeker je dat hij je exact hetzelfde zal vertellen.'

Er volgde weer een beladen stilte. Eduardo probeerde oppervlakkig adem te halen om zijn blaas zo min mogelijk te belasten. En toen begon Ignacio Toledo eindelijk te praten.

'Ja, ik kende haar.' Toledo zuchtte onverwacht theatraal. 'We maakten weleens een praatje en ik heb haar een keer een beetje wiet verkocht. Op de avond dat het gebeurde kwam ze over haar toeren langs toen mijn dienst er net op zat. Ze was een paar dagen eerder ontslagen en eigenlijk wilde ik niet dat Javier haar zag, dat zou het alleen maar erger maken, maar ze moest haar verhaal kwijt, en dus heb ik haar getrakteerd op een biertje. Daarna zijn we op stap gegaan en liep het uit op een nogal wilde nacht.'

'Oké,' zei Eduardo. 'Daar kan ik tenminste wat mee. Dank je. Heeft behalve jou iemand anders Lily die avond in de Fuego gezien?'

'Volgens mij niet.' Toledo leek licht met een mondhoek te trekken, maar Eduardo kon het niet met zekerheid vaststellen, want elke keer als hij hem recht aankeek, hield Toledo ermee op. 'Ik kwam haar tegen in het steegje achter de zaak en probeerde haar daar weg te krijgen, want zoals ik al zei wilde ik niet dat Javier erachter kwam dat ze er was.'

'Aha. En toen?'

'We zijn de stad in gegaan.'

'Waarheen?'

Toledo keek omlaag. Als mensen logen, keken ze meestal omhoog – maar dat wist iedereen die regelmatig loog of tegen wie gelogen werd.

'Dat weet ik niet meer,' zei hij. 'Een of andere tent op Juramento. Ik kan het wel nagaan.'

'Dat zou zeker behulpzaam zijn. Heeft iemand jullie daar gezien?'

Toledo haalde zijn schouders weer op. 'Ik weet het niet. Het was er stampvol – echt afgeladen – dus er zullen ongetwijfeld mensen zijn die ons hebben gezien, maar ik denk niet dat ze zich ons echt zullen herinneren.'

'Heb je die avond ergens iets met je creditcard betaald?'

Toledo schudde ontkennend.

'Logisch. Ga verder.'

'Nou ja, we werden heel erg dronken, en toen... Ik weet dat het geen fraai verhaal is, maar ik denk dat ik maar beter alles kan vertellen.'

'Dat denk ik ook.'

'We rookten wiet en namen een beetje coke. En de hele tijd vertelde Lily allemaal wilde verhalen over Katy, over haar kinky voorkeuren tussen de lakens. Ik had het kind een paar keer gezien en ze straalde inderdaad wel zoiets uit. Dus kregen we het idiote idee in ons hoofd om naar het huis te gaan om te kijken of we konden scoren. Wij samen. Het was Lily's idee, maar ik had Katy een paar keer gezien en ik vond haar wel een lekker mokkel, dus het leek me wel wat. We kwamen bij het huis en Katy vond het allemaal best, en van het een kwam het ander. Maar op een gegeven moment ging Katy door het lint...'

'Ho even. Op wat voor manier?'

'Ze dreigde de mensen te bellen van wie het huis was, of de politie. Lily begon Katy uit te schelden en ik gaf haar een klap, om haar tot bedaren te brengen. Toen sloeg Lily Katy, en Katy sloeg terug, en ik dacht dat het misschien wel bij het hele seksgebeuren hoorde, dat het altijd zo ging. Een paar avonden eerder hadden ze in de Fuego ook al een fikse ruzie gehad. Dat had ik niet allemaal meegekregen, maar zo werd het wel verteld. Op een gegeven moment haalde Katy naar mij uit, dus ik ging me er ook mee bemoeien. En toen ging het allemaal zo snel, en zoals ik al zei...'

'En wanneer kwam dat mes in beeld?' vroeg Eduardo op neutrale toon. Emoties vertroebelden de zaak alleen maar. Hij dacht aan hoe het zou zijn om Maria kwijt te raken. Hij moest zichzelf ervan overtuigen dat er iemand zou zijn – een rationeel, weldenkend mens – die zorgvuldig alles zou uitzoeken; hij moest vasthouden aan de gedachte dat iemand met de nodige afstand zou proberen de puzzelstukjes in elkaar te passen.

'Ik heb echt geen flauw idee,' zei Toledo. 'Ik was hartstikke dronken en ook behoorlijk high. Misschien heeft Lily het gepakt, misschien ik. Of misschien zelfs Katy. Dat zal ongetwijfeld blijken uit jullie onderzoek, maar ik weet het eerlijk niet. Het was één grote puinhoop. En vlak daarna lag Katy op de grond, en het zag er niet best uit. Ik vroeg Lily of we Katy niet naar het ziekenhuis moesten brengen, maar zij zei dat dat niet hoefde, het was haar probleem en zij zou het wel oplossen. Ze zou Katy in de gaten houden en indien nodig hulp inschakelen. Toen ben ik 'm natuurlijk gesmeerd. Ik dacht er geen moment aan dat Katy misschien wel dood was. Het kwam niet eens bij me op. Ik dacht dat ze gewoon tegen de vlakte was gegaan. In de Fuego gebeurt dat elke avond met zeker een stuk of vijf meiden. Ik zag pas de volgende dag op tv dat Katy dood was. En ik had geen idee wat er in vredesnaam was gebeurd, of wat er was gebeurd nadat ik was weggegaan, dus het leek me het beste om even uit beeld te verdwijnen en maar af te wachten wat er verder zou gebeuren.' Hij schudde zijn hoofd. 'Het is vreselijk. Echt vreselijk. Ik kan er met mijn verstand niet bij.'

'Dank je,' zei Eduardo. 'Ik stel je openhartigheid op prijs.'

Toledo schudde zijn hoofd. 'Ik wilde dat ik had geweten hoe Lily echt was,' zei hij. 'Dan had ik het misschien kunnen voorkomen.'

Eduardo ging die dag vroeg naar huis. Het was een zwoele avond, het licht droop als ijspegels van de gebouwen. Hij had besloten om te gaan lopen.

Eduardo was redelijk in zijn nopjes met de bekentenis van Toledo. Een moordbekentenis was natuurlijk nooit iets om echt blij van te worden, want je kreeg nooit antwoord op de fundamentele vraag waarom de ene mens de andere had vermoord. Die vraag was vergelijkbaar met diepgravende vragen over de zin van het leven, liefde en sterfelijkheid, en het was niet aan de pers of een rechter om zulke dingen uit te zoeken. In de meeste gevallen – en dit geval leek niet anders te zijn – was er geen antwoord dat een normaal mens kon bevatten.

Aan de overkant van de straat vormde zich het begin van een demonstratieve optocht. Dit jaar scandeerden de studenten *Putos Peronistas!* maar zo hadden ze elk jaar wel weer andere stokpaardjes. Eduardo bleef even peinzend staan. Wat een arrogantie en zelfingenomenheid, en dat allemaal omdat ze nog niet dood of oud waren. Alsof dat op zich al een prestatie was. Hij liep door.

Maar zelfs zonder bevredigend antwoord op die elementaire vraag – waarom? – klopte Toledo's verhaal wel. Een advocaat, aanklager of wie dan ook hoefde tenslotte niet de beweegredenen achter zo'n verhaal te doorgronden. Ze hoefden niet te weten hoe het had kunnen gebeuren; ze hoefden er alleen maar van overtuigd te zijn dát het was gebeurd. En daarvoor was de bekentenis toereikend. Er kon een tijdlijn worden getrokken tussen de drie datapunten van Lily's DNA: op het mes, op Katy's mond en op haar beha. De verdediging kon met een heroïsch verhaal over de reanimatiepoging komen om het DNA op Katy's mond te verklaren, maar dat bood geen verklaring voor het DNA op de beha, en het verhaal van Toledo verklaarde beide. Het verklaarde ook de verstreken tijd tussen het door de patholoog vastgestelde tijdstip van overlijden en het moment waarop Lily was gezien met bloed op haar gezicht: als zij en Toledo niet hadden beseft dat Katy dodelijk gewond was, was Lily vermoedelijk écht verrast geweest toen ze haar dood had aangetroffen. En dit alles paste perfect bij de afloop die zowel Lily als Ignacio Toledo niet had voorzien: nog voordat het door het lab was bevestigd, had de zichtbare aanwezigheid van de DNA-sporen op de plaats delict er al sterk op gewezen dat de moord op Katy zonder voorbedachten rade had plaatsgevonden – wellicht was er zelfs helemaal geen sprake van opzet geweest.

Toledo's verhaal maakte alles duidelijk. En wat voor de jury nog belangrijker was, was dat Toledo dat niet had geweten. De wetenschap dat Toledo een goede reden had om te liegen over Lily's betrokkenheid was één ding, maar geloven dat hij in staat was geweest om zo'n samenhangend, multivariabel verhaal in elkaar te draaien, was iets heel anders. En wat helemaal cruciaal was, was dat Toledo's lezing van de gebeurtenissen naadloos aansloot op de dingen die de jury al van Lily zelf zou hebben gehoord: haar verdenkingen dat Sebastien en Katy iets hadden, wat had geleid tot de ruzie tussen de twee in de Fuego en het daaropvolgende ontslag van Lily, wat uiteindelijk tot de fatale gebeurtenis had geleid. De alcohol en drugs vormden een brug tussen Lily's gedrag in het verleden en haar gedrag op die avond. En hoewel het beter zou zijn geweest als Ignacio Toledo en Lily samen waren gezien, hadden ze allebei hun eigen redenen aangevoerd waarom ze dat liever niet wilden: Toledo wilde Lily uit het zicht van Javier Aguirre houden en Lily had uiteindelijk toegegeven dat ze drugs van Toledo had gekocht – wat een fiks probleem moest hebben geleken toen Lily nog niet wist hoeveel groter haar problemen zouden worden.

Feitelijk had Eduardo Lily niet meer nodig om de zaak rond te krijgen. Hij had Ignacio Toledo – zowel zijn DNA als zijn verklaring – en Eduardo wist dat er aanklagers zouden zijn die Lily Hayes vooral als een onhandig obstakel zouden beschouwen, iemand wier schuld steeds minder goed in hun straatje paste. Er zouden aanklagers zijn die haar het liefst uit het hele verhaal zouden willen schrappen zodat ze de leden van de jury een fraaier, minder genuanceerd verhaal konden voorschotelen – een verhaal waarin slachtoffer en dader eruitzagen zoals ze meestal deden en alle motieven glashelder waren – en die, afhankelijk van hoe sterk ze dachten te staan, zelfs bereid waren om Ignacio Toledo een beperkte straf te bieden als hij Lily helemaal uit zijn bekentenis liet verdwijnen. Zo'n regeling zou moeiteloos en rimpelloos tot stand kunnen komen omdat Ignacio Toledo toch niets te verliezen had, en er waren aanklagers die dit zouden beschouwen als een win-winsituatie; één kleine morele concessie ten behoeve van een allesomvattender overwinning, een onaanvechtbare pragmatische koehandel. Er waren aanklagers die even hun schouders zouden ophalen om Lily vervolgens haar gewone leventje terug te geven, waarbij haar schuld een geheimpje tussen hen tweeën bleef. Ze zouden zich troosten met de gedachte dat de kans minimaal was dat ze ooit nog iets gewelddadigs zou doen. Ze zouden zichzelf voorhouden dat het uiteindelijke oordeel over Lily Hayes – zoals over alle mensen – in handen van God lag.

Maar Eduardo kon dat niet. Hij had ooit een zinnetje gehoord dat hem zowel door zijn schoonheid als door zijn onjuistheid was bijgebleven: *Het is het ultieme bewijs van de alomtegenwoordigheid van God dat Hij niet hoeft te bestaan om ons te kunnen verlossen.* Waar had Eduardo dat citaat gehoord? Hij wist het niet meer, maar hij wist wel dat hij er niet in geloofde. Normen en waarden waren niet gewaarborgd omdat de mens zich gedroeg alsof God bestond, zelfs als dat niet zo was – je moest je gedragen alsof God niet bestond, zelfs als dat wel zo was. Voor een beetje leefbare wereld moest je handelen alsof oordelen en vergeven in onze handen lag. Maria was het levende bewijs van die boodschap, als Eduardo hem ooit al zou kunnen vergeten. Menselijke liefde was de bevestiging van het menselijk leven, en Maria was de bevestiging van Eduardo's leven, ook als er verder niemand was. De zaak tegen Lily Hayes laten vallen zou een afwijzing zijn van de enige taak, of die nu door God ingegeven was of niet, waarmee de mens was belast. Uiteindelijk zou hij er niet alleen Katy Kellers moreel onrecht mee doen, maar ook Lily Hayes en zelfs, in geringere mate, zichzelf: het zou een ontkenning zijn van hun menselijkheid. Het verschil zat alleen in de mate van onrecht.

Eduardo stapte de straat op en er schoot rakelings een motorfiets langs. Hij sprong vloekend opzij en viel op zijn knie.

'*Cabeza de pija!*' riep hij. De gozer was al een halve straat verder en hij keerde niet om – hij duwde alleen zijn knieën harder tegen de tank, alsof de motor een levend wezen was dat reageerde op zijn handelen. Eduardo haatte motorfietsen uit de grond van zijn hart. Het land werd met de regelmaat van de klok overspoeld door nieuwigheden, al naargelang welke invoerbeperking er dan weer was opgeheven – toen Eduardo op een dag wakker werd, had iedereen opeens een BlackBerry, of ze stonden in lange rijen bij de winkel om een flatscreen-tv te kopen, of zo'n teringmotorfiets. Soms kon Eduardo er wel begrip voor opbrengen waarom mensen in besloten gemeenschappen gingen wonen – je legde je armen over je hoofd en probeerde de wispelturigheden van de geschiedenis weg te wuiven. Hij strekte zijn knie. Hij was onmiskenbaar – wellicht ietwat teleurstellend – onbeschadigd. Hij ging staan en voelde zijn hele lichaam beven. De rest van de wandeling naar huis ontzag hij zijn knie meer dan nodig was, ten gerieve van eventuele toeschouwers. Toen Eduardo bij zijn flat kwam, bleef hij even in de deuropening staan. Sinds Maria's terugkeer had hij de gewoonte aangenomen om de temperatuur in een ruimte op zich te laten inwerken voordat hij naar binnen ging; vandaag voelde hij de energie uit zijn flat wegebben. De keuken was zo goed als in duisternis gehuld. In het schaarse licht dat door het raam naar binnen viel, zag hij de resten van het ontbijt nog op tafel staan; in de koffiepot zat nog koude koffie.

Voor zover Eduardo de zaak overzag, vormde alleen Sebastien LeCompte nog een probleem. Het alibi dat hij Lily had verschaft was uiterst vaag, en hij was niet iemand die snel geloofd zou worden door een rechter, zelfs niet als hij met een veel beter verhaal kwam. Desondanks was de lezing van Toledo – met de vele verschillende handelingen en locaties – lastiger in overeenstemming te brengen met de verklaring van Sebastien LeCompte dan een eenvoudiger verhaal zou zijn geweest. Je kon je moeiteloos voorstellen dat Lily een of twee uur weg was geweest zonder dat Sebastien het had gemerkt; maar vier of vijf uur – zoals in Toledo's versie – zou tot gevolg hebben dat de jury moest beslissen dat óf Sebastien LeCompte loog, óf Ignacio Toledo. En volgens Eduardo kwamen LeCompte en Toledo allebei even onoprecht over; je zou net zo goed kop of munt kunnen doen. Eduardo deed het licht aan.

'Hallo,' zei Maria. Ze had doodstil op de bank gezeten en niets gezegd toen Eduardo binnenkwam. 'Liet ik je schrikken?'

'Nee.' Dat had ze wel, maar Eduardo schrok nooit zichtbaar.

'Ik ben vandaag naar de kerk geweest,' zei Maria. 'Om je maatje te bezoeken.' Ze bedoelde Jezus. Eduardo had zijn buik vol van dit gespreksonderwerp. De stelligste en laagste dunk die Maria van Eduardo had, was gebaseerd op zijn vermeende godvruchtigheid. Hij had het lang geleden al opgegeven om zijn echte opinie over de kwestie uit te leggen, deels omdat ze er zo'n genoegen in leek te scheppen.

'Ik hoop dat je mijn hartelijke groeten hebt overgebracht,' zei Eduardo en hij schonk een kop koffie in. Hij boog zijn knie en voelde een bevredigende pijnscheut. Teringgozers.

'O, dat was niet nodig,' zei Maria.

Eduardo draaide de kraan open. Hij geloofde in God zoals hij geloofde in zijn eigen bewustzijn; hij was net zomin geneigd om te bewijzen dat hij Gods aanwezigheid in zijn leven voelde als hij iemand ervan zou proberen te overtuigen dat hij zijn eigen gedachten echt in zijn hoofd kon horen. Hij zou dit graag aan Maria uitleggen, maar ze was geen goede luisteraar als het op zulke zaken aankwam.

'Hij wist al van je groeten,' zei Maria, voor het geval Eduardo het niet had begrepen. 'Vanzelfsprekend.'

Eduardo haalde een bord uit de gootsteen vol water en ronddrijvende rijst. Hij was blij dat Maria de vaat had laten staan; door het stromende water kon hij doen alsof hij haar niet hoorde.

'Gek is dat,' zei Maria. 'Iedereen heeft het voortdurend over God, terwijl Hij nou juist degene is aan wie je niets zou hoeven uitleggen.'

'Hm,' zei Eduardo. Hij deed heel erg zijn best om niet tegen haar in te gaan. De atheïsten waren nou juist de echte fundamentalisten, dacht hij vaak – gevangen in hun eigen beperkte denkwereld, zonder nederigheid, zelfvoldaan in hun lachwekkende vertrouwen dat het heelal speciaal was gecreëerd voor de menselijke interpretatie ervan, zoals een rekensom die bedacht was om voor een specifieke leeftijdsgroep een haalbare uitdaging te vormen. Dat uitgangspunt haalde zijn eigen argumentatie onderuit, en bovendien was het hopeloos narcistisch en afgezaagd. Maar het had geen zin om zulke dingen te zeggen. Als Maria in zo'n bui was, kon je maar beter helemaal niets zeggen.

'Iedereen denkt dat het ook opgaat voor geliefden,' zei Maria. 'Maar dat is niet zo. Toch, Eduardo?'

Hij draaide de kraan dicht en pakte een theedoek. Hij had een paar opties, en hij woog ze tegen elkaar af. Hij kon blijven zwijgen, wat Maria alleen maar zou aanzetten om door te gaan. Hij kon iets verzoenends zeggen, wat geen enkel effect zou hebben, of iets tegendraads, waardoor ze het onderwerp zou laten rusten of juist extra op de kast zou worden gejaagd. Of hij kon iets geks doen – een grap maken of haar nat spatten, om zo de gespannen sfeer te doorbreken, waardoor ze misschien tot de conclusie zou komen dat ze eigenlijk geen zin had om te bekvechten.

'Maar de mensen zijn geneigd om God alles te vertellen,' zei Maria. 'Het aanhoren van al die overpeinzingen hangt Hem zo langzamerhand vast de keel uit.'

Eduardo reikte haar een theedoek aan om te helpen met afdrogen.

'Zelfs die van jou, Eduardo,' zei ze, en ze pakte halfslachtig de doek aan. 'Ben je niet bang dat je Onze-Lieve-Heer weleens verveelt? Dat Hij alleen maar uit beleefdheid doet alsof Hij luistert?'

Eduardo had besloten hoe hij de situatie zou aanpakken. 'Niet iedereen is zo geduldig als jij,' zei hij. Hij gaf haar als extra beloning een kus op haar voorhoofd – als je eenmaal een handreiking had gedaan, was het belangrijk om ook door te zetten – en was opgelucht toen Maria vrolijk lachte. Het had gewerkt.

'O, Eduardo,' zei ze, en ze streek met haar hand over haar kin. 'Ik ben een ramp. Ik snap niet dat je het met me volhoudt. O, ja!'

Ze klapte in haar handen en liep naar de bank. 'Wist je dat je vandaag in de *Clarín* staat?' Ze haalde de krant tussen de kussens vandaan en gaf hem aan Eduardo. Het was een profielschets, maanden geleden geschreven, die eindeloos op de plank was blijven liggen. Maar nu was hij dan eindelijk gepubliceerd, en hij besloeg een niet onaanzienlijk deel van de pagina. Eduardo bekeek de foto naast het artikel. Door een wonderlijke krantentovenarij leek hij veel knapper dan in werkelijkheid.

'Heb je het gelezen?' vroeg Maria.

'Nog niet.' Eduardo staarde naar de foto. Ze hadden een trucje met het perspectief of het licht toegepast, de foto gaf een volslagen verkeerd beeld van zijn gezicht, van zijn hele bestaan – iemand met zo'n gezicht kon nooit zo eenzaam en wanhopig zijn als Eduardo zo vaak was geweest.

'Volgens het artikel ben je ongelooflijk scherpzinnig,' zei Maria. Zoals bij al haar complimentjes klonk ook dit een beetje uit de hoogte, maar Eduardo was overal blij mee.

'Dank je,' zei hij met een laatste blik op de foto. Hij voelde zich ergens gegeneerd, een bedrieger. Hij was bijna geneigd om de krant te vragen om dit nummer uit de circulatie te halen.

'Zo zie je er in de verste verte niet uit,' zei Maria, die over zijn schouder meekeek.

Eduardo gaf haar een zoen op haar wang, hopend dat ze zijn tamme reactie zou opvatten als tederheid. 'Nee,' zei hij. 'Volgens mij ook niet.'

Die nacht bleef Eduardo wakker in zijn werkkamer. Hij vouwde de krant open bij zijn foto en zette hem op zijn bureau, haalde de foto van Lily Hayes tevoorschijn – die waar hij niet graag naar keek, genomen voordat ze schuldig was, maar toen ze al wel degene was die schuldig zou blijken – en zette hem ernaast. Foto's waren zo bedrieglijk, dacht hij, zijn duim op Lily's gezicht gedrukt. Wat had ze op dat moment over zichzelf geweten? Wat hadden de mensen die van haar hielden geweten? Misschien hadden ze ergens een verandering in haar bespeurd, maar hadden ze die niet kunnen benoemen. Misschien kon je het vergelijken met de kleurenblindheid van de oude Grieken, voordat woorden werden omgezet in beelden – we zien datgene niet waarvoor we geen taal hebben om het te doorgronden. Of misschien had Eduardo dat concept wel totaal verkeerd begrepen. Misschien had hij het altijd al mis gehad.

Hij liep naar de keuken en zette het koffiezetapparaat aan. Het ding siste en sputterde als een geïrriteerd dier en hij hoopte dat Maria het hoorde. Hij ging terug naar zijn werkkamer en deed het raam open. Buiten regende het onzichtbaar. Hij ging weer zitten en legde zijn wang op zijn bureau. Hij staarde naar de foto van Lily Hayes. Ze had het recht op de rechtszaak tegen haar – net zoveel als Katy Kellers er recht op had, misschien nog wel meer. In gedachten sprak hij tegen Lily: *We moeten handelen alsof ons inzicht, hoe beperkt het mogelijk ook is, het meest allesomvattende inzicht is waarover we beschikken. We moeten handelen alsof alles in dit leven ertoe doet; alsof we slechts één kans krijgen om het goed te doen. We moeten handelen alsof niemand de waarheid zou zien als wij die niet zagen.*

Op een dag zou hij Maria een paar van die dingen vertellen, dacht hij.

Eduardo werd zich weer bewust van zijn omgeving. De lucht buiten begon al licht te kleuren. Het regende niet meer. Mogelijk had Eduardo geslapen.

17

Maart

Het duurde tien dagen voordat Sebastien Beatriz Carrizo weer zag.

Hij had bijna een uur achter de computer gezeten, overwegend of hij wel of niet via internet gloeilampen zou bestellen. Het voelde steeds onmogelijker om het huis te verlaten. De vrouwen bij de Pan y Vino vielen stil als Sebastien binnenkwam – hij wist niet of dat uit vijandigheid of beleefdheid was (ongetwijfeld praatten ze net als iedereen het grootste deel van hun beschikbare tijd over de rechtszaak). Hoe het ook zij, Sebastiens doen en laten leek te zijn uitgegroeid tot een loden last voor zijn omgeving, waar voorheen alleen Sebastien zelf het als een loden last had ervaren. Hij was in elk geval niet op zoek geweest naar nog een reden om binnenshuis te blijven. Daarnaast ontdekte hij dat hij vreemd ongedurig werd van het feit dat hij niet de deur uit kon zonder iemands dag te verpesten (hij herinnerde zich maar al te goed dat hij zonder er al te veel voor te hoeven doen Andrews dag had vergald); hij leek veroordeeld tot een verblijf in het rijk van de mythische figuren, monsters en gedrochten – misschien dat hij daarom zo moeilijk deed over de aanschaf van een paar gloeilampen op internet. Als hij dat deed, gaf hij toe aan een nieuw, nog wereldvreemder kluizenaarsbestaan. Daarna was het nog maar een kwestie van tijd voordat moeders hun kinderen dreigden om hem erbij te halen als ze niet braaf waren. Sebastien schudde zijn hoofd en sloot de webpagina met gloeilampen. Hij keek uit het raam, en op dat moment zag hij een gebogen gestalte zich naar het huis van zijn buren haasten.

Sebastien sprong op. Het feit dat hij Beatriz pas zag toen ze al halverwege was, bezorgde hem een ongemakkelijk gevoel, evenals haar geforceerde manier van lopen. Ze was altijd een elegante verschijning geweest, statig, op een leeftijdloze manier. Maar nu bewoog ze zich schuifelend voort, als een bejaarde, een misdadiger of een schuw dier – een wezen dat zich allang niet meer bekommerde om wat een eventuele toeschouwer zou zien.

Sebastien trok snel zijn pantoffels aan en deed de deur open. Het was verstikkend heet. De wind van een naderende storing begon al aan te trekken; de bomen lieten hun bladeren los alsof ze hun wapenrusting afwierpen; de hemel was grijs en doorschoten met vuilpaarse regenvlagen. Hij rende de tuin door, zijn pantoffels zwiepten het hoge gras opzij. De wind had geen enkele invloed op de hitte, de virtuoos ongenaakbare hitte. Sebastien wilde Beatriz inhalen voordat ze te ver vooruit was; hij was niet bijgelovig, maar hij wilde zo ver mogelijk uit de buurt van het huis blijven. Hij kwam dichtbij genoeg om haar te kunnen aanroepen.

'Señora Carrizo,' riep hij zwaaiend.

Ze bleef stokstijf staan en keek hem met grote ogen aan. Misschien herkende ze hem niet van die afstand. Hij kwam dichterbij. Het begon te regenen.

'Hallo? Señora Carrizo?' Sebastien zwaaide met zijn armen. Hij was zich ervan bewust dat hij er niet op zijn best uitzag, rennend door de regen, gesticulerend als iemand met een neurologische aandoening. 'Ik ben het,' riep hij geheel overbodig. 'Sebastien.'

Maar Beatriz Carrizo deinsde achteruit, eerst langzaam, toen haastiger, op een onbeholpen en krampachtige manier.

'Het spijt me,' zei ze. 'Ik wil niet met je praten.' Sebastien zag dat ze zich het liefst had omgedraaid en hard was weggelopen, maar dat ze dat net iets te ver vond gaan.

'Alstublieft,' zei hij en hij kwam dichterbij.

'Nee,' riep ze. Ze stak afwerend haar handen uit, alsof ze opgesloten zat in een kist en het deksel wilde wegduwen. 'Blijf uit mijn buurt.'

'Ik ben het, Sebastien,' zei hij. Misschien had ze hem niet herkend. Misschien waren haar ogen niet zo goed. 'Van hiernaast?' Hij wees hulpeloos naar zijn huis om haar te helpen herinneren.

'Blijf staan,' zei ze, en Sebastien hoorde de schrille angst in haar stem. Toen begreep hij het en bleef hij staan.

Het was intussen harder gaan regenen, waardoor Sebastiens haar tegen zijn schedel werd geplakt. Hij stak zijn armen uit in een verslagen, ontwapenend gebaar. 'Ik wil alleen even met u praten,' zei hij.

'Het spijt me,' zei Beatriz opnieuw. Ze haastte zich de trap op naar haar huis – haar voormalige huis – en sloeg de deur dicht.

Daarna kreeg Sebastien voor het eerst het gevoel dat het huis van de Carrizo's hem in de gaten hield. Het licht ging nog steeds aan en uit, de auto kwam en ging op ongebruikelijke momenten en hoewel hij de Carrizo's niet zag – en hij wel beter wist dan erheen te gaan om te proberen ze te spreken te krijgen – voelde hij op de een of andere manier hun weerzin; ze waren zich eindelijk bewust geworden van de aanwezigheid van het huis naast dat van hen en van het feit dat hij er woonde. Sebastien was nog steeds niet bang dat de moordenaar wellicht zou terugkeren naar de heuvel, maar hij voelde wel de angst van de Carrizo's, ergens in zijn achterhoofd speelde voortdurend het ongemakkelijke gevoel dat hij degene was voor wie ze bang waren. Het was zo vreemd onrechtvaardig om een vrouw doodsbang voor je te zien wegvluchten. Maar door dat moment voelde hij zich wel meer verwant met Lily; hij vond het wel prettig om samen met haar onder verdenking te staan – zelfs al was het maar in minieme zin, zelfs al stond het nergens voor en kon hij het haar niet vertellen.

Een paar dagen later stond Carlos voor de deur. Sebastien

zag hem aan komen lopen, maar tot het laatste moment dacht hij dat Carlos ergens anders naartoe op weg was – misschien wilde hij iets met de bloemen in de tuin of stond er iets op de veranda waarop hij het had voorzien – en zelfs toen hij de voetstappen op het pad had gehoord, schrok Sebastien toch nog van het geluid van de klopper.

Hij liep naar de deur. Carlos stond met zijn gezicht omlaag gericht op de veranda; als hij iemand was geweest die doorgaans een hoed droeg, had hij die nu in zijn handen gehouden.

'Ja?' zei Sebastien.

'Ja, hallo,' zei Carlos. Sebastien voelde hun gemeenschappelijke gêne – dat er een moord was gepleegd, dat ze allebei wisten dat die was gepleegd en dat het op de een of andere manier onder hun toezicht was gebeurd, ze zich allebei in verlegenheid voelden gebracht door de ellendige, overdreven hysterie die de situatie opriep (alles wat minder heftig was, zou als onmenselijk worden beschouwd) en ook beschaamd vanwege hun gedeelde onvermogen om er volledig deelgenoot van te zijn. Carlos glimlachte verontschuldigend. 'Ik stond net je deurklopper te bewonderen. Wat moet hij voorstellen?'

'Het is een buste van mijn grootvader,' zei Sebastien automatisch.

'Aha.' Carlos sloeg zijn blik omlaag en schraapte zijn keel. 'Het spijt me dat Beatriz laatst zo onaardig tegen je was. Het spijt haar ook.'

'O,' zei Sebastien, zijn ogen strak op Carlos' schouders gericht. Hij had geen idee wat er nu van hem werd verwacht. *Ach, Carlos, vergeet het. Wat stelt zo'n moordverdenking nu helemaal voor, tussen buren? Ik hoop dat Beatriz het zich niet al te erg aantrekt.* 'Het geeft niet,' zei hij.

'Het is een moeilijke periode,' zei Carlos verontschuldigend. 'Ze is bang. Dat kun je je wel voorstellen.'

'Het is afschuwelijk wat er is gebeurd,' zei Sebastien. Het kwam er heftiger uit dan zijn bedoeling was.

Carlos kneep zijn ogen half dicht, hoewel de zon achter

hem stond. 'Ja,' zei hij. 'Katy was een lieve meid.'

'Jullie gaan vast door een hel,' zei Sebastien. Hij meende het oprecht. Hij meende nooit iets oprecht, maar dit wel.

Carlos keek Sebastien voor het eerst recht aan. 'Voor jou geldt ongetwijfeld hetzelfde.'

'Het is voor jullie het ergst,' zei Sebastien. 'Het is in jullie huis gebeurd. En bovendien kende ik Katy niet zo goed.'

Sebastien had het vriendelijk bedoeld – als erkenning van het grote verdriet van de Carrizo's, een verwijzing naar hun directe betrokkenheid bij de situatie – maar op de een of andere manier leek het verkeerd te vallen bij Carlos, wiens gezichtsuitdrukking veranderde, en Sebastien voelde zijn nekharen prikken.

'Je kende Lily anders goed genoeg,' zei Carlos.

Sebastien herkende de achterdocht die nu op Carlos' gezicht te zien was. En misschien omdat hij dat op de een of andere manier had verwacht, keek hij ook met zichtbare achterdocht naar Carlos. 'Jullie weten toch ook dat ze het niet heeft gedaan?' zei hij.

Carlos deed een stap achteruit. 'Beatriz is gewoon helemaal van de kaart.'

'Maar jullie weten het toch ook? Ja toch?'

Carlos schudde licht zijn hoofd. 'Ik weet sinds kort dat ik te oud ben om ooit ergens helemaal zeker van te zijn.'

Die avond maakte Sebastien anoniem een bijdrage over aan het reisfonds van Lily's ouders.

Hij had de site direct nadat die in het leven was geroepen gevonden. Hij was overduidelijk gemaakt door een van Andrews of Maureens babyboomer-kennissen – de verzoeken om geld of Airmiles waren geschreven in buitenissige lettertypes uit de vroege dagen van het internet, de teksten hingen boven foto's van het gezin Hayes in zorgeloze bestemmingen in New England. Maureen, Lily en Anna stonden gebogen in de wind op de top van Mount Washington, hun identieke rode capuchonnetjes strak om hun hoofd getrokken. Lily deed alsof ze zich ternauwernood nog kon vastklampen aan de reling. Na elke bijdrage voelde Sebastien zich heel even prettig kalm; hij was blij dat hij eindelijk een bestemming voor zijn geld had gevonden waarbij hij geen wroeging voelde. Hij zou nog eens een goede filantroop worden, dacht hij na zijn vijfde donatie. Hij glimlachte en stond op om iets te drinken te pakken.

Toen hij weer ging zitten, googelde hij het woord 'zelfmoord'. Boven de zoekresultaten verscheen het telefoonnummer van een gratis hulplijn, en Sebastien voelde hoe de haren op zijn armen zoals altijd overeind gingen staan. Sebastien had deze curieuze eigenschap van de zoekmachine kort na zijn terugkeer naar Buenos Aires ontdekt. HULP NODIG? luidde de tekst boven het telefoonnummer, een vraag die Sebastien wonderlijk ontroerend vond hoewel hij niet wist wat voor entiteit die vraag zou kunnen stellen. De computer? De verzamelde informatie op internet? Degene in Mountain View in Californië die met dit idee op de proppen was gekomen? Had de anti-zelfmoordlobbygroep het als eis gesteld? Sebastien kon er slechts naar gissen, maar hij had moeten huilen toen hij de boodschap voor het eerst zag – vanwege de onpersoonlijkheid van het algoritme dat erachter schuilging, en vanwege de volstrekt onverschillige gemeenschapszin die daar weer achter zat. Hij nam een slokje absint. Hij bedacht dat het er nauwelijks toe deed welke intelligentievorm de boodschap genereerde – of die nu wel of niet over een bewustzijn beschikte, enkel- of meervoudig was, bezield of onbezield was. De boodschap was simpelweg een onderwerp dat het universum in werd geslingerd – naar hem of naar niemand. Maar wat het ook was, het had hem een keer geholpen, en wat het ook was, het wist niet dat het dat had gedaan.

Sebastien streek over zijn kin en klikte weer terug naar het reisfonds voor Lily. Hij zoomde in op de foto van Lily op Mount Washington. Hij legde zijn vinger op het computerscherm en raakte haar capuchon aan. Lily's gezicht was vertrokken en rood, haar ogen traanden door de wind of door het lachen. Sebastien klikte op de doneer-knop. Hij wilde net opnieuw klikken toen er op de deur werd geklopt.

Hij schrok en keek op de klok. Ongemerkt was het al elf uur geworden. Er werd weer geklopt en Sebastien haastte zich naar de badkamer om een hap tandpasta te nemen en een kam door zijn haar te halen. Er werd voor de derde keer geklopt en Sebastien rende naar de deur – waarbij hij luid vloekend over een van de poten van de pianokruk struikelde – en deed open.

Voor de deur stond een meisje – jong, roodharig en pezig; functioneel gebouwd.

'Hallo,' zei ze. 'Ik ben Anna.'

Sebastien was met stomheid geslagen. Hij probeerde zich Lily's beschrijving van haar zus te herinneren, maar er schoot hem niets specifieks te binnen; Anna had in de marge van Lily's anekdotes gefigureerd, het enige beeld dat hij kreeg was dat van een korrelig afgebeelde sidekick, omschreven in de verleden tijd – *Anna en ik deden altijd dit, Anna en ik gingen altijd daarheen* – en als je die verhalen aanhoorde, was je geneigd te denken, áls je er al langer over nadacht, dat Anna nog steeds zes jaar oud was, met een paardenstaart, ondeugend (maar niet zo ondeugend als Lily), altijd volgend in de schaduw van haar oudere zus. Sebastien had nooit iets vijandigs in de verhalen bespeurd, alleen dat ze slechts een bijrol vervulde in Lily's huidige leven. Wat zou je over iemand als Anna kunnen zeggen? Jullie zijn samen klein geweest, meer niet. Maar nu stond er een volwassen Anna bij Sebastien voor de deur, vermoedelijk het middelpunt van haar eigen leven.

'Zeg niet dat ik op haar lijk,' zei ze. 'Dat weet ik al.'

Sebastien vond eerlijk gezegd dat het met die gelijkenis wel meeviel. Hun gelaatstrekken waren hetzelfde, maar Anna had iets bozigs – alsof haar gezicht een afgietsel was van dat van Lily, tegen haar zin gemaakt, waarmee ze nu door de wrede dorpsgenoten het plein rond werd gestuurd.

'Interessante deurklopper,' zei ze.

'Die heb ik van een rommelmarkt,' zei Sebastien, milder gestemd. Waarom hielden haar ouders haar niet in de gaten? dacht hij bij zichzelf, en vervolgens kon hij niet geloven dat hij zoiets dacht.

Anna fronste en bekeek de klopper nauwkeuriger. 'Het is een griffioen, toch?'

'Zoiets persoonlijks heb ik hem nog nooit gevraagd,' zei Sebastien. Hij flapte het eruit. Hij wilde niet dat Anna zag dat hij verbaasd was dat ze het wist, maar hij zag dat ze hem had doorzien.

'Lily heeft altijd al een vreemde smaak qua jongens gehad,' mompelde Anna, alsof ze de griffioen in vertrouwen nam. Ze ging weer rechtop staan. 'Ik heb klassieke talen als hoofdvak.'

'O,' zei Sebastien. 'Dat heeft Lily me nooit verteld.'

'Is dat zo? Wat was volgens haar dan mijn hoofdvak?'

Lily had het er natuurlijk nooit over gehad, maar Sebastien had zich kunnen voorstellen dat ze iets op economisch of financieel gebied studeerde, of een andere zielloze studie voor mensen die per se hogerop wilden komen. 'Lily heeft niet zoveel over je verteld, vrees ik,' zei hij.

'Nou ja, ik ben Lily ook niet, hè?' Anna keek een beetje gemelijk over Sebastiens schouder naar binnen. 'Mag ik misschien binnenkomen?'

Sebastien gebaarde overdreven galant. Anna liep naar binnen, haar ogen half dichtgeknepen in het vlekkerige licht. Ze maakte een hoofdknikje, alsof ze bevestigd zag dat alles er precies zo uitzag als ze het zich had voorgesteld. Sebastien was geïrriteerd. *Probeer jij maar eens om onder dit soort omstandigheden voor verlichting te zorgen*, wilde hij zeggen. *Of voor meubilair.* Gelukkig lag er een laken over de televisie; Sebastien moest er niet aan denken dat iemand – zelfs een vreemde, zelfs nu – zou zien dat hij een tv had.

'Sorry dat ik het vraag,' zei Sebastien, 'maar wat kom je hier doen?' Hij had haar iets te drinken aan willen bieden, maar nu wilde hij haar alleen maar weg hebben – haar gezichtsuitdrukking leek te veel op die waarvoor hij bij Lily's eerste bezoek aan zijn huis bang was geweest, en deze ontmoeting met Anna voelde als een onaangename variant op die eerste keer met Lily.

'Hoor je me niet te vragen wat je voor me kunt doen?' vroeg Anna.

'Ik ging er eigenlijk van uit dat je me dat toch wel zou vertellen.'

'Ik moet je iets vragen.'

Sebastien maakte een gebaar alsof hij een wapen spande en afvuurde.

Anna knikte opnieuw, alsof Sebastien net iets had gedaan wat ze ook al geruime tijd had verwacht. 'Mijn zus heeft je gedumpt, toch?'

'Sorry?'

'Misschien praat het wat makkelijker als we gaan zitten.'

Sebastien wuifde naar een van de bedekte hompen. Hij hoopte dat Anna er iets over zou zeggen – dat zou veel beter zijn – maar dat deed ze niet. In plaats daarvan lichtte ze het laken op om eronder te kijken – er bleek een eikenhouten bankje onder te staan – en ze ging zitten.

'Ik zou er maar niet over in de put zitten,' zei ze. 'Mijn zus dumpt voortdurend jongens. Zelfs jongens met wie ze niet echt iets heeft. Het is een soort hobby van haar.'

'We moeten allemaal onze tijd ergens mee vullen.'

'Ik vraag me alleen af of ze soms iets vreselijks met je heeft gedaan. Of dat jullie samen iets vreselijks hebben gedaan.'

'Neem me niet kwalijk,' zei Sebastien, 'maar ik begrijp niet zo goed wat jou dat aangaat.'

'Op de avond van Katy's dood, bedoel ik. Ik hoef niets te weten over eventuele vreselijke dingen die op andere avonden zijn gebeurd. Dat zijn inderdaad mijn zaken niet.'

Sebastien voelde de woede in hem omhoog borrelen, en hij kon de aanblik van Anna's gezicht bijna niet meer verdragen. Hij deed zijn ogen dicht. 'Of ik je zus er uit wraak bij heb gelapt, is dat je vraag?'

Anna keek hem neutraal aan. 'Ik vind het alleen vreemd dat zij in de problemen zit en jij niet.'

'Is dat een vraag?' zei Sebastien. 'Of bestaat het ochtendprogramma vandaag alleen uit een preek? Wat een eer om zowel door de jongste juffrouw Hayes als door de eerbiedwaardige professor Andrew Hayes de les te worden gelezen. Een iets minder meegaand type dan ik zou dit alles al gauw als een tikje pedant beschouwen.'

Anna trok haar wenkbrauwen op. Het waren hoge sikkels, net als die van Lily, en ze leek er nog verbaasder door dan ze waarschijnlijk al was. 'Is mijn vader hier geweest?'

'Jazeker.'

'Dat wist ik niet.'

'Zo leert een mens elke dag weer wat nieuws. Je vader is hier geweest en we hebben een buitengewoon ondraaglijk gesprek gehad, en ik begin een onaangenaam beeld van de omgangsvormen van de familie Hayes te krijgen, met name op het gebied van met de deur in huis vallen. In die context zijn Lily's goede manieren een wonder.'

Anna's voorhoofd was nog steeds gefronst; Sebastien kon zien dat ze door zijn woorden van haar stuk was gebracht en hij besloot dat hij daar gebruik van moest maken. 'Over Andrew gesproken,' zei hij. 'Weet hij dat je hier bent? Of Maureen?'

'Of Andrew en Maureen weten dat ik hier ben?' Anna's gezicht vertrok in iets wat waarschijnlijk een heimelijk, geluidloos lachje was, hoewel het oogde als een kwalijk zenuwtrekje. 'Nee. Ze houden niet voortdurend mijn doen en laten in de gaten.'

'Opmerkelijk, gezien de situatie.'

'Niet echt.'

'Waarom niet?'

'Ze zijn nooit overmatig in me geïnteresseerd geweest. Ze hebben me alleen maar op de wereld gezet omdat ze dachten dat ik nuttig zou kunnen zijn voor Lily's psychische ontwikkeling. Ik was een soort kinder-Mozart-cd voor haar. Of heeft ze je dat ook niet verteld?'

Sebastien keek naar de grond. 'Lily's kijk op het geheel,' zei hij, zijn woorden zorgvuldig wegend, 'was dat jullie allebei een beetje ondergeschikt waren aan Janie. Zo heette ze, toch?' Hoewel hij dat wist.

Anna knikte, en daarna schudde ze haar hoofd. 'Lily zouden ze hoe dan ook hebben gewild. Dat stond buiten kijf. Janie en

Lily, zo moest het gezin eruit komen te zien. Twee kinderen. Ik was de eerste reserve, en niemand was echt blij dat ik daadwerkelijk moest invallen, om een Amerikaanse sportmetafoor te gebruiken, wat jij vast heel ongepast vindt. Maar het heeft ook zijn pluspunten. Ik kan dingen doen die ik anders nooit had kunnen doen. Zoals hierheen komen om met jou te praten, om maar wat te noemen.'

Er schoot Sebastien een herinnering aan zijn vader te binnen. Tijdens zijn jeugd – eerst vagelijk, daarna steeds duidelijker – was hem opgevallen hoe zijn ouders logen over hun werk. Hun strategie was erop gericht om hun werkzaamheden heel, heel erg saai te laten lijken, en hoe meer Sebastien besefte hoe interessant hun werk in werkelijkheid was, hoe meer hij zich erover verbaasde hoe effectief die aanpak was. Als iemand vroeg wat ze deden, gaven ze luchtig, ontwijkend en geringschattend antwoord, ze pareerden de vraag met een wedervraag en plotsklaps was het onderwerp veranderd. Degene die de vraag had gesteld was zonder uitzondering maar al te blij om alle aandacht te krijgen, daar was het tenslotte in eerste instantie om te doen geweest. Sebastien had zijn vader daar één keertje op gewezen, tijdens een van hun weinige rechtstreekse gesprekken over dergelijke aangelegenheden. Sebastien was steeds op zoek naar de juiste vragen – vragen die voortkwamen uit stilzwijgend wederzijds weten, vragen waarop geen concreet antwoord noodzakelijk was – en deze bleek in die categorie te vallen. Zijn vader leek er zelfs een beetje mee ingenomen.

'Dat is een nuttige levensles, jongen,' had hij gezegd. 'Niemand is echt in je geïnteresseerd. De meeste mensen hebben het niet eens in de gaten. Ze denken dat ze belangrijker voor andere mensen zijn dan andersom. Ze kunnen zich niet voorstellen dat de desinteresse wederzijds is. Maar het is handig om te weten, als je het je maar niet te veel aantrekt.'

Sebastien had vol ontzag geluisterd en geknikt. Het was tegelijkertijd spannend en eng, het besef hoe eenvoudig het was om je te verstoppen – hoe onwaarschijnlijk het was dat iemand daadwerkelijk naar je op zoek zou gaan.

'Ik begrijp het,' zei hij tegen Anna.

Er veranderde iets aan de lichtinval in huis en Anna draaide zich om. Sebastien volgde haar blik. Vederwolken sliertten langs de hemel. Toen ze zich weer omdraaide, keek ze weer nukkig. 'Ik wil weten waarom jij niet bent gearresteerd,' zei ze. 'Zeker als je nagaat dat je met Katy naar bed ging.'

Sebastien voelde een schok door hem heen gaan en zijn hart begon te bonzen. Hij wachtte tot het tot bedaren was gekomen voordat hij antwoord gaf. 'Waarom denkt iedereen dat toch?' vroeg hij.

'Met wie ging ze dan naar bed? Het schijnt dat ze iemand had.'

'Ik weet het niet. "Dat zijn mijn zaken niet" – dat is toch het schattige laat-kapitalistische zinnetje dat men in zo'n geval graag bezigt? Ik was het in elk geval niet. Dat zou ik me zeker herinneren.' Er schoot een rampzalige gedachte door zijn hoofd. 'Denkt Lily dat?'

Anna zei niets.

'Ik was het niet. Zeg dat tegen haar.'

'Best.' Anna stak haar hand op, alsof ze iets tastbaars wilde afweren wat Sebastien haar aanbood. 'Het gaat erom dat iedereen denkt dat het wel zo is, dus waarom ben je dan niet gearresteerd?'

'Wil je van mij weten waarom ik niet ben gearresteerd?'

'Ja.'

'Wat een eer om die vraag voorgelegd te krijgen.'

'Schei alsjeblieft uit met die flauwekul.'

Sebastien negeerde haar reactie. 'Naar mijn bescheiden en ongetwijfeld egocentrisch gevormde mening ben ik niet gearresteerd omdat ze me met zekerheid konden wegstrepen als verdachte.'

'En hoe kwam dat?'

Sebastien zette grote ogen op, als om aan te geven dat hij hoogst verbaasd was dat Anna dat nog moest vragen. 'Het komt erop neer,' zei hij langzaam, 'dat ze weten dat er een man bij betrokken was, en dat ik die man niet ben. Ik ga niet in akelige details treden over hoe ze dat weten, hoewel ik weet dat jouw generatie niet bepaald overgevoelig is voor dat soort zaken. Je hebt vast weleens *Law and Order* gezien.'

'Jullie zouden er allebei bij betrokken kunnen zijn. Zulke dingen gebeuren aan de lopende band.'

'Klopt,' zei Sebastien. 'Maar ze weten dat slechts één heerschap een biologische rol in het geheel heeft gespeeld, waardoor mijn rol hooguit – hoe zeg je dat – esthetisch was? Spiritueel? Ik deed de lichtregie? Ik regelde de rekwisieten? Het sluit allemaal niet zo mooi op elkaar aan, zelfs die akelige aanklager met zijn al te levendige fantasie wist niet goed wat hij ermee moest.'

Anna's gezicht verstarde, en Sebastien bedacht dat hij een ongelooflijke hork was. Waar was hij mee bezig? Hij maakte gruwelijke, perverse grapjes. Hoe moest hij ooit getuigen in aanwezigheid van normale mensen? Zelfs als hij met Lily's zus praatte, kon hij haar niet van zijn oprechtheid overtuigen, laat staan van zijn onschuld.

'Het spijt me,' zei hij. 'Ik hoop dat je begrijpt wat ik bedoel. Jij bent iemand die met beide benen op de grond staat. Mijn excuses voor mijn luchthartige toon. Maar in noodsituaties ben je onwillekeurig geneigd om meteen in de tegenaanval te gaan, zoals je ook wel bij je zus zult hebben gemerkt.'

'Klopt,' zei Anna koel. 'Hoewel mijn zus niet echt een noodsituatie nodig heeft om in de tegenaanval te gaan.'

Sebastien was niet uit op meer bijzonderheden, maar in een beschamende opwelling van hoop dacht hij dat hij onbedoeld een ingang had gevonden. 'Hoe bedoel je?' vroeg hij.

'Nou ja,' zei Anna. 'Ze lijdt een beetje aan achtervolgingswaan, toch? Ze denkt dat de hele wereld rond het gapende gat van haar verlangens draait. Ze denkt dat zij de enige persoon in het hele universum is voor wie pragmatisme gelijkstaat aan een zware mentale crisis.'

Sebastien was met stomheid geslagen. Hij opende zijn mond en deed hem weer dicht. Zijn kaken klapten hoorbaar op elkaar.

'Allemaal nooit iets van gemerkt?' vroeg Anna. 'Nee, vast niet.

Als iemand denkt dat zijn of haar verlangens de vortex van de werkelijkheid vormen, kan degene die die verlangens vervult zich ook nogal uniek gaan voelen.'

Sebastien sloeg al deze beweringen op in zijn geheugen om ze op een later tijdstip onder de loep te nemen. Op enig moment zou hij ze gretig tot zich nemen, hij zou ze vanuit elke invalshoek bekijken, om te zien of ze mogelijk een kern van waarheid bevatten. Maar vooralsnog had Anna alleen maar uiterst harteloze dingen gezegd over iemand die haar heel dierbaar zou moeten zijn – iemand die Sebastien heel dierbaar was – en die op dit moment weerloos was, in elk opzicht.

'Grote genade,' zei Sebastien. Ridderlijkheid vereiste – helaas – hatelijkheid. 'En volgens Lily was jij tot geen enkele oorspronkelijke gedachte in staat.'

'Ha,' zei Anna. 'Dat ben ik natuurlijk ook niet. Maar in ons gezin is dat het automatische uitgangspunt.'

Sebastien knipperde met zijn ogen. 'Lily houdt van je,' zei hij. 'Voor wat het waard is. En ze heeft geen idee dat je zo'n gruwelijke hekel aan haar hebt.'

'Ik heb geen hekel aan haar.' Anna schudde verwoed haar hoofd. 'Ik hou van haar. Dat kan toch niet anders? Iedereen wil van Lily houden. Daar gaat het nu juist om. Iedereen wil van haar houden, iedereen wil denken dat ze het allemaal goed bedoelt. En dat is ook wel zo. Maar ze snapt niet dat de mensen dan wel bereid moeten zijn om haar onhebbelijkheden door de vingers te zien. Daarom is ze in deze puinhoop beland. Omdat ze al haar hele leven haar eigen regels hanteert.'

'Regels!' schamperde Sebastien. 'Laat me niet lachen. Hoezo, regels? Het is allemaal één grote anarchistische en wetteloze bende.'

'Dat is niet waar,' zei Anna. 'Er zijn regels voor iedereen, en voor Lily zijn er andere regels. Of die waren er, in elk geval. Dat heeft ze nooit in de gaten gehad, en daarom zit ze nu in de puree. Omdat ze zo nodig een radslag moest maken, omdat ze het niet nodig vond om een advocaat te vragen, en nog veel meer van dat soort stomme dingen. Omdat ze nooit heeft geleerd dat niet iedereen alles van haar pikt.' Anna ging staan. Je kon zien dat ze veel sportte – haar houding was onberispelijk, bijna militair, ze straalde een alertheid uit die Sebastien nooit eerder had gezien. 'Maar dat terzijde,' zei ze. 'Dit was allesbehalve verhelderend, maar ik geloof denk ik wel dat je mijn zus niet doelbewust hebt genaaid.'

'Wat een compliment.'

'Dat wordt in elk geval mijn uitgangspunt.' Anna schudde haar hoofd, en toen ze weer sprak, was haar toon milder. 'Ik weet dat je om haar geeft. Dat zie ik. Je weet dat er een website is om geld te doneren? Voor de reiskosten van mijn ouders en zo.' Ze maakte haar tas open en haalde een pen en papier tevoorschijn – Sebastien was opgelucht dat ze niet aan hem vroeg of hij die dingen in huis had – en schreef de naam van de website op. Hij zag met lichte verbazing dat ze linkshandig was. 'Als je echt wilt helpen. Dan kan het zo.'

'Ik zal het doen.'

'Zie maar.'

Anna maakte aanstalten om te vertrekken. Van opzij leek ze meer op Lily dan van voren.

'Zeg tegen haar dat ik niet met Katy naar bed ben geweest,' zei Sebastien. 'Alsjeblieft.'

'Ik weet niet of dat waar is.'

'Zeg maar dat ik het heb gezegd. Doe alsof je het tussen aanhalingstekens zet. Doe voor mijn part een imitatie. Zet een gek stemmetje op. Zeg dat het een onbevestigd bericht is. Als je het maar tegen haar zegt.'

'Oké,' zei Anna. 'Ik zal het doen.'

Ze liep de deur uit en Sebastien ijsbeerde een tijdje doelloos door de kamer. Hij staarde naar de lichtbundels die door de ramen vielen; hij staarde naar de vormeloze witte hompen meubilair en probeerde zich voor te stellen wat Anna had gezien. Toen hij naar de keuken liep, hoorde hij het vreemde, kippenvel oproepende geluid van autobanden op het grind. Hij deed de deur open en zag nog net hoe Anna bij Eduardo Campos in de auto stapte en samen met hem wegreed.

Eduardo was in een soort opwelling naar Palermo gereden. Hij had de hele ochtend chagrijnig op kantoor gezeten, en hij had geen afspraken voor 's middags. Toen hij om twaalf uur naar buiten liep, zag hij dat de hemel boven hem parelmoerkleurig was, als de binnenkant van een oester, en hij had geen zin om rechtstreeks naar huis te gaan. De kans bestond dat Maria hem op kantoor zou bellen en dan zou ze verbaasd zijn dat hij er niet was, maar Eduardo besloot dat het geen kwaad kon als hij haar één keertje verraste door iets impulsiefs te doen. Ze zou er niet dood van gaan als ze een keer niet wist waar hij uithing en ze er niets aan kon doen. En gezien Ignacio Toledo's bekentenis was het hoog tijd – de hoogste tijd – om nog eens bij Sebastien LeCompte langs te gaan.

Toen hij de heuvel naar het huis op reed, keek hij onwillekeurig even naar het huis van de Carrizo's, en meteen sprak hij zichzelf bestraffend toe dat hij dat deed. Het was tenslotte maar een gewoon huis. En deze zaak was tenslotte maar een gewone zaak – al was de hele stad ervan in de ban geraakt, en vervolgens het hele land, en daarna een niet onaanzienlijk deel van de wereld; al had de hele toestand tot eindeloze overpeinzingen geleid, tot jongelui die 's nachts toeterend en roepend langsreden. Eduardo bereikte de top van de heuvel en zette de motor af. Bij de Carrizo's waren alle lichten gedoofd. Wat was eigenlijk de mysterieuze aantrekkingskracht van deze plek? Oké, een moord was niet te bevatten, maar als je er goed over nadacht, gold dat eigenlijk voor elke menselijke handeling. Eduardo stapte uit. Hij voelde een kort verlangen naar een sigaret, alsof een spier van een afgezet been zich even roerde. Toen ging de deur van het huis van Sebastien LeCompte open en kwam Lily Hayes naar buiten.

Er ging een adrenalinestoot door Eduardo heen. Hij keek opnieuw. Nee, natuurlijk was het niet Lily. Het was haar zus. Hij had de gelijkenis tussen de twee op foto's gezien – de hoekige gezichten met de kenmerken van de roodharige moeder en de mild ogende vader (die in elk geval op de foto's van hem niet tot enige strijdvaardigheid in staat leek). Maar in levenden lijve leken de twee zussen veel meer op elkaar. Ze waren niet identiek – deze was robuuster en haar huid was gaver, hoewel Eduardo niet kon zien of dat het gevolg was van een wat rustiger leven of meer zorg – maar de verschillen leken marginaal, zeker op dit moment. Het meisje – dat hem nog steeds niet had opgemerkt – was een Lily die aan sport deed en zonnebrandcrème gebruikte. Eduardo werd van zijn stuk gebracht door het feit dat de meisjes helemaal niet verschillend waren: ze waren een en hetzelfde meisje, in verschillende levens.

'Hallo,' riep hij joviaal in het Engels. 'Jij bent Anna.'

Het meisje bleef stokstijf staan. Eduardo had verwacht dat ze geschrokken op zou springen. 'Ik weet wie u bent,' zei ze met half dichtgeknepen ogen. 'Ik praat niet met u.'

Dat was Lily ten voeten uit – op besliste toon zeggen dat ze niets zou zeggen. 'Ben je iets wijzer geworden van je gesprek met het jonge heerschap?' Eduardo knikte naar het huis. Hij was dankbaar voor het extra beetje formaliteit dat dankzij het Engels in zijn stem doorklonk. 'Ik wilde zelf net naar hem toe, maar ik moest me even mentaal voorbereiden. Hij kan je behoorlijk het bloed onder de nagels vandaan halen, zoals je vast wel hebt gemerkt.'

Anna lachte schamper. 'U hoeft echt niet te proberen om met me aan te pappen,' zei ze. Haar stem klonk precies als die van Lily; als Eduardo zijn ogen dicht had gedaan, had hij de stem van de bandopnames gehoord. 'U hoeft helemaal niets te proberen. Ik ben niet gek.'

Waarschijnlijk wilde ze door meteen elke toenadering af te wijzen aangeven dat ze niet met zich liet spotten en vastberaden was, dat Eduardo nog een hele dobber aan haar zou hebben. Desondanks was er meteen weer iets duidelijk geworden. Anna zou niet met hem praten omdat ze niet dom was, waar je uit kon afleiden dat Lily dat volgens Anna wel was: Lily had met Eduardo gepraat – dwaas en onbezonnen – en nu zaten zij met de ellende. Er sprak een oordeel over Lily uit, en weerzin. En wellicht had Anna dat zelf nog niet in de gaten.

'Ik zal eerlijk tegen je zijn,' zei Eduardo, zijn hand door zijn haar strijkend. Het had geen zin om Anna's weerzin meteen uit te buiten. Hoe ze ook over Lily dacht, ze zou ongetwijfeld proberen die gedachten uit te bannen – ze zou het zichzelf nooit vergeven als ze zich nu blootgaf, nu Lily extra kwetsbaar was. 'Eerlijk gezegd,' zei Eduardo, 'weet ik zelf ook niet wat ik wel en niet moet geloven.'

Anna hield haar hoofd schuin en keek Eduardo aan met een blik waarvan ze waarschijnlijk hoopte dat die ongeloof uitstraalde.

'Je zus is een wonderlijk meisje,' ging Eduardo verder. 'Zoals je ongetwijfeld zelf ook wel weet. Ze heeft een paar behoorlijk irrationele, behoorlijk incriminerende dingen gedaan. Het valt niet mee om er wijs uit te worden.' Eduardo keek naar de grond en beet op zijn lip. Hij wilde dat het leek alsof hij twijfelde of hij wel of niet zou zeggen wat hij eigenlijk wilde zeggen. 'Maar ik weet niet wat ik moet geloven,' zei hij nog een keer. 'En ik heb geen zin om overheidsgeld over de balk te gooien als ik het mis heb.'

Hij keek weer naar Anna, wier zogenaamd geschokte gezichtsuitdrukking alweer begon te vervagen. Ze zou alleen met hem praten als ze dacht dat ze Lily daarmee hielp – door haar hoofd koel te houden en duidelijk te maken hoe haar zus deed en dacht, nu ze daar zelf niet toe in staat was. Zelfs als Anna diep vanbinnen wist dat het heel riskant was om met Eduardo te praten – als ze nog dieper vanbinnen wist dat dat nu juist was wat hij van haar wilde – moest ze er tot in het diepst van haar ziel van overtuigd zijn dat ze het voor Lily deed.

'De aanklacht kan altijd nog komen te vervallen,' zei Eduardo. 'Maar dan moet ik wel een andere verklaring voor de gebeurtenissen vinden. En dat is me tot dusver niet gelukt. Misschien werkt jouw gezichtspunt verhelderend.' Anna liet haar hoofd zakken. 'Ik zou het je ouders kunnen vragen,' voegde Eduardo eraan toe, 'maar ik weet niet of ze wel met me willen praten.'

Anna snoof. Zelfs daarbij klonk ze net als haar zus. 'Ik betwijfel of u daar veel aan zou hebben,' zei ze. 'Ze kennen Lily niet bepaald goed.'

Eduardo knikte neutraal. 'Dat is meestal zo bij ouders.'

Anna – inwendig verscheurd, vermoedde Eduardo; enerzijds wilde ze weigeren hem behulpzaam te zijn en anderzijds vroeg ze zich af of dat misschien nadelig voor Lily zou zin – zei niets.

'Weet je wat?' zei Eduardo. 'We gaan ergens een kop koffie drinken. Ik zal je niets vragen over die avond.' Hij zou de naam 'Katy' niet noemen. Hij zou het woord 'dood' niet gebruiken. En hij zou al helemaal geen 'moord' zeggen. 'We doen alsof het nooit is gebeurd. Als ik het ter sprake breng, kun je opstaan en weggaan. Maar misschien kun je me een paar dingen over je zus vertellen. Misschien kun je een paar dingen voor me vertalen. Of je vertelt wat je verder zelf nog kwijt wilt. Alles waarvan je vindt dat ik het moet weten. Jij praat, ik luister. Jij hebt de leiding. Als je weg wilt, ga je weg. Klinkt dat redelijk?'

Het was het proberen waard, hoewel Eduardo niet dacht dat het zou werken. Dus hij moest zorgen dat hij niet zijn verbazing liet blijken toen hij naar zijn auto liep en Anna Hayes zowaar achter hem aan kwam.

'Ik praat, u luistert,' zei ze toen ze aan de passagierskant instapte.

Eduardo knikte, en om aan te geven hoe letterlijk hij de regel nam, zei hij niets.

In het café ging Anna met haar armen over elkaar zitten en weigerde zelfs maar naar de menukaart te kijken. 'Ik vind het vreselijk wat voor werk u doet,' zei ze.

Eduardo lachte. 'Ikzelf af en toe ook.'

Ze waren zonder iets te zeggen naar het café gereden. Als Eduardo haar in de auto iets had gevraagd, had ze alsnog kunnen eisen dat hij haar terugbracht, wat hij natuurlijk zou hebben gedaan. Maar nu ze in het café zaten en koffie hadden besteld, liep er een struikeldraad van behoedzame beleefdheid om hun gesprek heen – zelfs als Anna kwaad werd en weg wilde, zou ze begrijpen dat Eduardo eerst de rekening moest vragen en betalen voordat hij haar terugbracht (het was natuurlijk nog steeds reëel mogelijk), en zelfs dat zou hem nog wat extra tijd verschaffen. Hij gokte erop dat Anna over dezelfde zorgvuldig aangeleerde hoffelijkheid beschikte als Lily en dat hij daar zijn voordeel mee kon doen, net als hij bij Lily had gedaan. Dus was hij verbaasd toen Anna achteroverleunde, hem recht in de ogen keek en op volwassen en weloverwogen toon tegen hem zei dat ze vond dat hij een onmens was.

'Echt,' zei ze nog een keer. 'Een onmens.' Dus hier hielden de overeenkomsten tussen Anna en haar zus op, dacht Eduardo. Lily's hang naar beleefdheid was tijdens de verhoren zelden aan het wankelen gekomen, ongeacht hoe uitgeput, kwaad of bang ze was. Ze had een paar keer geprobeerd terug te krabbelen – naar de positie die ze had ingenomen voordat ze zich zo onberispelijk wellevend opstelde, alsof hij het zou kunnen vergeten – en ze had zelfs een paar keer geprobeerd hem te beledigen. Maar dat ging zo tegen haar aard in dat ze nooit echt venijnig was geweest. Ze deed Eduardo denken aan het jonge groefkopaddertje dat Maria en hij een keer waren tegengekomen – het was piepklein geweest en had met zoveel lachwekkend furieus geweld naar ze gesist dat ze gestopt waren met het twistgesprek waarin ze verwikkeld waren en hadden gelachen. Maar Eduardo zag nu dat Anna anders was.

'Een onmens?' zei hij. 'Serieus? Hoezo?'

De serveerster kwam de koffie brengen en Anna wachtte tot ze weer weg was voordat ze antwoord gaf. 'U bent niet tot medeleven in staat,' zei ze.

Eduardo nam een slokje van zijn koffie en leunde achterover. 'Met Lily, bedoel je.'

'Met wie dan ook.'

'Denk je dat jij meelevend bent?'

'Ja.'

Iedereen, letterlijk ieder mens, overal ter wereld, zou dat zeggen, maar Anna's antwoord klonk niet als een reflex; het klonk alsof ze die vraag op enig moment bewust aan zichzelf had voorgelegd – wat natuurlijk inhield dat ze zich dat op enig moment echt had afgevraagd. 'Leef je mee met Katy?' vroeg Eduardo.

'Wat zou dat op dit moment betekenen?' zei Anna. Haar stem was hardvochtig. Als het al een pijnlijke vraag was, viel dat niet van haar gezicht af te lezen. 'Ik heb haar nooit gekend, en nu is ze dood. Ik vind het heel erg voor haar familie, maar voor mij heeft ze nooit bestaan, dus ik voel niets voor haar. Voor u geldt hetzelfde.'

'Is dat zo?' Eduardo had verwacht dat Anna hem meelevend en emotioneel zou zeggen dat ze het vreselijk vond voor Katy. Hij was blij dat er nooit verbazing in zijn stem doorklonk, zelfs niet als hij echt verbaasd was.

'U bent niet oprecht in Katy geïnteresseerd. Daarvoor zit u niet in dit vak.'

'Als ik echt in Katy geïnteresseerd was in plaats van in gerechtigheid, zou ik nog veel onmenselijker zijn dan jij al denkt.' Hij legde zijn handen open op tafel en keek naar het symmetrische lijnenspel in zijn handpalmen. Hij kon zich blijven verbazen over de terugkeer van vormen in de natuur – over de pure, economische achteloosheid waarmee de structuren van een veer, een blad en een hart steeds weer terugkwamen. 'Als Lily dit misdrijf zou hebben begaan,' zei hij zonder op te kijken, 'wat zou dan de meelevende manier zijn om haar te behandelen?'

'Ze heeft het niet gedaan.'

'Ik weet dat je dat denkt.'

'Ze heeft het niet gedaan.'

Eduardo keek op. 'Dit is een abstracte benadering. Ik verander je vooronderstelling om je te vragen of dat jouw conclusie over mijn medeleven verandert.'

'Ik blijf bij mijn stelling.' Er klonk afkeer in haar stem. Misschien begon ze te geloven dat dit het enige was wat Lily had hoeven doen. 'Mijn zus is een goed mens. Ze is een geweldig mens en u begrijpt geen snars van haar.'

Eduardo knikte snel. 'Dat is denk ik wel waar. Ik denk dat ik haar inderdaad niet erg goed begrijp.' Hij trommelde zachtjes met zijn vingers op tafel.

'Ik wil niet beweren dat ze volstrekt buiten ieders bevattingsvermogen ligt. Zo ongewoon is ze nu ook weer niet. Ik denk alleen dat u persoonlijk haar niet begrijpt.'

'Ik begrijp in elk geval niet waarom ze heeft gedaan wat ze heeft gedaan.'

'Ze wilde het niet doen. Ze heeft het niet gedaan, bedoel ik.'

'Mag ik je een hypothetische vraag stellen?'

'Nee.'

'Waardoor zou Lily volgens jou zo buiten zichzelf kunnen raken?'

'Vraagt u het nu toch? Betekent dat niet dat uw eerste vraag hypothetisch was?'

'Volgens mij was die retorisch.'

'U wilt van mij horen in wat voor denkbeeldige omstandigheden Lily in staat zou kunnen zijn om een misdrijf te begaan dat ze in het echte leven niet heeft begaan. Voor onze fantasieverhalen.'

'We kunnen het in een breder kader plaatsen.'

'U kletst uit uw nek. Bent u eigenlijk wel een beetje goed in uw werk?'

'Misschien niet.' Eduardo streek met zijn lepeltje over het oppervlak van zijn koffie. 'Maar daarom zijn we hier toch? Omdat ik mijn werk slecht doe en jij me gaat vertellen waar ik in de fout ga. Wat moet ik allemaal weten?'

Anna zei niets. Ze had haar vingers op tafel uitgespreid, iets verder dan ze normaal gesproken konden. Eduardo herkende het gebaar van Lily. Hij vroeg zich af of het een gezamenlijke gewoonte was die ze er al heel lang op na hielden, of dat het iets nieuws was dat Anna onbewust van Lily had overgenomen toen ze haar zus in de gevangenis had gezien.

'Want ik weet in elk geval meer dan genoeg dingen die ik je zou kunnen vragen als jij niets kunt bedenken,' zei Eduardo. 'De beslissing is aan jou.'

'Ze heeft het niet gedaan.'

'Ja, dat heb je al gezegd.' Eduardo legde zijn lepeltje neer en sloeg zijn notitieboekje open. Hij zag een lijstje boodschappen in Maria's krullerige handschrift. Hij kneep zijn ogen tot spleetjes en deed alsof hij las. 'Oké, hier heb ik er eentje. Is Lily sportief aangelegd?'

'Wat?'

Eduardo legde het notitieboekje neer. 'Bij haar eerste verhoor heeft ze een radslag gemaakt. Wist je dat?' Natuurlijk wist Anna dat. Iedereen wist het. Als je een willekeurig iemand waar ook ter wereld vroeg wat hij of zij over Lily Hayes wist, zou het eerste zijn dat ze de moordenaar van Katy Kellers was, en het tweede dat ze de dag erna in de verhoorkamer een radslag had gemaakt.

Anna trok een boos gezicht. 'U zou ook een beetje lichaamsbeweging willen hebben als u uren en uren opgesloten had gezeten.'

'Het ging haar verrassend makkelijk af,' zei Eduardo. 'Was ze in haar jeugd goed in gymnastiek?'

'Er zijn zat meisjes die een radslag kunnen maken.'

'Jullie zien er allebei best sportief uit.' Dat was niet waar. Anna was de enige sporter van het gezin. Eduardo tikte met zijn lepeltje tegen zijn kopje. 'Maakt niet uit. Maar je zou denken dat ze wel zou beseffen dat het een raar gezicht was. Een beetje harteloos. Gezien de omstandigheden. Ze is toch een slimme meid? Dat maak ik in elk geval op uit haar studieverleden – goede cijfers, 2300 punten voor haar SAT.' Het waren er 2280 geweest, en hij nam een slok koffie om Anna de tijd te geven om hem te corrigeren. Het pleitte voor haar dat ze dat niet deed.

'Ze is gewoon naïef,' zei Anna. 'Ze heeft niet het benul dat iemand zoiets tegen haar zou kunnen gebruiken.'

'En hoe komt dat volgens jou?' vroeg Eduardo. 'Is ze het niet gewend dat iemand commentaar heeft op haar doen en laten?'

Anna sloeg haar ogen neer. Eduardo nam nog een slok en liet de stilte bewust tussen hen in hangen. 'Ik heb gehoord dat haar bijnaam vroeger "Lil de Pil" was,' zei hij ten slotte.

'Geen idee waar u dat vandaan haalt.'

'Het klopt toch dat dat in het Engels een bijnaam is voor een heel erg onaangenaam iemand?' Het was een bijnaam geweest toen ze nog jong was, en de pers had het doelbewust verkeerd geïnterpreteerd en een link gelegd met seks of drugs. Eduardo had niets ontdekt om deze conclusies te onderschrijven.

'Dat dateert uit haar kindertijd,' zei Anna. 'Als u dat serieus bedoelt, bent u niet goed snik.'

'Had ze die bijnaam niet verdiend omdat ze uiterst onaangenaam kon zijn?'

'Waar hebt u het over? Ze was een kind. Dit slaat nergens op.'

'Volgens jou is het irrelevant?'

'Niet alleen volgens mij. Het ís irrelevant.'

'Oké,' zei Eduardo en hij klapte zijn notitieboekje dicht. 'Grote kans dat je gelijk hebt. Misschien vind je deze vraag relevanter. Klopt het dat je zus vroeger dieren doodmaakte?'

Anna werd bleek en sloeg haar blik neer, maar ze bedacht al snel dat ze Eduardo moest aankijken als ze antwoord gaf. Ze richtte haar hoofd op en keek hem recht in de ogen. Hij wist dat dat haar moeite kostte, en niet alleen vanwege wie hij was en het gespreksonderwerp. Uit haar blik viel een diepgewortelde hekel aan oogcontact in het algemeen af te lezen – Eduardo wist waarover hij het had – maar ze deed het toch. 'Dat is niet waar,' zei ze.

'Niet?' zei Eduardo. 'Heeft ze nog nooit een dier doodgemaakt?'

'Nee,' zei Anna. Er was een lichte aarzeling in haar ogen, maar niet in haar stem.

'Niet één?'

'Nee.' Ze klonk boos. 'Ze kan niet tegen mensen die dieren mishandelen. Ze kan niet tegen wat voor agressie dan ook. Op de middelbare school was ze vegetariër. Ze vond die foto van Sebastien met dat dode beest vreselijk. Ze had het er zelfs nog over nadat ze het had uitgemaakt.'

Nadat ze het had uitgemaakt. Er was een milliseconde een flikkering in Anna's ogen te zien toen ze besefte wat ze had gezegd. En Eduardo begreep opeens dat Anna een blunder had gemaakt en dat ze wist dat ze dat had gedaan, en dat ze niet zeker wist of Eduardo het had opgemerkt en of dat er iets toe deed. Lily en Sebastien waren op de avond van Katy's dood uit elkaar gegaan. En kennelijk had Lily die avond nog contact gehad met Anna. Eduardo nam een slok van zijn koffie zodat Anna eindelijk haar blik kon afwenden.

'Ik heb die foto gezien,' zei Eduardo. 'Walgelijk.' Hij scheurde een suikerzakje open en besteedde geruime tijd aan het slordig leegschudden in zijn kopje. 'Wat zei jij erover tegen Lily?' Hij vroeg haar niet waar Lily het over had gehad, alleen wat Anna in reactie had gezegd. Hij wilde haar niet laten merken dat ze een vergissing beging, en ook niet hoe groot die was.

'Nou ja,' zei Anna voorzichtig. 'Ik heb haar niet rechtstreeks gesproken.'

'Aha.' Eduardo knikte. Het was dus een voicemail geweest. Alle e-mails van Lily waren nageplozen, evenals de gesprekken die ze via haar mobieltje had gevoerd; dat was allemaal geregistreerd en uitgezocht, en er was niets aangetroffen dat erop wees dat Lily op de avond van de moord op Katy Kellers contact had gehad met Anna of iemand anders in de Verenigde Staten. Maar nu leek het erop dat Lily ergens anders vandaan naar Anna had gebeld – misschien via de vaste telefoon van Sebastien – en zo te horen had ze ook nog eens een boodschap achtergelaten. Er ging een trilling door Eduardo's borst, een onderdrukte opwelling van een lach. 'Waarom belde ze je, denk je?' vroeg hij zo terloops mogelijk, roerend in zijn koffie. De beste aanpak was nu doen alsof hij het allemaal niet erg helder voor zich zag.

'Ze was overstuur,' zei Anna.

Eduardo stak zijn lepeltje dieper in het kopje en schraapte over de suikerkorrels op de bodem. Het maakte een helder, rinkelend geluid, dat in het lege café harder leek te klinken dan noodzakelijk. 'Ze lijkt me niet iemand die zit te wachten op sussende woordjes van een ander,' zei Eduardo met zijn ogen op zijn koffie gericht. 'Ongeacht wat er aan de hand is.'

'Waarschijnlijk heb ik daarom ook niet opgenomen,' zei

Anna. Ze knipperde met haar ogen toen het lepeltje tegen het kopje tinkelde.

'Daar kan ik wel inkomen,' zei Eduardo, en hij wenkte de serveerster om de rekening. 'Eerlijk gezegd,' zei hij, en dit keer meende hij wat hij zei, 'weet ik ook niet of ik wel zou hebben opgenomen.'

18

Maart

Andrew werd wakker toen Maureen naar de telefoon grabbelde.

'Hallo?' zei ze. Ze was naar adem happend wakker geworden, wat altijd gebeurde als ze plotseling werd gewekt, en ze was er nog niet in geslaagd om de scherpe kantjes van de paniek in haar stem te onderdrukken. Andrew wist dat het niets te maken had met de situatie waarin Lily verkeerde; dit was een oud fenomeen, misschien wel aangeboren. Zo zou Maureen thuis ook klinken als ze op zondag om één uur 's middags door een telemarketeer werd gebeld.

'Advocaat,' zei ze geluidloos. Tijdens hun dutje was ze er komisch slonzig uit gaan zien; ook een bekend fenomeen. *Ik wil weten waar je bent geweest, wat je hebt gedaan en of je er foto's van hebt gemaakt,* zei Andrew dan 's ochtends tegen haar. Het was een van de vele kleine dingetjes die Andrew niet speciaal had gekoesterd, noch had hij zich eraan geërgerd, en tot dit moment had hij het zich ook niet specifiek herinnerd.

'Ik begrijp het,' zei Maureen. Andrew zag dat haar gezicht wit wegtrok. 'O god.' Andrew trok zijn wenkbrauwen op. 'Oké. Ja. We zullen er zijn. We zijn onderweg.' Ze hing op.

'Wat?' vroeg Andrew.

Maureen schudde haar hoofd. 'Lily heeft iets ongelooflijk stoms gedaan.'

O, alweer? wilde Andrew zeggen. Zijn hoofd was nog leeg

door de gelukzalige vergetelheid van de slaap. Hij ging rechtop zitten en probeerde zijn gedachten te ordenen. 'Wat?' zei hij nog een keer.

Maureen streek haar vingers door haar haren. 'Ze heeft een paar ongelooflijk stomme dingen gezegd waardoor ze nog schuldiger lijkt.'

'Wat voor dingen? Tegen wie?'

'Tegen Anna, geloof ik. Via de telefoon. Er was een voicemail.'

'Wat? Wanneer?'

'Die avond. Ze heeft een voicemail ingesproken. We moeten Anna spreken.'

'Oké,' zei Andrew. Hij stond op, trok zijn broek aan en liep naar de dichte deur van de andere slaapkamer.

'Wat doe je?' vroeg Maureen toen hij aanklopte. 'Ze is in jouw kamer,' zei ze op hetzelfde moment dat hij vroeg: 'Is ze niet hier?' Maureen keek onzeker, en Andrew zag dat Maureen wist dat Anna er niet was, maar dat ze toch wilde kijken omdat ze zo langzamerhand niet meer wist wat er wel en niet mogelijk was.

'Is ze dan niet in jouw kamer?' vroeg Maureen.

In plaats van te zeggen dat het niet zo was, zei hij: 'We gaan kijken.'

Buiten was de hemel een onmetelijk verre, blauwe koepel. Andrew zag voor zich hoe het geheel zich steeds verder van hen verwijderde – misschien uit onachtzaamheid, uit weerzin of uit totale onverschilligheid. De hemel leek plotseling op de ballon van een kind, op iets wat je zomaar kon kwijtraken als je even onvoorzichtig was of niet goed oplette.

Anna was niet in de kamer geweest.

In de taxi kneep Andrew zacht in Maureens hand en Maureen kneep terug. Ze boden elkaar geen troostende woordjes, dat was hun manier om elkaar troost te bieden: geruststellingen waren iets uit een heel ver verleden. Hiervoor was Andrew dankbaar, en misschien wel alleen hiervoor.

Toen ze bij Tribunales kwamen, stonden Ojeda en Velazquez al buiten hun kantoor te wachten. Andrew zag de gloed van een sigaret en vroeg zich geheel overbodig af welke van de twee rookte. Achter hen stond een derde figuur – Andrew zag een rossige haardos, een stevige, hoekige kaaklijn die glansde in het middaglicht.

'Mijn god,' hijgde Maureen, en Andrew wist dat ze Lily voor zich zag. De kans was klein dat het daadwerkelijk Lily was – deze persoon had haar, om maar iets te noemen – en toch was het even alsof ze een visioen zagen toen ze uit de auto stapten, ze moesten een weerstand overwinnen alsof ze door het water bewogen, door de zware dichtheid waarvan de atmosfeer vergeven lijkt als je probeert te vluchten in een droom.

'Het is Anna,' zei Andrew.

'Natuurlijk is het Anna,' zei Maureen. Andrew voelde als de steek van een oude wond de zekerheid dat ze verdoemd waren, alweer.

Anna kwam op hen afrennen. 'Mam,' riep ze. 'Pap.' Haar bewegingen waren soepel, doelgericht en zeker, ondanks het feit dat ze huilde – ze was echt een dochter van haar moeder. Desondanks voelde Andrew het noodlot nog zwaarder over hen neerdalen. Als hij zijn handen had uitgestoken, had hij het met zijn vingers kunnen voelen. 'Het spijt me,' zei Anna. 'Het spijt me zo. Het spijt me zo.'

Sebastien ligt te slapen, zei Lily's stem op de bandopname. Eduardo hoorde de angstige wanhoop in haar stem – iets wat hij in hun gesprekken nooit eerder had gehoord, en ook niet op de bandopnames.

Ik ben net teruggekomen, zei ze. *Ik... wat mankeert me toch?*

Anna's iPhone was natuurlijk in beslag genomen en het bericht in kwestie was teruggevonden. Dat had maar een halfuurtje geduurd, want de voicemail was weliswaar gewist, maar hij zat nog wel bij de verwijderde berichten. Eduardo luisterde de boodschap keer op keer af – eerst een heleboel keren alleen, daarna in aanwezigheid van degene die er een verklaring voor moest proberen te geven.

Jezus. Ik weet niet wat ik heb gedaan.

Lily klonk afwezig op de opname, alsof ze er niet helemaal bij was. Maar dit bericht betekende dat ze mentaal en moreel voldoende bij haar positieven was geweest om te beseffen dat ze iets heel ergs had gedaan. Ze had tenslotte haar zus gebeld om bij haar uit te huilen. En je kon aan haar stem horen dat ze het vreselijk vond wat ze had gedaan, wat het ook was. Er was niets belastenders dan dit.

Eduardo speelde het bericht nog een keer af. Lily's stem klonk weer door de kamer. En weer klonken de woorden: *Sebastien ligt te slapen.*

Eduardo keek naar de andere kant van de tafel, naar Sebastien LeCompte. Zijn gezicht was asgrijs. Eduardo wierp een blik in zijn notitieboekje en begon de voor de hand liggende vragen te formuleren.

Sebastien zat tegenover Eduardo Campos te wachten tot die voor de zoveelste keer de opname liet horen. De inhoud, zo legde Campos nog een keer uit, riep een aantal nieuwe vragen op.

'Lily zegt duidelijk dat jij in de andere kamer ligt te slapen,' zei Campos. 'Zoals je kunt horen.'

Alles om Sebastien heen was wit en onwerkelijk. Hij slikte.

'Je hebt me verteld dat je de hele nacht samen met Lily was,' zei Campos. Er lag een onwaarschijnlijke glans op zijn haar – Sebastien wist niet of het zweet of gel was. 'Maar uit de opname blijkt overduidelijk dat ze weg is geweest. Daar heb je dus over gelogen.'

Dat was waar, maar toch ging er bij de beschuldigende woorden een pijnscheut door Sebastiens hoofd. Waarom? Vast omdat hij het verhaal zo vaak had verteld dat hij het zich nu herinnerde zoals hij het had verteld. Dat was hem als kind ook weleens gebeurd – dan had hij een verhaal een beetje opgeleukt en uiteindelijk wist hij niet meer welke zijsprongen waar waren geweest en welke niet. Nu hij werd geconfronteerd met het bewijs dat Lily was weggegaan, murw gebeukt door de herinneringen aan die nacht, was Sebastien bijna net zo verbaasd als hij zou zijn geweest als hij iets te horen had gekregen wat hij echt niet had geweten.

'Volgens mij niet,' zei hij onzeker.

'Dat hebben we ook allemaal op band staan, dat begrijp je. Je hoeft mij niet te overtuigen dat mijn geheugen me parten speelt. Dat is overigens niet het geval, maar je hoeft mij niet op mijn woord te geloven. Je kunt op dat van jou afgaan.'

Campos drukte op een knop en nu werd de kamer gevuld met Sebastiens stem, die vertelde dat hij de hele nacht met Lily had doorgebracht, dat hij zeker wist dat ze de hele nacht naast hem had gelegen. Sebastien voelde een zekere weerzin tegen de spreker – die kwam automatisch en onmiddellijk bij hem op, als een vooringenomenheid waarvan hij wist dat hij die niet mocht toelaten, maar die hij toch even voelde voordat zijn superego ingreep. Wie was die figuur? Dacht hij dat hij onverschillig klonk? Dacht hij dat hij ontspannen klonk, als iemand die heer en meester was over de situatie – of zelfs heer en meester over zichzelf? Sebastien had met het joch te doen. Hij ging over zijn nek van dat joch. En het ergste was nog wel dat hij nu moest proberen de blunders van dat joch recht te zetten.

'Maar het was maar heel even,' zei Sebastien. Zijn schuldgevoel was eindeloos, onmeetbaar groot. Het was als een fysieke pijn die zo heftig was dat je jezelf moest inbeelden dat hij niet uit jezelf voortkwam, maar uit het hele universum; de pijn zat niet langer vanbinnen, hij was alomtegenwoordig. Je wist het al, hield hij zichzelf voor. Weet je nog? Je wist het al die tijd al.

'Ik bedoel, ik ben geen wiskundige,' zei Sebastien. 'Ik ben Euclides niet.' Zelfs terwijl hij het zei, hoorde hij hoe zwak zijn verweer klonk – hij hoorde de schrille verontwaardiging, de overdreven schimpende toon. 'Hoe lang duurt die voicemail? Dertig seconden? Wilt u beweren dat ze Katy neerstak terwijl ze naar Anna's welkomstboodschap luisterde? Of tussen haar zinnen door?'

Eduardo Campos boog zich naar voren. Hij rook naar iets chemisch, dus het moest wel gel zijn, die glans in zijn haar. Het hoefde Sebastien niet echt te worden uitgelegd, maar Eduardo deed het toch – geduldiger dan Sebastien zou zijn geweest als de rollen omgedraaid waren geweest. 'Het probleem is,' zei hij – en hij klonk alsof het echt een probleem was, alsof het een probleem voor hen beiden was, voor iedereen – 'dat we alleen jouw getuigenis hebben van waar Lily die nacht is geweest. We hebben alleen jouw woord.'

En Sebastiens woord, Campos vond het kennelijk overbodig om dat nogmaals te herhalen, was al dubieus. En door de voicemail was het feitelijk totaal ontkracht.

'Oké, ja. Zoals we inmiddels weten, had ik het mis.' Sebastien boog zijn hoofd een klein beetje zodat Campos deze tegemoetkoming op zich kon laten inwerken. 'Maar dat was de vraag ook niet. De vraag waar het om gaat heeft niets te maken met of ik er wel of niet naast zat wat betreft dat ene moment. De vraag is wat ze heeft gedaan tijdens haar afwezigheid. Wat ze had kunnen doen. Als ze het huis al heeft verlaten. Wilt u tegen iedereen beweren dat ze even de deur uit is gegaan om een moord te plegen, want zo gaan die dingen doorgaans, waarna ze weer naar binnen is geglipt om haar zus op de universiteit te bellen voordat ze terug in bed kroop en de rest van de nacht rustig naast me heeft liggen slapen? Want ik ben 's ochtends vroeg even wakker geweest, en toen lag ze naast me te slapen. Oké, u vindt me ongetwijfeld allesbehalve betrouwbaar, dus wat doet mijn getuigenis ertoe. Maar zonder te douchen? Ze heeft de douche niet gebruikt. Ze kwam terug van een impulsief slachtpartijtje zonder zelfs maar even te douchen? Hebt u geen methodes om dat na te gaan?'

'Die hebben we.' Campos' gezichtsuitdrukking was nu zelfs meelevend. Sebastien kon zien dat Campos had doorzien dat Sebastiens verwarring niet oprecht was geweest, maar dat die was geboren uit wanhoop, ter misleiding, dat hij een ingewikkeld verhaal in elkaar had gedraaid in een poging de werkelijkheid te ontkrachten. 'En we hadden het kunnen doen,' zei Campos, 'als jij vanaf het begin eerlijk tegen ons was geweest. Maar zoals je ongetwijfeld besefte terwijl je je verhaal deed, kunnen we niet teruggaan in de tijd om vast te stellen of Lily Hayes een paar weken geleden in jouw huis heeft gedoucht. Jammer genoeg.'

Sebastien proefde een bittere smaak in zijn mond. Het drong tot hem door hoe onbeduidend deze twistpunten feitelijk waren; hij begon in te zien dat je geen goede beurt maakte door het grootste deel van het verhaal naar waarheid te vertellen. En eerlijk gezegd trok hij de juistheid van Eduardo's argumentatie ook niet in twijfel. Het deed er niet toe of Sebastien voortdurend leugens debiteerde of dat het overgrote deel van wat hij had verkondigd de waarheid was. Het kwam erop neer dat hij had gelogen voor Lily, wat duidelijk maakte dat hij bereid was voor Lily te liegen, en dat was het enige relevante feit wat betreft zijn betrokkenheid bij deze zaak, mogelijk zelfs het enige relevante feit over hem in het algemeen.

'Ze had het die avond met me uitgemaakt. Misschien had ze het daarover tegen Anna.'

'Op welk moment?'

'Als ze het over die blunder heeft.'

'Het zou kunnen,' zei Eduardo meegaand. 'Maar we hebben geen enkele reden om daarvan uit te gaan. Wekte ze de indruk dat ze de beëindiging van jullie relatie een vreselijke blunder vond?'

Sebastien zei niets.

'Luister,' zei Eduardo, en hij legde zijn handen in dat vreemde, pleitende gebaar van hem op tafel. 'Ik ga niet tegen je zeggen dat je Lily het beste kunt helpen door eerlijk te zijn. Ik weet dat ik dat meerdere malen tegen je heb gezegd, en of je het nu gelooft of niet, destijds meende ik dat oprecht. Ik zeg het nu niet, omdat ik er niet langer van overtuigd ben dat het zo is. Ik denk niet dat je Lily op dit moment kunt helpen. Maar ik weet wel dat je haar nog verdere schade kunt berokkenen. Je hebt haar met je leugen schade berokkend. Je hebt haar zaak net zo erg geschaad als ze dat zelf heeft gedaan. Want nu weten we niets meer zeker.'

Vervolgens luisterde Sebastien naar Campos terwijl die alle

dingen opsomde die ze niet meer zeker wisten. Hadden Lily en Sebastien echt samen wiet gerookt? (Want ze had met iemand wiet gerookt.) Hadden ze echt naar *Lost in Translation* gekeken? Sebastien was verbijsterd door de genadeloze scepsis waarmee al die alledaagse dingen in twijfel werden getrokken – was dit het genre waar Sebastien gewoonlijk naar keek, was dat de gebruikelijke hoeveelheid alcohol die Lily tot zich nam, en waarom was ze naar hem toe gegaan en had ze zoveel tijd met hem doorgebracht als ze toch al van plan was om het na afloop uit te maken? Nu hij er toch over nadacht, wás Lily die avond eigenlijk wel bij hem geweest? Tijdens het aanhoren van de hele reeks aantijgingen zag Sebastien voor zijn geestesoog de hele avond afbrokkelen – hij zag hoe de beelden vervaagden en de vergissingen verdwenen, te beginnen met de dood van Katy en eindigend met Lily die het uitmaakte, of misschien werden beide dingen wel tegelijk gewist, alsof niets ervan ooit had plaatsgevonden, alsof er niets was gebeurd.

Of misschien was dat te veel gevraagd, dacht Sebastien. Misschien moest hij met een bescheidener verlangen volstaan; wellicht hoefde hij alleen maar Anna uit te wissen. Hij stelde zich voor dat Anna niet naar hem toe was gekomen. In gedachten maakte hij hun gesprek onuitgesproken, bleef de deurklopper onberoerd en bleef de taxi staan op zijn standplaats bij het hotel waar de ouders van Anna en Lily lagen te slapen, waarna Anna ze had gewekt.

Eduardo Campos was klaar met zijn verhaal. Sebastien voelde een diepe put vol ellende in zijn binnenste. Ooit zou die hem verzwelgen. Ooit zou hij daarin verdrinken. Hij wilde dat hij naar de rand kon lopen, zijn zakken gevuld met stenen, één stap en dan had hij het gehad.

‘Hier,’ zei Campos en hij gaf Sebastien de telefoon. ‘Ik neem aan dat je ouders wel een advocaat hadden.’

‘Godskolere, wat gebeurt er allemaal?’ zei Andrew op de terugweg naar het hotel tegen Maureen. Het was avond, en de koplampen van de taxi streken kort langs de muur van de gevangenis. Anna was achtergebleven voor verder overleg met de advocaten. 'Misschien moeten we allemaal maar gewoon naar huis gaan.'

Maureen gaf geen antwoord.

Anna's iPhone was die middag geconfisqueerd; de bezwarende voicemail was boven water gekomen. Anna had het bericht gewist, maar kennelijk niet afdoende, een feit dat Andrew toeschreef aan ofwel Anna's gebrekkige technische kennis, ofwel aan een onderbewust verlangen om haar zus schade te berokkenen. Hij moest er niet aan denken welke van de twee mogelijkheden het waarschijnlijkst was. Lily's stem op de opname had vreemd geklonken, maar niet zo vreemd als bij het bellen van het alarmnummer, slechts twaalf uur later. In het telefoontje naar Anna klonk Lily afwezig en schor, en op de een of andere manier te ontspannen. Haar stem was voor Andrew zo goed als onherkenbaar geweest, en dat had hij ook bijna gezegd – alsof hij het feit wilde aanvechten dat het Lily was – maar hij had zijn mond gehouden. Hij werd langzaam maar zeker wijzer.

In de boodschap snikte Lily zachtjes. Ze jammerde over het trieste lot van het dode beest op de foto met Sebastien; ze brabbelde iets over een blunder. Het was natuurlijk geen bekentenis – het stelde niets voor, minder dan niets. De fouten die Lily in haar leven had gemaakt waren zo hartverscheurend onbeduidend dat Andrew betwijfelde of ze zich die op latere leeftijd zelfs nog wel zou herinneren. En toch had het telefoontje plaatsgevonden in het tijdsbestek waarin volgens de patholoog Katy om het leven was gebracht, en Anna had het vreemd genoeg beter gevonden om de boodschap achter te houden. Het was niet zeker of dat achterhouden bij de rechtszaak nog een rol zou spelen, maar het stond wel vast dat Anna nu zou moeten getuigen – over wat ze had gedacht toen ze de boodschap voor het eerst hoorde en wat voor angstige voorgevoelens ze later had gekregen.

Er was nog iets anders verkeerd aan het bericht, maar het duurde een tijdje voordat Andrew er precies de vinger op wist te leggen. Hij had het verhaal over de avond en nacht van Katy's dood zo vaak gehoord dat het een soort bezwering was geworden, een kinderdeuntje dat ouder was dan het gesproken woord, ouder dan mensenheugenis. Het aanhoren van het verhaal op de voicemail was desoriënterend, alsof je een kamer binnenliep waarin het meubilair bewoog; elke keer als hij het bericht hoorde, schemerde de versie die hij daarvoor had gehoord er kortstondig doorheen. Tot hij na een paar keer luisteren wist wat het was.

Ik ben naar de rivier gelopen, had Lily gezegd. De meeste stemmen klonken hoger op een opname, maar die van haar had lager geklonken. *Ik ben naar de rivier gelopen.* In de verhalen die Lily over die avond en nacht had verteld, had ze het niet over een rivier gehad. En ik ben naar de rivier gelopen, had ze gezegd. Ik, niet we. Wat was er bij de rivier gebeurd? Er was helemaal niets bij de rivier gebeurd. Wat betekende het dat ze naar de rivier was gegaan? Het betekende helemaal niets. En toch was er in de eerdere versies van het verhaal nooit een rivier ter sprake gekomen.

Door het raampje van de taxi zag de maan eruit als een glanzende oorschelp. In het licht leek Maureens gezicht extra scherp en onecht, alsof ze regelrecht uit een schilderij van een van die scholen was gestapt waarbij ze de mensen niet weergaven zoals ze leken, maar zoals ze in werkelijkheid waren.

Andrew draaide het raampje omlaag en liet de wind langs hem stromen. Hij dacht aan Lily, die 's nachts in haar eentje het huis van Sebastien LeCompte had verlaten – vanuit haar eigen, onbekende en onschuldige beweegredenen. De gedachte dat Lily 's nachts in haar eentje dingen ondernam, was beangstigend. De gedachte dat ze nooit meer in haar eentje iets zou kunnen ondernemen, was nog veel beangstigender.

Andrew dacht aan de spookrivier, met zijn dochter op de spookoever. Waarschijnlijk had het er ijzig doods uitgezien. Lily had alleen maar gedaan wat Andrew talloze keren had overwogen tijdens Janies ziekbed en talloze keren daarna: ze had zonder het tegen iemand te zeggen of aan iemand te vragen de deur geopend en was weggegaan.

'Andrew,' zei Maureen. Hij voelde dat ze hem in het donker aankeek en wendde zijn gezicht naar haar toe.

'Ja.' Uit de enorme massa van eerdere zorgen en angsten die Andrew van zo nabij kende, verrees een nieuwe, onbenoembare vrees die hem in zijn greep nam. De greep verslapte en verstevigde zich weer, in herhaalde, identieke pulsen.

'Heb je de beveiligingsbeelden van haar in dat warenhuis gezien?' vroeg Maureen. 'Met Sebastien?'

'Een paar keer, ja.'

'Ik ook.' De taxi reed de hoek naar hun hotel om. Maureen keek weer uit haar raampje. Ze had nog steeds haar gezicht van Andrew afgewend toen ze vroeg: 'Heb jij ooit geweten dat ze rookte?'

19

Juli

Sebastien ging drie weken lang elke dag naar de rechtszaal voordat Lily eindelijk in de getuigenbank moest plaatsnemen.

Tijdens haar getuigenis was te merken dat ze te horen had gekregen dat ze duidelijk en langzaam moest spreken en dat ze was geïnstrueerd om oogcontact te maken. Goddank had niemand haar verteld dat ze moest glimlachen – gezien het feit dat dit een optreden was dat geen opgewektheid vereiste – want met de glimlach die ze op foto's ten beste gaf, zou ze alleen maar vragen oproepen, dacht Sebastien. Haar Spaans was inmiddels een stuk beter. Haar haar was weer aangegroeid, maar haar huidige korte kapsel maakte haar gezicht harder en uitgesprokener dan het doorgaans was. Ze verscheen in een reeks verschillende truitjes met een hoge hals, vaak in het oudroze – wat op Sebastien bizar overkwam, duidelijk geen kledingkeuze die ze zelf had gemaakt; hij moest denken aan een foto die hij ooit had gezien van een mager Afrikaans kindje in een gedoneerd voddig T-shirt, volgens het opschrift gemaakt ter gelegenheid van een of andere familiereünie in 1993. De ongerijmdheid van Lily's truitjes maakte ongetwijfeld deel uit van een vooropgezette strategie, vermoedde Sebastien. Er was niet alleen voor gekozen vanwege de bescheidenheid, de ingetogen vrouwelijkheid, maar ook om de wereld te laten zien dat Lily nu gedetineerd was, een gevangene, iemand die genoegen nam met elk kledingstuk dat ze kreeg en het met dankbaarheid droeg, dat het haar heel erg speet, dat ze Katy Kellers niet had vermoord, maar dat al het andere haar desondanks heel erg speet, het speet haar dat ze was zoals ze was, maar dat ze haar lesje had geleerd en dat de wereld haar zonder gevaar kon vergeven.

Sebastien hoorde in de rechtszaal Lily's uitleg over de radslag – langzaam en zorgvuldig, om de paar seconden geforceerd oogcontact makend met weer een andere willekeurige onbekende. Ze vertelde dat ze de radslag niet had gemaakt om Katy's dood te marginaliseren of de spot met haar te drijven, het was ook geen poging geweest om stoer en zelfverzekerd over te komen. Ze had het simpelweg gedaan uit een gevoel van hulpeloosheid. Ze wilde zichzelf laten zien dat ze dat ene, futiele ding nog kon. Misschien kon ze verder helemaal niets meer, maar dat kon ze in elk geval nog wel.

En in de rechtszaal luisterde Sebastien opnieuw naar de voicemail. Het geluid van de huilende Lily vulde de zaal. Sebastien wilde nog steeds geloven dat ze huilde vanwege hem, maar hij wist intussen wel beter dan iets te geloven wat hij zo wanhopig graag wilde.

Uiteindelijk ging het proces redelijk snel.

Tegen de tijd dat Eduardo en Adelmo Benitez, de rechter van instructie, de zaak lieten voorkomen, was het een keurig, afgerond verhaal. Het DNA-materiaal toonde aan dat Lily het moordwapen in handen had gehad; de chauffeur van de bestelwagen bevestigde dat hij haar bebloed op de plaats delict had gezien; door haar ontkrachte alibi bleef de bekentenis van Ignacio Toledo onaangevochten en onaanvechtbaar. Eduardo hoefde alleen nog maar op de achtergrond af te wachten en toe te kijken hoe de verschillende motieven hun baan rond Lily beschreven, als planeten rond de zon.

Om te beginnen maakte Katy haar opwachting vanaf gene zijde, met haar cryptische boodschap over de nieuwe liefde in haar leven, waarbij ze bang was dat Lily over de rooie zou gaan. Daarna volgde Beatriz Carrizo, die meer beefde uit godvruchtige woede dan uit nervositeit, die beschreef hoe Lily had gespioneerd, rondgeneusd, het huis in en uit was geglipt en was ontslagen, hoe er geen week voorbij was gegaan – echt geen week – zonder dat ze zich op de een of andere manier in de nesten had gewerkt. Maar het leeuwendeel van het werk nam Lily zelf voor haar rekening – stukje bij beetje, woord voor woord, via de e-mails, de voicemail, de ruzie, de leugens – waardoor Eduardo's zaak sterker kwam te staan dan hij ooit eigenhandig had kunnen bewerkstelligen, lang voordat ze zelfs maar in de getuigenbank plaatsnam.

Vervolgens kwam Lily zelf aan het woord, toen ze werd gehoord door de verdediging. Ze sprak inmiddels uitstekend Spaans: vlot en vloeiend. Ze was thuis in idiomen en straattaal. Ze kon intussen ongetwijfeld volleerd vloeken. Haar Spaans was nu dusdanig dat ze erin kon dromen en erop kon vertrouwen, en Eduardo was ervan overtuigd dat ze dacht dat als ze alles over had kunnen doen – als ze de afgelopen maanden in dít Spaans had kunnen nasynchroniseren – dit alles nooit was gebeurd. Maar het zou natuurlijk wel zijn gebeurd, en iedereen had het kunnen aanschouwen; haar valse harteloosheid jegens Katy vereiste geen welbespraaktheid en dus ook geen vertaling. Het beeld dat van Lily ontstond was met haar verbeterde Spaans zelfs nog onaangenamer. De nieuwe, joviale nadruk in haar woorden – haar onderbewuste bereidheid om echt haar best te doen op het accent – was vreemd strijdig met haar emotieloze beschrijving van Katy Kellers' leven en dood. Als haar Spaans gebrekkig en beperkt was geweest, kon je nog het idee krijgen dat bepaalde nuanceringen en observaties daardoor verloren gingen; je kon denken dat er net onder de oppervlakte een vollediger en sympathieker beeld schuilging. Maar als Lily nu sprak, kon je er zeker van zijn dat ze wist wat ze zei; dus toen ze met een ongepast giechelende kwalificatie van Katy Kellers' gebit kwam, trok een van de juryleden zijn wenkbrauwen op, zette zijn bril af en maakte een notitie, er stellig van overtuigd dat ze precies zei wat ze bedoelde.

Dus hoefde Eduardo bij zijn verhoor van Lily niet alle registers open te trekken. Hij sprak rustig en vriendelijk en deelde slechts één serieuze steek uit. Meer was niet nodig.

'Toen je het slachtoffer vond, heb je geprobeerd haar te reanimeren, zeg je.'

'Ja.'

'Kun je de leden van de jury vertellen wat de volgorde van handelen bij het reanimeren is?'

Dat kon ze niet.

Daarna konden de nabestaanden gebruikmaken van hun spreekrecht. Meneer Kellers voerde hierbij welsprekend en aangrijpend het woord, de overgebleven leden van het voorbeeldige gezin vormden een tragisch tableau vivant achter de tafel van de aanklagers.

Vervolgens was de beurt aan Anna, evenwichtig en gereserveerd. Ze sprak in heldere bewoordingen met de zakelijke kalmte van een overheidsfunctionaris over Lily's vele goede eigenschappen, en ze gaf uitstekende antwoorden op al Eduardo's vragen, behalve één.

'Ik dacht gewoon dat Lily niet wilde dat iemand anders dat bericht zou horen,' zei ze.

Eduardo hield zijn hoofd schuin en trok zijn wenkbrauwen op. 'Maar waarom was je bang dat iemand anders het ooit te horen zou krijgen?'

Daarna volgde Sebastien LeCompte. Hij sprak met genegenheid over Lily toen hij door Ojeda werd ondervraagd, maar zelfs de verzachtende dingen die hij over haar zei – zelfs die waarvan Eduardo zeker wist dat ze waar waren – klonken op de een of andere manier laatdunkend en onecht. Misschien kwam het door plankenkoorts. Misschien kwam het door de wetenschap dat hij het strijdtoneel betrad terwijl zijn geloofwaardigheid al was aangetast, en de schijn van leugenachtigheid die automatisch met overcompensatie gepaard ging (Eduardo herinnerde zich dit fenomeen van zijn vroege netwerkpogingen tijdens zijn rechtenstudie, toen hij zo ongeoefend en onzeker was dat hij zelfs nog doorzichtiger laf overkwam dan zijn collega's). Of misschien was Sebastien simpelweg vergeten hoe hij iets gemeend moest zeggen. Misschien had hij dat nooit geweten.

In elk geval viel niet te ontkennen dat Sebastien LeCompte net als Lily had geprobeerd de rechtsgang te belemmeren. Eduardo had daar tijdens zijn verhoor de aandacht op kunnen vestigen – hij had het kunnen benadrukken, zodat Sebastien de dreiging had gevoeld en de juryleden het grote belang ervan hadden ingezien. Maar Eduardo koos uiteindelijk voor een andere benadering, omwille van de effectiviteit én de menselijkheid. Want diep in zijn hart geloofde Eduardo niet dat Sebastien LeCompte ook maar een vlieg kwaad kon doen, of dat hij zijn begane fouten buiten zijn eigen leefomgeving zou herhalen. Goed, de knul had gelogen om zijn vriendinnetje te beschermen: daaruit bleek alleen maar dat hij over genoeg benul beschikte om in te zien dat ze schuldig was, en over genoeg loyaliteit om evengoed van haar te houden. Bovendien was het overduidelijk dat Sebastien LeCompte al zijn eigen gevangenis had gecreëerd.

Dus richtte Eduardo zich niet op Sebastiens bedrieglijkheid, maar op diens argeloosheid. Hoe was het verjaardagsfeestje van Lily? vroeg hij. Sebastien was er niet bij geweest. Waarom was Sebastien er niet bij? Omdat hij niet was uitgenodigd. Hoe voelde Lily zich nadat ze was ontslagen? Sebastien wist het niet. Waarom wist Sebastien dat niet? Omdat Lily het er nooit met hem over had gehad.

Op die momenten, de weifelende momenten waarop hij zijn eigen onwetendheid erkende – en alleen op die momenten – klonk Sebastien LeCompte eindelijk als iemand die de waarheid vertelde.

Als laatste was Ignacio Toledo aan de beurt. Eduardo kon moeilijk inschatten hoe hij overkwam op de aanwezigen; op sommige momenten leek Toledo puur egoïstisch, en Eduardo was er allesbehalve zeker van dat de juryleden ervan overtuigd waren dat hij het volledige verhaal vertelde. Maar na alles wat ze hadden gehoord, waren ze er nog minder van overtuigd dat Lily dat had gedaan. En omdat Ignacio Toledo's getuigenis aanzienlijk bezwarender voor hemzelf was dan die van Lily, leek het hun intuïtief wellicht gepast om het verschil te delen. Ignacio Toledo werd veroordeeld tot vijftig jaar gevangenisstraf, Lily Hayes tot vijfentwintig jaar.

Na afloop werd de familie van Lily Hayes op de trap van het gerechtsgebouw belaagd door cameraploegen.

'Bent u verbaasd over de uitspraak?' vroegen de correspondenten.

Andrew Hayes keek vermoeid naar de camera en zei dat hij er op dit punt in zijn leven vrij zeker van was dat niets hem ooit nog kon verbazen.

Tijdens de rechtszaak schreef Lily maar één keer naar Sebastien. Het was een wonderlijke brief, formeel, paranoïde en vreemd onpersoonlijk, alsof ze hem had geschreven zonder te weten door wie hij zou worden gelezen, als dat ooit al gebeurde. De brief ging hoofdzakelijk over haar ouders: dat hun bezoekjes nog steeds een centrale rol in haar leven speelden, dat ze zich daardoor mentaal staande wist te houden, maar dat ze elke keer bij hun komst alleen maar aan de tijd dacht die verstreek en aan het moment waarop ze weer weg moesten, doodsbang dat ze haar gevoelens en gedachten niet wist over te brengen in de tijd die ze tot hun beschikking hadden. Ze schreef dat ze haar hele leven en haar intiemste zielenroerselen in die korte periode moest bundelen, en dat ze waren gekomen en gegaan, waarna ze de hele week piekerde of ze het wel goed had gedaan en zich voornam om het de volgende keer nog beter te doen, maar dat ze daar steeds niet in slaagde. Ze werd elke keer afgeleid en haar gedachten dwaalden af naar het moment van hun vertrek. Ze schreef dat ze wilde dat de bezoeken iets tastbaars kregen, iets waar ze zich fysiek aan kon vastklampen. Maar ze waren zoals alles om haar heen: diffuus en onecht, als atomen, als seconden, als alles waaraan je je moest vasthouden zonder dat je er echt op kon vertrouwen.

Op de avond na de uitspraak nam Eduardo Maria mee uit eten. In het restaurant gedroegen ze zich overdreven beleefd, alsof ze vreemden waren die te horen hadden gekregen dat de ander overdreven lichtgeraakt kon reageren. Eduardo wist dat het iets bijgelovigs had dat hij verder niemand had uitgenodigd – hij wist dat hij een uitbarsting wilde voorkomen als na zijn benoeming tot fiscal de cámara, al die jaren geleden. En hoewel hij het maar kinderachtig van zichzelf vond, was hij vooral teleurgesteld dat het niet leek te helpen. Hun relatie was de laatste tijd als een muntje dat steeds langzamer op zijn rand tolde, ver voorbij het punt waarop je dacht dat het moest omrollen.

Toen ze die avond naast elkaar in bed lagen, fluisterde Maria op het moment dat hij bijna wegdoezelde een vraag in zijn oor.

'Zou je nog steeds van me houden als ik iemand had vermoord?' vroeg ze.

De vraag drong binnen in zijn oor, haakte zich vast en trok hem uit zijn slaap, hij echode even na, als iets uit een droom, voordat hij besefte dat het echt was. 'Zei je iets?' vroeg hij.

'Of je dan nog van me zou houden.' Maria lag op haar zij, haar hoofd op haar elleboog, haar hand rond haar oor. Eduardo had het idee dat ze al een tijdje naar hem lag te kijken.

'Waar heb je het over?' Hij ging rechtop zitten. 'Dat is een idiote gedachte. Jij zou nooit iemand vermoorden.'

'Maar zou je nog van me houden als ik het wel deed?'

'Tot zoiets ben je niet in staat.' Hij klikte het bedlampje aan. Maria keek hem uilachtig en verwachtingsvol aan. Ze ging niet overeind zitten. 'Als je zoiets deed, zou je niet jezelf zijn.'

'Je kunt af en toe zo filosofisch doen.'

'Nee, serieus. Zoiets kun jij niet. Dan zou er geen "jij" meer zijn om van te houden.'

'Maar stel dat je dat niet zou weten? Stel dat ik al iemand heb vermoord? Zou ik dan nog steeds mezelf zijn? En als ik dat niet zou zijn, wie zou ik dan wel zijn?'

'Je hebt niemand vermoord.'

'Klopt. Maar wat als ik ooit wel iemand vermoord?'

'Doe niet zo morbide. Dat doe je niet. Moet ik je beloven dat je het niet zult doen zodat we eindelijk kunnen gaan slapen?'

Ze glimlachte. 'Je weet niet of ik het nooit zou doen. Zo goed ken je me tenslotte ook weer niet.' Haar gezicht was onwerkelijk sereen, het was bijna alsof ze tegen zichzelf praatte. Ze ging op haar rug liggen en kroop onder de lakens. 'Er zijn vast nog steeds mensen die van dat meisje houden. Zelfs als ze het heeft gedaan.'

'Dat zal ongetwijfeld het geval zijn,' zei Eduardo geërgerd. 'En ze heeft het gedaan.'

'Er zijn ook mensen die dachten dat ze haar kenden.'

'Daar twijfel ik geen moment aan.' Eduardo had opeens het gevoel dat hij zich al een eeuwigheid in dit moment bevond – wellicht niet in dit specifieke gesprek, maar wel in een vergelijkbare situatie, in een dialoog waarin Maria iets van hem wilde, maar hij nooit precies kon doorgronden wat. Ze wist – ze moest wel weten – dat hij haar alles zou geven wat ze maar nodig had. Door niet te zeggen wat ze nodig had, dwong ze hem om gevoelsmatig in gebreke te blijven, en ze wist – ze moest wel weten – dat dat het ergste was wat ze hem kon aandoen. Eduardo zag hoe dit soort momenten zich eindeloos en eeuwig rondom hem uitstrekten. Ze lagen voor hem en achter hem. Aan gene zijde en in zijn binnenste. Misschien was dit wel de donkere materie in het heelal en konden al die astronomen ophouden met zoeken.

'Je houdt niet echt van me,' zei Maria, traag met haar ogen knipperend. Ze zei het alsof ze dit zojuist had geconstateerd, maar zich er niet erg om bekommerde.

'Mijn god.' Eduardo schopte de lakens van zich af. Hij was witheet van woede, hij trilde door het geweld van de plotselinge uitbarsting. Tot dit moment had hij nooit geweten hoe kwaad hij over iets kon worden. 'Mijn hele doen en denken is voor jou. Deze hele teringzaak is voor jou. Mijn hele leven is voor jou. Wat wil je nog meer van me?'

'Het gaat niet om wat ik wil. Het gaat zelfs niet om wat je voor me voelt. Het gaat om wie ik ben. En dat weet je niet.'

Eduardo slingerde de lakens op de grond en sloeg met zijn vlakke hand tegen de muur. Maria keek met lichte verbazing naar het beddengoed. Ze had nog nooit zijn ware fysieke kracht meegemaakt, omdat Eduardo zorgde dat ze daar geen weet van had; elke keer als hij haar aanraakte – elke keer – deed hij dat met zachtheid en terughoudendheid. Maar hij was vele malen sterker dan zij, en het drong tot hem door dat hij haar dat op dit moment deed beseffen – niet omdat hij haar bedreigde, maar omdat hij van haar eiste dat ze hem eindelijk eens op waarde schatte.

Maar Maria leek niet onder de indruk van zijn uitbarsting. Ze keek naar de lakens en toen naar hem, met geduldige belangstelling, alsof ze een buitengewoon pienter, onschuldig lammetje was. 'Ik vind dit wel zo'n onuitstaanbare eigenschap van je,' zei ze.

Eduardo wist niet of ze op zijn werk doelde, zijn opvliegendheid, of iets totaal anders, maar hij begreep – eindelijk, met grote zekerheid en opluchting – dat dat er niet toe deed. 'Ja,' zei hij. 'Ik weet het.' Hij stapte uit bed en ging staan. Op de vloerbedekking was een bleke lichtvlek zichtbaar, afkomstig van de straatverlichting buiten. 'Waarom ben je teruggekomen?' vroeg hij. 'Serieus.'

Maria ging op haar rug liggen en legde haar handen over haar ogen. 'Vanwege een droom die ik had.'

'Een droom?'

'Ja.'

'Echt waar?'

'Ik droomde dat je in een bloem veranderde en dat ik vergat om je water te geven, dus ging je dood.'

Eduardo snoof sarcastisch. Hij was verbijsterd.

'Als je het echt wilt weten,' zei Maria vanonder de lakens. 'Ik denk dat dat arme kind waarschijnlijk onschuldig is.'

Eduardo keek uit het raam. De lucht werd al lichter, een beetje transparant, met een suggestie van regen, hoewel de kleur dat niet verried. Nog even en het was alweer ochtend.

'Wat,' zei hij. 'Heb je dat soms ook gedroomd?'

’s Avonds ging Sebastien verder met zijn anonieme donaties. Hij gaf geld aan het reisfonds van Lily’s ouders, en hij bleef geld geven. Hij gaf geld aan Amnesty International, voor Lily. Hij gaf geld aan groeperingen voor slachtoffersteun, voor Katy. Hij gaf geld aan de Space Foundation voor de sterren (dat waren tenminste projecten die elk fortuin en elk mensenleven konden verzwelgen). De Space Foundation stuurde hem kaarten van sterrenbeelden. Hij hing ze aan de muren; hij hing er eentje over de foto van zijn tapir. Het was niet echt zijn tapir: zijn vader had hem geschoten omdat hij het niet over zijn hart kon verkrijgen, waarna hij toch op de foto had moeten staan. Nu staken Sebastiens laffe kindervoeten uit onder de paarsige, nevelige corona van een draaiend sterrenstelsel. Hij hing een kaart over het wandtapijt waardoor het deels uit het zicht verdween. Nu joegen de honden op de staarten van kometen en het alluviale slib van de verst verwijderde sterren. Hij bevestigde kaarten tegen het plafond en vormde zo een hemelgewelf. Hij bedacht dat hij nog nooit buiten had geslapen.

Hij googelde keer op keer op ‘zelfmoord’, waarbij hij elke keer weer geroerd was door de automatische, onpersoonlijke bezorgdheid van het internet. Het was zo volmaakt abstract, dacht hij. Het had iets weg van de kantiaanse categorische imperatief, of de onvoorstelbare gevoelloosheid van de natuur, of de nostalgische, flamboyante minzaamheid waarmee de Verenigde Staten een heel enkele keer hun vijanden bejegenden: de wederopbouw van het naoorlogse Duitsland, de islamitische ceremonie die Osama bin Laden kreeg voordat ze zijn lijk in de oceaan kieperden.

In zekere zin was Eduardo verbaasd dat het tweede afscheid van Maria bijna natuurlijk aanvoelde. Hij had geweten dat hij na afloop van de zaak het idee zou krijgen dat hij het hoogtepunt van zijn leven had bereikt, dat hij over de rand zou kijken in de wetenschap dat over niet al te lange tijd de avond zou invallen en dat het tijd werd om terug te gaan. Nu Maria opnieuw was weggegaan, was hij weer begonnen aan de terugweg – en dit keer was het een minder beangstigende tocht, en hij verbaasde zich erover hoe voorspoedig het ging.

Haar vertrek was een catastrofe waar Eduardo het grootste deel van zijn volwassen leven voor had geoefend. Haar terugkeer was uitgelopen op hooguit een adempauze in de beproeving. Of misschien zelfs dat niet eens.

En toch was Eduardo ooit zo zeker van haar geweest – zoveel zekerheid over iets had hij op geen enkel moment daarvoor of sindsdien gevoeld.

Met het verstrijken van de maanden dacht Eduardo vaak aan het gevangenisleven van Lily Hayes – hoe zwaar dat voor haar moest zijn, na een leven dat zo kort en rimpelloos als het hare was geweest. Ze zou herinneringen moeten oproepen die op het moment zelf nauwelijks indruk op haar hadden gemaakt; ze zou ze in gedachten vanuit alle hoeken moeten observeren, op zoek naar nieuwe details en verwikkelingen. Het zou zijn als het opscharrelen van de kruimels van maaltijden die je had genuttigd zonder te weten dat je die ooit zou moeten rantsoeneren. Het zou zijn als reikhalzend zoeken naar iets wat zich net buiten beeld bevindt.

Een jaar na de veroordeling las Eduardo in de krant dat Sebastien LeCompte een boedelverkoop hield en hij stuurde een mannetje om de Steinway te kopen. Alles bij elkaar kostte de aankoop hem ongeveer wat hij aan de veroordeling van Lily Hayes had overgehouden. Hij wist dat het als een wraakoefening kon worden gezien, maar hij bedoelde het eigenlijk als een vorm van boetedoening – maar niet als boetedoening voor de mogelijkheid dat hij het wat betreft Lily bij het verkeerde eind had gehad. Eduardo voelde zich nederig als hij aan die mogelijkheid dacht, zoals bij alle andere mogelijkheden. Hij had zijn best gedaan. Hij had in goed vertrouwen een poging gedaan om iets bij te dragen aan de wereld waarin hij leefde. Dat was het enige wat ieder van ons kon doen, of kon weten dat we hadden gedaan. Je eigen feilbaarheid erkennen was slechts de eerste stap: daarna moest je doorgaan, je moest onderscheid maken, je moest goed en slecht waarnemen, evalueren en onderkennen, je moest waarheid en leugen weten te onderscheiden (sommige mensen zouden zeggen dat ze dat niet deden terwijl ze het natuurlijk wel deden; ze stemden hun functioneren bij elke ademhaling, bij elk moment van hun leven af op talloze lagen van onbeproefd geloof). En als je eenmaal had besloten om ergens in te geloven, moest je ook handelen alsof je er echt in geloofde. Als je dat niet deed, was je niet simpelweg een lafaard. Als je dat niet deed, vergooide je iets veel groters dan dapperheid.

Na het vonnis kreeg Sebastien eindelijk toestemming om Lily in de gevangenis te bezoeken. Toen hij binnenkwam, zat ze aan een tafeltje te roken. Haar haar was gegroeid en leek een andere kleur te hebben – op een onbestemde manier donkerder.

'Ze zeggen dat je daar kanker van krijgt,' merkte hij slapjes op.

'Grote genade,' zei ze. 'Ik hoop toch echt dat iets anders me eerder de das omdoet.'

'Heeft je haar een andere kleur?'

Ze haalde haar schouders op. 'Geen idee. Zou kunnen.'

'Ze zeggen dat het haar van Marie Antoinette de nacht voor de executie spierwit werd.'

Lily had een keer tegen Sebastien gezegd dat hij geen idee had wat hij bedoelde als hij praatte, maar dat was geen accurate observatie geweest. Meestal kon het hem gewoon niets schelen – hij wilde alleen maar gevat overkomen, en goed beschouwd had dat wel een zuivere eenvoud en directheid. Nu kon het hem wel schelen, heel erg zelfs, maar hij wist gewoon niet wat hij onder woorden probeerde te brengen. De woorden die hij zocht, bevonden zich in een ander sterrenstelsel, zo ver weg dat je al lang en breed dood was als je er eindelijk aankwam.

Lily schudde haar hoofd. 'Zo werken die dingen niet. Haar donkere haren vielen gewoon allemaal tegelijk uit.' Ze nam een trekje van haar sigaret. Er was een geagiteerdheid in haar bewegingen die Sebastien tijdens de rechtszaak niet was opgevallen. 'Ik snap niet dat ze je hier zomaar naar binnen laten lopen.'

'Dat is op dit moment wel het minste wat ze kunnen toestaan.'

Ze keek hem ongelovig aan. 'Ik snap niet dat ze denken dat ik zo stom ben om tegen jou iets los te laten, dat bedoel ik.'

'Hoe bedoel je?'

'Je weet toch wel dat dit allemaal wordt opgenomen?' zei Lily. 'Ze proberen me in de val te lokken. Ze denken dat jij ze daarbij een handje kunt helpen.'

Sebastien wist niet wat voor uitdrukking hij op zijn gezicht had. Lily moest weten dat hij voor haar had gelogen en dat die leugen was doorgeprikt; ze moest weten dat hij geen keus had gehad. Maar misschien verafschuwde ze hem juist wel vanwege die leugen. Misschien dacht ze dat hij had gelogen omdat hij het voor mogelijk hield dat ze het had gedaan, of omdat hij dacht dat andere mensen het voor mogelijk hielden. Wellicht beschouwde ze beide opties als verraad. Of misschien – en meteen toen Sebastien de mogelijkheid overwoog, voelde hij de waarheid ervan als een dolksteek door zijn hart – had ze over al die dingen eigenlijk helemaal geen mening.

'Niet dat je dat bewust zou doen,' zei Lily. Ze haalde oppervlakkig adem. 'Zo bedoel ik het niet. Ze hopen gewoon dat ik doordraai, vergeet waar ik ben en me opeens dingen ga herinneren die ik niet heb gedaan.'

Sebastien zag dat ze die dingen niet eens durfde te benoemen. Ze wilde ze zelfs geen complete zin geven, een opname van haar stem waarin bepaalde woorden in een bepaalde volgorde aan elkaar waren geregen, ongeacht de context – zo wantrouwig was ze intussen. Kwam dat wantrouwen voort uit raffinement (eindelijk, ruimschoots te laat)? Of was het gewoon paranoia? Sebastien wist het niet. Maar wie kon het haar kwalijk nemen? Hij dacht aan de dag waarop hij na de dood van zijn ouders was teruggevlogen naar Buenos Aires. Op die dag was zijn angst niet beperkt gebleven tot de vliegreis; in plaats daarvan had zijn angst zich op een redeloze, idiote manier uitgebreid, vooruit en achteruit in de tijd, als een mysterieuze woekerplant die gedijde in licht en donker. De angst was teruggekropen naar het begin van de reis: hij lag op de loer achter een kiosk op South Station, waar het heldere licht dat door de ramen viel altijd iets van een onmetelijke oceaan had, de grijze zeemeeuwen buiten waren vlekken tegen de achtergrond van het beton en de hemel. En de angst was vooruit gekropen naar de rest van de dag: als hij het vliegtuig niet liet neerstorten, zou hij Sebastien volgen door de beveiliging – nadat hij was uitgestapt, een taxi had aangeroepen en door zijn straten had gereden, zijn vroegere straten – tot aan het huis waar hij was opgegroeid, tot in de rest van zijn leven. De angst kon het zich veroorloven om geduldig te zijn. De angst had alle tijd van de wereld.

'Ga je eraan onderdoor, Lily?' vroeg Sebastien.

Er was even een reflexmatige vlaag van vijandigheid op haar gezicht te zien, die overging in iets melancholieks. 'Hoe zou ik dat moeten weten?' zei ze.

'Laat ook maar,' zei Sebastien. 'Ik ben wel de laatste die daarover zou kunnen oordelen.' Hij legde zijn hand op tafel, voor het geval ze hem zou willen vasthouden. Lily keek ernaar met een lege blik, met een uitdrukking van onverschillig onbegrip, en maakte geen aanstalten om hem te pakken. Plotseling zag Sebastien voor zich hoe Lily's gevangenisstraf zou verlopen: haar vroegere leven zou veranderen in rood omfloerste, foetale herinneringen; haar persoonlijkheid zou wegvloeien. Vijfentwintig jaar. Vijfentwintig jaar. Ze zou geobsedeerd raken door haar sigaretten, door haar onbeduidende ongenoegens en onenigheden. Maureen en Andrew zouden blijven komen, hoewel steeds minder vaak, en vervolgens zouden ze overlijden, de een na de ander. Anna zou blijven komen, minstens twee keer per jaar; ze zou twee jaar als internetbankier werken (het bestond niet dat ze geen MBA zou halen, ongeacht die klassieke talen als hoofdvak), tot ze met een andere internetbankier trouwde met wie ze twee kinderen met lange benen op de wereld zou zetten. Ze zou nooit stoppen met hardlopen en ze zou nooit stoppen met Lily handige spulletjes te sturen – hoewel het met het verstrijken van de jaren andere spulletjes zouden worden en het er steeds minder zouden worden.

Het zou er niet toe doen. Niets zou er nog toe doen. Lily's geest zou niet in staat zijn om haar mentale verval te keren, net zomin als haar lichaam het fysieke verval zou kunnen keren.

'Het spijt me heel erg,' zei Sebastien emotioneel. 'Het spijt me echt heel erg.'

Lily keek hem met een lege blik aan. 'Wat?'

Het duurde twee jaar voor de zaak in hoger beroep werd behandeld. Bij de uitspraak werd de veroordeling wegens moord teruggedraaid; de veroordeling wegens het belemmeren van de rechtsgang – het gevolg van Lily's leugen over de marihuana – bleef overeind, en de straf werd teruggebracht tot de tijd die ze reeds had uitgezeten. Andrew Hayes zei op televisie: 'Op haar leeftijd staat twee jaar gelijk aan levenslang. Het staat gelijk aan levenslang.' Hij zag er oud en afgetobd uit. 'Ze heeft al die tijd geen volledig mens kunnen zijn. Die persoon is dood, net als Katy Kellers.'

Hij kreeg natuurlijk de volle laag vanwege die vergelijking. Maar Eduardo vond dat Andrew ergens wel gelijk had – hoewel hij het niet zeker wist, omdat hij bij het hoger beroep niet als aanklager had opgetreden. Hij had een uitgebreide sabbatical genomen. Hij was naar Ravenna in Italië gegaan om de vroegchristelijke mozaïeken in blauw en groen te zien. Hij bewonderde de krachtige esthetische eenvoud van de kleuren. Na afloop was hij naar buiten gelopen, waar de maan een enkele opaal aan de hemel vormde.

Het was natuurlijk mogelijk dat Lily Hayes onschuldig was. Natuurlijk was dat mogelijk, alles was mogelijk. Als je de kans aangreep om gelijk te krijgen, liep je automatisch de kans om ongelijk te hebben. Eduardo had dezelfde risico's aanvaard als de soldaat, de revolutionair en de hervormer. Hij had geweten dat elke poging tot het verwerven van een heldenstatus achteraf een verachtelijke daad kon blijken.

Eduardo had ingezet op zijn rechtsgevoel. Hij had vrede met zichzelf. Hij ging naar de karstgrotten in Slovenië. Hij stond in eeuwenoude kerken en luisterde naar wat hij mogelijk zou horen.

Sebastien ging vaker de deur uit.

Eerst ging hij naar de rivier om over de sterren na te denken. Hij hield zijn hoofd achterover om naar de hemel te kijken. Hij probeerde hem te zien zoals Lily hem misschien zou zien, of zoals ze hem misschien ooit had gezien.

We hadden allemaal levenslang: je kon je tijd binnen of buiten uitzitten, maar je moest hem hoe dan ook ergens uitzitten.

Boven hem zag Sebastien bijna de spiedende ogen van lenticulaire sterrenstelsels. Door dat gevoel van bekeken worden had de mens zijn goden uitgevonden. Daarom had hij de Carrizo's uitgevonden. En misschien was dat wel alles wat hij van Lily mocht behouden: de suggestie dat ze naar hem keek, iets milder, iets welwillender, hem volgend door de jaren heen, haar oogleden steeds verder omlaag zakkend tot ze zich uiteindelijk sloten.

Hij zou haar ooit schrijven, ergens ver in de toekomst, als iedereen het was vergeten. *Ik weet nog steeds dat je het niet hebt gedaan,* zou erin staan. *Ik weet het. Ik weet het.*

En Lily zou hem terugschrijven en zeggen: *Ik ben blij dat je het weet. Maar je moet ook dit weten: Ik heb het niet gedaan, maar ik had het kunnen doen. Ik heb het niet gedaan, maar het had gekund. Ik heb het niet gedaan, maar misschien heb ik het in een ander leven wel gedaan.*

Nawoord

Radslag is deels ingegeven door de zaak van Amanda Knox, de Amerikaanse uitwisselingsstudent die werd beschuldigd en veroordeeld en vervolgens vrijgesproken inzake de moord op haar kamergenoot in Italië. Ik kreeg het idee om te schrijven over een fictief personage dat kon dienen als matrijs voor een hele reeks denkbeelden – vaak ingegeven door kwesties als afkomst en privileges, Amerikaanse vooringenomenheid en anti-Amerikaanse sentimenten – die op haar worden geprojecteerd. De fictieve Lily Hayes deelt die algemene en vage eigenschappen met Amanda Knox; de overeenkomsten tussen de twee bestaan uit de vaak strijdige, maar onwrikbare oordelen die ze bij anderen oproepen.

De voornoemde radslag is een goed voorbeeld van het oogmerk van dit boek en de congruentie met de werkelijkheid. In het boek beschouwen sommigen de sportieve uitspatting van Lily Hayes in de verhoorkamer als harteloos, anderen als argeloos en weer anderen als verdacht. Deze uiteenlopende opvattingen waren in eerste instantie ingegeven door de reacties die volgden op de radslag van Amanda Knox tijdens haar verhoor, die uitgebreid werd uitgemeten in de pers – een radslag waarvan we nu weten dat die nooit is gemaakt. Dit voorval is een goed voorbeeld van een aantal kernvragen die ik in het boek aan de orde wilde stellen – vragen over hoe we beslissen wat we willen geloven en wat we blijven geloven – en het geeft deels aan waarom ik daarvoor een geheel fictieve wereld in het leven heb geroepen.

Bij de afweging of dit boek kon worden opgevat als een beschrijving van – en een oordeel over – het leven van bestaande mensen en gebeurtenissen, ontdekte ik dat mijn denkbeelden over het schrijven en lezen van fictie gebaseerd zijn op één enkele morele vooronderstelling: wanneer we ons verplaatsen in het leven van fictieve personages, vergroot dat ons inlevingsvermogen en onze medemenselijkheid wanneer we kijken naar het leven van bestaande mensen. De fictieve barrière rond de personages in dit boek is niet alleen een vereiste bij een poging (of zelfs de wens) om een boek te schrijven over de feilbaarheid van ons perceptievermogen – het vormt ook de basis van mijn visie op de ethische mogelijkheden van fictie. Dus vraag ik, nog meer als mens dan als schrijver, de lezer om geen enkele twijfel te hebben over wie dit boek gaat. In de echte wereld bevindt zich een meisje dat nooit een radslag heeft gemaakt. Dit boek is het verhaal van een meisje dat dat wel deed.

Dank

Mijn dank gaat uit naar de Iowa Writers' Workshop en het Stegner Fellowship Program van de Universiteit van Stanford – voor de geboden tijd, het besef van de grenzeloze mogelijkheden, en vooral de mensen, zal ik eeuwig dankbaar zijn. Voor hun feedback ben ik bijzonder veel dank verschuldigd aan mijn ongelooflijke docenten van Stanford: Adam Johnson, Elizabeth Tallent en Tobias Wolff, en evenzeer aan mijn onvermoeibare workshopkameraden: Josh Foster, Jon Hickey, Dana Kletter, Ryan McIlvain, Nina Schloesser, Maggie Shipstead, Justin Torres, Kirstin Valdez Quade en nog een gozer die ik me niet meer herinner. Ik wil ook Kate Sachs bedanken voor de gedenkwaardige verkenningsreis, evenals Adam Krause, Keija Kaarina Parssinen en al die onvoorstelbaar wijze leden van de No-Name Writing Group voor hun scherpzinnige opmerkingen.

Mijn dank gaat ook uit naar mijn fantastische agent, Henry Dunow, die even onvermoeibaar als geduldig is. Ik wil ook mijn dank uitspreken aan iedereen bij Random House: Susan Kamil, Laura Goldin, Erika Greber en Caitlin McKenna; erkend pr-mirakel Maria Braeckel en vooral mijn redacteur, David Ebershoff, voor zijn bewonderenswaardige inzicht en toewijding.

Maar ik bedank vooral Carolyn du Bois, die me leerde dat de waarheid vaak ingewikkeld is, en Justin Perry, die me liet inzien dat dat soms niet zo is.